Guia Prático de Fisioterapia e Cuidados Paliativos no Ambiente Hospitalar

FISIOTERAPIA

Outros livros de interesse

A Ciência e a Arte de Ler Artigos Cientificos – **Braulio Luna Filho**
A Neurologia que Todo Médico Deve Saber 2ª ed. – **Nitrini**
A Questão Ética e a Saúde Humana – **Segre**
As Lembranças que não se Apagam – Wilson Luiz **Sanvito**
Biomecânica - Noções Gerais – **Settineri**
Coluna: Ponto e Vírgula 7ª ed. – **Goldenberg**
Com Licença, Posso Entrar? – **Ana Catargo**
Condutas no Paciente Grave 3ª ed. (vol. I com CD e vol. II) – **Knobel**
Cuidados Paliativos – Diretrizes, Humanização e Alívio de Sintomas – **Franklin Santana**
Cuidados Paliativos - Discutindo a Vida, a Morte e o Morrer – **Franklin Santana** Santos
Cuidando de Quem já Cuidou – Miram **Ikeda** Ribeiro
Dermatologia Estética - Revista e Ampliada 2ª ed. – **Maria Paulina** Villarejo Kede
Drenagem Linfática Manual - Método Dr. Vodder – **Carlos** Alberto Alves **Gusmão** da Fonseca
Epidemiologia 2ª ed. – **Medronho**
Ergometria - Ergoespirometria, Cintilografia e Ecocardiografia de Esforço 2ª ed. – Ricardo **Vivacqua** Cardoso Costa
Estética Facial Essencial – Priscila Cardoso **Dal Gobbo**
Estimulação de Criança Especial - Um Guia de Orientação para os Pais de como Estimular a Atividade Neurológica e Motora – **Rodrigues**
Fisiopatologia Clínica do Sistema Nervoso - Fundamentos da Semiologia 2ª ed. – **Doretto**
Fisiopatologia Respiratória – **Carvalho**
Fisioterapia das Demências – **Mayume Radamovic**
Fisioterapia em Cardiologia – Aspectos Práticos – **Pulz Socesp**
Fisioterapia em Pediatria – **Werther Brunow**
Fisioterapia Hospitalar - Avaliação e Planejamento do Tratamento Fisioterapêutico – Fátima Cristina Martorano **Gobbi e** Leny Vieira **Cavalheiro**
Fisioterapia Intensiva – **Cordeiro de Souza**
Fisioterapia em UTI – **George Jerre** Vieira Sarmento
Fisioterapia Pediátrica Hospitalar – **Cintia Jonsthon**
Gerontologia - a Velhice, o Envelhecimento em Visão Globalizada – **Papaléo**
Manejo em Neurointensivismo – Renato **Terzi** - AMIB
Manual de Medida Articular – **Oliveira Poli**
Miastenia Grave - Convivendo com uma Doença Imprevisível – **Acary** Souza **Bulle** Oliveira e **Beatriz Helena** de Assis de **Pereira**
O Coração Sente, o Corpo Dói - Como Reconhecer, Tratar e Prevenir a Fibromialgia – **Evelin Goldenberg**
Osteoporose Masculina – **Evelin Goldenberg**
Pneumologia e Tisiologia - Uma Abordagem Prática – Gilvan Renato **Muzy de Souza** e Marcus Barreto **Conde**
Pneumologia Pediátrica 2ª ed. – Tatiana **Rozov**
Politica Públicas de Saúde Interação dos Atores Sociais – **Lopes**
Prática em Equoterapia – **Evelin Maluf** Rodrigues Alves
Propedêutica Neurológica Básica 2ª ed. – Wilson Luiz **Sanvito**
Propedêutica Ortopédica - Coluna e Extremidades – **Hoppenfeld**
Psicologia na Fisioterapia – **Fiorelli**
Reabilitação da Mão – **Pardini**
SAFE - Emergências em Fisioterapia – **Penna Guimarães**
Série Terapia Intensiva – **Knobel**
Vol. 1 - Pneumologia e Fisioterapia Respiratória
Síndromes Neurológicas 2ª ed. – Wilson Luiz **Sanvito**
Sociedade de Medicina do Esporte e do Exercício – Manual de Medicina do Esporte: Do Paciente ao Diagnóstico – Antônio Claudio Lucas da **Nóbrega**
Tratado de Fisioterapia Hospitalar: Assistência Integral ao Paciente – **George Jerry** Vieira Sarmento
Um Guia para o Leitor de Artigos Científicos na Área da Saúde – **Marcopito Santos**
UTI - Muito Além da Técnica... a Humanização e a Arte do Intensivismo – **Costa Orlando**
Ventilação Pulmonar Mecânica em Neonatologia e Pediatria 2ª ed. – **Carvalho**

Guia Prático de Fisioterapia e Cuidados Paliativos no Ambiente Hospitalar

Thiago Marraccini Nogueira da Cunha
Jeanette Janaina Jaber Lucato

EDITORA ATHENEU

São Paulo	*Rua Jesuíno Pascoal, 30* *Tel.: (11) 2858-8750* *Fax: (11) 2858-8766* *E-mail: atheneu@atheneu.com.br*
Rio de Janeiro	*Rua Bambina, 74* *Tel.: (21) 3094-1295* *Fax: (21) 3094-1284* *E-mail: atheneu@atheneu.com.br*
Belo Horizonte	*Rua Domingos Vieira, 319, conj. 1.104*

PRODUÇÃO EDITORIAL: MKX Editorial
CAPA: Equipe Atheneu

CIP-BRASIL. CATALOGAÇÃO NA PUBLICAÇÃO
SINDICATO NACIONAL DOS EDITORES DE LIVROS, RJ

C98g

Cunha, Thiago Marraccini Nogueira da
Guia prático de fisioterapia e cuidados paliativos no ambiente hospitalar/Thiago Marraccini Nogueira da Cunha, Jeanette Janaina Jaber Lucato. - 1. ed. - Rio de Janeiro : Atheneu, 2018.
il.

Inclui bibliografia
ISBN 978-85-388-0835-0

1. Fisioterapia – Tratamento. 2. Terapêutica. I. Lucato, Jeanette Janaina Jaber. II. Título.

17-44411

CDD: 615.82
CDU: 615.8

CUNHA, T.M.N., LUCATO, J.J.J.
GUIA PRÁTICO DE FISIOTERAPIA E CUIDADOS PALIATIVOS NO AMBIENTE HOSPITALAR.

Editores

Thiago Marraccini Nogueira da Cunha

Doutorando pelo Programa de Saúde Baseada em Evidências pela Universidade Federal de São Paulo (Unifesp). Especialista em Fisioterapia em Terapia Intensiva pela Associação Brasileira de Fisioterapia Cardiorrespiratória e Fisioterapia em Terapia Intensiva (ASSOBRAFIR). Aprimoramento de Fisioterapia em Terapia Intensiva pelo Hospital das Clínicas da Faculdade de Medicina da Universidade de São Paulo (HCFMUSP). Fisioterapeuta Graduada pelo Centro Universitário São Camilo (CUSC). Docente do Curso de Graduação em Fisioterapia da Universidade Anhanguera. Docente do Curso de Graduação em Fisioterapia do CUSC. Supervisor do Estágio de Fisioterapia em Terapia Intensiva e Enfermaria.

Jeanette Janaina Jaber Lucato

Doutora em Ciências pela Disciplina de Pneumologia da Faculdade de Medicina da Universidade de São Paulo (FMUSP). Mestre em Ciências pela Disciplina de Fisiopatologia Experimental da FMUSP. Pós-graduada em Fisioterapia Neurológica pela Universidade Cidade de São Paulo (UNICID). Graduada em Fisioterapia pela UNICID. Docente do Curso de Fisioterapia do Centro Universitário São Camilo (CUSC). Supervisora do Estágio de Fisioterapia em Reabilitação Cardiopulmonar e Metabólica no PROMOVE São Camilo.

Colaboradores

Adriana Lunardi

Fisioterapeuta. Mestre e Doutora pela Faculdade de Medicina da Universidade de São Paulo (FMUSP). Professora do Programa de Mestrado e Doutorado em Fisioterapia da Universidade Cidade de São Paulo (UNICID). Orientadora no Programa de Ciência da Reabilitação da USP. Fisioterapeuta da FMUSP. Presidente do Departamento de Fisioterapia Respiratória da Sociedade Paulista de Pneumologia e Tisiologia (SPPT).

Ana Cristina Oliveira Gimenes

Fisioterapeuta. Doutora em Ciências pela Universidade Federal de São Paulo (Unifesp). Docente da Universidade São Judas Tadeu.

Andréa Daiane Fontana

Graduação em Fisioterapia pela Universidade Estadual de Londrina (UEL). Pós-graduação em Fisioterapia Hospitalar pela Universidade Norte do Paraná (Unopar). Mestranda do Programa de Mestrado e Doutorado em Fisioterapia da Universidade Cidade de São Paulo (UNICID).

Andréa Diogo Sala

Mestre em Ciências pela Faculdade de Medicina da Universidade de São Paulo (FMUSP). MBA em Economia e Avaliação de Tecnologias em Saúde pela Fundação Instituto de Pesquisas Econômicas (FIPE)/Hospital Alemão Oswaldo Cruz (HAOC)/Ministério da Saúde. Especialista em Administração Hospitalar pelo Hospital das Clínicas da FMUSP (HCFMUSP). Especialista em Fisiologia do Exercício pela FMUSP. Especialista em Fisioterapia em Terapia Intensiva pelo HCFMUSP. Supervisora do Serviço de Fisioterapia da UTI do HAOC. Coordenadora da Pós-graduação em Fisioterapia Hospitalar da Faculdade de Educação em Ciências da Saúde do Hospital Alemão Oswaldo Cruz (FECS-HAOC).

Angelo Roncalli Miranda Rocha

Graduado pela Universidade Estadual da Paraíba (UEPB). Especialista em Educação Motora pela UEPB. Mestre em Ciências da Saúde – Pneumologia pela Universidade Federal de São Paulo (Unifesp). Fisioterapeuta Intensivista do Hospital Geral do Estado de Alagoas e Hospital Escola Hélvio Auto, Maceió - AL. Professor Titular do Centro Universitário Cesmac, Maceió - AL.

Anísio Baldessin

Padre da Ordem de São Camilo. Graduado em Filosofia pela Faculdade Associadas do Ipiranta (FAI), Atual Unifai. Graduado em Teologia pelo Instituto Teológico de São Paulo – ITESP. Especialização em Administração pelo Centro Universitário São Camilo. Capelão do Hospital das Clínicas da Faculdade de Medicina da Universidade de São Paulo (HCFMUSP) por mais de 20 anos. Diretor do Instituto Camiliano de Pastoral da Saúde (ICAPS). Autor de vários livros, dentre eles: A Vida e a Morte, Medicina e Religião.

Bianca Amélia Maisel Ivo

Graduada em Fisioterapia pelo Centro Universitário São Camilo. Aprimoramento em Fisioterapia Hospitalar pela Casa de Saúde Hospital Santa Marcelina. Especialista em Terapia Intensiva (Adulto) pelo Conselho Federal de Fisioterapia e Terapia Ocupacional (COFFITO). Fisioterapeuta do Hospital viValle - Rede D'Or.

Bianca Orestes Antunes

Fisioterapeuta pela Universidade de São Paulo (USP), Campus Ribeirão Preto. Residência Multiprofissional na Atenção Hospitalar com Área de Concentração em Urgência e Emergência pela Universidade Federal de São Paulo (Unifesp). Pós-graduação "Curso Introdutório de Orientação em Cuidados Paliativos e Psico-socio-oncologia" (Nível Atualização) pelo Instituto Pallium LatinoAmerica. Fisioterapeuta da Unidade de Internação do Hospital Beneficência Portuguesa.

Caio Henrique Veloso da Costa

Fisioterapeuta. Especialista em Fisioterapia Intensiva – Adulto pela Associação Brasileira de Fisioterapia Cardiorrespiratória e Fisioterapia em Terapia Intensiva (ASSOBRAFIR)/Conselho Federal de Fisioterapia e Terapia Ocupacional (COFFITO). Especialização *lato sensu* em Saúde do Adulto e do Idoso com Área de Concentração em Urgência e Emergência pela Residência Multiprofissional em Atenção Hospitalar da Universidade Federal de São Paulo (Unifesp). Especialista de Produto – Magnamed na Helomedical. Editor do blog Reflexões sobre Fisioterapia Hospitalar.

Caio Ismania

Fisioterapeuta do Instituto Fisiologic. Especialização em Fisioterapia Ortopédica na Irmandade da Santa Casa de São Paulo (ISCSP). Formação em Terapias Manuais e Responsável pelo Instituto Trata de Santo André.

Camila Souza Miranda

Mestranda em Ciências da Reabilitação pela Universidade de São Paulo (USP). Especialista em Fisioterapia Neurológica pelo Hospital das Clínicas da Faculdade de Medicina da USP (HCFMUSP). Graduada em Fisioterapia pela USP. Supervisora de Estágio em Neurologia do Curso de Fisioterapia da FMUSP. Atuando na Enfermaria de Neurologia Clínica e Neurocirurgia do HCFMUSP. Experiência na Área de Fisioterapia com Ênfase em Neurologia.

Carolina de Oliveira Cruz

Especialista *lato sensu* na modalidade Residência Multiprofissional em Área Profissional da Saúde no Programa Urgência e Emergência.

Caroline da Luz Nascimento

Graduada em Fisioterapia pelo Centro Universitário São Camilo. Especialista em Fisioterapia Hospitalar pela Faculdade de Medicina da Universidade de São Paulo (FMUSP).

Celso Ricardo Fernandes de Carvalho

Fisioterapeuta pela Universidade Federal de São Carlos(UFSCar). Educador Físico pela Faculdade de Educação Física de Santos (FEFIS). Mestrado e Doutorado pelo Instituto de Ciências Biomédicas da Universidade de São Paulo (ICB-USP). Livre-docente em Fisioterapia. Professor de Fisioterapia Respiratória na Faculdade de Medicina da USP (FMUSP). Pesquisador CNPq 1B.

Cynthia Salmagi Coutinho

Pós-graduada em Fisioterapia na Urgência e Emergência pela Universidade Federal de São Paulo (Unifesp). Graduada em Fisioterapia pela Universidade do Vale do Paraíba (UniVap).

Daniel Antunes Alveno

Fisioterapeuta. Mestre em Ciências da Reabilitação. Coordenador do Curso de Fisioterapia Universidade Anhanguera de São Paulo – UNIAN – Unidade ABC (UNIAN-SBC). Coordenador do Programa de Residência Multiprofissional em Urgência e Emergência pela Universidade Federal de São Paulo (Unifesp).

Débora Ishini Santos

Pós-graduada em Fisioterapia em Emergência pela Universidade Federal de São Paulo (Unifesp). Graduada em Fisioterapia pela Universidade Nove de Julho (Uninove).

Érika Félix

Fisioterapeuta. Doutoranda do Programa de Pós-graduação em Psiquiatria da Universidade Federal de São Paulo (Unifesp).

Fábio Navarro Cyrillo

Especialista em Fisioterapia Ortopédica. Mestre em Fisioterapia e Doutorando pelo Instituto de Ortopedia e Traumatologia da Faculdade de Medicina da Universidade de São Paulo (IOT-FMUSP). Diretor geral do instituto FisioLogic de Soluções em Saúde.

Gabriela Silveira Bueno Macuco Curiati

Fisioterapeuta pelo Centro Universitário São Camilo. Especialista em Fisioterapia Hospitalar pelo Hospital das Clínicas da Faculdade de Medicina da Universidade de São Paulo (HCFMUSP). Fisioterapeuta da Unidade de Terapia Intensiva (UTI) Neurológica do HCFMUSP por 2 anos. Fisioterapeuta da Sociedade Beneficente de Senhoras do Hospital Sírio-Libanês (HSL).

Glaucia Lavarone

Fisioterapeuta da Unidade de Terapia Intensiva (UTI) de Neurologia Clínica e Cirúrgica do Hospital das Clínicas da Faculdade de Medicina da Universidade de São Paulo (HCFMUSP). Especialista em Fisioterapia Hospitalar pelo HCFMUSP.

Gustavo de Jesus Pires da Silva

Mestre pela Universidade Federal do Maranhão (UFMA). Especialista em Fisioterapia Respiratória pelo Sistema da Associação Brasileira de Fisioterapia Cardiorrespiratória e Fisioterapia em Terapia Intensiva (ASSOBRAFIR)/Conselho Federal de Fisioterapia e Terapia Ocupacional (COFFITO). Docente da Faculdade Santa Terezinha CEST e Faculdade Mauricio de Nassau.

Henry Porta Hirschfeld

Graduação em Medicina pela Universidade Federal de São Paulo (Unifesp). Residência em Clínica Médica pela Unifesp. Especialista em Clínica Médica pela Sociedade Brasileira de Clínica Médica (SBCM). Cursando Residência de Geriatria pela Unifesp.

Isabela Pessa Anequini Leite

Fisioterapeuta do Centro de Pesquisa sobre o Genoma Humano e Células Tronco da Universidade de São Paulo (USP). Especialista em Doenças Neuromusculares pela USP.

Isis Begot Valente

Fisioterapeuta doutoranda pela disciplina de cardiologia da Universidade Federal de São Paulo (Unifesp). Mestre pela Disciplina de Cardiologia da Unifesp. Especialista em Fisioterapia em Cardiologia. Especialista em Fisioterapia Respiratória. Preceptora da Residência Multiprofissional da Área de Cardiologia da Unifesp. Fisioterapeuta da Cirurgia Cardiovascular da Unifesp.

Ivan Daniel Bezerra Nogueira

Especialista em Fisioterapia Respiratória pela Escola Paulista de Medicina da Universidade Federal de São Paulo (EPM/Unifesp). Especialização em Fisiologia do Exercício pela EPM/Unifesp. Especialista em Fisioterapia em Terapia Intensiva Adulto pela Associação Brasileira de Fisioterapia Cardiorrespiratória e Fisioterapia em Terapia Intensiva (ASSOBRAFIR)/Conselho Federal de Fisioterapia e Terapia Ocupacional (COFFITO). Mestre em Ciências pelo Programa de Pós-Graduação em Cardiologia da EPM/Unifesp. Professor do Departamento de Fisioterapia da Universidade Federal do Rio Grande do Norte (UFRN). Fisioterapeuta da Unidade de Terapia Intensiva (UTI) Materna da Maternidade Escola Januário Cicco (MEJC)/UFRN/Empresa Brasileira de Serviços Hospitalares (EBSERH).

Jamili Anbar Torquato

Fisioterapeuta. Pós-Graduação *lato sensu* em Fisioterapia Cardiorrespiratória. Doutorado pelo Departamento de Patologia da Faculdade de Medicina da Universidade de São Paulo (FMUSP). Coordenadora da Pós-Graduação em Fisioterapia Cardiorrespiratóra e Hospitalar da Universidade Cruzeiro do Sul (UNICSUL). Docente da Graduação do Curso de Fisioterapia da UNICSUL. Sócia–diretora da Empresa Fibra-Fisioterapia Brasil.

João Luiz Quaquilotti Durigan

Doutor em Ciências da Reabilitação pela Universidade Federal de São Carlos (UFSCar).

Joaquim Minuzzo Vega

Mestre em Fisioterapia pelo Centro Universitário do Triângulo (UNITRI).

Joyce Liberali Pekelman Rusu

Doutora em Ciências Pediátricas pela Universidade Federal de São Paulo (Unifesp). Mestre em Ciências Pediátricas pela Unifesp. Especialista em Fisioterapia Intensiva e em Administração Hospitalar. Docente do Curso de Fisioterapia e da Pós-graduação em Fisioterapia Hospitalar do Centro Universitário São Camilo.

Juliana Santi Sagin Pinto Bergamim

Mestre pela Universidade Cidade de São Paulo (UNICID). Docente das Faculdades Anhanguera.

Kadma Karênina Damasceno Soares Monteiro

Especialista em Fisioterapia em Emergência pela Universidade Federal deSão Paulo (Unifesp) e Mestre em Ciências da Reabilitação pela Universidade Nove de Julho (UNINOVE).

Karine Krueger Rodrigues

Graduada em Fisioterapia na Universidade Metodista de São Paulo (UMESP). Especialista em Fisioterapia na Emergência pela Universidade Federal de São Paulo (Unifesp). Preceptora da Especialização em Reabilitação nas Unidades de Emergência e Vigência e da Residência Multiprofissional da Unifesp.

Laís Azevedo Sarmento

Mestre pela Universidade Cidade de São Paulo (UNICID). Fisioterapeuta no Hospital do Rim e Hipertensão.

Luciana Dias Chiavegato

Docente do Programa de Mestrado e Doutorado em Fisioterapia na Universidade Cidade de São Paulo (UNICID). Fisioterapeuta e Coordenadora do Programa de Residência Multiprofissional da Universidade Federal de São Paulo (Unifesp).

Luciana Geocze

Graduada em Psicologia pela Pontifícia Universidade Católica de São Paulo (PUC-SP). Aprovada para o Curso de Formação de Analistas do Instituto Junguiano de São Paulo [Associação Junguiana do Brasil(AJB)/International Association for Analytical Psychology (IAAP)-2017]. Especialista em Psicologia da Saúde pela Escola Paulista de Medicina da Universidade Federal de São Paulo (EPS/Unifesp). Mestre em Psiquiatria e Psicologia Médica e Doutora em Ciências pela Unifesp. Psicóloga do Pronto-Socorro do Hospital São Paulo da Unifesp. Tutora e Preceptora da Psicologia no Programa de Residência Multiprofissional em Urgência e Emergência. Coordenadora de Saúde Mental do Núcleo de Telessaúde Brasil Redes da Unifesp. Atua como Psicóloga Clínica na Abordagem Junguiana. Experiência na Área de Psicologia com ênfase em Psicologia Hospitalar e Clínica, atuando principalmente nos temas Urgência e Emergência, Qualidade de Vida, Estresse, Ansiedade e Depressão.

Luiz Alberto Forgiarini Junior

Docente do Curso de Fisioterapia e dos Programas de Pós-graduação *stricto sensu* em Reabilitação e Inclusão e Biociências e Reabilitação pelo Centro Universitário Metodista IPA, Porto Alegr - RS. Coordenador do Programa de Pós-graduação em Fisioterapia em Terapia Intensiva pela Faculdade Inspirar Porto Alegre. Especialista Profissional em Fisioterapia em Terapia Intensiva Adulto pela Associação Brasileira de Fisioterapia Cardiorrespiratória e Fisioterapia em Terapia Intensiva (ASSOBRAFIR)/Conselho Federal de Fisioterapia e Terapia Ocupacional (COFFITO). Doutor em Ciências Pneumológicas pela Universidade Federal do Rio Grande do Sul (UFRGS).

Marcelo do Amaral Beraldo

Fisioterapeuta pela Universidade Federal de Juiz de Fora. Doutorado e Pós-doutorado pela Faculdade de Medicina da Universidade de São Paulo (FMUSP). Experiência na Área de Fisiologia e Fisiopatologia Respiratória. Fisioterapeuta do Centro de Terapia Intensiva (CTI) Adulto do Hospital Israelita Albert Einstein (HIAE), atuando na Recuperação Funcional de Pacientes Graves. Linhas de Pesquisa: Mobilização em Terapia Intensiva, Recuperação Funcional, Tomografia de Impedância Elétrica, Tomografia Computadorizada, Estudos Clíncos e Experimentais com Estratégias de Ventilação Mecânica. Revisor dos Periódicos Respiratory Care, Disability and Rehabilitation, Clinics, Jornal Brasileiro de Pneumologia, Revista Brasileira de Terapia Intensiva, Revista Brasileira de Fisioterapia e The Journal of Cardiothoracic Surgery. Recentemente tem coordenado projetos em colaboração com a Associação Brasileira de Fisioterapia Cardiorrespiratória e Fisioterapia em Terapia Intensiva (Assobrafir), além de ser um dos organizadores do Programa de Atualização em Fisioterapia em Terapia Intensiva PROFISIO (Artmed/Panamerica e Assobrafir).

Maria Beatriz de Souza Batista

Graduada em Enfermagem pelo Centro Universitário Adventista de São Paulo. Especialista em Enfermagem Médico-Cirurgica pela Escola Paulista de Enfermagem da Universidade Federal de São Paulo (EPE/Unifesp). Mestre em Ciências da Saúde pela EPE/Unifesp. Enfermeira da Gerência Executiva de Educação Permanente e Pesquisa da Diretoria de Enfermagem do Hospital São Paulo/Hospital Universitário da Unifesp. Membro do Grupo de Estudos e Pesquisas em Administração de Serviços de Saúde e Gerenciamento de Enfermagem (GEPAG). Membro do Grupo de Humanização e Coordenadora do Grupo de PICC do Hospital São Paulo. Foi Chefe da Unidade Neonatal do Hospital Regional Sul, Preceptora dos Programas de Residência Multiprofissional do Envelhecimento e de Urgência e Emergência da Unifesp. Experiência em Enfermagem com Ênfase nas Áreas Médico-Cirúrgica, Medicina de Urgência, Enfermagem Neonatal, Unidade de Terapia Intensiva (UTI), Semi-Intensiva e Cuidados Paliativos.

Mariana Sacchi Mendonça

Fisioterapeuta. Especialista em Fisioterapia Hospitalar pelo Instituto Central do Hospital das Clínicas da Faculdade de Medicina da Universidade de São Paulo (ICHCFMUSP). Fisioterapeuta na Divisão de Clínica Neurológica Adulto e Pediátrica do HCFMUSP. Supervisora dos Cursos de Pós-graduação de Fisioterapia em Gerontologia, Fisioterapia Hospitalar e Reeducação Funcional da Postura e do Movimento.

Monique Buttignol

Fisioterapeuta com Aprimoramento em Terapia Intensiva pelo Instituto Central do Hospital das Clínicas da Faculdade de Medicina da Universidade de São Paulo (ICHCFMUSP). Mestrado em andamento pela FMUSP.

Nathália Toledo Pacheco Piatti

Mestre em Fisioterapia pela Universidade Cidade de São Paulo (UNICID). Especialista em Fisioterapia Cardiorrespiratória pela Universidade Federal de São Paulo (Unifesp). Especialista em Fisioterapia Hospitalar pela Faculdade Redentor, RJ. Docente das Disciplinas de Fisioterapia Respiratória e Terapia Intensiva do Curso de Fisioterapia, Docente na Pós-graduação de Fisioterapia em Terapia Intensiva e de Biomecânica e Fisiologia do ExercícioDocente na Faculdade Estácio de Alagoas, AL. Docente na Pós-graduação de Urgência, Emergência e Unidade de Terapia Intensiva (UTI) no Centro Universitário Tiradentes (UNIT), AL.

Patricia Angeli da Silva Pigati

Especialista em Fisioterapia Respiratória pela Escola Paulista de Medicina da Universidade Federal de São Paulo (EPM/Unifesp). Mestre em Fisiopatologia Experimental pela Faculdade de Medicina da Universidade de São Paulo (FMUSP). Doutora em Ciências Médicas pela FMUSP. Professora do Curso de Graduação em Fisioterapia da Universidade Metodista de Piracicaba (UNIMEP).

Patrícia Forestieri

Fisioterapeuta. Mestre em Cardiologia, Especialista em Fisioterapia em Neurologia, Especialista em Fisioterapia em Cardiologia e Tutora do Programa de Residência Multiprofissional em Cardiologia na Universidade Federal de São Paulo (Unifesp). Professora Convidada da Pós-Graduação na Universidade Nove de Julho (Uninove).

Patrícia Rodrigues Ferreira

Mestre pela Universidade Federal do Maranhão (UFMA).Docente e Coordenadora da Pós-graduação de Fisioterapia Terapia Intensiva da Universidade CEUMA. Fisioterapeuta e Coordenadora do Hospital do Servidor do Estado (HSLZ), MA.

Patrícia Salerno de Almeida Picanço

Graduada em Fisioterapia pela Universidade Metodista de Piracicaba (UNIMEP). Especialista em Fisioterapia Reapiratoria, Fisiologia do Exercício e Cuidados Paliativos e Mestre em Reabilitação pela Universidade Federal de São Paulo (Unifesp). Docente do Curso de Fisioterapia do Centro Universitário São Camilo (CUSC).

Patrícia Stanich

Bacharel em Nutrição pelo Centro Universitário São Camilo (CUSC). Especialista em Nutrição Materno-Infantil pela Universidade Federal de São Paulo (Unifesp). Doutora em Neurociências pela Unifesp. Nutricionista Clínica da Unidade de Terapia Intensiva (UTI) e Unidade de Tratamento de Queimaduras do Hospital São Paulo da Escola Paulista de Medicina da Unifesp (EPM/Unifesp). Nutricionista Responsável pelo Atendimento Ambulatorial dos Pacientes com Doença do Neurônio Motor no Setor de Investigação em Doenças Neuromusculares da EPM/Unifesp. Tutora e Preceptora da Residência Multiprofissional em Nutrição da EPM/Unifesp.

Paulo Eugênio Silva

Mestre em Educação Física pela Universidade de Brasília (UnB).

Pedro Luis Sampaio Miyashiro

Fisoterapeuta do Instituto Fisiologic. especialista em coluna. Formação em Terapias Manuais. Professor de Cursos de Pós-graduação e Mestrado em Biomecânica na Escola de Educação Física e Esporte da Universidade de São Paulo (EEFE-USP).

Raquel Annoni

Fisioterapeuta. Doutora em Ciências pela Faculdade de Mecicina da Universidade de São Paulo (FMUSP). Pós-Doutorado pela University of Melbourne.

Renata Cléia Claudino Barbosa

Graduada em Fisioterapia pelo Centro Universitário São Camilo (CUSC). Especialista em Fisioterapia Hospitalar pela Faculdade de Medicina da Universidade de São Paulo (FMUSP). Especialista em Administração Hospitalar e Especialista em Gerontologia pelo CUSC. Mestre em Ciências da Reabilitação e Doutoranda em Fisiopatologia Experimental pela FMUSP.

Renata de Jesus Teodoro

Fisioterapeuta. Pós-doutora em Saúde Pública pela Faculdade de Saúde Publica da Universidade de São Paulo (FSP-USP). Doutora em Ciências pela Disciplina de Pneumologia da Universidade FEderal de São Paulo (Unifesp). Mestranda em Ciências pela Disciplina de Pneumologia da Unifesp. Especialista em Pneumofuncional e Fisioterapia Hospitalar pela Irmandade da Santa Casa de Misericórdia de São Paulo (ISCMSP). Professora Titular da Universidade Bandeirante-Anhanguera de São Paulo (UNIBAN). Professora Convidada dos Cursos de Pós-graduação *lato sensu* das Universidades de São Caetano do Sul, Estácio de Sá e Faculdades Metropolitanas Unidas (UniFMU).

Renato Fraga Righetti

Graduado em Fisioterapia pela Universidade Metodista de São Paulo (UMESP). Pós-graduado em Fisioterapia Hospitalar pelo Hospital das Clínicas da Faculdade de Medicina da Universidade de São Paulo (HCFMUSP). Doutor em Ciências pela Faculdade de Medicina da Universidade de São Paulo (FMUSP). Fisioterapeuta Sênior da Unidade Assistencial da Oncologia do Hospital Sírio-Libanês (HSL) e Pesquisador Colaborador no Laboratório de Terapêutica Experimental (LIM-20) da FMUSP.

Rodolpho Patines Pereira

Especialista em Fisioterapia Cardiorrespiratória pela Universidade Federal de São Paulo (Unifesp). Fisioterapeuta da Unidade de Pós-operatório de Cirurgia Cardiovascular do Hospital São Paulo da Unifesp. Preceptor da Residência Multiprofissional e do Curso de Reabilitação nas Unidades de Emergência e Urgência da Unifesp. Fisioterapeuta da Unidade de Terapia Intensiva do Instituto do Câncer do Estado de São Paulo (ICESP).

Rodrigo Marques da Silva

Fisioterapeuta formado pela Pontifícia Universidade Católica de Campinas (PUC-Camp). Especialização em Fisioterapia Músculo Esquelética pela Santa Casa de São Paulo (SCSP). Especialização em Aparelho Locomotor no Esporte pelo Centro de Traumato-ortopedia do Esporte da Universidade Federal de São Paulo (CETE/Unifesp). Mestre em Reabilitação Vestibular pela Anhanguera/Universidade Bandeirante de São Paulo (Uniban). Ex-Professor da Anhanguera/Uniban. Fisioterapeuta da Prefeitura de Municipal de Guarulhos. 2º Tenente Fisioterapeuta da Força Aérea Brasileira.

Rodrigo Pereira Luiz

Fisioterapeuta. Especialista em Fisioterapia na Emergência pela Universidade Federal de São Paulo (Unifesp).

Ruy de Camargo Pires Neto

Fisioterapeuta, Mestre e Doutor em Ciências pela Faculdade de Medicina da Universidade de São Paulo (FMUSP). Pesquisador da FMUSP.

Solange Guizilini

Fisioterapeuta. Mestre e Doutora em Ciências da Saúde pela Disciplina de Cardiologia, Professora Adjunta III do Curso de Graduação em Fisioterapia e Vice-coordenadora da Comissão de Residência Multiprofissional da Universidade Federal de São Paulo (Unifesp). Professora Colaboradora do Departamento de Fisioterapia da Universidade de Illinois, Chicago (EUA). Diretora Científica do Departamento de Fisioterapia da Sociedade de Cardiologia do Estado de São Paulo (SOCESP).

Thaís Borgheti de Figueiredo

Fisioterapeuta. Aprimoramento em Terapia Intensiva pelo Instituto Central do Hospital das Clínicas da Faculdade de Medicina da Universidade de São Paulo (ICHCFMUSP).

Thiago Wetzel Pinto de Mello

Fisioterapeuta. Especialista em Fisioterapia Neurológica pelo Hospital das Clínicas da Faculdade de Medicina da Universidade de São Paulo (HCFMUSP). Fisioterapeuta Responsável pelas Enfermarias de Neurologia Clínica, Neurocirurgia e Neurologia Infantil do Instituto Central do HCFMUSP (ICFMUSP). Professor e Supervisor de Estágio dos Cursos de Especialização em Fisioterapia do ICHCFMUSP.

Tuanny Teixeira Pinheiro

Mestranda em Medicina Translacional pela Universidade Federal de São Paulo (Unifesp). Pós-graduada em Fisioterapia em Cuidados Intensivos de Adultos pela Unifesp. Graduada em Fisioterapia pela Pontifícia Universidade Católica (PUC) de Campinas.

Vinicius Tassoni Civile

Fisioterapeuta Cardiorrespiratório. Especialista em Fisioterapia Cardiorrespiratória pela Universidade Metodista de São Paulo (UMESP). Docente da Universidade Paulista (Unip).

Vinicius Zacarias Maldaner da Silva

Doutor em Ciências e Tecnologias em Saúde pela Universidade de Brasília (UnB).

Viviane Marraccini Nogueira da Cunha

Advogada Especializada em Direito do Trabalho. Pós-graduação pelo Centro Universitário das Faculdades Metropolitanas Unidas (UNIFMU).

Wesla Neves da Silva

Fisioterapeuta pela Universidade Estadual de Ciências da Saúde de Alagoas (UNICSAL). Especialização *lato sensu* em Urgência e Emergência pela Residência Multiprofissional em Atenção Hospitalar da Universidade Federal de São Paulo (Unifesp). Especialista em Fisioterapia em Terapia Intensiva Adulto pela Associação Brasileira de Fisioterapia Cardiorrespiratória e Fisioterapia em Terapia Intensiva (ASSOBRAFIR). Fisioterapia Junior da Unidade Crítica Geral do Hospital Sírio-Libanês (HSL).

Yurika Maria Fogaça Kawaguchi

Fisioterapeuta. Aprimoramento em Terapia Intensiva pelo Instituto Central da Hospital das Clínicas da Faculdade de Medicina da Universidade de São Paulo (ICHCFMUSP). Mestrado em andamento pela FMUSP.

Agradecimentos

Agradeço a Deus, pela permissão à vida, pela oportunidade de poder apreciar as transformações que em mim ocorrem, pela energia e saúde para lutar por aquilo que acredito e mudar minha realidade.

Aos meus amados pais, José Eduardo e Noeli, que sempre me apoiaram, ensinaram-me os reais valores da vida, da família, a ousar, a questionar e, acima de tudo, ser curioso.

Ao meu amor, Caroline – meu equilíbrio – pela sua incansável boa vontade em me ajudar, por vezes ficar ao meu lado, só para me fazer companhia, compartilhando meus ideais e incentivando-me a prosseguir, insistindo para que eu avance cada vez mais um pouquinho. Enfim, por estar incessantemente ao meu lado, sendo muito mais do que se pode esperar. Sendo a Luz do meu sentido

Meus irmãos, Vinícius e Viviane, meus sogros, Alice e Roberto, por sempre me incentivarem e ajuda quando precisei.

Aos amigos, que, próximos ou distantes, sempre me apoiam.

A minha grande e querida amiga, Jeanette, por ter sido uma grande inspiração para mim durante a graduação, pós-graduação e docência. A sua presença nesta obra foi indispensável para a concretização.

A todos os colaboradores, pelos excelentes capítulos que enriqueceram este livro.

Thiago Marraccini Nogueira da Cunha

Agradeço inicialmente a Deus, nosso maior mestre e exemplo, nada acontece sem sua permissão.

Aos meus protetores do plano espiritual, que guiam meus passos para que eu siga o caminho certo.

Aos meus amados pais, Suzete e Armando, que me ensinaram os reais valores da vida. Se consegui chegar até aqui foi porque ouvi seus conselhos e ensinamentos e os coloquei em prática. O que aprendi foi fundamental para minha vida pessoal e profissional.

Ao meu marido e melhor amigo, Leandro, que amo tanto, por sempre me incentivar profissionalmente, apoiar minhas escolhas e por estar disposto a me ouvir e aconselhar em todos os momentos. Sua opinião é fundamental para mim.

Minhas queridas e amadas filhas, Juliana e Luciana, companheiras de todas as horas, por todo apoio e por me fazerem feliz em qualquer situação. Aprendo com elas todos os dias. Meu maior e mais precioso tesouro.

Meus irmãos, Jefferson e Jeffrey, meus sogros, Alice e Armando, meu cunhado, Haine, minhas cunhadas, Juliana, Cintia e Gabriella, e meu tio, Antonio (Nininho), por todo incentivo e ajuda quando precisei. Só tenho que agradecer pela família que tenho.

Aos amigos que Deus colocou no meu caminho e que me fazem tão bem, pela ajuda constante e apoio.

Ao querido amigo, Thiago, profissional que admiro muito, que incrivelmente consegue ter resposta para tudo na fisioterapia. Obrigada por me dar a oportunidade de criar esta obra junto com você.

A todos os colaboradores, pelos excelentes capítulos que enriqueceram este livro.

A todos os alunos e pacientes que tive o prazer de conhecer e que contribuíram para essa vontade imensa que tenho de aprender e ensinar.

Jeanette Janaina Jaber Lucato

Dedicatória

A minha esposa, Caroline, meus pais, José Eduardo e Noeli, meus irmãos, Vinícius e Viviane, meu sobrinho, Giovanni.

Em especial a todos meus amados professores, pacientes que assisti e aos alunos que emanam em minha alma o anseio do conhecimento, e assim me ensinam a ser professor.

Thiago Marraccini Nogueira da Cunha

Ao meu marido, Leandro, minhas filhas, Juliana e Luciana, meus pais, Armando e Suzete, meus sogros, Armando e Alice, meus sobrinhos queridos, Felipe, Bianca, Miguel, Manuella e Alice, e a todos os meus alunos e ex-alunos.

Jeanette Janaina Jaber Lucato

Prefácio

Com muito orgulho coube a mim o prefácio de um livro que traz novas perspectivas de aprendizado para a grande área da Fisioterapia Hospitalar.

Ao longo dos anos, tivemos um engrandecimento em nossa formação e em nossa informação científica, direcionando a profissão para atuações de excelência, sempre com muita responsabilidade e propriedade. A pesquisa na fisioterapia vem se desenvolvendo a passos largos e muitas vezes o profissional, mais voltado para a assistência do paciente, fica diante de um turbilhão de novas informações e perspectivas de tratamento, sem muito saber qual a melhor estratégia.

Pensando primariamente na qualidade da assistência, dois fisioterapeutas de notável formação e excelentes formadores, Jeanette Janaina Jaber Lucato e Thiago Marraccini Nogueira da Cunha, se debruçaram arduamente na tarefa de reunir os mais experientes e competentes profissionais para escrever sobre a atuação da Fisioterapia sobre o que há de mais atual, num cenário onde se complementam os Cuidados Hospitalares e os Cuidados Paliativos.

Este livro tem como objetivo a apresentação e o estudo de tópicos direcionados para a Saúde Hospitalar Fisioterapêutica, tanto para o cuidado com os mais graves pacientes quanto para aliviar o sofrimento e agregar qualidade à vida e ao processo da morte.

A Organização Mundial da Saúde definiu, em 1990, e atualizou em 2002, o conceito de Cuidados Paliativos, enfatizando que a assistência à melhoria da qualidade de vida dos pacientes e seus familiares diante da ameaça à vida deveria ser promovida sempre por uma equipe multidisciplinar. Será justamente o que o leitor encontrará ao consultar este importante material, atuações de distintos profissionais com um único fim, proporcionando alívio dos sintomas físicos até os sintomas espirituais.

Além dos Cuidados Paliativos, porém não menos importante, o leitor encontrará capítulos baseados em temas de alta relevância clínica e científica que abordam a fisioterapia no ambiente hospitalar, discutidos por profissionais admiráveis. Há tópicos sobre as estratégias mais indicadas em condições mais prevalentes no ambiente hospitalar, lembrando que o paciente internado permeia sobre diferentes abordagens que visam atender às demandas de todos os sistemas do organismo. Os temas são bem diversificados e englobam técnicas avançadas de avaliação e atuação em pacientes nas mais diversas situações.

Parabenizo os amigos Jeanette e Thiago, editores desta grande obra, e todos os autores que aceitaram o convite para compartilhar seu conhecimento e experiência com tantos outros colegas.

Parafraseando Fernando Pessoa:

"Não me venham com conclusões...a única conclusão é morrer!".

Os capítulos que aqui seguem não se esgotam, são um convite para mais e mais discussões e pesquisas na área, visando atingir o bem-estar coletivo e a excelência do que fazemos de melhor: CUIDAR!

Luciana Dias Chiavegato

Sumário

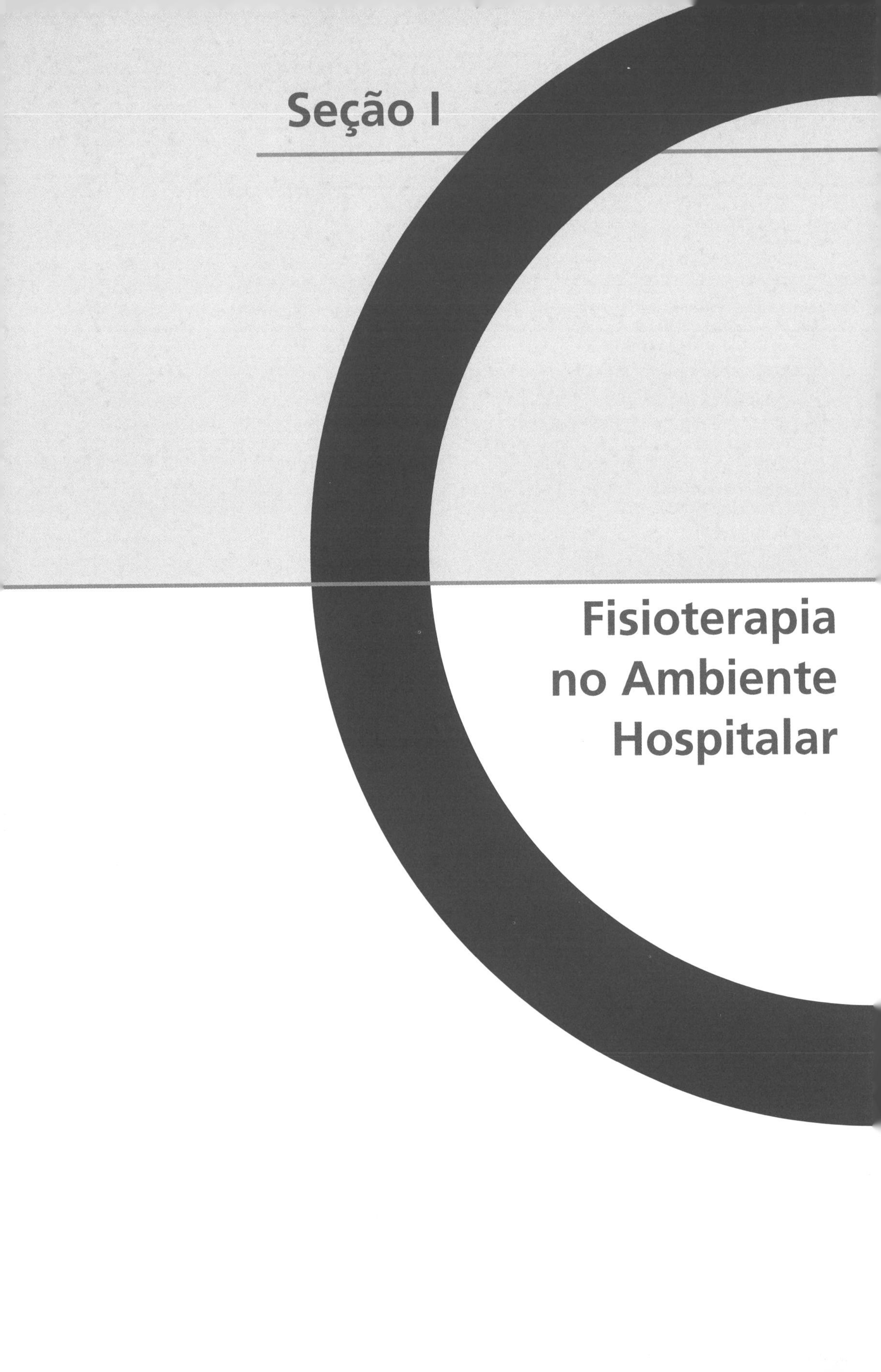

Seção I

Fisioterapia no Ambiente Hospitalar

Capítulo 1

Direitos dos Trabalhadores – Regras Básicas

Viviane Marraccini Nogueira da Cunha
Thiago Marraccini Nogueira da Cunha

Introdução

O direito do trabalho é de formação legislativa relativamente recente, o que não se pode dizer do "trabalho", que é tão antigo quanto a existência do próprio homem.

Em todo o período remoto da história, o homem primitivo é conduzido direta e amargamente pela necessidade de satisfazer a fome e assegurar sua defesa pessoal. Ele caça, pesca e luta contra o meio físico, contra os animais e contra seus semelhantes. A mão era o instrumento de trabalho. O que era muito mais uma luta por sobrevivência do que trabalho propriamente dito.

Apenas muito tempo depois é que se instalariam o sistema de troca e o regime de utilização em proveito do trabalho alheio.

Com a Revolução Industrial, a partir do momento em que passaram a ser utilizadas máquinas na produção, começam a surgir novas condições de trabalho. Em consequência, aumento da mão de obra disponível e, com isso, diminuição dos salários pagos. É neste momento que começam as reivindicações por melhores condições de trabalho e de salários.

Em um primeiro momento, o Estado não se envolvia para resolver os conflitos entre empregados e empregadores, passando a intervir quando percebe que as paralisações nos trabalhos prejudicavam os recolhimentos de impostos, além de entender que prejudicavam a ordem social.

Em 1º de maio de 1943, por meio do Decreto-lei nº 5.452, foi criada e sancionada pelo então presidente Getúlio Vargas a Consolidação das Leis do Trabalho (CLT).

A Consolidação unificou toda a legislação trabalhista existente no Brasil e foi um marco por inserir, de forma definitiva, os direitos trabalhistas na legislação brasileira. Seu objetivo principal é regulamentar as relações individuais e coletivas do trabalho, nela previstas. Ela surgiu como uma necessidade constitucional, após a criação da Justiça do Trabalho.

A Constituição Federal de 1988, que incorporou direitos trabalhistas essenciais, inéditos à época no texto constitucional e já incorporados definitivamente ao cotidiano das relações formais de trabalho, cumpriu com seu mister de assegurar aos brasileiros direitos sociais essenciais ao exercício da cidadania.

A palavra "trabalho", que na concepção antiga tinha o sentido de sofrimento e esforço, ganhou, assim, uma roupagem social, relacionada ao conceito de dignidade da pessoa humana.

Dessa forma, é importante que todo trabalhador tenha conhecimento dos direitos e deveres em seu âmbito de trabalho, sejam pelas disposições celetistas, seja pela Carta Magna.

Disposições Legais – Direitos e Deveres

A Carteira de Trabalho e Previdência Social (CTPS) é um documento obrigatório para toda pessoa que venha a prestar algum tipo de serviço a outra pessoa (como empregado).

O prazo para que o empregador realize as anotações necessárias na CTPS e a devolva ao trabalhador é de 48 horas.

As anotações na CTPS serão feitas no ato da admissão, na data-base (correção salarial), nas férias, a qualquer tempo por solicitação do trabalhador, em casos de rescisão contratual, ou em necessidade de comprovação perante a Previdência Social.

O art. 29, §4º, da CLT, não permite que o empregador faça anotações desabonadoras na CTPS do trabalhador, sob risco de aplicação de medidas judiciais indenizatórias.

O Registro em CTPS contempla as seguintes anotações básicas: data de admissão, função, salário, reajustes salariais, férias, data de demissão.

Contrato de trabalho

Acordo tácito ou expresso, verbal ou escrito, por prazo determinado ou indeterminado, que corresponde a uma relação de emprego, que pode ser objeto de livre estipulação dos interessados, desde que não contravenha as disposições de proteção do trabalho, às normas coletivas aplicáveis a cada caso, à legislação vigente (penal, civil, trabalhista), bem como as decisões de autoridades competentes. Caracteriza-se um contrato de trabalho, quando uma pessoa física prestar serviço não eventual a outra pessoa física ou jurídica, mediante subordinação hierárquica e pagamento de uma contraprestação (arts. 442 e 443, *caput,* CLT).

Tipos de contrato

Contrato por prazo indeterminado

Contrato mais comum no sistema brasileiro, não se estabelece um período. Normalmente, quando finda o contrato de experiência e, não havendo interesse em rescindir por nenhuma das partes, passar então a vigorar o contrato por prazo indeterminado.

Contrato por prazo determinado

Contrato comum, com prazo pré-definido para terminar. Com o advento da Lei nº. 9.601/98, o prazo máximo para o contrato determinado é de 2 anos e deve ser celebrado exclusivamente para atividades de natureza transitória.

Contrato de experiência

Modalidade de contrato por prazo determinado, cuja finalidade é a de verificar se o empregado tem aptidão para exercer a função para a qual foi contratado.

Da mesma forma, o empregado, na vigência do contrato de experiência, verificará se se adaptará à estrutura do trabalho (hierarquia, atividades, remuneração, etc.).

O contrato de experiência deve ser anotado em CTPS. E, conforme determina o artigo 445, parágrafo único da CLT, não poderá exceder o período de 90 dias. Podendo ser dividido em períodos, desde que não ultrapasse os 90 dias estipulados em lei.

Salário

O pagamento do salário mensal deve ser efetuado o mais tardar até o 5º dia útil do mês subsequente ao vencido, salvo critério mais favorável previsto em documento coletivo de trabalho da respectiva categoria profissional.

O pagamento do salário deve ser efetuado contra recibo, assinado pelo empregado; em dia útil e no local do trabalho, dentro do horário do serviço ou imediatamente após o encerramento deste.

Sistema bancário

Quando o empregador utilizar o sistema bancário para o pagamento dos salários, os valores deverão estar à disposição do empregado, o mais tardar, até o 5º dia útil. Se o pagamento for efetuado por meio de cheque, deve ser assegurado ao empregado que o horário permita o desconto imediato.

Os salários básicos são previstos nas normas coletivas de cada categoria, sempre respeitando o valor mínimo nacional estabelecido pelo Governo.

Jornada de trabalho

Tempo em que o empregado presta serviços ou permanece à disposição do empregador, em um espaço de 24 horas. A jornada máxima é de 8 horas ou 44 horas semanais (se outro limite não for previsto em Acordo ou Convenção Coletiva).

O empregador com mais de 10 empregados é obrigado a ter registro de ponto para controle do horário de trabalho.

Intervalos

Períodos destinados para repouso e alimentação. Quando a jornada de trabalho for de 8 horas, o intervalo para alimentação e descanso deve ser de 1 hora. Quando a jornada de trabalho for de 6 horas, o intervalo mínimo deve ser de 15 minutos. Já o intervalo entre as jornadas de trabalho, deve ser de, no mínimo 11 horas. Se a jornada contratual for de 4, 6 ou 8 horas, todas as horas excedentes deverão ser pagas como extras. Em sendo habituais, integrarão nas demais verbas.

Havendo acordo da empresa com o sindicato profissional, as horas extras poderão ser pagas com adicional maior, ou compensadas com folgas (banco de horas).

Adicional noturno

A Constituição Federal em seu art. 7º, inciso IX, estabelece que são direitos dos trabalhadores, além de outros, remuneração do trabalho noturno superior à do diurno. Considera-se noturno, nas atividades urbanas, o trabalho realizado entre as 22 horas de um dia e às 5 horas do dia seguinte. A hora normal tem a duração de 60 minutos, enquanto a hora noturna, por disposição legal, nas atividades urbanas, é computada com 52 (cinquenta e dois) minutos e 30 (trinta) segundos. Ou seja, cada hora noturna sofre a redução de 7 minutos e 30 segundos, ou ainda, 12,5% sobre o valor da hora diurna. No trabalho noturno também deve haver o intervalo para repouso e alimentação, sendo:

- jornada de trabalho de até 4 horas: sem intervalo;
- jornada superior a 4 horas e não excedente a 6 horas: intervalo de 15 minutos;
- jornada de trabalho excedente a 6 horas: intervalo de no mínimo 1 hora e no máximo de 2 horas.

Férias

Período de descanso anual que deve ser concedido ao empregado após o exercício de atividades por 1 ano, ou seja, por um período de 12 meses, período este denominado aquisitivo. As férias devem ser concedidas dentro dos 12 meses subsequentes à aquisição do direito, período este chamado de concessivo.

Quando da concessão das férias, o trabalhador recebe o salário do mês, acrescido de um terço. Tal valor foi criado pela Constituição Federal de 1988 para possibilitar que o empregado disponha de um valor adicional para custear seu lazer nos dias de férias. O período de férias pode ser parcelado em dois períodos, com prazo mínimo de 10 dias entre cada um.

Há ainda a possibilidade de "vender" 10 dias do período de férias. É o chamado abono. Os demais dias devem ser usufruídos para descanso. Se, no momento de rescisão contratual, não se houver completado um período de 12 meses, o empregado tem direito de receber o valor proporcional aos meses trabalhados. Conta-se como mês inteiro o período igual ou superior a 15 dias. O empregado com mais de cinco faltas injustificadas durante o período aquisitivo terá reduzido o período de férias:

- até cinco faltas, 30 dias de férias;
- até 14 faltas, 24 dias de férias;
- até 23 faltas, 12 dias de férias.

Décimo-terceiro salário

Também conhecido como gratificação natalina. É o valor de um salário, ou proporcional a ele em razão dos meses trabalhados. Da mesma forma que as férias, para o pagamento do 13º salário conta-se como mês inteiro o período igual ou superior a 15 dias.

O pagamento pode ser feito em até duas parcelas: a primeira até o dia 30 de novembro e a segunda até o dia 20 de dezembro de cada ano.

Importante ressaltar que o valor médio das horas extras, os adicionais de insalubridade, de periculosidade, de tempo de serviço, adicional noturno, entre outras parcelas remuneratórias, devem compor o cálculo do 13º salário.

Estabilidades provisórias

Período em que o trabalhador não pode, por determinada razão, ser demitido, exceto por justa causa e é observado nas seguintes situações:

- CIPA – de acordo com o art. 10, inciso II, alínea "a", do Ato das Disposições Constitucionais Transitórias da Constituição Federal/88, o empregado eleito para o cargo de direção de comissões internas de prevenção de acidentes, desde o registro de sua candidatura até 1 ano após o final de seu mandato, não pode ser dispensado arbitrariamente ou sem justa causa.
- Gestante – o art. 10, II, alínea "b", do Ato das Disposições Constitucionais Transitórias da Constituição Federal/88, confere à empregada a estabilidade provisória, desde a confirmação da gravidez até 5 meses após o parto.
- Dirigente sindical – de acordo com o art. 543, parágrafo 3º da CLT, e art. 8º da Constituição Federal, não podem ser dispensados o empregado e empregado sindicalizado ou associado, a partir do momento do registro de sua candidatura a cargo de direção ou representação, de entidade sindical ou associação profissional, até 1 ano após o final do seu mandato, caso seja eleito, inclusive como suplente, salvo se cometer falta grave devidamente apurada nos termos da legislação.

- Acidente do trabalho – de acordo com o art. 118 da Lei nº 8.213/91, o segurado que sofreu acidente do trabalho tem garantida, pelo prazo de 12 meses, a manutenção de seu contrato de trabalho na empresa, após a cessação do auxílio-doença acidentário, independentemente de percepção de auxílio-acidente. Significa dizer que tem garantido o emprego o empregado que recebeu alta médica, após o retorno do benefício previdenciário.

É possível também, verificar em algumas normas coletivas a previsão de estabilidades, que devem, assim como as anteriormente dispostas, ser observadas e cumpridas pelos empregadores.

Medicina e segurança no trabalho

As regras de medicina e de segurança no trabalho estão previstas nas Normas Regulamentadoras (NR) do Ministério do Trabalho e Emprego. São de observância obrigatória pelas empresas privadas e públicas e pelos órgãos públicos da administração direta e indireta, bem como pelos órgãos dos Poderes Legislativo e Judiciário, que tenham empregados registrados pela Consolidação das Leis do Trabalho – CLT.

O não cumprimento das disposições legais e regulamentares sobre segurança e medicina do trabalho acarretará ao empregador a aplicação das penalidades previstas na legislação pertinente.

Constitui ato faltoso a recusa injustificada do empregado ao cumprimento de suas obrigações com a segurança do trabalho.

Insalubridade

Como o próprio nome diz, insalubre é algo não salubre, doentio, que pode causar doenças ao trabalhador por causa de sua atividade laboral.

É definida pela legislação em função do tempo de exposição ao agente nocivo, levando em conta ainda o tipo de atividade desenvolvida pelo empregado no curso de sua jornada de trabalho, observados os limites de tolerância, as taxas de metabolismo e respectivos tempos de exposição.

Assim, são consideradas insalubres as atividades ou operações que por sua natureza, condições ou métodos de trabalho, expõem o empregado a agentes nocivos à saúde, acima dos limites de tolerância fixados em razão da natureza, da intensidade do agente e o tempo de exposição aos seus efeitos.

A discriminação dos agentes considerados nocivos à saúde e os limites de tolerância mencionados estão previstos nos anexos da Norma Regulamentadora NR-15, aprovada pela Portaria 3.214/78, com alterações posteriores.

Para caracterizar e classificar a insalubridade em consonância com as normas baixadas pelo Ministério do Trabalho, far-se-á necessária perícia médica por profissional competente e devidamente registrado no Ministério do Trabalho e Emprego.

O exercício de trabalho em condições insalubres, acima dos limites de tolerância estabelecidos pelo Ministério do Trabalho, assegura a percepção de adicional de 40, 20 e 10%, segundo se classifiquem nos graus máximos, médio e mínimo, respectivamente, conforme prevê art. 192 da CLT.

Periculosidade

São consideradas atividades ou operações perigosas, aquelas que, por sua natureza ou métodos de trabalho, impliquem risco acentuado em virtude de exposição permanente do trabalhador a: inflamáveis, explosivos ou energia elétrica; e roubos ou outras espécies de violência física nas atividades profissionais de segurança pessoal ou patrimonial.

São periculosas as atividades ou operações em que a natureza ou os seus métodos de trabalhos configure um contato com substâncias inflamáveis ou explosivos, substâncias radioativas, ou radiação ionizante, ou energia elétrica, em condição de risco acentuado. São as atividades descritas conforme anexos da NR-16, do MTE.

O valor do adicional de periculosidade será o salário do empregado acrescido de 30%, sem os acréscimos resultantes de gratificações, prêmios ou participações nos lucros da empresa.

Pode-se dizer que saúde e a segurança no trabalho consistem em uma disciplina de âmbito alargado, que envolve muitas áreas de especialização. Em um sentido mais abrangente, deverá ter os seguintes objetivos:

- a promoção e a manutenção dos mais elevados níveis de bem-estar físico, mental e social dos trabalhadores de todos os sectores de atividade;
- a prevenção para os trabalhadores de efeitos adversos para a saúde decorrentes das suas condições de trabalho;
- a proteção dos trabalhadores no seu emprego perante os riscos resultantes de condições prejudiciais à saúde;
- a colocação e a manutenção de trabalhadores em um ambiente de trabalho ajustado às suas necessidades físicas e mentais;
- a adaptação do trabalho ao homem.

Em outras palavras, a saúde e a segurança no trabalho englobam o bem-estar social, mental e físico dos trabalhadores, ou seja, da "pessoa no seu todo". Para serem bem-sucedidas, as medidas de saúde e de segurança no trabalho, exigem a colaboração e a participação tanto de empregadores como dos trabalhadores nos programas de saúde e segurança, obrigando a equacionar questões relacionadas com a medicina do trabalho, a higiene no trabalho, a toxicologia, a educação, a formação, a engenharia de segurança, a ergonomia, a psicologia, etc.

As questões relacionadas com a saúde no trabalho têm sido objeto de menor atenção do que as questões relacionadas com a segurança no trabalho porque as primeiras são geralmente mais difíceis na sua identificação, na dificuldade da elaboração do seu diagnóstico e no estabelecimento da relação de causa a efeito. No entanto, quando abordamos o tema da saúde, abordamos igualmente o da segurança, pois um ambiente saudável é, por definição, também um local de trabalho seguro. Mas o inverso pode não ser verdade – um local de trabalho considerado seguro não é necessariamente um local de trabalho saudável. O importante é frisar que as questões da saúde e da segurança devem ser identificadas em todos os locais de trabalho. De modo geral, a definição de saúde e de segurança no trabalho engloba quer a saúde, quer a segurança, nos seus contextos mais alargados. Condições de trabalho deficientes afetam a saúde e a segurança do trabalhador.

Qualquer tipo de condição de trabalho deficiente tem como consequência poderá possibilidade de afetar a saúde e a segurança de um trabalhador.

As condições de trabalho perigosas ou prejudiciais à saúde não se limitam às fábricas – podem ser encontradas em qualquer local, quer o local de trabalho se situe no interior, quer no exterior. Para muitos trabalhadores, como os trabalhadores agrícolas ou mineiros, o local de trabalho situa-se no "exterior", podendo representar diversos perigos para a saúde e segurança.

Programas de saúde e de segurança

Por todos os motivos já referidos, é vital que os empregadores, os trabalhadores e os sindicatos se envolvam vigorosamente nas questões de saúde e na segurança, e que os riscos no local de trabalho sejam controlados, sempre que possível, na origem; sejam mantidos todos os registos de qualquer exposição, durante muitos anos; os trabalhadores e os empregadores estejam informados sobre os riscos de saúde e de segurança no local de trabalho; exista uma comissão para a saúde e segurança, ativo e eficaz, que inclua os trabalhadores e os órgãos de gestão; os esforços para a melhoria da saúde e a segurança do trabalhador sejam contínuos. Programas eficazes de saúde e segurança no local de trabalho podem ajudar a salvar as vidas dos trabalhadores, mediante a eliminação ou a redução dos riscos e das suas consequências. Os programas de saúde e segurança têm igualmente efeitos positivos, quer no estado de espírito, quer na produtividade do trabalhador, constituindo benefícios importantes. Ao mesmo tempo, um programa eficaz poderá poupar imenso dinheiro aos empregadores.

Afastamentos no trabalho

Em algumas oportunidades no curso do contrato de trabalho.

Afastamento por auxílio-doença

Benefício a que tem direito o segurado da Previdência Social que, após cumprir a carência, quando for o caso, fica incapaz para o trabalho (mesmo que temporariamente), por doença por mais de 15 dias consecutivos.

O empregado que se afasta por auxílio-doença tem seu contrato de trabalho suspenso a partir do 16º dia. A incapacidade para o trabalho será comprovada por exame realizado pela perícia médica do INSS (Instituto Nacional de Seguridade Social).

Nesses casos, o empregador deverá abonar as faltas; garantir o pagamento do salário do empregado nos primeiros 15 (quinze) dias de afastamento.

Afastamento por acidente do trabalho

Acidente de trabalho é aquele que ocorre no exercício da atividade a serviço da empresa, provocando lesão corporal ou perturbação funcional e gerando a perda ou a redução, permanente ou temporária, da capacidade para o trabalho.

Todo acidente de trabalho deve ser acompanhado por um técnico de Segurança do Trabalho, Médico do Trabalho, membro da Comissão Interna de Prevenção de Acidentes (CIPA) ou pelo responsável pelos recursos humanos da empresa, que deve garantir a prestação de todo atendimento necessário ao acidentado. Além disso, o responsável também deve preencher as seis vias da Comunicação do Acidente de Trabalho (CAT), que tem a função de garantir a estabilidade por 12 meses ao trabalhador que permanecer afastado por mais de15 dias, e enviá-las para:

- 1ª via - o Instituto Nacional de Seguridade Social (INSS);
- 2ª via - a empresa;
- 3ª via - o segurado ou dependente;
- 4ª via - o sindicato da categoria profissional;
- 5ª via - o Sistema Único de Saúde (SUS);
- 6ª via - a Superintendência Regional do Trabalho (SRT).

Caso haja necessidade de afastamento por mais de 15 dias, o empregado e/ou seu representante legal deve levar a CAT a uma agência do INSS e agendar a Perícia Médica para, então, poder passar a receber o benefício que é pago por meio do INSS.

O funcionário afastado por acidente terá garantido seu emprego por 12 meses a partir da cessação do benefício auxílio acidente, conforme art. 118, da Lei 8.213/91.

Gestante

A empregada gestante, desde a confirmação da gravidez até 5 meses após o parto, tem estabilidade das dispensas arbitrárias ou sem justa causa, segundo o art. 10, inciso II, alínea "b", dos Atos das Disposições Constitucionais Transitórias.

Com a edição da Lei nº 11.770/08, restou ampliada para 180 dias a licença-maternidade para as trabalhadoras em que as empresas aderem a um programa de incentivo fiscal.

Durante o período de prorrogação da licença-maternidade, a empregada terá direito à sua remuneração integral, nos mesmos moldes devidos no período de percepção do salário-maternidade pago pelo regime geral de previdência social.

Em casos de aborto involuntário, o Tribunal Superior do Trabalho tem entendido que a estabilidade fica prejudicada. Tal entendimento se fundamenta no fato de a Constituição Federal garantir a proteção da maternidade e da infância por meio da estabilidade; em ocorrendo o aborto espontâneo, a empregada gozará apenas de 2 semanas de repouso, nos termos do art. 395 da CLT.

Previsões de afastamento no trabalho

"Art. 473 da CLT – o empregado poderá deixar de comparecer ao serviço sem prejuízo do salário:

I – até 2 (dois) dias consecutivos, em caso de falecimento do cônjuge, ascendente, descendente, irmão ou pessoa que, declarada em sua Carteira de Trabalho e Previdência Social, viva sob sua dependência econômica;

II – até 3 (três) dias consecutivos, em virtude de casamento;

III – por 1 (um) dia, em caso de nascimento de filho, no decorrer da primeira semana (nos termos do art. 10, §1°, do ADCT, referido prazo passou para 5 dias, até que seja disciplinado o art. 7° XIX, da Constituição Federal);

IV – por 1 (um) dia, em cada 12 (doze) meses de trabalho, em caso de doação voluntária de sangue devidamente comprovada;

V – até 2 (dois) dias consecutivos ou não, para o fim de se alistar eleitor, nos termos da lei respectiva; (Caput e incisos I a V com redação determinada pelo Decreto-lei n° 229, de 28 de fevereiro de 1967);

VI – no período de tempo em que tiver de cumprir as exigências do Serviço Militar referidas na letra c do art. 65 da Lei nº 4.375, de 17 de agosto de 1964 (Lei do Serviço Militar).

VII – nos dias em que estiver comprovadamente realizando provas de exame vestibular para ingresso em estabelecimento de ensino superior.

VIII – pelo tempo que se fizer necessário, quando tiver que comparecer a juízo. (Acrescentado pela Lei n.º 9.853, de 27-10-99, DOU 28-10-99)

IX – pelo tempo que se fizer necessário, quando, na qualidade de representante de entidade sindical, estiver participando de reunião oficial de organismo internacional do qual o Brasil seja membro. (Acrescentado pela Lei nº 11.304, de 11.05.2006, DOU 12.05.2006)."

Rescisão do contrato de trabalho

Rompimento do contrato de trabalho pelo empregado, sem que o empregador tenha dado motivo para isso.

Pedido de demissão

Deve ser feito por escrito e assinado. O empregador preenche o Termo de Rescisão do Contrato de Trabalho (TRCT) com a relação das parcelas devidas. Todas as parcelas deverão ser calculadas considerando a média das horas extras prestadas. É necessário comunicar ao empregador com antecedência e cumprir aviso prévio de 30 dias. Descumprimento do aviso autoriza desconto do valor do salário nas parcelas rescisórias. O empregador pode dispensar o cumprimento do aviso prévio.

Empregado com mais de 1 ano de trabalho recebe saldo de salário, salário-família, 13º salário proporcional, férias proporcionais e férias vencidas acrescidas de um terço. Empregado com menos de 1 ano de trabalho recebe: saldo de salário, salário-família, 13º salário proporcional e férias proporcionais com acréscimo de um terço. Quando pede demissão, o empregado não tem direito de sacar os depósitos do FGTS, nem pode requerer seguro-desemprego, pois parou de trabalhar por seu próprio interesse.

Demissão sem justa causa

Rompimento do contrato de trabalho por iniciativa do empregador, sem que o empregado tenha cometido falta grave. O empregador preenche o Termo de Rescisão do Contrato de Trabalho (TRCT) com a relação das parcelas devidas. Todas as parcelas deverão ser calculadas considerando a média das horas extras prestadas e incluindo o período do aviso-prévio, adicional de insalubridade ou de periculosidade, adicional noturno, entre outras vantagens.

Na CTPS, deve constar como data de saída o dia de término do aviso-prévio, ainda que não trabalhado. Ao receber o aviso-prévio, o empregado pode optar por redução da jornada em 2 horas diárias ou redução de 7 dias no período do aviso.

O empregado recebe: aviso-prévio trabalhado ou indenizado, saldo de salário, férias vencidas e proporcionais, 13º salário proporcional, multa de 40% pela dispensa injusta (sobre os depósitos do FGTS). Pode, ainda, sacar os depósitos do FGTS e requerer o benefício do seguro-desemprego. A Lei nº 12.506/2011 estabelece que o aviso-prévio passa a ser proporcional ao tempo de trabalho na mesma empresa. O empregado que trabalhar até 1 ano na empresa, ao ser despedido sem justa causa, receberá 30 dias de aviso-prévio e, para aqueles que trabalharam por mais tempo, serão acrescidos ao aviso três dias a cada ano, podendo-se chegar ao máximo de 90 dias.

Rescisão indireta

É a justa causa do empregador. Ocorre em casos que o empregador exigir serviços superiores às forças do empregado, tratamento agressivo ou com rigor excessivo; expor o e mpregado a perigo; não pagar salários ou outras obrigações do contrato, ato lesivo à honra do empregado ou de sua família; agressão física; redução dos serviços que afete o valor do salário, entre outras.

O empregado não é obrigado a concordar com a atitude do empregador, podendo discuti-la ao propor ação na Justiça do Trabalho.

Dispensa por justa causa

Ato faltoso do empregado que faz desaparecer a confiança e a boa-fé existentes entre as partes, tornando indesejável o prosseguimento da relação empregatícia. Os atos faltosos do empregado que justificam a rescisão do contrato pelo empregador tanto podem referir-se às obrigações contratuais como também à conduta pessoal do empregado que possa refletir na relação contratual. Observe-se que imputar uma justa causa ao empregado sem que esta exista poderá ensejar, em alguns casos, uma indenização por danos morais. Com base no art. 482 da CLT, são os seguintes atos que constituem justa causa para a resolução do contrato de trabalho pelo empregador:

Ato de improbidade

Improbidade, regra geral, é toda ação ou omissão desonesta do empregado que revelam desonestidade, abuso de confiança, fraude ou má-fé, visando a uma vantagem para si ou para outrem. Por exemplo: furto, adulteração de documentos pessoais ou pertencentes ao empregador, etc.

Incontinência de conduta ou mau procedimento

São duas justas causas semelhantes, mas não são sinônimas. Mau procedimento é gênero do qual incontinência é espécie. A incontinência revela-se pelos excessos ou imoderações, entendendo-se a inconveniência de hábitos e costumes, pela imoderação de linguagem ou de gestos. Ocorre quando o empregado comete ofensa ao pudor, pornografia ou obscenidade, desrespeito aos colegas de trabalho e à empresa.

Mau procedimento caracteriza-se com o comportamento incorreto, irregular do empregado, mediante prática de atos que firam a discrição pessoal, o respeito, que ofendam a dignidade, tornando impossível ou sobremaneira onerosa a manutenção do vínculo empregatício, e que não se enquadre na definição das demais justas causas.

Negociação habitual

Enseja justa causa se o empregado, sem autorização expressa do empregador, por escrito ou verbalmente, exerce, de forma habitual, atividade concorrente, explorando o mesmo ramo de negócio, ou exerce outra atividade que, embora não concorrente, prejudique o exercício de sua função na empresa.

Condenação criminal

O despedimento do empregado justificadamente é viável pela impossibilidade material de subsistência do vínculo empregatício, uma vez que, cumprindo pena criminal, o empregado não poderá exercer atividade na empresa. A condenação criminal deve ter passado em julgado, ou seja, não pode ser recorrível.

Desídia

Tipo de falta grave que, na maioria das vezes, consiste na repetição de pequenas faltas leves, que se vão acumulando até culminar na dispensa do empregado. Isso não quer dizer que uma só falta não possa configurar desídia.

Os elementos caracterizadores são o descumprimento pelo empregado da obrigação, de maneira diligente e sob horário, o serviço que lhe está afeito. São elementos materiais, ainda, a pouca produção, os atrasos frequentes, as faltas injustificadas ao serviço, a produção imperfeita e outros fatos que prejudicam a empresa e demonstram o desinteresse do empregado pelas suas funções.

Embriaguez habitual ou em serviço

A embriaguez deve ser habitual. Só haverá embriaguez habitual quando o trabalhador substituir a normalidade pela anormalidade, tornando-se um alcoólatra, patológico ou não.

Para a configuração da justa causa, é irrelevante o grau de embriaguez e tampouco a sua causa, sendo bastante que o indivíduo se apresente embriagado no serviço ou se embebede no decorrer dele.

O álcool é a causa mais frequente da embriaguez. Nada obsta, porém, que esta seja provocada por substâncias de efeitos análogos (psicotrópicos).

De qualquer forma, a embriaguez deve ser comprovada por meio de exame médico pericial.

Entretanto, a jurisprudência trabalhista vem considerando a embriaguez contínua como uma doença, e não como um fato para a justa causa. É preferível que o empregador enseje esforços no sentido de encaminhar o empregado nessa situação a acompanhamento clínico e psicológico.

▸ Violação de segredo da empresa

A revelação só caracterizará violação se for feita a terceiro interessado, capaz de causar prejuízo à empresa, ou a possibilidade de causá-lo de maneira apreciável.

▸ Ato de indisciplina ou de insubordinação

Tanto na indisciplina como na insubordinação existe atentado a deveres jurídicos assumidos pelo empregado pelo simples fato de sua condição de empregado subordinado.

A desobediência a uma ordem específica, verbal ou escrita, constitui ato típico de insubordinação; a desobediência a uma norma genérica constitui ato típico de indisciplina.

▸ Abandono de emprego

A falta injustificada ao serviço por mais de 30 dias faz presumir o abandono de emprego conforme entendimento jurisprudencial.

Existem, no entanto, circunstâncias que fazem caracterizar o abandono antes dos 30 dias. É o caso do empregado que demonstra intenção de não mais voltar ao serviço.

Por exemplo, o empregado é surpreendido trabalhando em outra empresa durante o período em que deveria estar prestando serviços na primeira empresa.

▸ Ofensas físicas

As ofensas físicas constituem falta grave quando têm relação com o vínculo empregatício, praticadas em serviço ou contra superiores hierárquicos, mesmo fora da empresa.

As agressões contra terceiros, estranhos à relação empregatícia, por razões alheias à vida empresarial, constituirá justa causa quando se relacionarem ao fato de ocorrerem em serviço.

A legítima defesa exclui a justa causa. Considera-se legítima defesa, quem, usando moderadamente os meios necessários, repele injusta agressão, atual ou iminente, a direito seu ou de outrem.

▸ Lesões à honra e à boa fama

São considerados lesivos à honra e à boa fama gestos ou palavras que importem em expor outrem ao desprezo de terceiros ou por qualquer meio magoá-los em sua dignidade pessoal.

Na aplicação da justa causa, devem ser observados os hábitos de linguagem no local de trabalho, origem territorial do empregado, ambiente em que a expressão é usada, a forma e o modo em que as palavras foram pronunciadas, grau de educação do empregado e outros elementos que se fizerem necessários.

▸ Jogos de azar

Jogo de azar é aquele em que o ganho e a perda dependem exclusiva ou principalmente de sorte.

Para que o jogo de azar constitua justa causa, é imprescindível que o jogador tenha intuito de lucro, de ganhar um bem economicamente apreciável.

▸ Atos atentatórios à segurança nacional

A prática de atos atentatórios contra a segurança nacional, desde que apurados pelas autoridades administrativas, é motivo justificado para a rescisão contratual.

Conclusão

O direito do trabalho em suas normas dispostas na Consolidação das Leis do Trabalho e naquelas específicas a cada área tem por objetivo disciplinar as relações de trabalho entre empregados e empregadores com o intuito de que nenhuma das partes seja prejudicada no curso, ou ao final da relação.

Nota Importante

Além do quanto já mencionado, é importante que o profissional da área de saúde, neste estudo específico, o fisioterapeuta, esteja também atento às normas específicas de sua área de atuação.

Importante que conheça seu sindicato, pois, por meio deste, é que tomará conhecimento de cláusulas importantes como reajustes salariais, condições de trabalho e benefícios.

Além, de normas emanadas do Ministério da Saúde, como a Resolução nº 7, de 24 de fevereiro de 2010 que tem por objetivo estabelecer padrões mínimos para o funcionamento das Unidades de Terapia Intensiva

Resolução nº 7 de 24 de fevereiro de 2010, do Ministério da Saúde

Tem por objetivo estabelecer padrões mínimos para o funcionamento das unidades de terapia intensiva, visando à redução de riscos aos pacientes, visitantes, profissionais e meio ambiente. Sejam tais unidades públicas, privadas ou filantrópicas; civis ou militares.

Dentro de mencionada resolução, destacamos os artigos abaixo transcritos a fim de que o profissional da área esteja atento ao seu cumprimento:

Art. 12. As atribuições e as responsabilidades de todos os profissionais que atuam na unidade devem estar formalmente designadas, descritas e divulgadas aos profissionais que atuam na UTI.

Art. 13. Deve ser formalmente designado um Responsável Técnico médico, um enfermeiro coordenador da equipe de enfermagem e um fisioterapeuta coordenador da equipe de fisioterapia, assim como seus respectivos substitutos.

§ 1º O Responsável Técnico deve ter título de especialista em Medicina Intensiva para responder por UTI Adulto; habilitação em Medicina Intensiva Pediátrica, para responder por UTI Pediátrica; título de especialista em Pediatria com área de atuação em Neonatologia, para responder por UTI Neonatal;

§ 2º Os coordenadores de enfermagem e de fisioterapia devem ser especialistas em terapia intensiva ou em outra especialidade relacionada à assistência ao paciente grave, específica para a modalidade de atuação (adulto, pediátrica ou neonatal).

§ 3º É permitido assumir responsabilidade técnica ou coordenação em, no máximo, 02 (duas) UTI.

Art. 14. Além do disposto no Artigo 13 desta RDC, deve ser designada uma equipe multiprofissional, legalmente habilitada, a qual deve ser dimensionada, quantitativa e qualitativamente, de acordo com o perfil assistencial, a demanda da unidade e legislação vigente, contendo, para atuação exclusiva na unidade, no mínimo, os seguintes profissionais:

I - Médico diarista/rotineiro: 01 (um) para cada 10 (dez) leitos ou fração, nos turnos matutino e vespertino, com título de especialista em Medicina Intensiva para atuação em UTI Adulto; habilitação em Medicina Intensiva Pediátrica para atuação em UTI Pediátrica; título de especialista em Pediatria com área de atuação em Neonatologia para atuação em UTI Neonatal;

II - Médicos plantonistas: no mínimo 01 (um) para cada 10 (dez) leitos ou fração, em cada turno;

III - Enfermeiros assistenciais: no mínimo 01 (um) para cada 08 (oito) leitos ou fração, em cada turno;

IV - Fisioterapeutas: no mínimo 01 (um) para cada 10 (dez) leitos ou fração, nos turnos matutino, vespertino e noturno, perfazendo um total de 18 horas diárias de atuação;

V - Técnicos de enfermagem: no mínimo 01 (um) para cada 02 (dois) leitos em cada turno, além de 1 (um) técnico de enfermagem por UTI para serviços de apoio assistencial em cada turno;

VI - Auxiliares administrativos: no mínimo 01 (um) exclusivo da unidade;

VII - Funcionários exclusivos para serviço de limpeza da unidade, em cada turno.

Art. 15. Médicos plantonistas, enfermeiros assistenciais, fisioterapeutas e técnicos de enfermagem devem estar disponíveis em tempo integral para assistência aos pacientes internados na UTI, durante o horário em que estão escalados para atuação na UTI.

Art. 16. Todos os profissionais da UTI devem estar imunizados contra tétano, difteria, hepatite B e outros imunobiológicos, de acordo com a NR 32 - Segurança e Saúde no Trabalho em Serviços de Saúde estabelecida pela Portaria MTE/GM nº 485, de 11 de novembro de 2005."

Leitura Recomendada

1. BRASIL. Consolidação das Leis do Trabalho.
2. BRASIL. Ministério da Saúde. Resolução n 07, de 2010. Dispõe sobre os requisitos mínimos para funcionamento de Unidades de Terapia Intensiva e dá outras providências. Diário Oficial, Brasília, DF, republicada no D.O.U., de 21 de agosto de 2006, em reunião realizada em 22 de fevereiro de 2010.
3. Delgado MG. Curso de Direito do Trabalho. 8 ed. São Paulo: LTR Editora, 2009.
4. Garcia GFB. Curso de Direito do Trabalho. Barueri: Método, 2007.
5. Manus PPT. Direito do Trabalho. 14 ed. São Paulo: Atlas, 2012.
6. Martins SP. Comentários à CLT. São Paulo: Atlas, 2001.
7. Nascimento AM. Iniciação ao Direito do Trabalho. 39 ed. São Paulo: LTR Editora, 2014.

Site de Interesse

www.coffito.gov.br

Capítulo

2

Avaliação à Beira do Leito na Emergência, Enfermaria e UTI

Jeanette Janaina Jaber Lucato
Joyce Liberali Pekelman Rusu
Patrícia Salerno de Almeida Picanço
Bianca Amélia Maisel Ivo

INTRODUÇÃO

A avaliação é considerada pelo fisioterapeuta um dos critérios mais importantes para elaboração de seu plano de tratamento. Ela evita que técnicas desnecessárias e inadequadas sejam administradas pelo profissional, diminuindo possíveis agravos ao paciente e permite que se explorem rapidamente órgãos e sistemas corporais como cardiopulmonar, tegumentar, musculoesquelético e neuromuscular. Com a avaliação, podemos planejar um tratamento eficaz de acordo com as necessidades de cada paciente.

O processo de avaliação é geral, observa os aspectos respiratórios e motores, respeitando a funcionalidade.

Vários itens são avaliados na rotina de atendimento de um paciente no ambiente hospitalar: anamnese, consulta ao prontuário, exame físico, exames complementares e medicamentos em uso, como demonstra a Figura 2.1.

Anamnese

Realizada como um primeiro contato com o paciente. Ela busca relembrar todos os fatores que se relacionam com o paciente e sua patologia, conforme observado na Figura 2.2. Quando a anamnese é bem conduzida, é a grande responsável pelo diagnóstico médico.

Exame Físico

Inspeção/Exame físico geral

A inspeção tem como objetivo inspecionar, fiscalizar e/ou observar o paciente. Ela é classificada como inspeção estática onde é realizada com o paciente em repouso, e como inspeção dinâmica, na qual os movimentos corporais e suas alterações são examinados (Figuras 2.3 e 2.4).

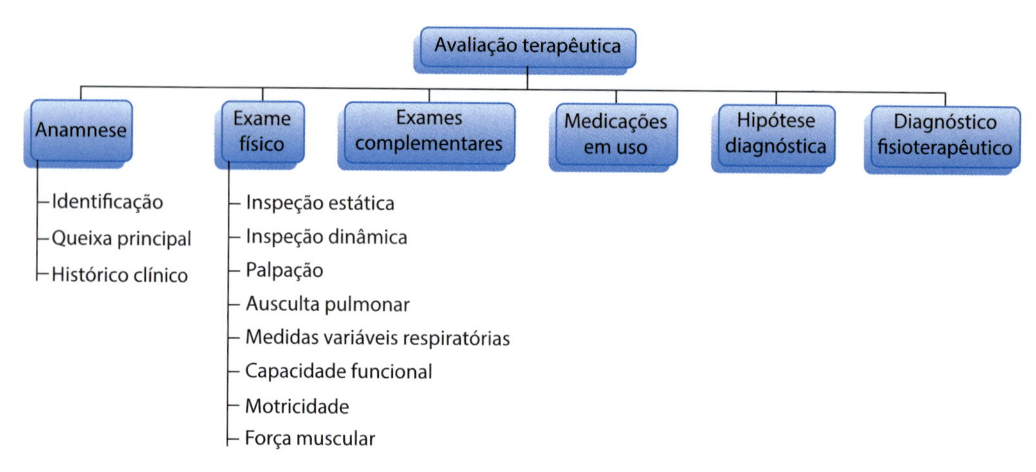

Figura 2.1 – Avaliação fisioterapêutica. Fonte: Elaborada pelos autores.

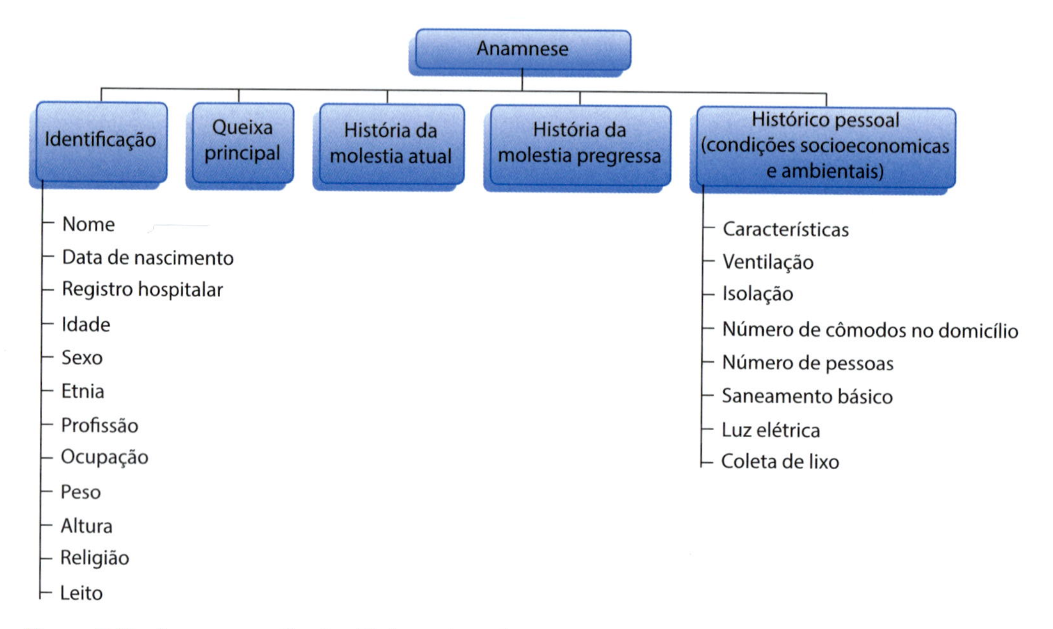

Figura 2.2 – Anamnese. Fonte: Elaborada pelos autores.

Nível de consciência

O estado do paciente permite evoluções ou involuções rápidas e que são previsíveis a partir de uma avaliação do nível de consciência. As escalas de avaliação utilizadas atualmente – coma de Glasgow, de Ramsay, de Agitação, sedação de Richmond (RASS) e escala de Agitação – Sedação (SAS) abordam sinais específicos e que indicam melhora ou piora do paciente e são imprescindíveis de realização, pela sua facilidade e praticidade.

A escala de coma de Glasgow avalia o nível de consciência e comprometimentos neurológicos, na ausência de sedativos, por meio da abertura ocular, resposta verbal e resposta motora. Foi desenvolvida a fim de mensurar os diferentes estados de nível de consciência do paciente durante a evolução clínica. Os resultados do nível de consciência do paciente são determinados por meio de escores em que o escore mais alto é 15 (responsividade máxima) e o mais baixo é 03

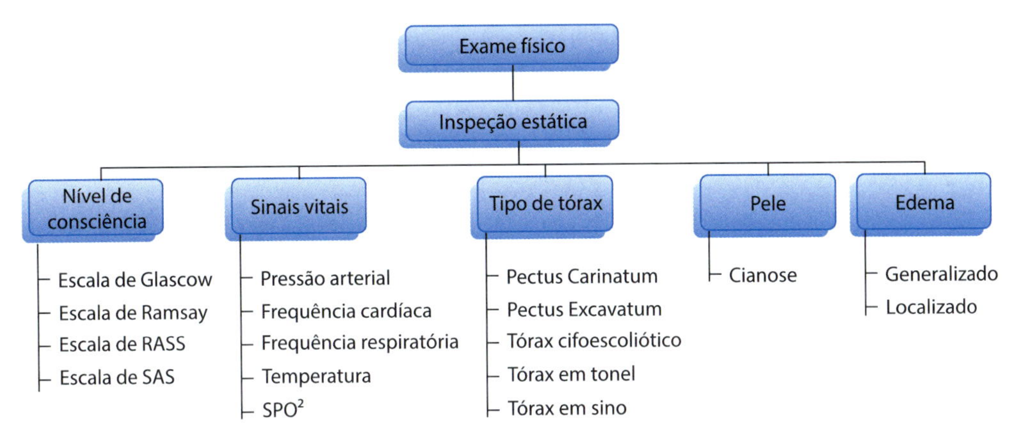

Figura 2.3 – Exame físico (inspeção estática). SpO_2: saturação periférica de oxigênio. Fonte: Elaborada pelos autores.

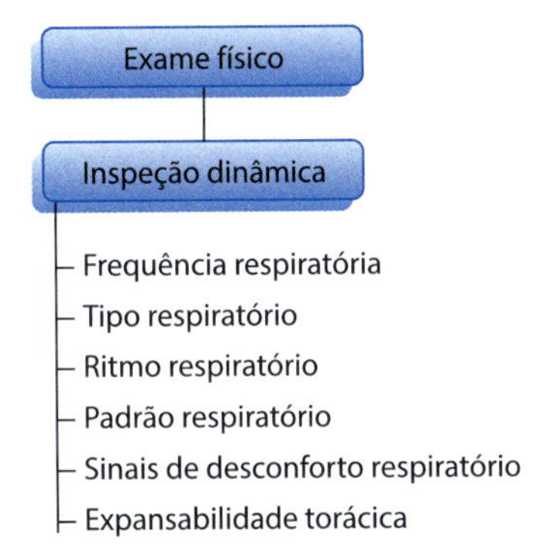

Figura 2.4 – Exame físico (inspeção dinâmica). Fonte: Elaborada pelos autores.

(responsividade mínima), sendo que o primeiro corresponde ao estado normal de consciência e o último indica o coma profundo. O escore abaixo de 8 indica necessidade de intubação traqueal para a manutenção e proteção das vias aéreas (Quadro 2.1).

Nas unidades de terapia Intensiva (UTI), o uso de sedativos pode afetar a função mental. O método de avaliação da sedação ideal deve apresentar sensibilidade e especificidade satisfatórias, simplicidade, produtividade, aplicação rápida, mínimo desconforto para o paciente e não necessitar de exames complementares, para que possa ser utilizada à beira do leito a qualquer momento por todos os membros da equipe da UTI. O escore de Ramsay é utilizado para avaliar o nível de sedação, seguindo a numeração de 1 a 6 para graduar ansiedade, agitação ou ambas, até coma irresponsivo. Pode ser aplicado à beira do leito de forma simples e rápida e tem sensibilidade e especificidades suficientes para ser considerado padrão de referência entre os escores de sedação existentes, mostrado no Quadro 2.2.

A escala RASS é utilizada para avaliar o grau de sedação e agitação do paciente que necessite de cuidados críticos ou esteja sob agitação psicomotora. Consiste em um método de avaliar a agitação ou sedação dos pacientes usando três passos claramente definidos que determinam uma pontuação que vai de -5 a +4. A pontuação zero se refere ao paciente alerta, sem aparente agitação ou sedação. Níveis menores do que zero significam que o paciente apresenta algum grau de sedação. Níveis maiores do que zero significam que o paciente apresenta algum grau de agitação (Quadro 2.3).

Quadro 2.1 - Escala de Coma de Glasgow
Abertura ocular
1. Sem abertura
2. Abertura ao estímulo doloroso
3. Abertura ao chamado
4. Abertura espontânea
Resposta verbal
1. Sem resposta
2. Sons incompreensíveis
3. Palavras ou frases sem sentido
4. Confusão mental
5. Orientado temporoespacialmente
Resposta motora
1. Sem resposta
2. Descerebração (extensão de membros superiores e inferiores
3. Decorticação (flexão de cotovelos e punhos e extensão de membros inferiores)
4. Resposta inespecífica à dor
5. Localização e movimentação de retirada ao estímulo doloroso
6. Obedece a comandos simples

Fonte: adaptado de Nassar Junior et al., 2008.

Quadro 2.2 – Escala de Ramsay
Acordado
1. Ansioso e/ou agitado
2. Cooperativo, orientado e tranquilo
3. Obedece a comandos
Dormindo
4. Tranquilo, pronta resposta à percussão glabelar ou estímulo sonoro
5. Reposta lentificada à percussão glabelar ou estímulo sonoro
6. Sem resposta

Fonte: adaptado de Nassar Junior et al., 2008.

A escala SAS, também utilizada para examinar o grau de sedação e agitação do indivíduo, é pontuada de 1 a 7, em que 1 é classificado como não responsivo, com mínima ou nenhuma resposta ao estímulo e 7 como agitação perigosa em que o paciente pode tentar remover cateteres ou tracionar a cânula traqueal (Quadro 2.4).

Sinais vitais

▸ Pressão arterial (PA)

Um dos principais itens da função cardiovascular avaliados à beira do leito. Representa a força exercida pelo sangue contra a parede das artérias determinada pela força de contração do coração, pela resistência ao fluxo no interior dos vasos e pelo volume de líquido circulante dentro

Quadro 2.3 - Escala de agitação e sedação de Richmond (RASS)

Ponto	Classificação	Descrição
4	Combativo	Combativo, violento, representando risco para a equipe.
3	Muito agitado	Puxa ou remove tubos ou cateteres, agressivo verbalmente.
2	Agitado	Movimentos despropositados frequentes, briga com o respirador (se estiver em ventilação mecânica).
1	Inquieto	Apresenta movimentos, mas que não são agressivos ou vigorosos.
0	Alerta e calmo	
-1	Sonolento	Adormecido, mas acorda ao ser chamado (estímulo verbal) e mantém os olhos abertos por mais de 10 segundos.
-2	Sedação leve	Despertar precoce ao estímulo verbal, mantém contato visual por menos de 10 segundos.
-3	Sedação moderada	Movimentação ou abertura ocular ao estímulo verbal, mas sem contato visual.
-4	Sedação intensa	Sem resposta ao ser chamado pelo nome, mas apresenta movimentação ou abertura ocular ao toque (estímulo físico).
-5	Não desperta	Sem resposta a estímulo verbal ou físico.

Fonte: adaptado de Nassar Junior et al., 2008.

Quadro 2.4 - Escala de agitação e sedação (SAS)
7 - Agitação perigosa: tentativa de retirar o tubo orotraqueal ou cateter ou de sair da cama, agredir a equipe, movimento de um a outro lado da cama.
6 - Muito agitado: morde o tubo, necessidade de restrições, não se aclama com orientação verbal com estabelecimento de limites.
5 - Agitado: ansioso ou levemente agitado, tentando levantar, acalma-se com orientação verbal.
4 - Calmo e cooperativo: calmo, acorda fácil, obedece a comandos.
3 - Sedado: difícil de acordar, acorda com estímulo verbal ou gentil chacoalhar, mas volta a dormir. Obedece a comandos simples.
2 - Muito sedado: acorda com estímulo físico, mas não responde ordens. Move-se espontaneamente.
1 - Não despertável: resposta mínima ou não responde a estímulos ou ordens. Não se comunica.

Fonte: adaptado de Nassar Junior et al., 2008.

deles. A hipertensão arterial sistêmica (HAS) é uma condição clínica multifatorial caracterizada por níveis elevados e sustentados de pressão arterial (PA). A medida da PA deve ser realizada em toda avaliação por médicos de qualquer especialidade e demais profissionais da saúde. Apesar de não haver um consenso na literatura em relação a critérios de normalidade, são consideradas anormais medidas de PA > 130/85 mmHg.

▸ Frequência cardíaca (FC)

São considerados valores de referência entre 60 e 100 batimentos por minuto (bpm). FC superior a 130 ou inferior a 40 bpm e valores maiores que 70% da FC predita para a idade são considerados critérios de interrupção da mobilização.

▸ Frequência respiratória (f)

Recomenda-se verificar em repouso, de preferência em decúbito dorsal, da forma mais discreta possível. É obtida pela observação dos movimentos do tórax ou da parede abdominal, ou por meio de monitorização não invasiva e tem como valores normais, para um adulto normal, de 12 a 20 rpm. Define-se taquipneia como a frequência respiratória igual ou maior que 20 rpm e bradipneia, a frequência menor que 10 rpm. Quando a respiração é suspensa, chamamos de apneia.

▸ Temperatura

Valores de até 37 °C são considerados normais, até 37,8 °C são considerados subfebris e acima, hipertérmicos. Nos pacientes, essa elevação é normalmente sintoma de uma doença e é considerada febre. Durante a febre, há o aumento da taxa metabólica corpórea, levando ao aumento da frequência cardíaca e respiratória, a fim de compensar a elevação do consumo de oxigênio e a produção de dióxido de carbono. Em uma situação inversa, chamada de hipotermia, ocorre uma redução das FC e f, já que o consumo de oxigênio e a produção do dióxido de carbono estão baixos.

A saturação periférica de oxigênio (SpO_2) não é considerada um sinal vital, contudo, rotineiramente durante a mensuração dos sinais vitais, ela é avaliada. O instrumento utilizado é o oxímetro de pulso, este emite luz vermelha (660 nm) e infravermelha (940 nm) pelo leito arteriolar e medindo as mudanças na absorção de luz durante o ciclo pulsátil, que expressa a relação entre oxiemoglobina (cO_2Hb) e a soma das concentrações de oxi e deoxiemoglobina (cHb). É um método não invasivo e preferencialmente os valores devem estar acima de 95%.

Tipo de tórax

O diâmetro anteroposterior do tórax de um adulto normal é menor que o diâmetro laterolateral. Existem algumas variações anormais da forma do tórax:

- *Pectus carinatum* (peito de pombo): caracterizado pela proeminência anterior anormal do esterno, pode ser congênito ou adquirido.
- *Pectus excavatum* (em funil): nesse tipo, há depressão do esterno, fazendo com que os arcos costais anteriores se projetam mais anteriormente do que o esterno.
- Tórax cifoescoliótico: decorrente de anormalidades na curvatura da coluna torácica.
- Tórax em tonel (barril): há aumento do diâmetro anteroposterior do tórax, resultante em geral da hiperinsuflação pulmonar.
- Tórax em sino: a parte inferior do tórax encontra-se alargada.

Sintomas

▸ Dispneia

Experiência subjetiva de sensações respiratórias desconfortáveis. Experimentada por pacientes acometidos por diversas moléstias, e indivíduos sadios, em condições de exercício extremo. Ela é um sintoma muito comum na prática médica, particularmente referida por indivíduos com moléstias dos aparelhos respiratório e cardiovascular. Esse sintoma é o principal fator limitante da qualidade de vida relacionada à saúde de pacientes pneumopatas crônicos. Apesar de sua importância, os mecanismos envolvidos com seu surgimento ainda não são completamente conhecidos.

Apesar do seu caráter subjetivo, algumas definições antigas misturam o verdadeiro sintoma com a presença de sinais físicos, tais como batimento de asas do nariz ou elevações da frequência respiratória. Entretanto, a observação de sinais indicadores de dificuldade respiratória não pode transmitir o que realmente um determinado indivíduo está sentindo. A presença de dispneia é um potente preditor de mortalidade e do curso clínico de um paciente. O desconforto respiratório pode ser por uma condição clínica, mas também pode ser uma manifestação de pobre condicionamento cardiovascular na nossa grande população sedentária. Existem muitos pacientes em que a causa da dispneia não está clara e nos quais a dispneia persiste mesmo depois do tratamento.

▸ Tosse e secreção

Escarro é o excesso de secreção traqueobrônquica que é eliminado pelas vias aéreas por meio da tosse ou do *huffing*. O escarro com sangue proveniente das vias aéreas inferiores é chamado de hemoptise. A aspiração traqueal é indicada no caso de ausculta pulmonar sugestiva de presença de secreção e tosse ineficaz. A quantidade e o aspecto do escarro devem ser avaliados, podendo ser seroso (claro e com pouco material das vias aéreas inferiores); mucoide (translúcido ou esbranquiçado); mucopurulento (opaco e amarelado); e purulento (espesso e esverdeado). Normalmente não apresenta cheiro. Em algumas patologias, como bronquite pútrida e gangrena pulmonar, apresenta cheiro pútrido.

▸ Dor torácica

Pode ou não ser de origem pleural. A dor de origem pleural geralmente está localizada lateral ou posteriormente e pode ocorrer por estímulo na pleura parietal. A pleura visceral não tem terminações nervosas sensíveis à dor. A dor de origem não pleural está localizada no centro da região torácica anterior e pode se irradiar para o ombro e para o dorso.

Pele

▸ Cianose

Coloração azulada e arroxeada da pele e superfície mucosa. Essa coloração é atribuída a um aumento da chamada hemoglobina reduzida, que é a hemoglobina não saturada de oxigênio. A cianose pode ser central ou periférica. A central é comum em doenças cardíacas e pulmonares, a periférica pode estar presente por causa de uma redução do fluxo de sangue local, causada por vasoconstrição arterial decorrente de hipotermia ou obstrução venosa.

Edema

Aumento do volume de líquido no interstício e acompanhado, quase sempre, de tumefação das partes atingidas.

Ritmo respiratório

Considerado normal quando é regular e, normalmente, a relação entre o tempo inspiratório e expiratório é de 1:2. Alguns ritmos são considerados anormais:

- Respiração de Cheyne-Stokes: pode ocorrer por lesão cerebral bilateral ou das vias descendentes para a ponte ou por alterações metabólicas. Caracteriza-se por ciclos de hiperventilação e hipoventilação (até apneia). A hiper-responsividade dos quimiorreceptores ao dióxido de carbono (CO_2) provoca uma resposta ventilatória excessiva a qualquer acréscimo de CO_2 no sangue, eliminando mais que o necessário; com isso, ocorre a apneia até subirem os níveis de CO_2, e recomeçar o ciclo.

- Respiração apnêustica: causada por lesões na parte média ou caudal da ponte. É determinada pela ocorrência de pausas inspiratórias prolongadas a cada ciclo.
- Respiração atáxica ou de Biot: ritmo totalmente irregular e sem sincronismo, observado em lesões bulbares.
- Respiração de Kussmaul: característica de quadros de acidose metabólica. Os movimentos respiratórios são rápidos, regulares e profundos.

Padrão respiratório

É caracterizado pela predominância na elevação de um compartimento (torácico ou abdominal) em relação ao outro:

- Padrão respiratório torácico: predomínio de elevação do tórax em relação ao abdome;
- Padrão respiratório abdominal: predomínio de elevação do abdome em relação ao tórax;
- Padrão respiratório misto: sem predomínio na elevação;
- Padrão respiratório paradoxal: assincronia entre os dois compartimentos.

Expansibilidade torácica

A expansibilidade normalmente é simétrica, ou seja, igual nos dois hemitórax.

A assimetria é mais facilmente reconhecida quando pedimos para o paciente realizar uma inspiração profunda e pode ocorrer por qualquer doença que afete a caixa torácica, sua musculatura, o diafragma, a pleura ou o pulmão de um lado. Sendo assim, o hemitórax comprometido move-se menos.

Palpação

A palpação é utilizada como técnica auxiliar na avaliação da mobilidade de um segmento e da "consistência muscular" (Figura 2.5). Além disso, auxilia na detecção de edemas e na avaliação da expansibilidade torácica.

São considerados anormais os movimentos diminuídos da expansibilidade torácica, podendo esta ser unilateral ou bilateral, localizada ou difusa, patológica ou fisiológica. Quando o

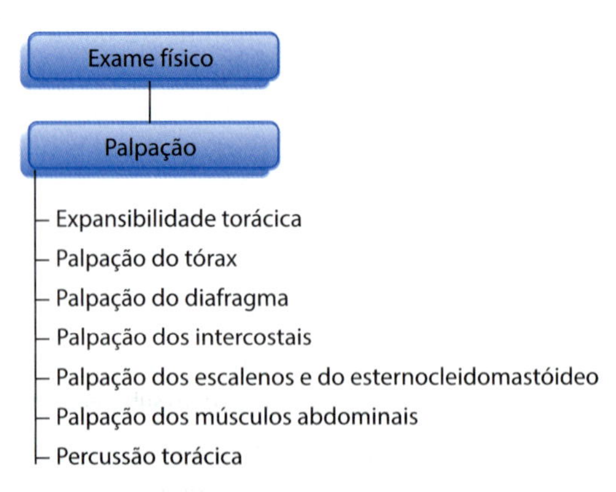

Figura 2.5 – Exame físico (palpação). Fonte: Elaborada pelos autores.

paciente realiza a inspiração profunda, a assimetria da expansibilidade torácica é mais visualmente reconhecida e, seja qual for o hemitórax comprometido, este se movimentará menos em relação ao outro. Em algumas condições, é possível observar o uso da musculatura acessória.

Podemos também examinar a posição do mediastino detectando possíveis desvios por meio da posição da traqueia e do mediastino médio. E, ainda, é possível palpar a musculatura e descobrir a origem de dores torácica. Os principais pontos onde ocorre a palpação são: tórax; diafragma; intercostais; escalenos e esternocleidomastóideo; músculos abdominais.

A percussão torácica é outra técnica auxiliar que avalia a produção de sons. É realizada por meio da digitopercussão. Seu resultado é considerado normal se o som pulmonar for claro. Já o som maciço evidencia presença de algo que não seja ar na região em que aparece.

Ausculta pulmonar

Permite a avaliação do som pulmonar normal (murmúrio vesicular) e dos ruídos adventícios (Figura 2.6). A diminuição ou abolição do murmúrio vesicular e a presença de ruídos adventícios aponta para problemas ventilatórios que podem ter relação nas alterações na pressão elástica dos pulmões e da caixa torácica ou na pressão resistiva das vias aéreas. O murmúrio vesicular está relacionado à passagem do ar pelas porções periféricas do tecido pulmonar. Os ruídos adventícios são roncos, sibilos, estridor, estertores crepitantes e estertores subcrepitantes. Temos também o som de origem pleural, que é o atrito pleural.

- Roncos: sons rudes, graves e de baixa tonalidade e que podem estar presentes durante a inspiração e a expiração. Podem ocorrer por obstrução leve ao fluxo aéreo ou quando o fluxo gera mobilização de secreções ou excesso de líquidos nas vias aéreas, portanto tendem a desaparecer com a tosse.
- Sibilos: sons contínuos, mais agudos e de tonalidades mais alta. Provocados pelo estreitamento das vias aéreas.
- Estridor: também conhecido como cornagem, está relacionado à obstrução de vias aéreas superiores.
- Estertores crepitantes: têm alta tonalidade e curta duração. Produzidos nas porções terminais, nos alvéolos, sendo audíveis no início da inspiração e, quando muito importantes, também no início da expiração. Estão relacionados à presença de exsudato e transudato intra-alveolar.

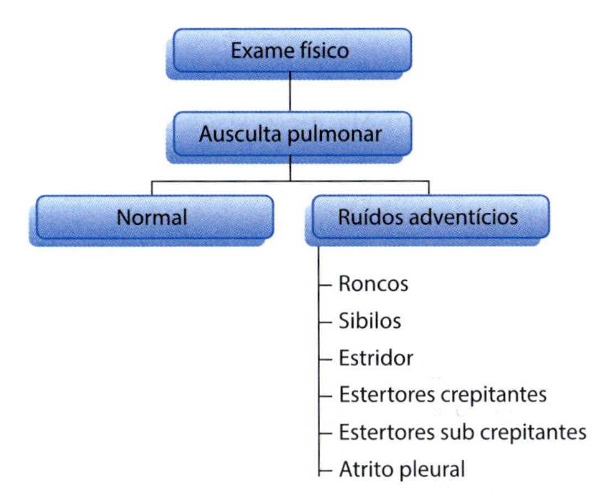

Figura 2.6 – Exame físico (ausculta pulmonar). Fonte: Elaborada pelos autores.

- Estertores subcrepitantes: têm baixa tonalidade e longa duração. Produzido nas vias aéreas medianas, sendo audíveis em toda a inspiração. Estão relacionados à presença de secreção na luz brônquica.
- Atrito pleural: presença de ruídos descontínuos causados pelo atrito das pleuras. Mais intenso na inspiração.

Medidas de variáveis respiratórias

A mensuração dos volumes e das capacidades pulmonares, bem como a força dos músculos respiratórios, fornece importantes parâmetros para a capacidade ventilatória funcional. Por meio dela, podem-se detectar alterações ventilatórias funcionais, compreendê-las, tratá-las e acompanhar o progresso do tratamento de forma apropriada (Figura 2.7).

Manovacuometria

Para avaliar a força muscular respiratória, utiliza-se o manovacuômetro, o qual mensura pressões positivas e negativas (Figura 2.8).

Alguns estudos mostram que a pressão expiratória máxima (PEmáx) pode ser mensurada a partir da capacidade pulmonar total (CPT) e outros, a partir de capacidade residual (CRF), enquanto a pressão inspiratória máxima (PImáx) pode ser medida a partir do volume residual (VR) ou CRF, porém não há diferença entre as técnicas, mas sempre deverá ser anotado ao lado do valor obtido, qual volume e/ou capacidade foi realizada para não haver viés.

- Como medir: paciente sentado e recostado. Explicar detalhadamente como o teste será realizado. Adaptar o manovacuômetro à boca do paciente e utilizar o clipe nasal para evitar escape de ar (Figura 2.9). Em pacientes com tubo orotraqueal ou traqueostomia, deve-se acoplar o manovacuômetro direto à via aérea artificial. Nesse caso, não há necessidade do clipe nasal devido à oclusão pelo *cuff*.

- PImáx
  - A partir de capacidade residual funcional: solicitar que o paciente expire normalmente e em seguida solicitar uma inspiração máxima. Nesse momento o terapeuta deve ocluir a válvula e observar no manovacuômetro o valor obtido. O ideal é que o paciente sustente a pressão alcançada por 3 segundos. A melhor de três medidas deverá ser anotada.
  - A partir de volume residual: a mesma técnica deverá ser seguida, porém a inspiração máxima deverá ser solicitada após uma expiração máxima.
- PEmáx
  - A partir de capacidade residual funcional: solicitar que o paciente inspire normalmente e, em seguida, solicitar uma expiração máxima. Nesse momento, o terapeuta deve ocluir a válvula e observar no manovacuômetro o valor obtido. O ideal é que o paciente sustente a pressão alcançada por 3 segundos. A melhor de três a cinco medidas deverá ser anotada (devem ser consideradas as medidas com diferença de 10%, ou menos, entre os valores).
  - A partir de capacidade pulmonar total: a mesma técnica deverá ser seguida, porém a expiração máxima deverá ser solicitada após uma inspiração máxima.

Ventilometria

Para medirmos os volumes e capacidades pulmonares, utilizamos o ventilômetro (Figura 2.10).

A ventilometria deve ser medida com o paciente descansado, sem ter passado por procedimentos exaustivos e que possa interferir na medida real de sua capacidade ventilatória.

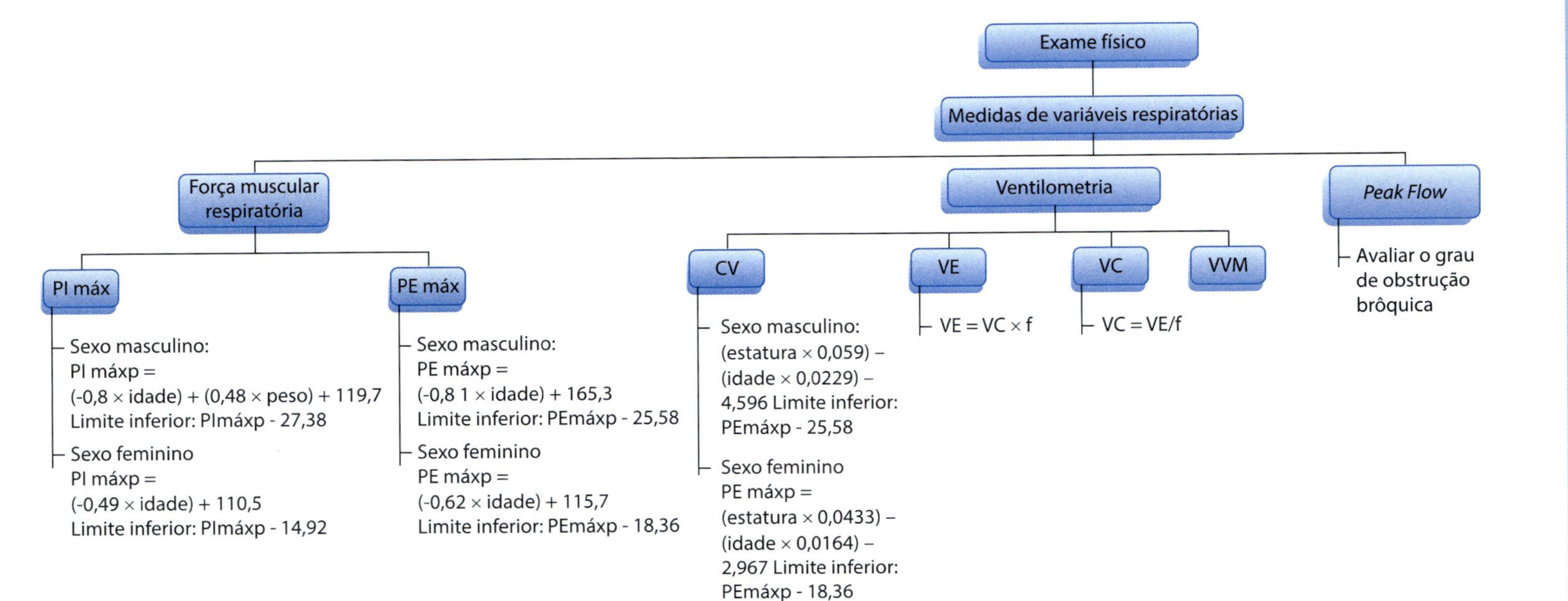

Figura 2.7 – Exame físico (medidas de variáveis respiratórias). PI máx: Pressão inspiratória máxima; PE máx: pressão expiratória máxima; CV: Capacidade Vital; VE: Volume minuto; VC : Volume corrente; f: frequência respiratória; VVM: Ventilação voluntária máxima. Fonte: Elaborada pelos autores.

Figura 2.8 – Manovacuômetro. Fonte: arquivo pessoal dos autores.

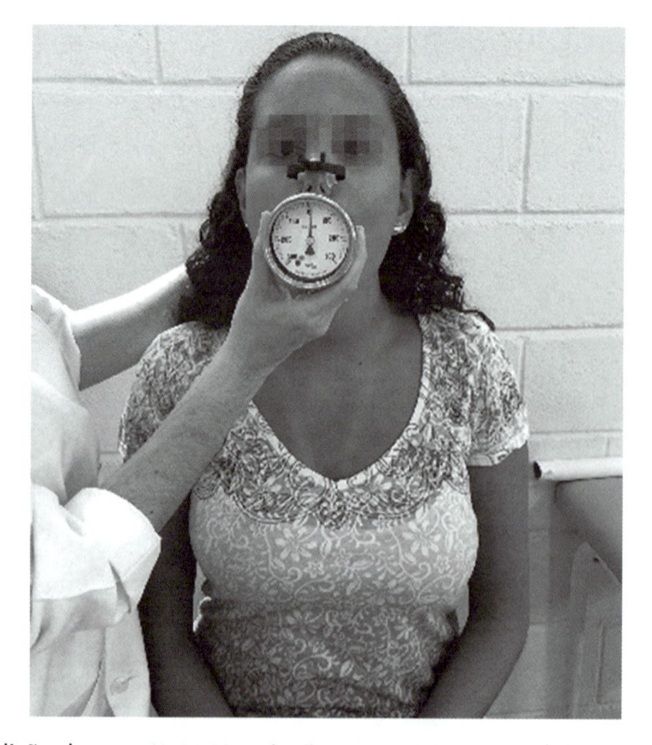

Figura 2.9 – Medição de manovacuometria. Fonte: arquivo pessoal dos autores.

Figura 2.10 – Ventilômetro. Fonte: arquivo pessoal dos autores.

Em pacientes submetidos a suporte ventilatório, a mensuração dos volumes e das capacidades pulmonares, muitas vezes, é necessária para auxiliar no desmame da ventilação mecânica. O correto emprego do ventilômetro, no paciente sob ventilação mecânica ou respiração espontânea, permite ao fisioterapeuta ter acesso a importantes parâmetros.

O ventilômetro permite obtermos as medidas de volume minuto (VE), volume corrente (VC), ventilação voluntária máxima (VVM) e capacidade vital (CV).

Volume minuto é o produto do volume corrente pela frequência respiratória, ou seja, a quantidade de ar que entra e sai dos pulmões em um minuto.

- Como medir: adaptar o ventilômetro à via aérea artificial ou, com um bocal, levá-lo à boca do paciente utilizando-se o clipe nasal para evitar escape (Figura 2.11). Durante 1 minuto

Figura 2.11 – Medição de ventilometria. Fonte: arquivo pessoal dos autores.

o paciente deverá respirar conectado ao equipamento enquanto contamos sua frequência respiratória. Após 1 minuto, verifica-se o valor marcado pelo ponteiro do equipamento. Esse valor corresponde ao volume-minuto.

Capacidade vital é o volume máximo de ar que pode ser expirado após uma inspiração máxima.

- Como medir: com o paciente tranquilo, conectar o ventilômetro à via aérea artificial ou, quando em respiração espontânea, utilizar o clipe nasal e levar o bocal conectado ao aparelho à boca do paciente. Solicita-se uma inspiração máxima seguida de uma expiração máxima, até quase atingir o volume residual. O ponteiro do equipamento mostrará o valor da capacidade vital.

Ventilação voluntária máxima é o volume total de ar inspirado e expirado durante 1 minuto com esforço máximo.

- Como medir: o paciente deve respirar rápida e profundamente durante 10 segundos, com o ventilômetro acoplado à boca, utilizando-se o clipe nasal, E, em seguida, multiplicar o valor obtido por 6, sendo seu valor normal: 120 a 180 L/minuto.

Volume corrente é a quantidade de ar inspirado ou expirado durante cada ciclo ventilatório. Para obtermos o volume corrente, dividimos o valor do volume-minuto encontrado pela frequência respiratória e passamos o valor de litros para mililitros.

Outra medida muito utilizada é o pico de fluxo expiratório, conhecido como *peak-flow*. Essa medida permite avaliar o grau de obstrução brônquica. É utilizada principalmente em pacientes asmáticos para monitorar a progressão da obstrução no decorrer do dia. Também é utilizada para verificar a reversibilidade da obstrução brônquica ao processo terapêutico, determinar a severidade da doença e detectar a piora da função pulmonar.

- Como medir: o paciente deverá estar em pé ou sentado, realizar uma inspiração máxima, com a boca aberta, e assoprar rapidamente com o aparelho na boca, pressionando-se o bocal com os lábios. O clipe nasal deverá ser utilizado, evitando escape de ar (Figura 2.12).

Figura 2.12 – Medição do *peak-flow*. Fonte: arquivo pessoal dos autores.

Capacidade funcional

Os testes de caminhada, como o de seis minutos (TC6) e o *shuttle walk test* (SWT), são os mais utilizados (Figura 2.13). São economicamente acessíveis e oferecem a vantagem da simplicidade operacional. Esses testes são bem estabelecidos e tornaram-se medidas de capacidade de exercício amplamente utilizadas em pacientes com doenças crônicas diversas.

O TC6, o qual tem duração fixa, é influenciado por fatores externos, como motivação e quantidade de esforço despendido. Portanto, as instruções e o nível de incentivo dados devem ser cuidadosamente padronizados. No TC6, o ritmo é determinado pelo sujeito, e, portanto, a distância percorrida varia muito, mesmo entre indivíduos saudáveis. Contudo, no SWT, há um aumento controlado e progressivo do ritmo a cada minuto. Ambos são seguros quando realizados de forma adequada e têm sido utilizados, sem efeitos adversos, em milhares de pacientes com doença cardíaca ou pulmonar.

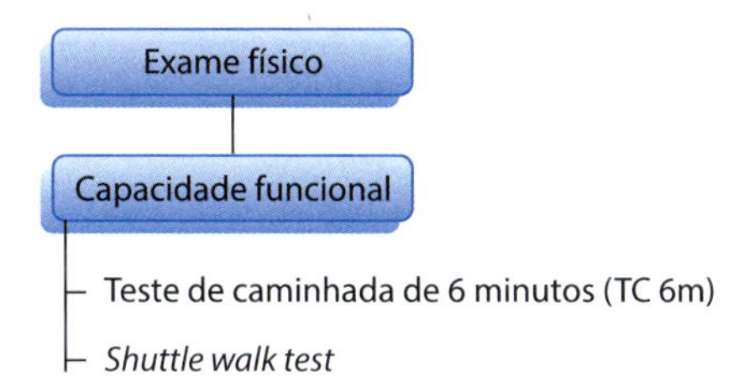

Figura 2.13 – Exame físico (capacidade funcional). TC 6m – Teste de caminhada de 6 minutos. Fonte: Elaborada pelos autores.

▶ Teste de caminhada de seis minutos

O teste de caminhada avalia a capacidade submáxima funcional. Mede a distância que o paciente pode caminhar rapidamente sobre uma superfície plana durante 6 minutos. Avalia respostas globais e íntegras de todos os sistemas envolvidos durante o exercício.

Os testes são realizados em um corredor plano com um percurso de 30 metros em linha reta, marcado metro a metro. A seguinte sequência é obedecida: avaliação no repouso, na posição em pé, próximo ao ponto de partida da caminhada, das variáveis FC, f, PA, SpO_2 e índice de dispneia e cansaço em membros inferiores utilizando-se a escala de Borg (Quadro 2.5).

Aos 3 minutos do teste, registram-se os níveis de FC e SpO_2 com oxímetro de pulso, após a estabilização do sinal.

Aos 6 minutos, o teste é interrompido e serão medidas as variáveis FC, f, SpO_2, índice de dispneia e cansaço em membros inferiores com a escala de Borg. A medida da PA deve ser realizada imediatamente após o término do teste.

Ao final do teste, é registrada a distância em metros percorrida pelo paciente, porém a distância caminhada em 6 minutos (DC6) é extremamente variável em indivíduos normais. Dois estudos normativos encontraram extremos de 380 e 800 m.

No início e no final do teste, é aplicado ao paciente uma escala de dispneia (escala de Borg modificada), variando de 0 a 10 pontos, sendo ensinada ao paciente como utilizar. O valor zero significa nenhuma dispneia e o valor 10, a máxima dispneia. O mesmo ocorre para cansaço em membros inferiores. O paciente relata seu grau de dispneia e cansaço em membros inferiores pela forma verbal ou indica o sintoma na escala, como descrita no Quadro 2.5.

Quadro 2.5 Escala de Borg modificada

Pontos	Classificação
0	Nenhuma
0,5	Muito, muito leve
1	Muito leve
2	Leve
3	Moderada
4	Pouco intensa
5	Intensa
6	
7	Muito intensa
8	
9	Muito, muito intensa
10	Máxima

Fonte: adaptado de Wilson e Jones, 1989.

Shuttle walk test

O SWT pode ser amplamente aplicado a indivíduos com diferentes condições de saúde e faixas etárias, bem como com diferentes finalidades, sendo as mais frequentes: avaliação de resposta às intervenções; avaliação da capacidade funcional; e avaliação de prognóstico. O SWT é um instrumento com baixo índice de complicações durante sua execução e considerado válido e confiável para avaliação da capacidade funcional.

O SWT apresenta 12 estágios com 1 minuto de duração cada, velocidade inicial de 0,5 metros/segundo (m/s), sendo a cada minuto acrescentado 0,17 m/s (equivalente a 10 metros/minuto).

O avaliador pode fornecer comando verbal padronizado ao fim de cada estágio com intuito de informar ao indivíduo sobre o aumento da velocidade de caminhada. A velocidade de caminhada é determinada por meio de dois tipos diferentes de sinais sonoros: (1) um sinal (bipe) único que indica mudança de direção e (2) um sinal (bipe) triplo que indica mudança de direção e de estágio.

Para realização do SWT, utiliza-se uma pista de 10 m, demarcada por dois cones, com distância de 9 m entre eles e 0,5 metro além de cada cone para o retorno. O indivíduo é instruído a caminhar de um cone ao outro, de acordo com o ritmo determinado pelos sinais sonoros, até a fadiga ou presença de sintoma limitante. Um dos critérios de interrupção do teste é a incapacidade de manter o ritmo de deslocamento, ou seja, quando o indivíduo não alcança o cone subsequente, por duas vezes consecutivas, dentro do tempo estabelecido pelos sinais sonoros. Além disso, o teste deverá ser interrompido caso o indivíduo apresente valores de frequência cardíaca superiores a 85% da máxima prevista ou queda da saturação.

Antes da realização do teste serão aferidas pressão arterial, frequência cardíaca, saturação periférica de oxigênio e frequência respiratória.

Com relação às variáveis fornecidas pelo SWT devem ser registrados distância máxima percorrida, velocidade máxima alcançada, PA, FC, percepção subjetiva de esforço, estágio e respectivo percurso no qual o teste foi interrompido.

Avaliação da força de preensão palmar

A avaliação da força de preensão palmar tem sido comumente utilizada como indicador da força total do corpo em diferentes populações, desempenhando um papel importante no controle de processos de reabilitação. Além disso, a força de preensão manual (FPM) é entendida como indicador geral de força e potência musculares, podendo ser relacionada a taxas de mortalidade. É útil, ainda, na área esportiva, na reabilitação ocupacional, em testes de admissão em diversos tipos de trabalho e na ergonomia.

A avaliação da FPM tem ampla aplicação clínica por ser um método barato, simples, rápido e não invasivo, fornecendo um indicador do estado geral de saúde e da função muscular global.

Para determinar a força manual, é importante que a avaliação seja objetiva, validada e reprodutível, utilizando-se de instrumento confiável, que permita ao profissional responsável pela realização do teste alcançar suas conclusões. Ao iniciar o teste, algumas informações deverão ser dadas para o paciente, tais como:

- Posicionamento: a posição aprovada pela American Society of Hand Therapists (ASHT) é utilizada em diferentes estudos, sendo considerada o padrão-ouro para realização do teste. O paciente deve estar confortavelmente sentado, posicionado com o ombro levemente aduzido, o cotovelo fletido a 90°, o antebraço em posição neutra e, por fim, a posição do punho pode variar de 0° a 30° de extensão.
- Posição da alça: aconselha-se que se façam tentativas exploratórias prévias a fim de identificar qual posição da alça é a mais confortável, pois sofre influência diretamente do tamanho da mão do avaliado, sendo necessário, assim, o ajuste para homogeneizar futuras avaliações.

É importante uniformizar a forma com que as informações são transmitidas aos pacientes, assim como utilizar o mesmo tom de voz nas instruções em cada realização do teste, sem que nenhum tipo de incentivo seja aplicado ao avaliado.

O método mais utilizado para registro da força de preensão manual máxima é a média de três medidas. Contudo, variações desse método têm sido estudadas, como, por exemplo, uma medida, o melhor de duas ou de três medidas.

Pode-se considerar que o tempo ideal de descanso para realização de uma nova medida seja por volta de 15 s, tendo em vista que será suficiente para restaurar os estoques de ATP-PC consumidos durante o teste. Recomendamos que as medidas sejam registradas de forma alternada entre as mãos, começando sempre pelo lado direito.

Motricidade

A motricidade é definida como o conjunto de funções nervosas e musculares que permite os movimentos (Figura 2.14).

Motricidade voluntária

A movimentação parcial ou total do corpo pode acontecer em virtude da ação direta da realização de algum movimento específico, como segurar um copo. Isso é denominado motricidade voluntária.

Contudo, o movimento pode não ser realizado por causa de uma fraqueza muscular, por isso sua avaliação também é importantíssima. As manobras visam graduar a força em todos os segmentos e é classificada em estágios de 0 a 5. Também pode avaliar se há alguma dificuldade no movimento ou compensação dele durante a mudança postural.

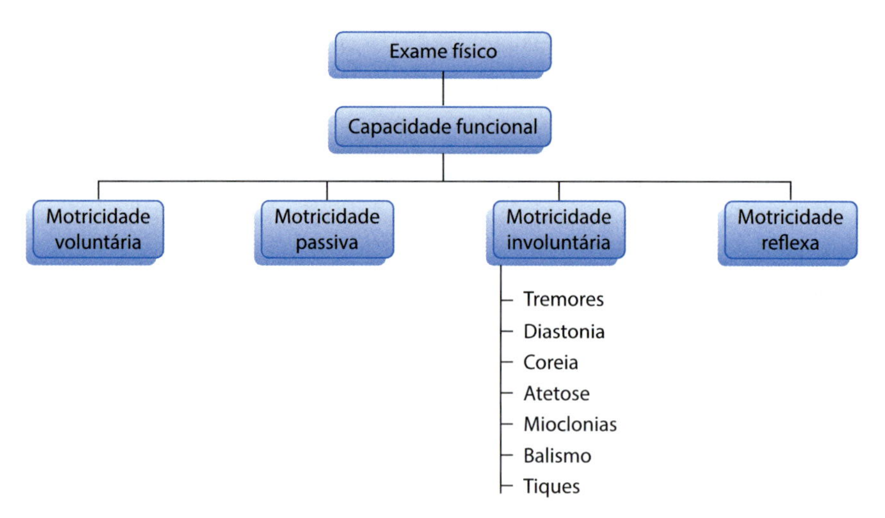

Figura 2.14 – Exame físico (motricidade). Fonte: Elaborada pelos autores.

Na avaliação da amplitude do movimento, deve-se considerar a amplitude articular normal da momentânea, em razão da idade, da sua patologia de base, do longo tempo de imobilismo e da alteração de tônus.

O exame da coordenação motora é testado nos pacientes despertos, conscientes e colaborativos por meio das principais manobras, como indicador-nariz, indicador-indicador e calcanhar-joelho. Os exames de coordenação, de sensibilidade, de bipedestação, de marcha e de equilíbrio podem ser prejudicados em virtude da condição do paciente.

Quando ocorre um acometimento motor e dependendo de sua topografia, usamos os seguintes termos: monoplegia/monoparesia; hemiplegia/hemiparesia; paraplegia/paraparesia; tetraplegia/tetraparesia; diplegia/diparesia.

A hemiparesia ou hemiplegia proporcional caracteriza um quadro parético ou plégico que acomete igualmente o braço e a perna. Entretanto, quando há um predomínio braquial ou crural, ocorre a hemiparesia ou hemiplegia desproporcional. Em alguns casos, a face e os membros também são acometidos, e os termos corretos a serem utilizados são "hemiparesia" ou 'hemiplegia completa".

▸ Motricidade passiva

Antes de verificar o tônus muscular, é necessário que tenha sido feita uma boa avaliação, sendo realizados a inspeção, a palpação do ventre muscular e o alongamento passivo para sentir a resistência que a musculatura oferece.

No início do século, tônus era considerado como reflexos posturais. Já em 1950, foi definido como um estado de leve excitação ou de preparação. E, anos depois, definiu-se que a mesma organização espinhal era mobilizada pelos gânglios da base para produzir as duas manifestações do tônus, um estado de preparação e reflexos posturais.

Define-se o tônus muscular como o estado de tensão de um músculo em repouso e pode ser descrito como a resistência sentida quando uma parte do corpo é movida passivamente. Isso é, alongando ou estirando aqueles músculos que correm na direção oposta à do movimento.

O tônus normal é sentido como uma quantidade apropriada de resistência, permitindo que o movimento prossiga suavemente e sem interrupção. O músculo pode estar hipotônico, normotônico ou hipertônico.

Quando ocorre a hipotonia, há pouquíssima ou nenhuma resistência ao movimento e o respectivo membro é sentido frouxo e flexível.

A hipertonia pode ser classificada em dois tipos: a hipertonia elástica e a hipertonia plástica. Há uma resistência aumentada ao movimento passivo:

- A hipertonia elástica é conhecida como o sinal do canivete, pois, durante o alongamento, é sentida uma resistência inicial e, posteriormente, há uma liberação do movimento até sua amplitude final. Essa resistência tende a aumentar com a velocidade e ceder com a mobilização;
- A hipertonia plástica caracteriza-se por um aumento da resistência durante toda a amplitude do movimento, tanto na musculatura agonista quanto na antagonista, gerando o sinal da roda denteada.

Já o trofismo muscular corresponde ao volume de massa muscular existente no corpo. Dependendo da região corporal e conforme o uso diário e aos estímulos, pode ocorrer um aumento de massa muscular, ou seja, acontecer a "hipertrofia muscular". Entretanto, quando perdemos massa muscular ou quando negligenciamos algum músculo, temos um quadro de "hipotrofia".

Motricidade involuntária

São movimentos realizados de forma involuntária, independentemente da vontade do indivíduo. Geralmente são transitórios e/ou patológicos que têm como denominador comum a presença de um ou mais tipos de movimentos involuntários, tais como:

- Tremores: movimentos involuntários, rítmicos, oscilantes, de qualquer parte do corpo, causados por contrações variadas de grupos musculares e seus antagonistas. Pode ocorrer em uma determinada postura, em algum movimento específico ou no próprio repouso.
- Distonia: contrações musculares sustentadas, levando a tremores, abalos lentos, movimentos de torção e até mesmo, a posturas anormais. Simultaneamente, ocorre a contração de músculos agonistas e antagonistas.
- Coreia: movimentos involuntários de início abrupto, explosivos, geralmente de curta duração, repetindo-se com intensidade e topografia variáveis, assumindo caráter migratório e errático.
- Atetose: movimentos involuntários mais lentos, sinuosos, frequentemente contínuos, assimilando-se a uma contorção e que envolvem principalmente as extremidades distais, geralmente acompanhadas de hiperextensão e flexão dos dedos.
- Mioclonias: contrações espontâneas involuntárias e súbitas, breves, com abalos como sustos ou choques, envolvendo a face, o tronco e/ou as extremidades.
- Balismo: movimentos involuntários, amplos, de início e fim abruptos, que acometem os membros proximalmente, podendo envolver o tronco e o segmento cefálico. Chama-se de hemibalismo quando acomete apenas um lado do corpo.
- Tiques: movimentos estereotipados breves, repetitivos, normalmente rápidos, que abrangem múltiplos grupos musculares.

Motricidade reflexa

Essa avaliação é dividida entre reflexos profundos e superficiais. Os reflexos profundos são adquiridos pela percussão do tendão ou fáscia do músculo e podem se classificar em ausente, diminuído, normal, vivo ou exaltado. Em casos de hiper-reflexia, o clônus é um dos sinais mais comuns. Já os reflexos superficiais são pesquisados pela estimulação de regiões cutâneas ou mucosas.

Instrumentos para Avaliação da Qualidade de Vida

Vários instrumentos podem ser utilizados para avaliar a qualidade de vida, porém um dos mais utilizados é o Medical Outcomes Short-Form Health Survey, conhecido como SF36. Este é um instrumento de avaliação genérica de saúde que permite comparações entre diferentes patologias ou diferentes tratamentos.

O questionário é constituído por 36 questões que mensuram oito conceitos de saúde: capacidade funcional; aspectos físicos; dor; estado geral da saúde; vitalidade; aspectos sociais; aspectos emocionais; e saúde mental.

Entre outras coisas, os conceitos descritos avaliam presença e extensão de limitações da capacidade física, intensidade da dor, energia, integração do indivíduo em atividades sociais, interferência de problemas de saúde na participação em tais atividades, ansiedade e alterações de comportamento.

A pontuação de cada conceito varia de 0 a 100, com maiores pontuações indicando um melhor estado de saúde. De acordo com Ciconelli (1997), não há um único valor que resuma toda a avaliação, portanto, para determinar o resultado final desse questionário, todos os conceitos foram considerados: se um maior número deles apresentasse maior pontuação no segundo questionário aplicado, o paciente teria melhora da qualidade de vida; porém, se predominasse a menor pontuação ou a manutenção dos valores, o paciente apresentaria piora ou manutenção da qualidade de vida respectivamente.

Leitura Recomendada

1. Alcântara EC, Silva JDO. Adaptador bocal: um velho conhecido e tão pouco explorado nas medidas de função pulmonar. ASSOBRAFIR Ciência. 2012 Dez;3(3):43-53.
2. American Thoracic Society. Dyspnea: mechanisms, assessment, and management: a consensus statement. Am J Respir Crit Care Med 159. 1999. Pg.321-340.
3. ATS Committee on Proficiency Standards for Clinical Pulmonary Function Laboratories. ATS statement: guidelines for the six-minute walk test. Am J Respir Crit Care Med. 2002;166(1):111-7.
4. Bohannon RW, Peolsson A, Massy-Westropp N, Desrosiers J, Bear-Lehman J. Reference values for adult grip strength measured with a Jamar dynamometer: a descriptive meta-analysis. Physiotherapy. 2006; 92(1):11-15. doi: 10.1016/j.physio.2005.05.003.
5. Campos L, Campos F. Inspeção, palpação e percussão do tórax. In: Medeiros JL, López M. Semiologia médica: as bases do diagnóstico clínico. 4 ed. Rio de Janeiro: Revinte, 2001. p. 620-631.
6. Ciconelli RM. Tradução para o português e validação do questionário genérico de avaliação de qualidade de vida Medical Outcomes Study 36-Item Short-form Health Survey (SF-36) [tese]. São Paulo: Universidade Federal de São Paulo; 1997.
7. Costa D. Avaliação em fisioterapia respiratória. In: Costa D. Fisioterapia respiratória básica. São Paulo: Atheneu, 1999. p. 11-35.
8. Davies PM. Passos a seguir – um manual para o tratamento da hemiplegia no adulto. São Paulo: Manole, 1996.
9. Enright PL, Sherrill DL.. Reference equations for the six-minute walk in healthy adults. Am. J Respir.Crit Care Med 1998; 58:1384-1387.
10. Fernandes AF, Marins JCB. Teste de força de preensão manual: análise metodológica e dados normativos em atletas. Fisioter. mov. vol.24 no.3 Curitiba July/Sept. 2011.
11. Franco JA. Exame do tórax e pulmões. In: Bensenõr IM et al. Semiologia clínica: sintomas gerais, sintomas e sinais específicos, dor, insuficiências. São Paulo: Sarvien, 2002. p. 39-49.
12. Gava MV, Picanço PSA. Fisioterapia pneumológica. Barueri: Manole, 2007.
13. Gobbi FCM, Cavalheiro LV. Fisioterapia hospitalar: avaliação e planejamento do tratamento fisioterapêutico. São Paulo: Atheneu, 2009.
14. Hebert S, Xavier R. Ortopedia e traumatologia – princípios e prática. 3 ed. Porto Alegre: Artmed, 2003.
15. Humberstone N. Avaliação respiratória e tratamento. In: Irwin S, Tecklin J. Fisioterapia cardiopulmonar. 2 ed. São Paulo: Manole,1994. p. 277-289.

16. Jurgensen SP, Antunes LC, Tanni SE, Banov MC, Lucheta PA, Bucceroni AF, et al. The incremental shuttle walk test in older Brazilian adults. Respiration. 2011; 81(3):223-8.
17. Kraemer WJ, Hakkinen K, Triplett-McBride NT, Fry AC, Koziris LP, Ratamess NA. Physiological changes with periodized resistance training in women tennis players. Med Sci Sports Exerc. 2003;35(1):157-68.
18. Leão HM, Almeida MA, Mendes DMD, Fróes AFA, Guimarães MLF. Avaliação do nível de consciência do paciente grave. Revista Digital. Ano 18. N. 188. Buenos Aires, 2014.
19. López M. Semiologia médica: as bases do diagnóstico clínico. 4 ed. Rio de Janeiro: Revinter, 2001.
20. Mansoor GA, White WB. Self-measured home blood pressure in predicting ambulatory hypertension. Am J Hypertens. V. 17. 2004. p. 1017-1022.
21. Mendes CL, Vasconcelos LCS, Tavares JS, Fontan SB, Ferreira DC, Diniz LAC, et al. Escalas de Ramsay e Richmond são equivalentes para a avaliação do nível de sedação em pacientes gravemente enfermos. Revista Brasileira de Terapia Intensiva. V. 20. N. 4. 2008. p. 344-348.
22. Morgado FL, Rossi LAR. Correlação entre a escala de coma de Glasgow e os achados de imagem de tomografia computadorizada em pacientes vítimas de traumatismo cranioencefálico. Radiologia Brasileira. V. 44. N.1. Jan/Fev 2011. p. 35-41.
23. Nassar Junior AP, Neto RCP, Figueiredo WB, Park M. Validade, confiabilidade e aplicabilidade das versões em português de escalas de sedação e agitação em pacientes críticos. São Paulo Medical Journal. V.126 N. 4. Julho 2008.
24. Neder JA, Andreoni S, Lerario MC, Nery LE. Reference values for lung function tests. II. Maximal respiratory pressures and voluntary ventilation. Braz J Med Biol Res V.32 N.6 Ribeirão Preto June 1999.
25. Ohkubo T, Imai Y, Tsuji I, Nagai K, Kato J, Kikuchi N, et al. Home blood pressure measurement has a stronger predictive power for mortality than does screening blood pressure measurement: a population-based observation in Ohasama, Japan. J Hypertens. V. 16. 1998. Pg. 971–975.
26. O'Sullivan SB, Schmitz TJ. Fisioterapia avaliação e tratamento. 5 ed. São Paulo: Manole, 2010.
27. Parshall MB, Schwartzstein RM, Adams L, Banzett RB, Manning HL, Bourbeau J, et al. An Official American Thoracic Society Statement: update on the mechanisms, assessment, and management of dyspnea. American Journal of Respiratory and Critical Care Medicine, V. 185. N. 4. 2012. p. 435-452.
28. Porto C. Exame clínico. In: Porto, C. Semiologia médica. 4 ed. Rio de Janeiro: Guanabara Koogan,. 2001. p. 335-342.
29. Presto B, Damázio L. Fisioterapia na UTI. 2 ed. Rio de Janeiro: Elsevier, 2009.
30. Sande LP, Coury HJCG, Oishi J, Kumar S. Effect of muscoloskeletal disorders on prehension strength. Appl Ergon 2001;32(6):609-616.
31. Scanlan CL, Wilkins RL, Stoller JK. Fundamentos da terapia respiratória de Egan. 7 ed. São Paulo: Manole, 2000.
32. Seixas DM, Pereira MC, Moreira MM, Paschoal IA. Oxygen desaturation in healthy subjects undergoing the incremental shuttle walk test. J Bras Pneumol. 2013; 39(4):440-6.
33. Singh SJ, Jones PW, Evans R, Morgan MD. Minimum clinically important improvement for the incremental shuttle walking test. Thorax. 2008; 63(9):775-7.
34. Sociedade Brasileira De Cardiologia. Sociedade Brasileira De Hipertensão. Sociedade Brasileira De Nefrologia. VI Diretrizes Brasileiras de Hipertensão. Arquivos Brasileiro de Cardiologia. V. 95. 2010. p. 1-51.
35. Tredgett MW, Davis TRC. Rapid repeat testing of grip strength for detection of faked hand weakness. J Hand Surg [Br] 2000;25(4):372-375.
36. Thijs L, Staessen JA, Celis H, Gaudemaris RD, Imai Y, Julius S, et al. Reference values for self-recorded blood pressure. A meta-analysis of summary data. Arch Intern Med. V. 158. 1998. Pg. 481–488.
37. Thomson A, Skinner A, Piercy J. Fisioterapia de Tidy. 12 ed. São Paulo: Santos, 1994.
38. Umphred DA. Reabilitação neurológica. 4 ed. Barueri: Manole, 2004.
39. Vega JM, Luque A, Sarmento GJV, Moderno LFDO. Tratado de fisioterapia hospitalar – assistência integral ao paciente. São Paulo: Editora, 2012.
40. Wilson RC, Jones PW. A comparison of the visual analogue scale and modified Borg scale for the measurement of dyspnoea during exercise. Clinical Science. 1989; 76:277-282.
41. Zainuldin R, Mackey MG, Alison JA. Prescription of walking exercise intensity from the incremental shuttle walk test in people with chronic obstructive pulmonary disease. Am J Phys Med Rehabil. 2012;91(7):592-600.
42. Zeballo JR. ATS statement: guidelines for the six-minute walk test. Am. J. Respir. Crit. Care Med., v. 166, p. 111-117, 2002.

Capítulo 3

Estratégia Ventilatória Mecânica e Desmame da Ventilação Mecânica

Caio Henrique Veloso da Costa
Wesla Neves da Silva
Ângelo Roncalli Miranda Rocha
Nathália Toledo Pacheco Piatti

Introdução

A ventilação mecânica invasiva (VMI) é um suporte ventilatório artificial de oferta parcial ou total, por meio de uma prótese (cânula orotraqueal, nasotraqueal ou traqueostomia), ao paciente. Este aparelho tem como finalidade levar um volume de gás até os pulmões.

Os principais objetivos da VMI são:

- Melhorar ou garantir oxigenação e/ou ventilação adequadas;
- Reduzir o trabalho respiratório, promovendo um descanso da musculatura e a redução da fadiga e do metabolismo anaeróbico;
- Manter as vias aéreas pérvias e protegidas;
- Garantir estabilidade do sistema respiratório e menor gasto energético em situações de instabilidade hemodinâmica grave;
- Promover o conforto do paciente.

São indicações de VMI: apneia, sinais clínicos de aumento do trabalho respiratório, choque e insuficiências respiratórias hipoxêmica, hipercápnica e pós-operatória (Quadro 3.1). As causas mais comuns de insuficiência respiratória são pneumonia, edema pulmonar cardiogênico, síndrome do desconforto respiratório agudo (SDRA), múltiplos traumas, pneumonia aspirativa, imunocomprometido com infiltrado pulmonar e tromboembolismo pulmonar.

Alguns pacientes necessitam de via aérea artificial para proteção da via aérea, mas sem necessitar de ventilação mecânica, como nos casos de obstrução ou incapacidade de proteger a via aérea de aspiração e da inabilidade de remover secreção.

Quadro 3.1 Manifestações clínicas e laboratoriais da insuficiência respiratória
Batimento de asa do nariz
Tiragem intercostal e/ou de fúrcula
Uso de musculatura acessória
Recrutamento de músculos expiratórios
Taquipneia
Taquicardia
Hipertensão ou hipotensão
Sudorese
Alteração do nível de consciência
PaO_2 < 55 mmHg apesar de suplementação de O_2
Retenção de CO_2 > 10 mmHg ou na presença de pH < 7,30
Pressão inspiratória máxima < - 25 cmH_2O

Fonte: Borges, 2012 e Laghi, 2012.

Ciclo Ventilatório Mecânico

Durante a respiração espontânea normal, a contração dos músculos respiratórios supera tanto o recolhimento elástico quanto a resistência do sistema respiratório (pulmões e parede torácica). Matematicamente, isso pode ser expresso pela equação:

$$P_{mus} = P_{el} + P_{res}$$

Onde P_{mus} corresponde à pressão muscular gerada pelo esforço inspiratório do paciente; e P_{el} e P_{res} correspondem aos componentes de pressão elástica e resistiva, respectivamente. A queda na pressão pleural resulta na inflação alveolar devido ao gradiente de pressão resultante. A expiração é normalmente passiva.

No paciente mecanicamente ventilado, a pressão gerada pelo ventilador (P_{va}) supera os componentes resistivo e elástico, podendo realizar o trabalho independentemente (modo controlado) ou somar-se ao esforço muscular respiratório do doente, caso ele exista, podendo ser representado matematicamente por:

$$P_{va} + P_{mus} = P_{el} + P_{res}$$

Considerando a equação do movimento dos gases no sistema respiratório, temos que:

$$P_{va} + P_{mus} = P_{el} + P_{res} = Volume/C_{sr} + R_{va}.Fluxo + PEEP_{total}$$

Onde C_{sr} corresponde à complacência do sistema respiratório e R_{va} corresponde à resistência das vias aéreas. A relação entre o volume e a complacência determinam a elastância, que representa a tendência de recuo elástico dos pulmões e caixa torácica, constituindo o componente elástico na equação. Já a razão entre a resistência e fluxo constitui o componente resistivo. A $PEEP_{total}$ corresponde à soma da pressão expiratória positiva final (PEEP) extrínseca mais a PEEP intrínseca e deve ser adicionada à equação por impor um trabalho adicional. Em modo ventilatório controlado, a ausência do trabalho dos músculos respiratórios determinaria a seguinte equação:

$$P_{va} = P_{el} + P_{res} = Volume/C_{sr} + R_{va}.Fluxo + PEEP_{total}$$

Disparo

Corresponde à transição da expiração para a inspiração. Pode ser determinado por tempo, de acordo com a frequência respiratória (*f*) programada (modo controlado), ou desencadeado pelo paciente por meio de variações de pressão ou fluxo. Essas variações são normalmente detectadas por sensores presentes na peça Y ou no ramo expiratório do ventilador.

- Disparo a tempo: a partir da *f* ajustada pelo operador, determina-se o tempo para cada disparo da máquina. Por exemplo, se a *f* ajustada foi de 12 respirações por minuto, o ventilador disparará a cada 5 segundos (12 respirações em 60 segundos determinam uma respiração a cada 5 segundos). Esse tipo de disparo caracteriza os modos controlados.
- Disparo à pressão: o esforço respiratório do paciente resulta em contração isométrica dos músculos inspiratórios, diminuindo a pressão no circuito. Quando esta queda de pressão atinge um valor predeterminado (sensibilidade), a válvula inspiratória abre e a inspiração é desencadeada. A sensibilidade pressórica deve ser ajustada no valor mínimo possível para que não haja autodisparo, normalmente em torno de -1 a -2 cmH_2O.
- Disparo a fluxo: neste caso, o ventilador detecta o esforço do paciente por meio de mudanças no fluxo inspiratório do paciente. Geralmente, um fluxo de base (*Bias flow*) e uma sensibilidade a fluxo são definidos pelo operador. Quando o paciente faz um esforço inspiratório, ocorre um desvio de fluxo para dentro dos pulmões, resultando em uma discrepância entre o fluxo de base e o de gás por meio do circuito expiratório. A diferença mínima entre os fluxos inspiratório e expiratório resulta em um disparo pelo ventilador mecânico, o qual é determinado pelo ajuste de sensibilidade de fluxo e pode variar de 1 a 3 L/min. O fluxo de base pode ser ajustado entre 5 e 20 L/minuto, a depender do ventilador.

Fase inspiratória

Durante a fase inspiratória, fluxo ou pressão podem ser gerados pelo ventilador para insuflar os pulmões. As pressões criadas pelos geradores de fluxo variarão de acordo com a mecânica respiratória do paciente. O fluxo criado por geradores de pressão também varia de acordo com a mecânica respiratória do paciente. Ao final da inspiração, o fluxo de gás cessa e ocorre a transição da inspiração para a expiração. Este ponto de transição entre a fase inspiratória e a fase expiratória é denominado "ciclagem".

Ciclagem

A expiração começa quando um valor pré-definido de fluxo, tempo e volume ou pressão é atingido ao final da fase inspiratória.

Ciclagem a volume: na ventilação controlada por volume, o ventilador cicla quando um volume pré-determinado é atingido. Atualmente, os ventiladores podem usar uma combinação de taxa de fluxo e tempo inspiratório para determinar o volume inspiratório, e não o volume diretamente mensurado.

- Ciclagem a tempo: ocorre quando um tempo inspiratório pré-determinado é atingido. Modos mandatórios com controle de pressão são geralmente ciclados a tempo, que pode ser determinado diretamente ou por meio do ajuste da relação I:E.
- Ciclagem a pressão: ocorre quando uma pressão pré-ajustada é atingida. Era o tipo de ciclagem utilizada em ventiladores mecânicos não microprocessados, como o Bird Mark 7, por exemplo. Atualmente, é utilizada apenas como segurança nos alarmes como medida de segurança para evitar a pressões inspiratórias elevadas. Por exemplo, durante a tosse, se

o limite do alarme de alta pressão é atingido, o ventilador pode encerrar a fase inspiratória para evitar lesão induzida pela ventilação mecânica.

- Ciclagem a fluxo: a ciclagem é determinada pela queda do fluxo inspiratório, normalmente a 25% do fluxo inicial. No entanto, esse valor percentual (denominado *cut off* ou sensibilidade expiratória) pode ser ajustado pelo operador nos modernos ventiladores. O ajuste em percentuais maiores (p. ex.: 40%) reduziria o tempo inspiratório (Ti) e, consequentemente, aumentaria o tempo expiratório (Te), o que poderia ser uma boa alternativa para evitar dessincronias em pacientes obstrutivos com necessidade de maior tempo de exalação. Já percentuais menores (p. ex.: 10%) aumentaria o Ti e, consequentemente, reduziria o Te.

Fase expiratória

A expiração é frequentemente passiva e ocorre com a abertura da válvula expiratória. Durante a expiração pode haver ou não fluxo de gás exalado. Tempos exalatórios muito longos podem determinar uma subfase da expiração em que não há fluxo exalado. Mudanças na impedância do sistema respiratório podem alterar a constante de tempo expiratória e alterar a relação I:E. Se o tempo expiratório for muito curto, pode ocorrer aprisionamento aéreo e hiperinsuflação, determinando a formação de auto-PEEP ou PEEP intrínseco.

Modos Ventilatórios Convencionais

Assistido-controlado (A/C)

O ventilador em modo A/C é sensível ao esforço respiratório do paciente, se presente. Nesse caso, apenas o disparo é determinado pelo paciente, sendo os demais parâmetros ofertados pelo ventilador conforme ajuste do operador. Se esforços respiratórios suficientes para atingir o limiar de sensibilidade estiverem ausentes, a máquina dispara a tempo conforme *f* pré-ajustada e fornece um ciclo controlado. Esse modo pode ser utilizado associado às variáveis de controle volume (VCV-A/C) e pressão (PCV-A/C).

Ventilação mandatória intermitente sincronizada (SIMV)

A SIMV garante um número mínimo de respirações por minuto totalmente assistidas (disparo a tempo) de acordo com a *f* ajustada pelo operador. Neste caso, podemos ter respirações cicladas a volume (VCV-SIMV) ou limitadas à pressão (PCV-SIMV). No entanto, podem ocorrer respirações espontâneas (disparo pela sensibilidade) sincronizadas com o esforço respiratório do paciente. Nestas respirações espontâneas, o volume gerado é determinado pelo esforço e mecânica pulmonar do paciente, podendo ser suportadas (SIMV + pressão de suporte – PS) ou não suportadas. Importante lembrar que A/C e SIMV são modos idênticos em pacientes que não estão respirando espontaneamente. Recentemente, as Diretrizes Brasileiras de Ventilação Mecânica sugeriram que a SIMV deve ser evitada por prolongar o tempo de VMI.

Pressão de suporte ventilatório (PSV)

No modo PSV, o esforço do paciente determina a oferta de um fluxo de gás suficiente para atingir uma pressão predeterminada, geralmente acima da PEEP. Esse suporte pressórico permite ao paciente respirar espontaneamente, com menor carga imposta, como aquelas proporcionadas pelo tubo endotraqueal ou pelos circuitos do ventilador. Níveis de pressão de suporte entre 5 e 10 cmH_2O podem reduzir o trabalho respiratório necessário para sobrepujar a resistência dos circuitos. Nesse modo, não há respirações mandatórias, e o controle direto de variáveis como volume corrente (Vt), volume minuto (VM) e relação I:E não é possível.

Tradicionalmente, a PSV foi concebida para ser um modo de desmame ventilatório. No entanto, com a tendência de atrofia precoce dos músculos respiratórios em modos controlados, recomenda-se que, assim que o paciente mantiver *drive* ventilatório estável, o PSV seja o modo de escolha. Alguns trabalhos mostraram redução da perda muscular ventilatória em PSV comparada aos modos controlados. A pressão de suporte pode ser ajustada entre 10 e 20 cmH_2O, de acordo com o Vt gerado e o conforto respiratório do paciente.

Modo ventilatório com controle de volume (VCV)

No modo VCV, dentro dos limites, o ventilador entrega um volume pré-ajustado, independentemente da pressão necessária para isso. Ou seja, há controle do volume, mas a pressão é variável. A ciclagem ocorre quando o Vt pré-ajustado é entregue. O fluxo também é controlado e constante durante toda a inspiração (onda de fluxo quadrada). Alguns ventiladores, no entanto, permitem alterar o perfil de onda de fluxo em VCV para decrescente ou senoidal.

A principal vantagem do uso de VCV é a garantia de entrega de um VM pré-definido. Pacientes que necessitam de controle rigoroso da $PaCO_2$, como aqueles com trauma craniano em fase aguda, podem se beneficiar com um VM estável. No entanto, mudanças na impedância do sistema respiratório, provocadas por atelectasias ou broncoespasmo, por exemplo, podem causar altas pressões inspiratórias, aumentando o risco de lesão pulmonar induzida pelo ventilador.

Modo ventilatório com controle de pressão (PCV)

Em PCV, a pressão é a variável de controle e a ciclagem é determinada pelo tempo inspiratório ajustado pelo operador, sendo o volume corrente determinado por esses parâmetros. O fluxo inspiratório decresce exponencialmente e a pressão inspiratória predefinida é mantida durante o tempo inspiratório definido pelo operador. A maioria dos ventiladores atualmente permite dimensionar o tempo que a máquina leva para alcançar o nível de pressão limite programado, tornando-o mais curto ou mais longo . Essa opção é denominada *Rise Time*. Assim, reduzindo-se esse tempo, pressuriza-se o sistema mais rapidamente, o que pode ser uma alternativa interessante para doentes com demanda ventilatória aumentada.

Embora a PCV seja cada vez mais usada, principalmente nas doenças que cursam com aumento da resistência ou diminuição da complacência pulmonar, elevando o pico de pressão (PIP), não há evidências que um método seja superior ao outro em todas as condições.

Ajustes dos Parâmetros do Ventilador

Volume corrente (Vt)

O volume corrente é talvez o mais importante parâmetro ventilatório a ser ajustado. Durante muito tempo, esse ajuste baseou-se no peso real do paciente. No entanto, sexo e altura, usados em conjunto, são melhores preditores do peso corporal e do tamanho do pulmão que o peso real (Quadro 3.2).

A estratégia protetora pulmonar em pacientes com SDRA prevê Vt de 6 mL/kg de peso predito, podendo usar-se até 3 mL/kg em casos de SDRA moderada/grave. No entanto, estudos e diretrizes recentes extrapolam a condição de SDRA e recomendam o uso de 6 mL/kg de peso predito (PBW) para todos os pacientes, como forma de prevenir a lesão pulmonar induzida pela ventilação mecânica, ajustando-se esse Vt de acordo com a necessidade.

Quadro 3.2 Fórmula do peso predito
Homem 50 + 0,91 × (altura em cm – 152, 4)
Mulher 45,5 + 0,91 × (altura em cm – 152,4)

Fonte: The Acute Respiratory Distress Syndrome Network. N Engl J Med. May 4 2000;342(18):1301-1308.

Frequência respiratória (*f*)

Deve ser ajustada inicialmente entre 12 e 16 rpm e a relação I:E em 1:2 a 1:3, tolerando-se frequências respiratórias mais baixas em doenças obstrutivas e mais altas em doenças restritivas. Ajustar de acordo com a gasometria arterial. Atentar para possível aprisionamento aéreo (auto-PEEP) em caso de *f* altas (monitorizar graficamente).

Fração inspirada de oxigênio (FiO_2)

As altas concentrações FiO_2 podem levar à traqueobronquite aguda, com redução da velocidade de *clearance* do muco traqueal dentro de 3 horas. Além disso, FiO_2 maiores que 60% podem causar lavagem de nitrogênio nos pulmões, formação de radicais livres e atelectasias de reabsorção, em um efeito tempo-dependente. Recomenda-se utilizar a menor FiO_2 necessária para manter a saturação arterial de oxigênio (SaO_2) entre 93 e 97%. Reajustar de acordo com a necessidade, ou realizar ajustes de PEEP para proporcionar melhora da oxigenação com níveis menores de FiO_2.

Pressão expiratória positiva final (PEEP)

A PEEP melhora a oxigenação do sangue arterial por meio do recrutamento de alvéolos e do aumento da capacidade residual funcional (CRF), reduzindo áreas de *shunt* intrapulmonar. Também pode aumentar a complacência pulmonar e reduzir o trabalho da respiração. No entanto, pode aumentar sobremaneira a pressão intratorácica, reduzir o retorno venoso e comprometer o débito cardíaco. Também pode causar distensão alveolar e formar espaço morto alveolar. Recomenda-se iniciar a ventilação com PEEP igual a 5 cmH_2O e ajustar-se conforme a necessidade gasométrica e a doença de base. Levar em conta que pacientes obesos ou com distensão abdominal importante, mesmo sem danos pulmonares subjacente, valores de PEEP tão elevados quanto 10 a 15 cmH_2O podem ser necessários para manter a oxigenação e homogeneidade do parênquima pulmonar.

Fluxo inspiratório

O fluxo inspiratório em VCV deve ser ajustado entre 40 e 60 L/min, de forma a permitir melhor sincronia paciente-ventilador, podendo ser aumentado em casos de assincronia por "fome de fluxo", respeitando-se o limite de PIP em 40 cmH_2O. Por padrão, o modo VCV tem um perfil de fluxo em onda quadrada, porém alguns ventiladores permitem a mudança para padrão decrescente ou desacelerado. Em comparação com o padrão de fluxo de onda quadrada tradicional em que o fluxo inspiratório é mantido constante em toda a inflação, a utilização de padrões do fluxo decrescentes tendem a promover melhor distribuição pulmonar do fluxo e podem reduzir o PIP e o risco de barotrauma.

Pico inspiratório de pressão (PIP)

É a máxima pressão atingida ao final da inspiração. Corresponde à pressão necessária para vencer o componente resistivo e o componente elástico dos pulmões e caixa torácica. Para evitar lesão induzida pela ventilação, sugere-se manter o PIP < 40 cmH_2O. Para tanto, ajustar o alarme de alta pressão em 40 cmH_2O é uma recomendação, já que esse alarme apresenta função de limite. Em pacientes com doença pulmonar obstrutiva crônica (DPOC), admite-se PIP de até 45

cmH_2O, desde que a pressão de platô (PPlat) seja mantida menor que 30 cmH_2O; já em asmáticos admite-se PIP < 50 cmH_2O, desde que a PPlat seja menor que 35 cmH_2O.

Pressão de platô (PPlat)

Pressão requerida para vencer o componente elástico pulmonar, é uma estimativa do pico de pressão alveolar, o qual, por sua vez, é um indicador de distensão alveolar. Medição da PPlat requer ausência de esforço respiratório e uma pausa de pelo menos 2 segundos. Deve ser mensurado em modo VCV com onda quadrada de fluxo. PPlat ≤ 30 cmH_2O é recomendada para evitar lesão pulmonar.

Pressão de Distensão ou *driving pressure* (ΔP)

Tem relação direta com a pressão transpulmonar (Ptp) e, na ausência de hipertensão intra-abdominal, ΔP e Ptp são bastante semelhantes. ΔP é o resultado da PPlat – PEEP, calculada em modo controlado e sem esforço respiratório do paciente. Estudo recente observou que ΔP elevado (> 15 cmH_2O) associou-se com maior mortalidade em pacientes com SDRA mesmo quando se utilizou volumes correntes abaixo de 6 mL/kg, ou PPlat abaixo 30 cmH_2O.

Tempo inspiratório (Ti)

O tempo inspiratório determina a ciclagem em modo PCV e seu ajuste decorre da constante de tempo (CT). Uma vez que a CT é o produto da complacência estática (Cst) pela resistência de vias aéreas (Raw), temos que CT = Cst × Raw. São necessárias de 3 a 5 CT para permitir que a pressão alveolar atinja 95 a 100% da pressão na extremidade proximal do tubo endotraqueal, respectivamente. Para ajustar o Ti correto em modo PCV – A/C, podemos nos basear no gráfico fluxo/tempo e selecionar o Ti necessário para que o fluxo inspiratório atinja a linha de base (fluxo zero) (Figura 3.1).

As sugestões para ajustes iniciais dos parâmetros do ventilador, orientados para uma condição de proteção pulmonar, são mostrados na Figura 3.2.

Desmame

O desmame é o processo de retirada da ventilação mecânica. Pode ser classificado conforme o Quadro 3.3.

Os desmames "difícil" e "prolongado" estão relacionados à maior morbimortalidade. Sendo assim, conhecer e identificar os critérios de retirada da VM (Quadro 3.4) o mais rápido possível é de extrema importância. Além disso, para se conseguir bons resultados, deve-se realizar a avaliação diária da dose de sedação (Protocolos de Despertar Diário) com objetivo de verificar a capacidade ventilatória espontânea do paciente.

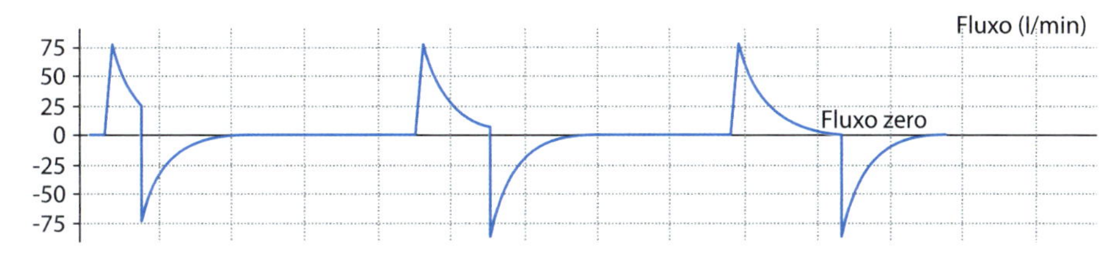

Figura 3.1 – Variação do tempo inspiratório pela curva fluxo/tempo. Em condições de fluxo zero, a pressão alveolar e a pressão na porção proximal do tubo endotraqueal se equilibram. Fonte: xlung.net.

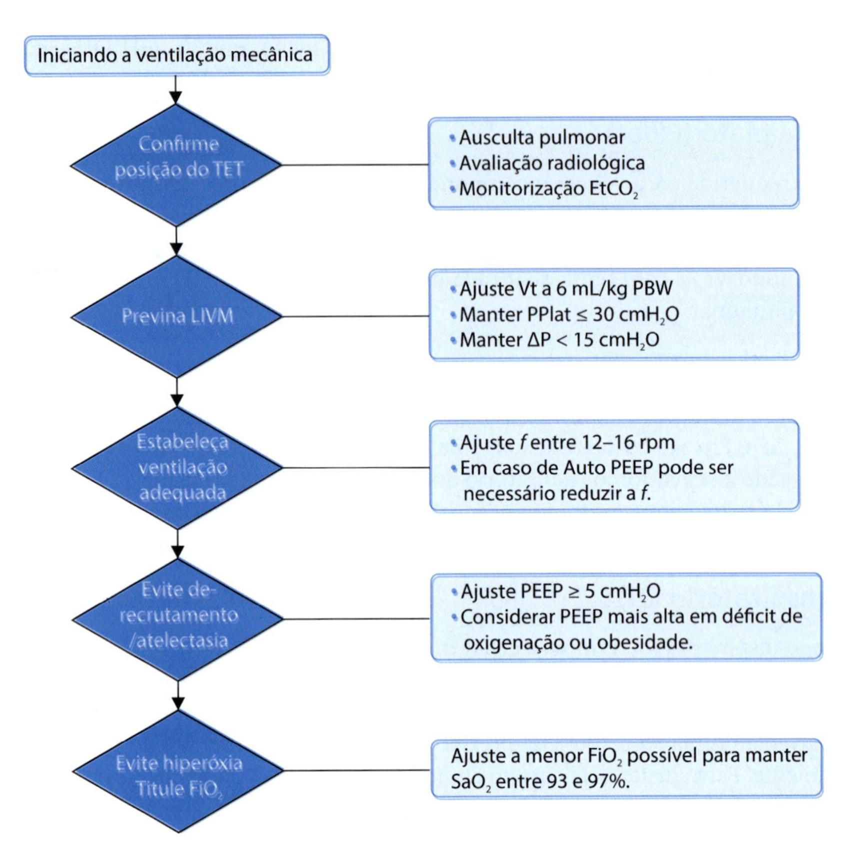

Figura 3.2 – Síntese dos ajustes iniciais da ventilação mecânica. TET: tubo endotraqueal; $EtCO_2$: CO_2 no ar exalado; LIVM: lesão induzida pela ventilação mecânica; Vt: volume corrente; PBW: peso corporal predito; PPlat: pressão de platô; *f*: frequência respiratória; rpm: respirações por minuto; FiO_2: fração inspirada de oxigênio; SaO_2: saturação arterial de oxigênio. Fonte: adaptado de Kilickaya e Gajic, 2013.

Quadro 3.3 Tipos de desmame
Simples: sucesso no primeiro TRE
Difícil: falha no primeiro TRE e necessita de até 03 TRE ou até 7 dias pós o primeiro TRE
Prolongado: falha em mais de 3 TRE consecutivos ou com necessidade > 7 dias de desmame após o primeiro TRE

TRE: teste de respiração espontânea. Fonte: Diretrizes Brasileiras de Ventilação Mecânica (2013).

Com o preenchimento dos critérios, pode-se realizar o TRE sob duas formas distintas: Tubo-T ou PSV (5-7 cmH_2O) durante 30 a 120 minutos. Durante o teste, devem ser monitorizados sinais de intolerância à ventilação espontânea descritos no Quadro 3.5.

Após o sucesso do TRE, avaliar a permeabilidade das vias aéreas por meio do *cuff-leak test* em pacientes com risco para estridor laríngeo e obstrução de vias aéreas. O *cuff-leak test* consiste em passar o paciente para o modo VCV, desinfuflar o balonete e observar se há diferença entre o volume corrente inspiratório (Vti) e o expiratório (Vte). O teste é positivo se

Quadro 3.4 Parâmetros para considerar a possibilidade de desmame
Causa da falência respiratória resolvida ou controlada
Estabilidade respiratória ($PaO_2 \geq 60$ mmHg com $FIO_2 \leq 0{,}4$ e PEEP ≤ 5 a 8 cmH_2O)
Hemodinâmica estável, com boa perfusão tecidual, sem ou com doses baixas de vasopressores, ausência de insuficiência coronariana descompensada ou arritmias com repercussão hemodinâmica
Paciente capaz de iniciar esforços inspiratórios
Balanço hídrico zerado ou negativo nas últimas 24 horas
Equilíbrio acidobásico e eletrolítico normais
Adiar extubação quando houve programação de transporte para exames ou cirurgia com anestesia geral nas próximas 24 horas

Fonte: Girard e Ely, 2008.

Quadro 3.5 Sinais de intolerância ao TRE
Frequência respiratória > 35 rpm
Saturação arterial de O_2 < 90%
Frequência cardíaca > 140 bpm
Pressão arterial sistólica > 180 mmHg ou < 90 mmHg
Sinais e sintomas agitação, sudorese, alteração do nível de consciência

rpm: respirações por minuto; bpm: batimentos por minuto. Fonte: Adaptado de El-Khatib et al., 2008.

houver uma diferença maior que 10% entre o Vti e o Vte, bem como presença de ausculta laríngea positiva. Além da permeabilidade da via aérea, deve-se avaliar a proteção de vias aéreas, caracterizada por pico de fluxo expiratório (PFE) maior que 60 L/minuto ou teste do cartão branco positivo.

Como auxílio à tomada de decisão para extubação, podem ser utilizados os índices ou parâmetros preditivos para o desmame da ventilação mecânica, que constituem um critério que avalia a função fisiológica relacionada à respiração, objetivando identificar os pacientes que podem apresentar falha ou completar com sucesso o TRE. Portanto, os índices preditivos devem ser avaliados antes do TRE, funcionando como prova diagnóstica para determinar a probabilidade do sucesso da extubação. Sendo assim, quando a avaliação clínica é favorável e os índices mostram um prognóstico positivo, as chances de sucesso podem ser maiores. No entanto, tem-se observado que a maioria dos preditores de desmame pode não ser suficientemente precisa para a tomada de decisão, apesar de útil na identificação de causas de insuficiência respiratória.

Os principais índices preditivos de desmame estão descritos no Quadro 3.6. No entanto, os que têm apresentado melhor acurácia são o índice de respiração rápida e superficial (IRRS), representado matematicamente por *F*/Vt e o índice integrativo de desmame (*integrative weaning index* – IWI), representado por $[(\text{Cstat} \times SaO_2) \div F/V_T]$. Eles só devem ser calculados em situações de difícil decisão, e não como um instrumento isolado na tomada de decisão para se realizar o teste de respiração espontânea.

O IWI avalia de forma integrativa a mecânica respiratória, a oxigenação e o padrão respiratório e, quanto maior o resultado do IWI, melhor será o prognóstico. Valores desse índice > 25 predizem o sucesso no desmame.

Quadro 3.6 Índices preditivos de desmame

Parâmetro	Valor Limite
Frequência respiratória (*f*)	≤ 30-38 ipm
Volume minuto (VM)	10-15 L/min
Volume corrente (V_T)	4-6 mL/kg
Índice de ventilação rápida e superficial (f/V_T)	< 105 ipm/min/L
Pressão inspiratória máxima (PImáx)	≤ -20 a -30 cmH_2O
Relação $P_{0,1}$/PImáx	< 0,30
Integrative weaning index (IWI)	> 25 mL/cmH_2O/ipm/min/L
CROP	< 13

Fonte: Diretrizes Brasileiras de Ventilação Mecânica (2013).

Segundo revisão de Cochrane, que avaliou tempo de ventilação mecânica, duração do desmame e tempo de permanência na UTI, há evidências de uma redução dessas variáveis quando protocolos padronizados de desmame são utilizados.O fluxograma representado na Figura 3.3 é uma sugestão de protocolo padronizado.

Os fatores de risco para falência respiratória, evidenciados no protocolo, são descritos no Quadro 3.7.

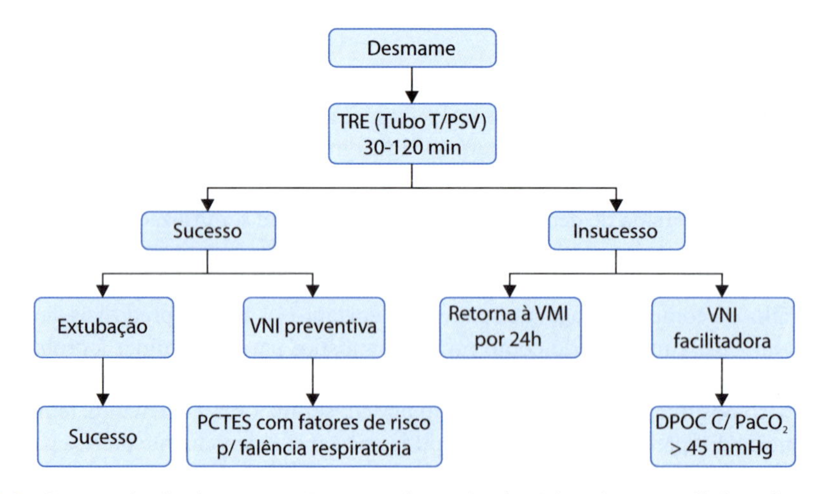

Figura 3.3 – Protocolo de desmame. Fonte: Adaptado das Diretrizes Brasileiras de Ventilação Mecânica (2013). TRE: teste de respiração espontânea; PSV: pressão de suporte ventilatório; VNI: ventilação não invasiva; VMI: ventilação mecânica invasiva; PCTES: pacientes; DPOC: doença pulmonar obstrutiva crônica.

Quadro 3.7 VNI preventiva - fatores de risco para falência respiratória
Hipercapnia após extubação ($PaCO_2$ > 45 mmHg)
Insuficiência cardíaca
Tosse ineficaz
Secreções copiosas
Mais de uma comorbidade
Mais de uma falência consecutiva no desmame
Obstrução das vias aéreas superiores
Idade maior que 65 anos
Falência cardíaca como causa da intubação
APACHE > 12 no dia da extubação
Pacientes com mais de 72 horas de ventilação mecânica invasiva

Fonte: Diretrizes Brasileiras de Ventilação Mecânica (2013).

Leitura Recomendada

1. Borges ER. Ventilação mecânica: princípios e modos. In: Schettino G (ed.). Paciente crítico:
2. diagnóstico e tratamento. 2 ed. São Paulo: Manole, 2012:236-241.
3. Laghi F, Tobin MJ. Indications for mechanical ventilation. In: Tobin MJ (ed.). Principles and
4. practice of mechanical ventilation. 2 ed. New York: McGraw-Hill, 2012.
5. Goulet R, Hess D, Kacmarek RM. Pressure vs flow triggering during pressure support ventilation. Chest. Jun 1997;111(6):1649-1653.
6. Barbas CS, Isola AM, Farias AM, et al. Brazilian recommendations of mechanical ventilation 2013. Part I. Rev Bras Ter Intensiva. Apr-Jun 2014;26(2):89-121.
7. Gentile MA. Cycling of the mechanical ventilator breath. Respir Care. Jan 2011;56(1):52-60.
8. Tobias JD. Conventional mechanical ventilation. Saudi Journal of Anaesthesia. May-Aug 2010;4(2):86-98.
9. Marini JJ, Crooke PS, Truwit JD. Determinants and limits of pressure-preset ventilation: a mathematical model of pressure control. J Appl Physiol (1985). Sep 1989;67(3):1081-1092.
10. Oliveira AdSB, Costa LB, Assis TdO, et al. Effects of controlled and pressure support mechanical ventilation on rat diaphragm muscle. Acta Cirurgica Brasileira. 2012;27:109-116.
11. Ge H, Xu P, Zhu T, et al. High-level pressure support ventilation attenuates ventilator-induced diaphragm dysfunction in rabbits. The American Journal of the Medical Sciences. 2015;350(6):471-478.
12. Garnero AJ, Abbona H, Gordo-Vidal F, Hermosa-Gelbard C. Modos controlados por presión versus volumen en la ventilación mecánica invasiva. Medicina Intensiva. 2013;37(4):292-298.
13. Chacko B, Peter JV, Tharyan P, John G, Jeyaseelan L. Pressure-controlled versus volume-controlled ventilation for acute respiratory failure due to acute lung injury (ALI) or acute respiratory distress syndrome (ARDS). Cochrane Database Syst Rev. 2015;1:CD008807.
14. Rittayamai N, Katsios CM, Beloncle F, Fiedrich JO, Mancebo J, Brochard L. Pressure-controlled vs volume-controlled ventilation in acute respiratory failure: a physiology-based narrative and systematic review. Chest. 2015;148(2):340-355.
15. Miller MR, Crapo R, Hankinson J, et al. General considerations for lung function testing. Eur Respir J. Jul 2005;26(1):153-161.
16. Ventilation with lower tidal volumes as compared with traditional tidal volumes for acute lung injury and the acute respiratory distress syndrome. The Acute Respiratory Distress Syndrome Network. N Engl J Med. May 4 2000;342(18):1301-1308.
17. Serpa Neto A, Cardoso S, Manetta J, et al. Association between use of lung-protective ventilation with lower tidal volumes and clinical outcomes among patients without acute respiratory distress syndrome: A meta-analysis. JAMA. 2012;308(16):1651-1659.
18. Sackner MA, Landa J, Hirsch J, Zapata A. Pulmonary effects of oxygen breathinga 6-hour study in normal men. Annals of Internal Medicine. 1975;82(1):40-43.

19. Malhotra A, Hillman D. Obesity and the lung: 3 · Obesity, respiration and intensive care. Thorax. 2008;63(10):925-931.
20. Kilickaya O, Gajic O. Initial ventilator settings for critically ill patients. Critical Care. 2013;17(2):123.
21. Markstrom MDAM, Lichtwarck-Aschoff MDPM, Svensson MDPBA, Nordgren RNAKA, Sjostrand MDPUH. Ventilation with Constant Versus Decelerating Inspiratory Flow in Experimentally Induced Acute Respiratory Failure. Anesthesiology. 1996;84(4):882-889.
22. Marini J. Mechanical ventilation: past lessons and the near future. Critical Care. 2013;17(Suppl 1):S1.
23. Amato MBP, Meade MO, Slutsky AS, et al. Driving Pressure and Survival in the Acute Respiratory Distress Syndrome. New England Journal of Medicine. 2015;372(8):747-755.
24. Girard TD, Ely EW. Protocol-driven ventilator weaning: reviewing the evidence. Clin Chest Med. Jun 2008;29(2):241-252, v.
25. El-Khatib MF, Bou-Khalil P. Clinical review: Liberation from mechanical ventilation. Critical Care. 2008;12(4):221-221.
26. Zhou T, Zhang HP, Chen WW, et al. Cuff-leak test for predicting postextubation airway complications: a systematic review. J Evid Based Med. Nov 2011;4(4):242-254.
27. Salam A, Tilluckdharry L, Amoateng-Adjepong Y, Manthous CA. Neurologic status, cough, secretions and extubation outcomes. Intensive Care Med. Jul 2004;30(7):1334-1339.
28. Gupta P, Giehler K, Walters RW, Meyerink K, Modrykamien AM. The effect of a mechanical ventilation discontinuation protocol in patients with simple and difficult weaning: impact on clinical outcomes. Respir Care. Feb 2014;59(2):170-177.
29. Boles JM, Bion J, Connors A, et al. Weaning fom mechanical ventilation. Eur Respir J. May 2007;29(5):1033-1056.
30. Nemer SN, Barbas CS, Caldeira JB, et al. Evaluation of maximal inspiratory pressure, tracheal airway occlusion pressure, and its ratio in the weaning outcome. J Crit Care. Sep 2009;24(3):441-446.
31. Yang KL, Tobin MJ. A prospective study of indexes predicting the outcome of trials of weaning fom mechanical ventilation. N Engl J Med. May 23 1991;324(21):1445-1450.
32. Nemer SN, Barbas CS, Caldeira JB, et al. A new integrative weaning index of discontinuation fom mechanical ventilation. Crit Care. 2009;13(5):R152.
33. Azeredo LM, Nemer SN, Caldeira JB, et al. Applying a new weaning index in ICU older patients. Critical Care. 2011;15(Suppl 2):P35-P35.
34. Blackwood B, Alderdice F, Burns K, Cardwell C, Lavery G, O'Halloran P. Use of weaning protocols for reducing duration of mechanical ventilation in critically ill adult patients: Cochrane systematic review and meta-analysis. BMJ: British Medical Journal. 2011;342:c7237.

Capítulo

4

Doença Pulmonar Obstrutiva Crônica (DPOC)

Ana Cristina Oliveira Gimenes
Érika Félix

Introdução

A exacerbação da doença pulmonar obstrutiva crônica (DPOC) é uma das maiores causas de morbimortalidade desses pacientes, contribuindo para o aumento expressivo dos gastos em saúde. O tratamento convencional inclui oxigenoterapia, uso de antibióticos e corticosteroides, além da aplicação de ventilação não invasiva ou a evolução direta para a ventilação mecânica dependendo da gravidade do caso. O acompanhamento fisioterapêutico é rotineiro durante o período de internação desses pacientes; entretanto, as técnicas clássicas de fisioterapia respiratória surtem pouco efeito na evolução do quadro do paciente e têm pouca evidência científica da sua efetividade.

Propor programas de exercícios para minimizar a perda da massa muscular e melhorar a funcionalidade com a retirada precoce do leito e a progressão da maior capacidade de marcha parecem ser a melhor evidência quando o desfecho é a retirada precoce da ventilação mecânica, redução da morbidade e minimização dos sintomas, reduzindo os episódios de exacerbação. Ainda não há na literatura, até o presente momento, a padronização de programas de reabilitação para o paciente com DPOC agudizada, necessitando de internação hospitalar. O presente guia é uma forma de orientar a atuação fisioterapêutica para essa fase particular da DPOC, considerando o melhor embasamento científico na busca de melhores resultados clínicos.

Doença Pulmonar Obstrutiva Crônica Exacerbada: Definição, Epidemiologia, Diagnóstico e Prognóstico

A DPOC é uma doença respiratória tratável e prevenível, caracterizada pela obstrução crônica ao fluxo aéreo que não é totalmente reversível. A obstrução do fluxo aéreo é progressiva e está associada com a resposta inflamatória anormal dos pulmões à inalação de partículas ou gases tóxicos, causa da principalmente pelo consumo tabágico. Segundo o GOLD (The Global Iniciative for Chronic Lung Disease), a DPOC apresenta períodos de estabilidade, mas, no curso natural da doença, evolui com períodos de instabilidade clínica, mais bem definida por exacerbação. A exacerbação é um evento agudo da doença caracterizada pelo aumento da dispneia, presença de tosse com ou sem expectoração, aumento do volume da secreção ou mudança da sua coloração, de tal forma que esse quadro determina a mudança da medicação usual do paciente. Para caracterizar o quadro de exacerbação, é necessário considerar o número de sintomas e também o uso dos recursos de saúde (Tabela 4.1).

Tabela 4.1 Classificação da exacerbação da DPOC

Classificação	Sintomas
Tipo I	↑ da dispneia, ↑ do volume e/ou modificação da coloração da secreção
Tipo II	Presença de dois ou mais sintomas associados
Tipo III	Um dos sintomas associado à infecção de VAS, febre, sibilância ou tosse, ↑ FR ou da FC

VAS: vias aéreas superiores; FR: frequência respiratória; FC: frequência cardíaca. Fonte: II Consenso Brasileiro sobre Doença Pulmonar Obstrutiva Crônica – DPOC, 2004.

O fato é que a cada quadro de exacerbação, há piora da função pulmonar e da qualidade de vida, piorando o prognóstico desses pacientes. Vale lembrar também que, à medida que as exacerbações se tornam mais frequentes, elas também se tornam mais graves e a mortalidade pode aumentar, de tal forma que os pacientes que apresentam duas ou mais exacerbações ao ano apresentam duas vezes mais risco de morte do que os pacientes que não exacerbam.Quando se considera o paciente com DPOC hospitalizado, a idade avançada, piora da função pulmonar e o estágio da doença antes da internação são fatores de risco para o aumento da mortalidade.

Essa enfermidade tem alta prevalência. Segundo dados do estudo PLATINO realizado pela ALAT (Associação Latino-Americana de Tórax) na cidade de São Paulo, a prevalência de DPOC varia de 6 a 15,8% na população com 40 anos ou mais. Estima-se que haja mais de 7 milhões de adultos brasileiros acometidos pela DPOC e dados epidemiológicos revelam que, no Brasil, essa doença foi a quinta maior causa de internação no Sistema Único de Saúde (SUS) de pacientes maiores de 40 anos, o que representa cerca de 197.000 internações, levando ao gasto de 72 milhões de reais. Segundo a OMS, há uma projeção que para o ano de 2030 a DPOC seja a 3ª causa de morte em todo o mundo.

Entre pacientes com DPOC exacerbada e que precisam de internação hospitalar, a mortalidade é de aproximadamente 10% naqueles que mantêm a PCO_2 acima de 45 mmHg, chegando a 40% nos pacientes que utilizaram ventilação mecânica. Considerando os pacientes que têm a PCO_2 igual ou maior que 50 mmHg, a mortalidade no primeiro ano após a exacerbação pode chegar a 43%.

Avaliação do Paciente com DPOC Exacerbada

A avaliação deve conter dados clínicos relevantes como estadiar a gravidade da DPOC quando o paciente se encontrar em uma fase estável da doença, com base na espirometria. Nesse caso, é necessário considerar o valor do volume expiratório forçado no primeiro segundo (VEF1) após o uso de broncodilatador para classificar a DPOC como leve, moderada, grave ou muito grave (Tabela 4.2).

Entretanto, no ambiente hospitalar, nem sempre o paciente com DPOC tem ou já realizou a espirometria, o que dificulta confirmar a classificação da doença. Sendo assim, é necessário determinar, na avaliação, a presença de comorbidade e se há história de exacerbações prévias. Para

Tabela 4.2 Estadiamento da DPOC estável com base em dados espirométricos

Estágio	VEF1/CVF pós-BD	VEF1 pós-BD
Leve	< 70%	Normal
Moderada	< 70%	≥ 50% < 80%
Grave	< 70%	≥ 30% < 50%
Muito grave	< 70%	< 30%

VEF1: volume expiratório forçado no primeiro segundo; CVF: capacidade vital forçada; BD: broncodilatador. Fonte: II Consenso Brasileiro sobre Doença Pulmonar Obstrutiva Crônica, 2004.

caracterizar a exacerbação, é necessário considerar o aumento da dispneia, presença de tosse, aumento do volume da secreção, mudança da cor e do aspecto do escarro.

Além disso é preciso reconhecer se as causas da exacerbação são de origem respiratória: presença de infecção pulmonar (50 a 60% das exacerbações), tromboembolismo pulmonar, inalação de agentes irritantes e deterioração da própria doença de base; ou proveniente de causas não respiratórias: insuficiência cardíaca, cardiopatia isquêmica, arritmias, refluxo gastresofágico, desnutrição ou o uso de sedativos.

No caso de exacerbação de causas não respiratórias, chama a atenção o aumento da dispneia sem a presença de tosse, febre ou aumento da secreção pulmonar.

Já na exacerbação de origem respiratória, as infecções pulmonares por vírus têm como característica a presença de secreção clara, enquanto nas bacterianas a secreção será esverdeada ou amarelada, podendo adquirir ainda aspecto purulento e, nesse caso, a febre estará presente em menos de 25% das vezes. As características típicas de infecção pulmonar, tais como febre, leucocitose e alterações do raio X de tórax podem não estar presentes na maioria dos casos e não são imprescindíveis para o início da antibioticoterapia.

Os sinais de gravidade da exacerbação a serem considerados são: uso da musculatura acessória, padrão respiratório paradoxal, presença ou piora da cianose central, sinais de falência ventricular direita, instabilidade hemodinâmica e alteração do estado de consciência.

Necessidade de Internação Hospitalar

O aumento da mortalidade hospitalar por exacerbação da DPOC está ligado à presença de acidose respiratória, ao maior número de comorbidades e à necessidade de suporte ventilatório, considerando que pacientes classificados como DPOC grave frequentemente requerem internação. O Quadro 4.1 sumariza os critérios a ser considerações nas indicações para a hospitalização do paciente DPOC.

Pacientes com DPOC agudizada podem necessitar diretamente de cuidados em unidade de terapia intensiva (UTI) após a avaliação realizada na unidade de emergência ou pronto-socorro. Nesse caso, faz-se necessário considerar as seguintes variáveis: presença de dispneia grave apesar do tratamento realizado de forma emergencial e que não responde adequadamente à terapia emergencial inicial, grave mudança no estado mental (confusão, letargia ou coma), hipoxemia persistente ou com sinais de piora (PaO_2< 40 mmHg) e/ou hipercapnia grave ou piorando ($PaCO_2$> 60 mmHg) e/ou acidose respiratória grave (pH < 7,25), apesar do uso de oxigenoterapia associada ao uso de ventilação mecânica não invasiva, indicação de ventilação mecânica invasiva e instabilidade hemodinâmica com necessidade do uso de drogas vasoativas.

Quadro 4.1 Critérios para as indicações de hospitalização do paciente DPOC

- Presença de insuficiência respiratória aguda grave: aumento da dispneia e alterações súbitas dos sinais vitais;
- Idade avançada e falta de estrutura domiciliar para o tratamento;
- Impossibilidade de comer, deambular e dormir devido aos sintomas;
- Presença de cianose, hipoxemia refratária (PaO_2< 60 mmHg) com ou sem hipercapnia;
- Em pacientes hipoxêmicos crônicos, considerar piora dos níveis prévios de oxigenação e/ou presença de acidose respiratória;
- Descompensação de comorbidades existentes;
- Ausência de resposta ao tratamento usual, com histórico de exacerbações frequentes;
- Alterações do estado de consciência;
- Necessidade de procedimentos invasivos;
- Necessidade de realizar procedimentos cirúrgicos.

Tratamento Conservador da DPOC Exacerbada

Tem como objetivos tratar a causa da exacerbação, manter a SpO_2 entre 90 e 92%, diminuir a resistência das vias aéreas por meio de broncodilatadores, corticosteroide e fisioterapia respiratória, além de reduzir o trabalho respiratório com suporte ventilatório não invasivo, aporte nutricional e ventilação mecânica invasiva.

O tratamento da causa da descompensação engloba o uso de antibioticoterapia e/ou o tratamento específico das causas não respiratórias da exacerbação.

A manutenção da SpO_2 adequada se faz por meio da oxigenoterapia que tem como objetivo prevenir a hipóxia tecidual e preservar a oxigenação celular. Ela é fundamental para o tratamento hospitalar desses pacientes e, com o intuito de manter a PaO_2> 60 mmHg e a SpO_2> 90%, podem ser utilizados dispositivos de baixo fluxo como o cateter nasal e os de alto fluxo como a máscara de Venturi. Nesses casos, é necessário considerar que a elevação da PaO_2 para valores acima de 60 mmHg confere poucos benefícios clínicos e pode aumentaro risco de elevação da$PaCO_2$, levando ao desenvolvimento de acidose respiratória. Esses parâmetros podem ser monitorados facilmente pela gasometria arterial.

O Consenso Brasileiro de DPOC considera que o paciente com exacerbação e que necessita de internação hospitalar tem como recomendação o uso de antibióticos, principalmente nos casos mais graves, exceto se for identificado que a etiologia da exacerbação não é infecciosa. A prescrição do broncodilatador considera, preferivelmente, o uso de beta-2-agonista de curta duração a cada 20 minutos, em até três doses e, em seguida, a cada 4 horas até a estabilização do quadro; além disso, pode ser associado o uso do brometo de ipratrópio a cada 4 horas. A prescrição do corticosteroide (hidrocortisona ou metilprednisolona) deve ser feita de forma intravenosa, por até 72 horas, seguida de prednisona ou medicamento equivalente por via oral. O corticosteroide diminui o tempo de recuperação, melhora a função pulmonar, reduz a hipoxemia mais rapidamente e pode reduzir o risco de recaída precoce, falhas no tratamento e a duração do tempo de internação. Os corticosteroides inalados não são recomendados no tratamento dos quadros agudos da DPOC.

O suporte ventilatório mecânico não invasivo (VNI) e invasivo (VMI) na DPOC está indicado nas exacerbações da doença com hipoventilação alveolar com acidemia e, menos frequentemente, nas exacerbações com hipoxemia grave não corrigida pela oferta de oxigênio.

A utilização precoce da VNI reduz a necessidade de intubação traqueal, o tempo de permanência na UTI, a ocorrência de pneumonia associada à ventilação mecânica (PAV) e a mortalidade de pacientes com insuficiência respiratória por exacerbação da DPOC. São indicações da VNI em pacientes exacerbados: frequência respiratória superior a 25 respirações por minuto; evidente dificuldade respiratória com intensa utilização de musculatura acessória; presença de acidose respiratória descompensada (elevação da $PaCO_2$ com pH inferior a 7,35).

Os pacientes com DPOC submetidos à VNI requerem monitorização contínua, já que um terço deles evolui com necessidade de intubação traqueal e ventilação mecânica invasiva. São consideradas contra indicações para a instalação de VNI em pacientes com DPOC exacerbada: parada respiratória, instabilidade hemodinâmica, alteração do estado de consciência, risco de broncoaspiração ou excesso de secreção pulmonar e presença de obesidade mórbida.

A decisão de intubação orotraqueal e instalação de VMI dependem da condição clínica do paciente, sendo um dos fatores mais importantes a ser considerado o nível de consciência do paciente, principalmente se ele se encontra sonolento e não colaborativo. Outro fator relevante é a hipoxemia refratária à suplementação de oxigênio, ou a presença de acidose grave ($pH < 7,25$) com hipercapnia importante ($PaCO_2$>60mmHg). Nos pacientes com exacerbação que evoluem com incapacidade de eliminar o gás carbônico, acentuada utilização da musculatura acessória (frequência respiratória > 35 rpm), impossibilidade de tolerar VNI ou fracasso na VNI e murmúrio vesicular diminuído ou abolido na ausculta pulmonar, também está indicada a VMI.

Intervenção Fisioterapêutica na DPOC Exacerbada

As intervenções fisioterapêuticas no ambiente hospitalar destinam-se aos cuidados respiratórios e prevenção do imobilismo, buscando minimizar as alterações musculares decorrentes do processo inflamatório da doença. Normalmente, o tratamento engloba as técnicas que promovem a desobstrução das vias aéreas devido ao excesso de secreções pulmonares e o manejo da oxigenoterapia. Na progressão do quadro de exacerbação, ocorre redução da tolerância ao esforço durante o período de hospitalização, ocasionado pelo aumento de mediadores inflamatórios como a interleucina 8 (IL-8), pela exposição a altas doses de glicocorticoides, pelo balanço proteico negativo, devido à baixa ingesta calórica, ao imobilismo e ao aumento do gasto energético em repouso.

Com relação ao atendimento de fisioterapia respiratória, estudos demonstram que cerca de 77% dos fisioterapeutas rotineiramente aplicam técnicas de fisioterapia respiratória em pacientes hospitalizados com exacerbação aguda da DPOC.

"Fisioterapia respiratória" é um termo amplo utilizado para técnicas ou estratégias destinadas a melhorar os volumes pulmonares ou facilitar a remoção de secreções das vias aéreas e inclui técnicas como percussão, vibração, drenagem postural, ciclo ativo da respiração, aplicação de pressão positiva contínua na via aérea (CPAP) ou respiração com pressão positiva intermitente (RPPI). Apesar da aplicação rotineira da fisioterapia respiratória, as principais recomendações do manejo da DPOC exacerbada não consideram essas técnicas formas efetivas de tratamento. Há, inclusive, questionamento referente à segurança da utilização dessas técnicas para esses pacientes e alguns estudos referem que as técnicas de fisioterapia respiratória, em particular a percussão, podem prejudicar a função pulmonar de pacientes em período de exacerbação.

Com o objetivo de remover o excesso de secreção pulmonar nesses pacientes, a literatura considera que apenas três técnicas podem surtir efeito, entre elas a PEP, a respiração por pressão positiva intermitente (RPPI)e a expiração lenta total com a glote aberta em decúbito lateral (ELTGOL), que resultaram em aumento significativo na expectoração das secreções quando comparadas ao tratamento convencional, tanto imediatamente quanto uma hora após o tratamento. O uso da vibração torácica ou da tapotagem não produz nenhum aumento significativo na expectoração do escarro em comparação com o tratamento conservador de pacientes com DPOC exacerbada.

Quando consideramos as modificações favoráveis da gasometria arterial, a única intervenção de fisioterapia respiratória, quando comparada ao tratamento conservador, foi a retirada do paciente do leito associada à caminhada precoce. O estudo de Kristen e colaboradores relatou um aumento significativo da média de PaO_2 e uma diminuição significativa $PaCO_2$no sangue arterial durante o exercício de caminhada. Esse fato também foi observado na melhora da função pulmonar de pacientes com DPOC exacerbada, com melhora da ventilação-minuto e da dispneia desses pacientes.

As técnicas de fisioterapia respiratória são bem toleradas pelos pacientes com DPOC exacerbada, entretanto alguns estudos afirmam que a aplicação da percussão torácica resultou em uma pequena, embora significativa, diminuição no VEF1, mas os valores voltaram ao normal após 20 minutos da realização da sessão de fisioterapia.

O exercício de caminhada é capaz de reduzir o nível de dispneia de pacientes DPOC hospitalizados. Caminhar cinco vezes por dia a 75% da distância atingida no teste de caminhada de 6 minutos reduz significativamente a dispneia pós-esforço em comparação com o tratamento convencional, avaliado pela pontuação da escala de Borg. Para a redução da dispneia, os estudos demonstram que a espirometria de incentivo e a respiração diafragmática não têm nenhum efeito em reduzir os sintomas nesses pacientes.

Resumindo as evidências referentes à aplicação de fisioterapia respiratória em pacientes com DPOC exacerbada, podemos destacar:

- Há evidência moderada de que a prática da caminhada, durante o período de hospitalização, pode ter efeitos benéficos sobre a PaO_2 durante o exercício e na redução da percepção da dispneia;
- Há evidência moderada de que a PEP e a ELTGOL podem aumentar a expectoração da secreção e que a RPPI pode auxiliar na retirada da secreção em pacientes do sexo masculino, com PaO_2> 60 mmHg;
- Há evidência moderada, mostrando ausênciade efeito ao considerar a combinação de drenagem postural, percussão e vibração torácica no intuito de melhorar a oxigenação arterial, a expectoração da secreção e a função pulmonar;
- A percussão torácica pode resultar em uma queda da VEF1 durante o tratamento;
- Não há evidência suficiente para determinar se respiração diafragmática profunda pode melhorar o quadro clínico na exacerbação da DPOC.

Os benefícios da fisioterapia respiratória para pacientes internados com exacerbação da DPOC são muito limitados. Alguns estudos demonstram que apenas os pacientes que produzem mais de 25 mL de escarro por dia ou muco suficiente para gerar a telectasia poderiam se beneficiar do atendimento de fisioterapia respiratória. Na ausência de secreção, ou com quantidades inferiores a 25 mL, o uso das técnicas de fisioterapia respiratória não deve ser uma estratégia de tratamento rotineira.

Com base nessas evidências, o foco do tratamento fisioterapêutico deve ser a retirada precoce do leito, treinamento de membros inferiores e superiores, programa de caminhada, seguindo os preceitos já bem evidenciados dos programas de reabilitação pulmonar.

Programas de Exercícios para Pacientes Hospitalizados com DPOC Exacerbada

Como descrito no início do capítulo, a exacerbação aguda é a causa mais comum de hospitalização empacientes com DPOC. Estima-se que a taxa de mortalidade hospitalar seja em torno de 10% e que, no ano seguinte à hospitalização, a mortalidade pode chegar a 40%. Além disso, a exacerbação aguda da DPOC representa 70% dos custos da doença nos atendimentos de urgência e emergência. Quando o paciente realiza apenas o tratamento conservador com o uso de medicamentos, a taxa de reinternação pode chegar a 63%.

O processo de exacerbação e hospitalização determina grave redução da força muscular esquelética. Todos os músculos são acometidos pelo aumento do processo inflamatório, entretanto a força muscular do quadríceps se reduz de forma mais acentuada e se recupera parcialmente após três meses da alta hospitalar.

A explicação para essa notável redução da força muscular é uma combinação de fatores tais como uso prolongado de corticosteróides, mudanças no metabolismo e no estado nutricional e o uso de inflamatórios no período de exacerbação. Associado a esses fatores, o repouso prolongado no leito durante a fase de internação hospitalar potencializa esses efeitos nocivos e culminam em grave atrofia muscular periférica. A fraqueza muscular aumenta o consumo de oxigênio basal e a produção de ácido lático, fator que pode aumentar a sobrecarga ventilatória pelo excesso de produção periférica de CO_2. Clinicamente, essas variáveis aumentam a sobrecarga ventilatória, aumentando a sensação de dispneia e tornando o paciente mais dependente do uso da ventilação mecânica, retardando a alta hospitalar e aumentando os custos em saúde.

Tem sido demonstrado que os pacientes com DPOC estável têm uma rotina de maior inatividade física, passando a maior parte do tempo sentado ou deitado. Após o período de exacerbação da doença, o nível de inatividade física se torna ainda mais grave nesses pacientes, acentuando a possibilidade de piora do quadro funcional e diminuindo as reservas energéticas caso haja novo quadro de exacerbação da doença, já que o grau de imobilismo é um preditor significativo de readmissão hospitalar.

Portanto, adequar programas de exercícios na fase de exacerbação aguda torna-se fundamental para combater a inatividade nesses pacientes e melhorar a qualidade de vida, modificando os fatores associados ao aumento do risco de morbimortalidade após a exacerbação.

A abordagem do paciente na internação é uma oportunidade única de iniciar mudanças de hábitos de vida e de comportamentos de saúde e, ainda, dar continuidade aos cuidados recebidos no ambiente hospitalar, o que implica o encaminhamento imediato desses pacientes a centros de reabilitação.

Avaliação do Paciente DPOC Hospitalizado

A avaliação fisioterapêutica do paciente DPOC agudizado não é muito diferente da anamnese já realizada no ambiente hospitalar. Dados como identificação, coleta da queixa principal, história da moléstia atual e pregressa, hábitos de vida como o consumo tabágico ou histórico ocupacional, exames complementares e medicamentos em uso são fundamentais em qualquer avaliação.

Entretanto, os antecedentes cardiovasculares, interrogar quanto às condições patológicas que poderiam comprometer o desempenho funcional como doenças cerebrovasculares ou reumáticas, classificação da exacerbação, número de exacerbações ou da necessidade do uso de recursos hospitalares, bem como o nível de imobilismo, são fundamentais na avaliação desses pacientes. Testes de capacidade funcional como o de caminhada de 6 minutos ou até mesmo testes incrementais em cicloergômetro podem ser realizados para auxiliar na prescrição dos exercícios, basta que o paciente apresente estabilidade clínica.

Estudos demonstram que pacientes que se reinternam por exacerbações têm significante redução do tempo de caminhada quando comparados aos pacientes que conseguem se manter mais estáveis (em média, 12 minutos *versus* 30 minutos, respectivamente).

Programa de Exercícios Físicos

Artigo de Clini e colaboradores demonstrou que a prescrição de exercícios físicos na fase de exacerbação pode ser semelhante à do programa de reabilitação pulmonar ambulatorial, com o objetivo de aliviar os sintomas respiratórios, melhorar a qualidade de vida pós-internação e aumentar atolerância ao esforço.

A intervenção por exercícios físicos pode ser realizada a partir do segundo dia após admissão hospitalar, requerendo apenas que o paciente apresente estabilidade clínica, mas, se realizada nas primeiras 48 horas de internação, pode melhorar a força muscular e o desempenho da caminhada na estadia hospitalar, além de aumentar a capacidade de realizar caminhadas depois da alta hospitalar. Os exercícios físicos podem ser mantidos mesmo que haja agravamento do quadro e sua manutenção deve ser incentivada em domicílio após a alta hospitalar.

De acordo com a American Thoracic Society/European Respiratory Society, a reabilitação pulmonar consiste em uma intervenção abrangente que inclui treinamento físico, programas educacionais e mudanças comportamentais em saúde. Essas medidas são muitas vezes fornecidas aos pacientes estáveis ou após a alta hospitalar, no entanto nenhum programa de informação específica para a exacerbação aguda em pacientes idosos ou períodos instáveis durante a hospitalização foi claramente desenvolvido até o momento para pacientes com DPOC.

O programa de exercícios no ambiente hospitalar inclui:

- Exercícios aeróbios e de força para membros superiores e inferiores, com o objetivo de aumentar a capacidade de exercício, redução da fadiga e, assim, da dispneia;
- Uso da respiração com freno labial para reduzir a hiperinsuflação e aumentar a coordenação respiratória do diafragma. Isso proporcionaria uma melhor mecânica para a inspiração, aumentando a capacidade contrátil do diafragma, reduzindo sintomas como tosse, dispneia e hipoxemia, além de auxiliar na remoção da secreção pulmonar;
- Desobstrução das vias aéreas para auxiliar na expectoração;
- Cessação do tabagismo, educação em saúde com informações sobre a doença e uso correto dos medicamentos;
- Avaliação da necessidade do uso da oxigenoterapia ou adequação dos seus níveis nos períodos de repouso ou de realização das atividades de vida diária.

Os programas de exercício para a fase de internação sugerem uma duração de 6 a 12 semanas, de 30 a 60 minutos, dependendo da gravidade da evolução da doença. Os exercícios se iniciam com o paciente dependente ou não da ventilação mecânica e podem exigir que a mobilização se inicie de forma passiva evoluindo para exercícios ativo-assistidos e, finalmente, exercícios ativos com o uso de pesos. Nesse caso, é necessário avaliar a capacidade máxima de gerar força dos grupos musculares, principalmente dos membros inferiores por meio de uma repetição máxima (1RM) e a prescrição sugerida é de 2 séries de 10 repetições com pesos de até 80% da RM.

A retirada precoce do leito também é um fator crucial para a adequada evolução do paciente. Nesse momento, podem ser necessários o treino de bipedestação e a realização da marcha estacionária ou treino de preparação das fases da marcha, além do treino de equilíbrio.

O exercício aeróbico pode ser realizado a partir de caminhadas dentro da UTI, sugerindo-se marcha para frente e para trás, em um mínimo de duas vezes ao dia por pelo menos 10 minutos. O treino aeróbio deve evoluir para o uso de cicloergômetro ou esteira, em média com seis sessões semanais, com o objetivo de atingir o tempo de 30 minutos de treino. A prescrição pode ser realizada pelos sintomas referidos pelo paciente, nesse caso, a manutenção dos valores entre 4 e 6 da escala de Borg modificada, ou ser prescrito a partir da realização de um teste incremental, utilizando-se a carga desde 30 até 70% da máxima atingida no teste. Alguns estudos recomendam que seja realizado o teste de caminhada de 6 minutos no oitavo dia de internação e que o treino seja realizado com 75% da distância percorrida no teste.

A avaliação da sensação de dispneia por meio da escala de Borg é crucial para acompanhar a evolução e para adequar as modificações das cargas de treinamento durante a fase hospitalar. Em pacientes com presença de dispneia mais grave, a ventilação mecânica não invasiva pode colaborar muito em aumentar a tolerância ao exercício nesses pacientes, já que ela é capaz de reduzir a demanda ventilatória imposta pela realização dos exercícios.

Na exacerbação aguda, diminuição da perda da massa muscular pode ser realizada por meio da aplicação da estimulação elétrica neuromuscular (EENM), com o intuito de iniciar a ativação muscular de forma passiva ou associada ao treinamento de força, quando o paciente já é capaz de levantar pesos. Nesse caso, o uso da EENM por cerca de 7 dias durante o período de internação pode determinar algum aumento na força muscular do quadríceps e da melhora da distância percorrida no teste de caminhada de 6 minutos. Além disso, os pacientes com DPOC dependentes de ventilação mecânica e que utilizam a EENM no músculo quadríceps, em associação ao treinamento de força, desmamaram mais precocemente da ventilação e assumiram maior funcionalidade para a transferência da cama para a cadeira em torno de 2 dias mais precocemente do que os pacientes que receberam apenas os exercícios de força dos membros inferiores. Essas melhoras, ainda que discretas, podem ser mantidas por até 30 dias após o período de alta hospitalar.

Na prática clínica, a sugestão é a de posicionar o eletrodo positivo o mais próximo possível do ponto motor do músculo quadríceps femoral, enquanto o eletrodo negativo colocado na inserção do tendão do quadríceps, como demonstrado na Figura 4.1. Os protocolos sugerem o uso de impulsos bifásicos simétricos, com 35 ou 50 Hz, duração de pulso de 300 milissegundos (ms),

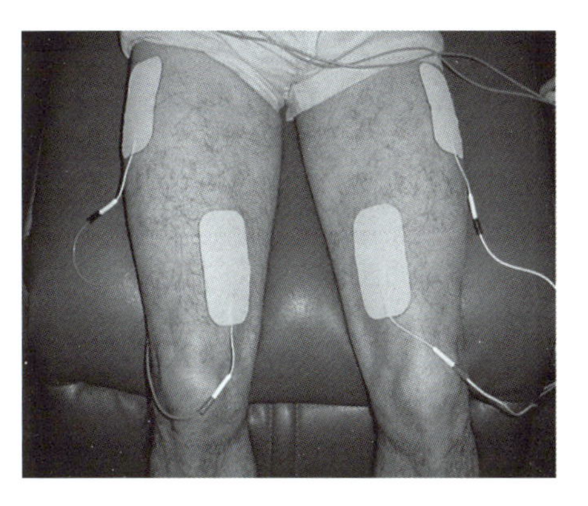

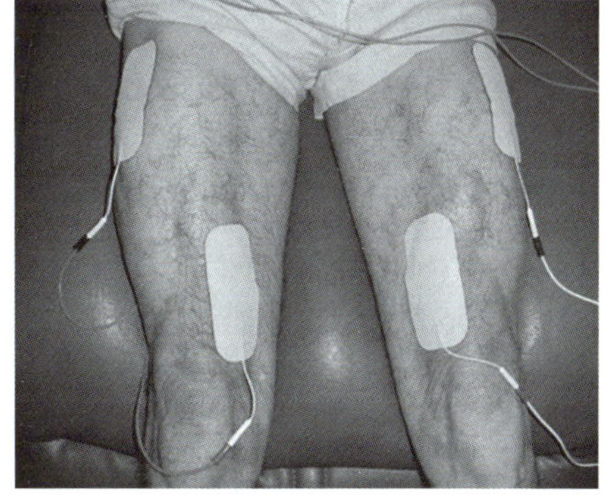

Figura 4.1 – Aplicação de eletroestimulação neuromuscular no músculo quadríceps. Fonte: arquivo dos autores.

15 segundos "ON" e 5 segundos "OFF". A intensidade deve ser ajustada pelo fisioterapeuta de acordo com a tolerância do paciente ou até a visualização adequada da contração do quadríceps. As sessões duram em média 30 minutos, estimulação síncrona do quadríceps direito e esquerdo.

No período de internação, ainda são descritos os exercícios calistênicos de baixa a moderada intensidade incluindo movimentos de ficar nas pontas dos pés, exercícios abdominais, abdução e flexão de membros superiores com pesos, elevação dos ombros, subir e descer degraus, flexão lateral do tronco, agachamento, treino senta-levanta e marcha estacionária para pacientes com DPOC. A Figura 4.2 descreve a sequência de intervenções de oxigenoterapia e de ventilação mecânica associadas ao atendimento fisioterapêutico do paciente com DPOC exacerbada hospitalizado.

Avaliação Cognitiva do Paciente com DPOC Exacerbada

As medidas tradicionais de gravidade da doença, tais como o nível de limitação ao fluxo aéreo, são marcadores limitados para prever a evolução clínica do paciente exacerbado porque não refletem a natureza dos múltiplos acometimentos da doença.O comprometimento cognitivo é uma comorbidade com relevância clínica emergente e há evidências de que essa alteração possa estar associada a danos na microestrutura cerebral, levando a perturbações funcionais no cérebro de pacientes com DPOC estável.

Comprometimento moderado a grave da função cognitiva pode estar presente em até 61% dos indivíduos com DPOC que são hipoxêmicos graves e esse quadro pode se agravar durante as exacerbações da doença e isso pode também afetar o curso da recuperação, mas muito pouco se sabe sobre a relação entre exacerbação e função cognitiva. Alguns autores sugerem que um desempenho deficiente em testes neuropsicológicos pode ser preditor de mortalidade e de incapacidade funcional em certas populações pacientes com DPOC. Em um estudo de pacientes idosos internados por exacerbação da DPOC e que apresentavam quadro de acidos e respiratória, pontuações no mini exame do estado mental (MMSE) estavam na faixa prejudicada.

Pacientes com DPOC exacerbada têm grande aparato médico, mas não há uma avaliação direcionada para entender se os déficits funcionais são também atribuídos às alterações cognitivas. Estudos demonstram que metade dos pacientes com DPOC hospitalizados apresenta comprometimento da velocidade de processamento do pensamento, com dificuldade de recuperação quando avaliado após 3 meses da alta hospitalar. O déficit cognitivo parece ter correlação com o comprometimento do estado de saúde e isso se agrava nas exacerbações. Portanto, identificar perturbações cognitivas até então não diagnosticadas pode ter um impacto significativo sobre a evolução do paciente durante a exacerbação e posteriormente quanto ao uso dos recursos de saúde.

O mecanismo responsável pela disfunção cognitiva em pacientes exacerbados não é claro porque a associação entre os testes neuropsicológicos e outros marcadores de gravidade da doença é fraca. Além disso, fatores vasculares cerebrais explicam pouco a variância nos escores cognitivos. É plausível que lesões da microestrutura cerebral tenham associação com a inflamação sistêmica em pacientes com DPOC, talvez associada às exacerbações.

Dada a proporção de pacientes com DPOC com déficits de memória, das funções visoespaciais, deficiência no planejamento, organização, manipulaçãoe processamento de informações, e que isso pode se agravar com a exacerbação, a preocupação é que, após a alta hospitalar, a capacidade dos pacientes em monitorar seus sintomas e utilizar adequadamente a medicação usual possa dificultar a gestão da doença e se associar a quadros de exacerbação cada vez mais precoces.

Atualmente, não há nenhuma ferramenta simples para identificar pacientes com graus menos graves de perda do que aqueles detectáveis com o MMSE. Essas pontuações são relativamente

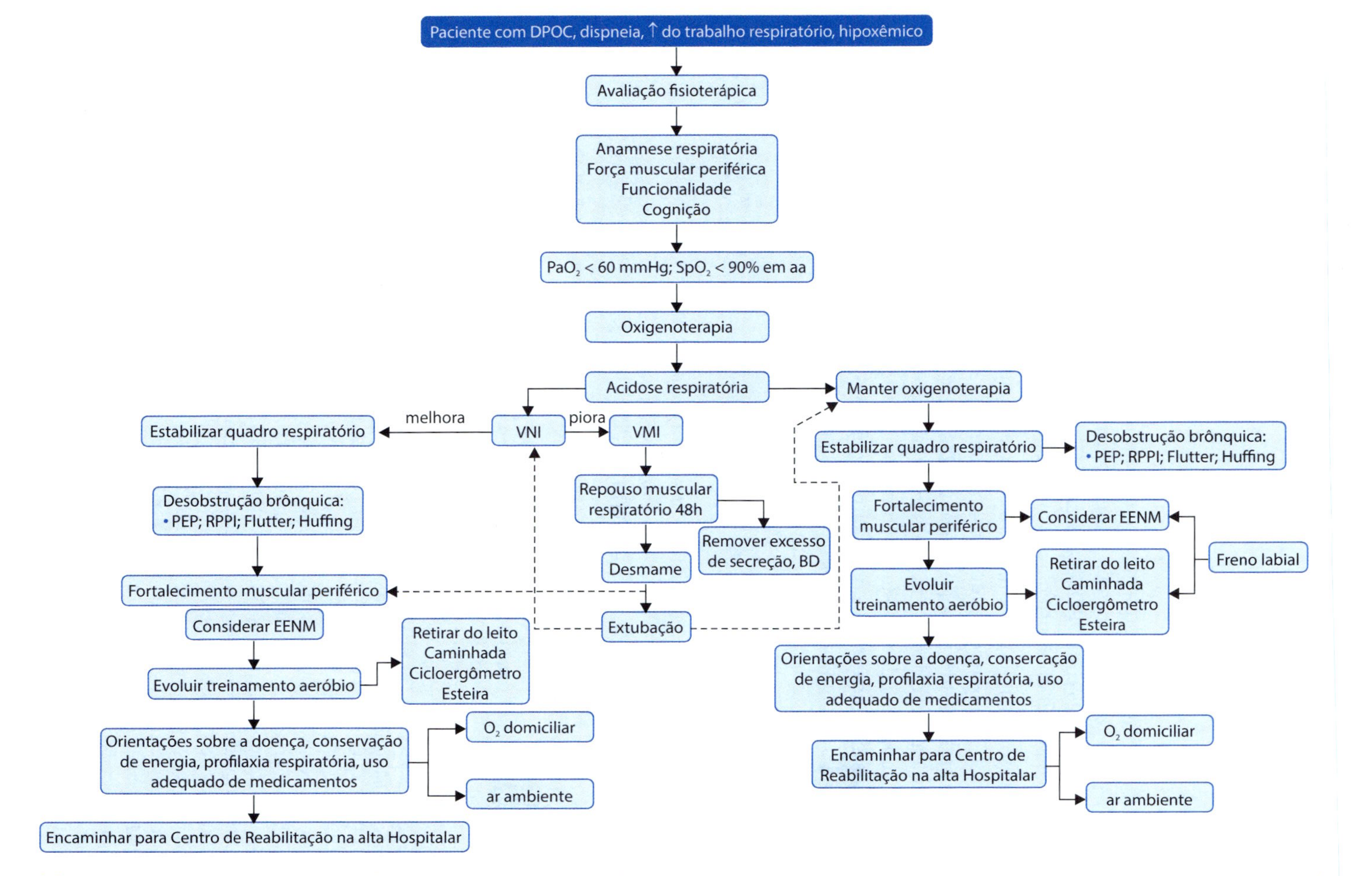

Figura 4.2 – Sequência de intervenções de oxigenoterapia, ventilação mecânica invasiva (VMI) e não-invasiva (VNI) e de tratamento fisioterapêutico no paciente com DPOC exacerbado hospitalizado.Fonte: Ana Cristina Gimenes.

bem preservadas na maioria dos pacientes, sugerindo que tal medida pode ser insensível para detectar déficits cognitivos leves, mas importante em uma população com DPOC. De qualquer forma, avaliar o estado cognitivo do paciente pode ser uma ferramenta importante para entender melhor a dimensão da doença, auxiliar no processo de reabilitação intrahospitalar e auxiliar na administração da doença após a alta do hospital.

Conclusão

A partir dos dados aqui apresentados, podemos concluir que ainda é escassa a literatura determinando quais os procedimentos fisioterapêuticos devem ser englobados no processo de reabilitação dos pacientes com DPOC agudizada. Com isso, a fisioterapia respiratória aplicada de forma isolada não possui uma sustentação consolidada nas evidências cientificas.

Respeitando-se a estabilidade clínica e a capacidade dos pacientes de tolerar níveis mínimos de atividade física, é fundamental que um programa de exercícios físicos priorize a atividade muscular dos membros inferiores por meio do ganho de força e de resistência muscular com foco no aumento da capacidade da marcha desses pacientes, mesmo que ainda não seja possível sistematizar um programa de reabilitação pulmonar como já é realizado em pacientes estáveis no âmbito ambulatorial. Ainda assim, combater o imobilismo e adequar a forma de treinamento individualizando a intensidade, a duração e a frequência dos exercícios parece ser a melhor evidência científica para minimizar as exacerbações e a morbimortalidade em pacientes com DPOC.

Leitura Recomendada

1. II Consenso Brasileiro sobre Doença Pulmonar Obstrutiva Crônica – DPOC. Jornal Brasileiro de Pneumologia 30(5):S1-S42, 2004.
2. Antonelli-Incalzi R, Corsonello A, Pedone C, et al. Drawing impairment predicts mortality in severe COPD. Chest 130(6):1687-1694, 2006.
3. Basoglu OK, Atasever A, Bacakoglu F. The efficacy of incentive spirometry in patients with COPD. Respirology10:349-53, 2005.
4. Bellone A, Lascioli R, Raschi S, Guzzi L, Adone R. Chest physical therapy in patients with acute exacerbation of chronic bronchitis:effectiveness of three methods. Arch Phys Med Rehabil 81:558-60, 2000.
5. Bellone A, Spagnolatti L, Massobrio M, Bellei E, Vinciguerra R, Barbieri A, et al. Short-term effects of expiration under positive pressurein patients with acute exacerbation of chronic obstructive pulmonary disease and mild acidosis requiring non-invasive positive pressure ventilation. Intensive Care Med 28:581-5, 2002.
6. Bolton CE, Bevan-Smith EF, Blakey JD, Crowe P, Elkin SL, GarrodR, et al. British Thoracic Society guideline on pulmonary rehabilitation in adults. Thorax 68(Suppl.2):1-30, 2013.
7. Campbell AH, O'Connell JM, Wilson F. The effect of chest physiotherapy upon the FEV1 in chronic bronchitis. Med J Aust1:33-5, 1975.
8. Celli BR, MacNee W. Standards for the diagnosis and treatment of patients with COPD: a summary of the ATS/ERS position paper. EurRespir J 23(6):932-46, 2004.
9. Chaplin EJL, Houchen L, Greening NJ, Harvey-Dunstan T, Morgan MD, Steiner MC, et al. Neuromuscular stimulation of quadriceps in patients hospitalised during an exacerbation of COPD: a comparison of low (35 hz) and high (50 hz) frequencies. Physiother Res Int 18:148-156, 2013.
10. Chronic obstructive pulmonary disease: national clinical guideline on management of chronic obstructive pulmonary disease in adults in primary and secondary care. Thorax 59:131-56, 2004.
11. Clini EM, Crisafulli E, Costi S, Rossi G,Lorenzi C, FabbriLM, et l. Effects of early inpatient rehabilitation after acute exacerbation of COPD. Respiratory Medicine 103:1526-1531,2009.
12. Connors AF Jr, Dawson NV, Thomas C, Harrell FE Jr, Desbiens N, Fulkerson WJ, et al. Outcomes following acute exacerbation of severe chronic obstructive lung disease. The SUPPORT investigators (Studyto Understand Prognoses and Preferences for Outcomes and Risks of Treatments). Am J Respir Crit Care Med 154(4 Pt1):959-67, 1996.

13. Conti G, Antonelli M, Navalesi P, et al. Non invasive vs convencional mechanical ventilation in patients with chronic obstructive pulmonary disease after failure of medical treatment in the ward: a randomized trial. Intensive Care Med 28: 1701-07, 2002.
14. Conti V, Paone G, Mollica C, Sebastiani A, Mannocci A, La Torre G, et al. Predictors of outcome for patients with severe respiratory failure requiring non invasive mechanical ventilation. Eur Rev Med Pharmacol Sci 19(20):3855-60, 2015.
15. Dixit D, Bridgeman MB, Andrews LB, Narayanan N, Radbel J, Parikh A, Sunderram J. Acute exacerbations of chronic obstructive pulmonary disease: diagnosis, management, and prevention in critically ill patients. Pharmacotherapy 35(6):631-48, 2015.
16. Dodd JW, Getov SV, Jones PW. Cognitive function in COPD. EurRespir J 35(4):913-922, 2010.
17. Donaldson AV, Maddocks M, Martolini D, Polkey MI, Man WD. Muscle function in COPD: a complex interplay. Int J Chronic Obstruct Pulm Dis 7:523, 2012.
18. Garcia-Aymerich J, Serra Pons I, Mannino DM, Maas AK, Miller DP, Davis KJ. Lung function impairment, COPD hospitalisations and subsequent mortality. Thorax 66(7):585-590, 2011.
19. Global Initiative for Chronic Obstructive Lung Disease. Global Strategy for the Diagnosis, Management, and Prevention of Chronic Obstructive Pulmonary Disease Updated 2007. A collaborative project of the National Heart, Lung and Blood Institute, Nationals Institutes of Health, and the World Health Organization. Disponível em: <www.goldcopd.com>.
20. Grant I, Heaton RK, McSweeny AJ, Adams KM, Timms RM. Neuropsychologic findings in hypoxemic chronic obstructive pulmonary disease. Arch Intern Med 142(8):1470-1476, 1982. Seymour JM, Moore L, Jolley CJ, Ward K, CreaseyJ, Steier JS, et al. Chronic obstructive pulmonary disease: Outpatient pulmonary rehabilitation following acute exacerbations of COPD. Thorax 65(5):423-428, 2010.
21. Jones PW, Agusti AG. Outcomes and markers in the assessmentof chronic obstructive pulmonary disease. Eur Respir J 27(4):822-832, 2006.
22. Kristen DK, Taube C, Lehnigk B, Jörres RA, Magnussen H. Exercise training improves recovery in patients with COPD after an acute exacerbation. Respir Med92:1191-8, 1998.
23. Lau AC, Yam LY, Poon E. Hospital re-admission in patients withacute exacerbation of chronic obstructive pulmonary disease.Respir Med 95:876-84, 2001.
24. Maddocks M,Kon SCS, Singh SJ,Man WDC. Rehabilitation following hospitalization in patients with COPD:can it reduce readmissions? Respirology 20:395–404, 2015.
25. Marchiori RC, Susin CF, Lago LD, Felice CD, Silva DB, Severo MD. Diagnóstico e tratamento da DPOC exacerbada na emergência. Revista da AMRIGS 54(2):214-223, 2010.
26. Menezes AM, Perez-Padilla R, Jardim JR, Muino A, Lopez MV, Valdivia G, et al. Chronic obstructive pulmonary disease in fiveLatin American cities (the PLATINO study): a prevalence study. Lancet 366(9500):1875-81, 2005.
27. Nava S. Rehabilitation of patients admitted to a respiratory intensive care unit. Arch Phys Med Rehabil 79:849–54, 1998.
28. Newton DAG, Bevans HG. Physiotherapy and intermittent positive pressure ventilation of chronic bronchitis. BMJ 2:1525–8, 1978.
29. Ngaage DL, Hasney K, Cowen ME.The functional impact of an individualized, graded, outpatient pulmonary rehabilitation in end-stage chronic obstructive pulmonary disease. Heart Lung 33(6):381-9, 2004.
30. Nguyen HQ, Chu L, Amy Liu IL, Lee JS, SuhD, Korotzer B, et al. Associations between physicalactivity and 30-day readmission risk in chronic obstructive pulmonary disease. Ann Am ThoracSoc 11: 695–705, 2014.
31. Perera PN, Armstrong EP, Sherrill DL, Skrepnek GH. Acute exacerbations of COPD in the United States: inpatient burden and predictors of costs and mortality. COPD 9:131-41, 2012.
32. Pitta F, Troosters T, Probst VS, Spruit MA, Decramer M,Gosselink R. Physical activity and hospitalization for exacerbation of COPD. Chest 129:536-44, 2006.
33. Puhan MA, Gimeno-Santos E, Scharplatz M, Troosters T,WaltersEH, Steurer J. Pulmonary rehabilitation following exacerbationsof chronic obstructive pulmonary disease. Cochrane Database Syst Rev 5(10):CD005305, 2011.
34. Puhan MA, Scharplatz M, Troosters T, Steurer J. Respiratory rehabilitation after acute exacerbation of COPD may reduce risk for readmission and mortality – a systematic review. Respiratory Research6:54, 2005.
35. Ranieri P, Bianchetti A, Margiotta A, Virgillo A, Clini EM, Trabucchi M. Predictors of 6-month mortality in elderly patients with mild chronic obstructive pulmonary Disease discharged from a medical ward after acute non acidotic exacerbation. J AmGeriatrSoc 56(5):909-91, 2008.

36. Rivera-Fernandez R, Navarrete-Navarro P, Mondejar E, Rodriguez-Elvira M, Guerrero-Lopez F, Vazquez–Mata G; Project for the Epidemiological Analysis of Critical Care Patients (PAEEC) Group. Six-year mortality and quality of life in critically ill patientswith chronic obstructive pulmonary disease. Crit Care Med 34(9):2317-24, 2006.
37. Roberts CM, Lowe D, Bucknall CE, Ryland I, Kelly Y, PearsonMG. Clinical audit indicators of outcome following admission to hospital with acute exacerbation of chronic obstructive pulmonary disease. Thorax 57(2):137-41, 2002.
38. Schmier JK, Halpern MT, Higashi MK, Bakst A. The quality of life impact of acute exacerbations of chronic bronchitis (AECB): a literature review. Qual Life Res 14: 329–47, 2005.
39. Soler Cataluña JJ, Martínez García MA. Prognostic Factors in Chronic Obstructive Pulmonary Disease. Arch Bronconeumol 43(12):680-691, 2007.
40. Spruit M, Gosselink R, Troosters T, De Paepe K, Decramer M. Resistance versus endurance training in patients with COPD and peripheral muscle weakness. Eur Respir J 19(6):1072-8, 2002.
41. Stoller JK. Management of acute exacerbations of chronic obstructive pulmonary disease. Up To Date 15.3 2007. Disponível em: <www.uptodate.com>.
42. Tang CY, Taylor NF, Blackstock FC. Chest physiotherapy for patients admitted to hospital with an acute exacerbation of chronic obstructive pulmonary disease (COPD): a systematic review. Physiotherapy 96:1-13, 2010.
43. Troosters T, Probst V, Crul T, Pitta F, Gayan-RamirezG, Decramer M, et al. Resistance training prevents deterioration in quadriceps muscle function during acute exacerbations of chronic obstructive pulmonary disease. Am J RespirCrit Care Med 181(10):1072-1077, 2010.
44. Vincenza S, Lascher S, Mottur-Pilson C. The evidence base for management of acute exacerbations of COPD: clinical practice guideline, Part 1. Chest119:1185-9, 2001.
45. Wedzicha JA, Seemungal TAR. COPD exacerbations: defining their cause and prevention. Lancet 370:786-96, 2007.
46. World Health Organization. Chronic of respiratory disease. Burden of COPD. Disponível em: http://www.who.int/respiratory/copd/burden/en/index.html.
47. Yohannes AM, Connolly M. Early mobilization with walking aids following hospital admission with acute exacerbation of chronic obstructive pulmonary disease. ClinRehabil17:465-71, 2003.
48. Yohannes AM, Connolly MJ. A national survey: percussion, vibration, shaking and active cycle breathing techniques used in patients with acute exacerbations of chronic obstructive pulmonary disease. Physiotherapy 93:110-3, 2007.
49. Zanotti E, Felicetti G, Maini M, Fracchia C. Peripheral muscle strength training in bed-bound patients with-COPD receiving mechanical ventilation: effect of electrical stimulation. Chest 124(1):292-296, 2003.

Capítulo 5

Asma

Renata Cléia Claudino Barbosa
Celso Ricardo Fernandes de Carvalho

Introdução

A asma é uma doença caracterizada pela inflamação crônica das vias aéreas e os pacientes apresentam sintomas respiratórios de sibilância, dispneia, aperto no peito ou desconforto torácico e tosse que variam em intensidade e duração, em associação à limitação variável do fluxo aéreo expiratório. Atualmente, a asma é considerada um problema de saúde pública mundial, com estimativa de 300 milhões de indivíduos afetados em diferentes países e, apesar de mais comum em países desenvolvidos, a sua prevalência está cada vez maior nos países em desenvolvimento. O Brasil é o país com a 8ª maior prevalência da doença e estima-se que existam 20 milhões de asmáticos (GINA 2015). De acordo com os dados do Ministério da Saúde, ocorrem, anualmente, cerca de 160 mil internações por asma, constituindo-se na quarta maior causa de internações pelo Sistema Único de Saúde (SUS).

Os custos da asma estão diretamente relacionados com a gravidade da doença, sendo que os gastos com asma grave têm um impacto importante tanto para o paciente que tem de adquirir a medicação, como para o sistema de saúde e, consomem, respectivamente, quase 25% da renda familiar de paciente com menores condições socioeconômicas. Esses gastos da asma grave representam 70% de todo o gasto com asma pelo SUS.

O processo fisiopatológico envolvido na asma é complexo e contempla inúmeras células e mediadores inflamatórios que participam de diferentes formas, de acordo com o fenótipo do paciente que pode influenciar a evolução da doença e a resposta ao tratamento. A asma é, predominantemente, alérgica e ocorre, primeiramente, a sensibilização do indivíduo a partir de um antígeno. Isso faz com que haja pacientes asmáticos com alérgias (alérgicos) e outros com menor ou pouco histórico de alergias. O paciente com componente alérgico tem, normalmente, elevados níveis de imunoglobulina E (IgE) e outras alergias associadas, entre elas rinite, sinusite e alergias cutâneas. Os alérgenos mais comuns na população brasileira são: ácaro; mofo; pólens; fungos; e epitélio (pelos) de animais.

Esse processo inflamatório tem como resultado a contração do músculo liso brônquico, edema e hipersecreção da mucosa levando ao estreitamento brônquico intermitente e reversível (Figura 5.1).

Diagnóstico e Tratamento Medicamentoso da Asma

A história clínica do paciente é extremamente importante para firmar o diagnóstico clínico da asma. O diagnóstico é sugerido a partir da presença de um ou mais sintomas, como dispneia,

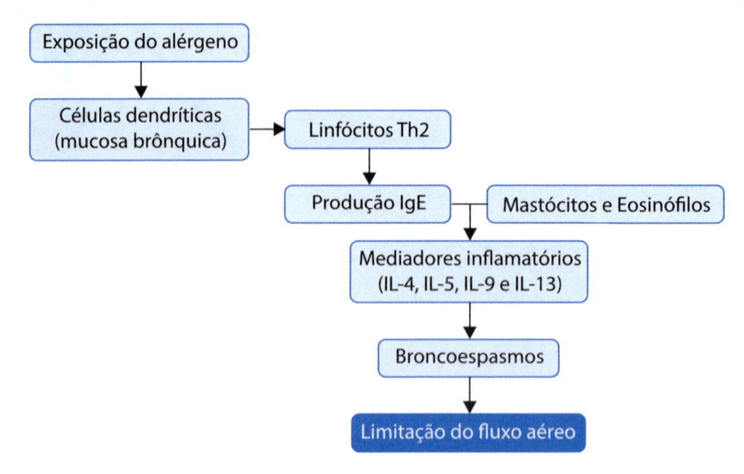

Figura 5.1 – Fisiopatologia do processo inflamatório na asma. Fonte: figura desenvolvida pelos autores.

tosse crônica, sibilância, opressão ou desconforto torácico, sobretudo à noite ou nas primeiras horas da manhã.

Outra característica é a hiper-responsividade brônquica, ou seja, um aumento da resposta das vias aéreas a fatores que "irritam" as vias aéreas. Por exemplo, em uma pessoa sem asma, agentes que causam incômodos como pó, poeira, fumaça, frio e poluição, no asmático, causam tamanha irritação que provocam sensação de "fechamento" das vias aéreas. Assim, o paciente apresenta uma sensação de que ou tem muita dificuldade ou até mesmo que não consegue respirar. Na linguagem do paciente, é um "aperto no peito", um "sufocamento". O Quadro 5.1 resume os principais itens que devem ser considerados no diagnóstico da asma.

Definição de Asma Grave Segundo Consenso da ATS

Observe o Quadro 5.2.

Quadro 5.1 Principais itens considerados no diagnóstico de asma

História de sintomas respiratórios variáveis		
Sintomas frequentes	**Fatores desencadeantes**	**Características dos asmáticos**
Sibilos; Falta de ar; Aperto no peito; Tosse.	Exercício físico intenso; Exposição a alérgenos; Mudanças bruscas de temperatura; Risos.	Mais de um sintoma; Sintomas variam em intensidade e duração; Sintomas piores à noite ou ao acordar.
Evidências de limitação variável do fluxo de ar expiratório		
VEF1 reduzido + VEF1/CVF = reduzida (VEF1/CVF normal em adultos = 0,75 - 0,80); Reversibilidade ao broncodilatador; Variabilidade diurna diária média do fluxo expiratório máximo = > 10%.		

VEF1: volume expiratório forçado no primeiro segundo; CVF: capacidade vital forçada. Fonte: adaptado do GINA 2014.

Quadro 5.2 Definição de asma grave

Principais critérios (necessário ≥ 1)
Tratamento contínuo ou quase contínuo (≥ 50% do ano) com CO.
Tratamento com altas doses de CI.
Critérios menores (necessário ≥ 2)
Requer tratamento diário adicional (LABA, teofilina ou antagonista de leucotrienos).
Sintomas da asma que necessitam do uso de SABA diariamente ou quase diariamente.
Obstrução de via aérea persistente (VEF1 < 0,8 do predito, pico de fluxo expiratório que varia > 20%).
Uma ou mais visita de urgência ao pronto-socorro por ano.
≥ 3, necessidade de CO por ano.
Deterioração rápida com ≤ 25% de redução da dose de CO ou CI.
Evento de asma quase fatal alguma vez no passado.

CO: corticoesteroide oral; CI: corticoesteroide inalatório; LABA: beta-2-agonista de longa ação; SABA: beta-2-agonista de curta ação; VEF1: volume expirado forçado no primeiro segundo. Fonte: adaptado de ATS 2014.

Apesar de a prescrição de medicamentos ser de domínio médico, é importante que o fisioterapeuta tenha esse conhecimento para que compreenda a gravidade da asma do seu paciente (Quadro 5.3). O tratamento médico da asma dependerá de uma avaliação inicial da gravidade, considerando os sintomas, função pulmonar e ocorrência de exacerbações.

O tratamento inicial da crise de asma é medicamentoso e, quando o paciente se encontra em crise, consiste na administração de broncodilatores (beta-2-agonistas de curta duração) por nebulização ou por aerossol dosimetrado, corticosteroides endovenoso com o objetivo de reduzir a inflamação brônquica e oxigenioterapia com a finalidade de manter a saturação de oxigênio no sangue arterial ≥ 92%. Os principais medicamentos utilizados na asma são: corticosteroides; broncodilatadores (beta-2-agonistas) de curta e/ou longa duração; xantinas de liberação prolongada; e antagonistas dos receptores leucotrienos.

A maioria dos pacientes responde bem a esse tratamento medicamentoso incial. Contudo, alguns pacientes podem evoluir para um quadro de insuficiência respiratória e, então, são encaminhados para as unidades de terapia intensiva.

Quadro 5.3 Classificação da gravidade da asma e tratamento clínico medicamentoso

Passos	Medicamento e dose atual
Passo 1 (AI)	BD se necessário
Passo 2 (APL)	Baixa dose de CI
Passo 3 (APM)	Baixa dose de CI + LABA ou moderada dose de CI
Passo 4 (APG)	Moderada a alta dose de CI + LABA
Passo 5 (difícil controle)	Alta dose de CI + LABA ou CO

AI: asma intermitente; APL: asma persistente leve; APM: asma persistente moderada; APG: asma persistente grave; BD: broncodilatador; CI: conticosteroide inalatório; LABA: beta-2-agonista de longa ação; CO: corticosteroide oral. Fonte: Adaptado do GINA 2014.

Abordagem Fisioterapêutica na UTI

O motivo pelo qual o paciente asmático evolui para o quadro de insuficiencia respiratória consiste no aumento da obstrução associado à taquipneia, resultando em um tempo expiratório relativamente curto com limitação do fluxo aéreo, o que contribui para hiperinsuflação dinâmica e consequente aumento do trabalho respiratório.

A ventilação não invasiva (VNI) pode ser utilizada em conjunto com terapia medicamentosa para melhorar a obstrução ao fluxo aéreo e diminuir o esforço respiratório. Os critérios que devem ser considerados pelo fisioterapeuta para eleger a VNI como alternativa terapêutica estão listados no Quadro 5.4.

Os principais benefícios da VNI observados em indivíduos asmáticos em crise aguda relatados na literatura são:

- Melhora da troca gasosa;
- Prevenção da intubação endotraqueal;
- Aumento do calibre das vias aéreas (VEF1);
- Diminuição do tempo de internação.

Tanto a pressão positiva contínua nas vias aéreas (CPAP, do inglês *continue positive airway pressure*) como o Binível (BIPAP, do inglês *bilevel positive airway pressure*) podem ser empregados como recursos terapêuticos para pacientes em crise de asma aguda. Contudo, a última revisão de literatura sugere que o uso de aparelhos de CPAP com pressão de suporte (PS) resulta em diminuição do trabalho respiratório porque esse recurso favorece o aumento do volume corrente.

A titulação da PS é ajustada aleatoriamente de acordo com a frequência respiratória, volume corrente e conforto do paciente. Para ajuste da PS, o valor pode ser, gradualmente, aumentado até 15 cmH_2O objetivando uma manutenção da frequência respiratória < 30 rpm. O valor inicial da pressão positiva expiratória final (PEEP, do inglês, *positive end-expiratory pressure)* deve ser de 3 cmH_2O e também pode ser aumentado gradualmente até 5 cmH_2O.

Quando o suporte da VNI não é suficiente para reduzir a crise asmática e o quadro clínico piora, entrando em acidose respiratória que ocorre em cerca de 5% dos pacientes hospitalizados, há necessidade da ventilação mecânica invasiva (VMI). De acordo com as Diretrizes Brasileiras de Ventilação Mecânica (2013), as indicações para a VMI de pacientes com asma aguda são: parada cardíaca; parada respiratória; rebaixamento de consciência; Glasgow < 12; hipoxemia (PaO_2

Quadro 5.4 Critérios para o uso de VNI em pacientes com crise de asma

Características clínicas do paciente para VNI
f > 25 rpm
FC > 110 bpm
Uso de musculatura acessória PaO_2/FIO_2 > 200 mmHg
$PaCO_2$ < 60 mmHg
VEF1 pred < 50%

f: frequência respiratória; FC: frequência cardíaca; PaO_2/FIO_2: relação pressão arterial do oxigênio e fração inspirada do oxigênio; $PaCO_2$: pressão arterial do oxigênio; VEF1: volume expirado forçado no primeiro segundo. Fonte: adaptado de Barbas et al., 2014.

< 60 mmHg; SpO_2 < 90% não corrigida com máscara (FIO_2 50 – 50%); arritmia grave; fadiga progressiva (hipercapnia progressiva).

A Associação Médica Intensiva Brasileira (AMIB) sugere a programação dos seguintes parâmetros para pacientes asmáticos:

- Modalidade: ventilação assistocontrolada por pressão (PCV) ou ventilação com volume controlado (VCV);
- Volume-corrente: 6 mL/kg de peso predito (inicial);
- Pressão inspiratória máxima: < 50 cmH_2O;
- Pressão de platô: < 35 cmH_2O;
- Auto-PEEP: < 15 cmH_2O;
- Frequência respiratória: entre 8 e 12 resp/min;
- Fluxo: necessário para manter tempo expiratório suficiente para terminar a expiração; de 60 a 100 L/min (VCV);
- FIO2: necessário para manter SpO_2 > 92%;
- PaO2: > 60 mmHg;
- PEEP: baixa (de 3 a 5 cmH_2O); em casos selecionados e com monitoração adequada, a PEEP pode ser usada em valores superiores pelo efeito mecânico em abrir as pequenas vias aéreas.

São importantes a monitoração da pressão platô e o auto-PEEP para identificação da hiperinsuflação alveolar e, nesse caso, devem-se considerar ajustes de volumes inferiores a 5 mL/Kg e frequências respiratórias baixas (10 a 12 rpm). A PEEP pode ser utilizada para reduzir a hiperinsuflação alveolar, nesse caso a modalidade deve ser PCV com pressão de distensão ≤ 15cmH_2O.

Fisioterapia na Asma

Higiene brônquica

Não existem evidências demonstrando os benefícios do uso das técnicas de higiene brônquica para indivíduos em crise de asma aguda. Considerando que as infecções respiratórias podem contribuir para a exarcebação da asma resultando em hipersecreção pulmonar, as técnicas de higiene brônquica podem ser empregadas com o objetivo de manter a permeabilidade das vias aéreas, melhorar a ventilação pulmonar e diminuir o trabalho respiratório.

A abordagem fisioterapêutica poderá ser ambulatorial e/ou hospitalar de acordo com o controle clínico da doença. No ambiente hospitalar, a atuação da Fisioterapia dependerá da classificação da gravidade da crise de asma, visto que todos os pacientes estão sob o risco de apresentar exacerbação da doença (Tabela 5.1).

Abordagem fisioterapêutica no atendimento ambulatorial

Em todo o mundo, existem duas técnicas fisioterapêuticas utilizadas: os exercícios respiratórios; e os exercícios físicos. O uso dos exercícios respiratório está fundamentado pelo fato de os pacientes asmáticos poderem apresentar alterações respiratórias tais como respiração com padrão irregular, suspiros frequentes, além de uma respiração predominantemente torácica. Esses problemas resultam no aumento dos sintomas respiratórios (dispneia, dor e aperto no peito) e não respiratórios (ansiedade, vertigem e fadiga). Os exercícios respiratórios são, frequentemente, recomendados e existem diversas técnicas para realizá-los, tais como as respiratórias de *Yoga*,

Tabela 5.1 Descrição dos achados clínicos com a gravidade das exacerbações

Achado clínico	Intensidade das exacerbações		
	Leve a moderada	Grave	Muito grave (insuficiência respiratória)
Impressão geral	Sem alterações	Sem alterações	Agitação, confusão, sonolência
Estado mental	Normal	Normal ou agitação	Cianose, sudorese, sonolência
Dispneia	Ausente ou leve	Moderada	Intensa
Fala	Frases completas	Frases incompletas	Frases curtas ou monossilábicas
Musculatura acessória [b]	Retrações leves/ ausentes	Retrações acentuadas	Retrações acentuadas
Sibilância	Ausentes com MV normal, localizados ou difusos	Localizados ou difusos	Ausentes com MV diminuído
f, ciclos/min	Normal ou aumentada	Aumentada	Aumentada
FC, bpm	≤ 110	> 110	> 140 ou bradicardia
PFE, % previsto	> 50	30-50	< 30
SpO_2, %	> 95	91-95	≤ 90
PaO_2, mmHg	Normal	Ao redor de 60	< 60
$PaCO_2$, mmHg	< 40	< 45	≥ 45

MV: murmúrio vesicular; f: frequência respiratória; FC: frequência cardíaca; PFE: pico de fluxo expiratório; SaO_2: saturação de oxigênio no sangue arterial; PaO_2: pressão parcial de oxigênio no sangue arterial; $PaCO_2$: pressão parcial de gás carbônico no sangue arterial. A presença de vários parâmetros, mas não necessariamente de todos, indica a classificação geral da crise. b: Músculos interscostais, fúrcula ou esternocleidomastóideo. Fonte: SPPT, 2012.

Buteyko e *Papworth*. Independentemente da técnica utilizada, os objetivos dos exercícios respiratórios são estimular a respiração nasal e diafragmática, aumentar o tempo expiratório, reduzir a frequência respiratória, lentificar os fluxos respiratórios e regularizar o ritmo respiratório.

Vários estudos demonstram os benefícios dos exercícios respiratórios, tais como melhora dos fatores relacionados à qualidade de vida, aumento do pico de fluxo expiratório e redução da ansiedade e depressão, redução do uso de medicação de alívio e diminuição dos sintomas, das exacerbações e da hiper-responsividade brônquica. Apesar dessas evidências, uma revisão sistemática recente sugere que é difícil a comparação entre esses estudos, provavelmente pior falta de padronização das técnicas utilizadas.

Exercícios respiratórios

Podem ser divididos em três grupos:

- Exercícios de reeducação respiratória;
- Treinamento de força dos músculos respiratórios; e
- Treinamento musculoesquelético para aumentar a flexibilidade da caixa e melhorar a postura. Dentre os exercícios respiratórios empregados como tratamento suplementar ao

tratamento medicamentoso, destacam-se os de reeducação respiratória por serem amplamente empregados na prática clínica e terem evidências cientificas mais consistentes.

O número de sessões necessárias para observar melhora do padrão ventilatório dos pacientes com asma permanece indefinido, contudo alguns autores descreveram três a quatro sessões por um período de seis semanas a partir da experiência clínica.

O Quadro 5.5 mostra a progressão dos exercícios respiratórios em três sessões.

Treinamento muscular inspiratório

Pode ser realizado por meio de equipamentos que contêm uma válvula que permitirá a entrada do ar somente após esforço inspiratório capaz de vencer a resistência oferecida por uma mola (Figura 5.2). A carga utilizada para o treinamento de força dos músculos respiratórios deve ser estabelecida a partir da avaliação da força muscular respiratória obtida por meio da pressão inspiratória máxima (PImáx) determinada pela manovacuometria. Normalmente, utiliza-se entre 40 e 60% da PImáx em duas a três séries de exercícios com 10 a 15 repetições cada.

Sugestão de protocolo para o treinamento muscular respiratório (Quadro 5.6).

É possível que pacientes asmáticos apresentem diminuição da força dos músculos respiratórios e o aumento da força muscular pode reduzir a dispneia e aumentar a tolerância ao exercício. Contudo, poucos estudos avaliaram a eficácia dessa intervenção.

Quadro 5.5 Descrição de um programa de exercícios respiratórios para asmáticos
Sessão 1
Duração: 30 - 45 minutos
Descrição: o paciente será ensinado a realizar respiração predominantemente abdominal (usando mais o abdômen do que a região superior do tórax). Além disso, será orientado sobre a importância da respiração nasal. Nesta sessão, a respiração lenta também pode ser orientada.
Posicionamento: o paciente deverá ser posicionado confortavelmente em sedestação, com apoio para a cabeça e tronco e elevação de 45°. Os membros inferiores devem permanecer estendidos.
Sessão 2
Duração: 30 - 40 minutos
Descrição: inicialmente, deverá ser realizada uma avaliação dos progressos e dificuldades da respiração abdominal. Em seguida, o paciente será orientado sobre a respiração lenta, respiração controlada sustentada, redução do volume e fluxo respiratório, ritmo respiratório e técnicas de relaxamento.
Posicionamento: o paciente deverá ser posicionado confortavelmente em sedestação ou deitado para as técnicas de relaxamento.
Sessão 3
Duração: 20 - 30 minutos
Descrição: inicialmente, deverá ser realizada uma avaliação dos progressos e dificuldades para a realização dos exercícios. A terceira sessão reforça as técnicas não dominadas na sessão 2. O fisioterapeuta deve comentar o desempenho do paciente e aconselhar o uso das técnicas na vida diária deste.

Fonte: adaptado de Thomas e Bruton, Breathe, 2014.

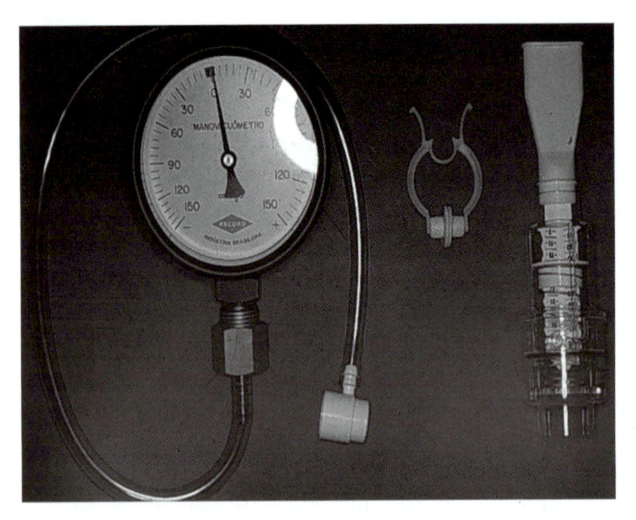

Figura 5.2 – Equipamentos para fortalecimento da musculatura respiratória. À esquerda, um manovacuômetro; no meio e ao centro, o clipe de nariz (*noseclip*); e à direita, um Threshold. Fonte: arquivo pessoal dos autores.

Quadro 5.6	Protocolo sugerido para o treinamento muscular respiratório
Frequência	4 a 5 dias/semana
Intensidade	40% da PImáx
Duração	2 × 15 min/dia ou 1 × 30 min/dia
Tipo	Carga linear/Threshold

Pimáx: pressão inspiratória máxima; min: minuto. Fonte: desenvolvido pelos autores.

Treinamento físico aeróbio

A asma impõe restrições físicas, emocionais e sociais capazes de gerar uma deterioração no bem-estar psicológico e na qualidade de vida, além de dificultar a realização de atividades de vida diária (AVD). Portanto, o treinamento físico é considerado um componente importante do programa de reabilitação pulmonar, recomendado pelos principais consensos internacionais. O treinamento físico regular promove inúmeros benefícios para o paciente asmático, tais como redução do broncoespasmo induzido pelo exercício e do uso de corticosteroides. Além disso, melhora os fatores de saúde relacionados à qualidade de vida e o controle clínico da doença.

O treinamento físico aeróbio deve ter duração média de 24 sessões (3 meses) e pode ser realizado em esteira ou bicicleta ergométrica com frequência entre duas e três vezes por semana, com a duração mínima de 35 minutos. Durante o exercício, devem ser monitorados a frequência cardíaca (FC), a saturação periférica do oxigênio (SpO_2) e o nível de percepção subjetiva ao esforço por meio da escala de Borg modificada (Borg, 1982) (Figura 5.3).

A intensidade de um programa de treinamento físico pode ser estabelecida a partir dos valores de consumo de oxigênio máximo (VO_2máx) obtidos de forma direta ou aproximada por meio dos testes de esforço empregados para avaliação da capacidade física de esforço máximo e submáximo. A ergoespirometria, também conhecida como teste de esforço cardiopulmonar, é o teste considerado padrão para avaliação da potência aeróbia de pacientes portadores de doenças respiratórias e/ou cardíacas. Quando o exercício é baseado na ergoespirometria,

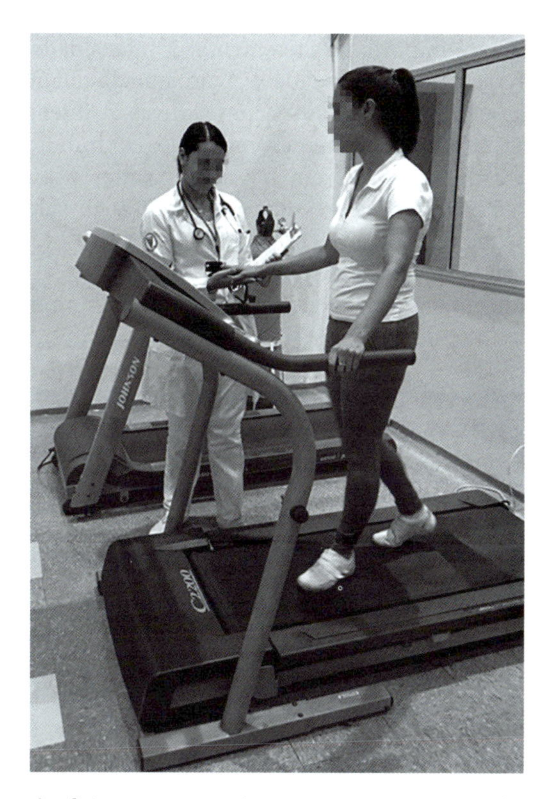

Figura 5.3 – Cuidados do fisioterapeuta durante um programa de exercício físico. Fonte: arquivo pessoal dos autores.

utiliza-se inicialmente, 50% da intensidade do VO_2máx. Contudo, esse teste apresenta limitações para a prática clínica de rotina por seu alto custo, necessidade de profissionais especializados, espaço físico requerido e tempo despendido. Desse modo, os testes de campo também podem ser empregados.

O teste de campo mais utilizado para a avaliação da capacidade máxima ao exercício de pacientes com doenças cardiopulmonares é o incremental da marcha controlada (TIMC, do inglês *incremental shutlle walk test)*, realizado em uma pista plana de 10 m, demarcada por dois cones, com distância de 9 m entre eles e 0,5 metro além de cada cone para o retorno; e é solicitado ao indivíduo que percorra esse circuito em velocidades cada vez maiores utilizando um metrômetro. A partir do resultado obtido (velocidade máxima), estabelece-se algo em torno de 60 a 70% dessa velocidade para realizar durante 30 minutos.

Outra possibilidade é a utilização da frequência cardíaca máxima (FCmáx) predita para a idade do paciente. Nessa situação, utiliza-se a fórmula para determinar a FCmáx (FCmáx = 208 - [0,7 × idade]) e, a partir do resultado obtido, faz-se com que o paciente realize uma atividade para atingir uma FCalvo (aquela que será alcançada durante o exercício) entre 65 e 70% da FCmáx.

- Exemplo: paciente com 45 anos. FCmáx = 208 – (0,7 × 45) = 208-31,5 = 176,5. Portanto, a FCalvo = 60% de 176,5 = 105,9 ou 106 batimentos.

O exercício pode ser realizado em esteira ergométrica, porém muitos pacientes asmáticos são obesos e deve-se tomar cuidado para não sobrecarregar as articulações (joelho e tornozelo). Para tanto, uma possibilidade é alternar a esteira com equipamentos que sobrecarreguem menos as articulações (bicicleta ou elíptico).

Durante o treinamento, é importante incrementar a intensidade tão logo quanto possível. Normalmente, sugere-se que a intensidade seja aumentada quando o paciente não relata cansaço demasiado (Borg < 5) por duas sessões consecutivas. A intensidade do exercício deve ser aumentada em 5% da FCmáx de maneira a manter os 35 minutos de exercício (Quadro 5.7). Antes e depois de cada sessão, devem ser quantificados o pico de fluxo expiratório (PEF) e, quando o PEF estiver com valores inferiores a 70% do valor máximo do paciente, deve-se solicitar a ele que faça uso de broncodilatador. Quando o PEF estiver $\leq$ 50% do valor máximo do paciente, ele não deve realizar exercício. É importante ressaltar que o PEF máximo do paciente deve ser obtido em um dia em que ele não apresente sintomas (falta de ar ou aperto no peito).

Quadro 5.7 Exemplo de um protocolo de exercícios para asmáticos

Etapas	Composição da sessão: opções de exercícios físicos	Duração (minutos)
Avaliação inicial	Avaliar PEF, PA, Escala de Borg e FC; Utilizar BD se o PEF $<$ 70% do melhor valor do paciente.	5 a 15
Aquecimento	Recomendados alongamentos para MMSS e MMII; Exercícios: caminhada, ciclismo ou jogos recreativos; Intensidade: 50% do VO_2máx ou da 60% da FCmáx; Importância do aquecimento: evitar o BIE.	
Condicionamento físico	Tipos de exercícios: caminhada, corrida, ciclismo ou natação; Recomenda-se associar treino resistido ao aeróbio em forma de circuito; Intensidade: 60 a 65% do VO_2máx ou 70% da FCmáx; Frequência: 2 a 3 vezes/semana; Monitorização: FC, SpO_2, percepção esforço (Borg).	40 a 50
Desaquecimento	Exercício opcional: alongamentos (MMSS e MMII); Tipos de exercícios para voltar à calma: caminhada, ciclismo; Intensidade: 50% do VO_2 máx ou da FCmáx (leve).	5 a 10
Avaliação final	Avaliar PFE, PA, Escala de Borg e FC.	

PFE: pico de fluxo expiratório; FC: frequência cardíaca; BD: broncodilatador; MMSS: membros superiores; MMII: membros inferiores; VO_2máx: Consumo de oxigênio máximo; FCmáx: frequência cardíaca máxima; BIE: broncoespasmo induzido pelo exercício; SpO_2: saturação periférica do oxigênio; PA: pressão arterial. Fonte: adaptado de Freitas et al., 2015.

Leitura Recomendada

1. Barbas CSV, Ísola AM, Farias AMC, Cavalcanti AB, Gama AMC, Duarte ACM, et al. Recomendações brasileiras de ventilação mecânica. Parte I. Rev Bras Ter Intensiva. 2014;26(2):89-121.
2. ERS/ATS International ERS/ATS guidelines on definition, evaluation and treatment of severe asthma. Eur Respir J 2014; 43: 343–373.
3. Franca-Pinto A, Mendes FA, de Carvalho-Pinto RM, Agondi RC, Cukier A, Stelmach R, et al. Aerobic training decreases bronchial hyperresponsiveness and systemic inflammation in patients with moderate or severe asthma: a randomised controlled trial. Thorax. 2015;70(8):732-9.
4. Freitas PD, Silva RA, Carvalho CRF. Efeitos do exercício físico no controle clínico da asma Rev Med (São Paulo). 2015 out-dez;94(4):246-55.
5. GINA. Global Initiative for Asthma. Global Strategy for Asthma Management and Prevention. National Institutes of Health. National Heart, Lung and Blood Institute of Health, Bethesda. Uptated 2015 [cited 2015 June]. Available from: http://www.ginasthma.org.
6. Gonçalves RC, Nunes MPT, Cukier A, Stelmach R, Martins MA, Carvalho CRF. Effects of an aerobic physical training program on psychosocial characteristics, quality-of-life, symptoms and exhaled nitric oxide in individuals with moderate or severe persistent asthma. Rev Bras Fisioter. 2008;12(2):9.
7. Pakhale S, Luks V, Burkett A, Turner L. Effect of physical training on airway inflammation in bronchial asthma: a systematic review. BMC Pulmonary Med. 2013;13:38.
8. SBPT. Diretrizes da Sociedade Brasileira de Pneumologia e Tisiologia para o Manejo da Asma – 2012. J Bras Pneumol. 2012;38(supl.1):S1-S46.
9. Thomas M, Bruton A. Breathing exercises for asthma. Breathe.2014;10 (4): 312-22.

Capítulo 6

Doenças Intersticiais

Renato Fraga Righetti
Patrícia Angeli da Silva Pigati
Andréa Diogo Sala

Introdução

As doenças pulmonares intersticiais (DPI) são um grupo heterogêneo de mais de 100 diferentes tipos de doenças pulmonares que se assemelham em seus aspectos clínicos, radiológicos e fisiológicos. Suas alterações histopatológicas incluem graus variáveis de inflamação e/ou fibrose no interstício e/ou compartimentos alveolares do parênquima pulmonar.

Essas doenças estão associadas com um número diversificado de causas que contribuem, inclusive, para a inflamação granulomatosa (p. ex.: sarcoidose), doenças sistêmicas (especialmente a artrite reumatoide), exposições ambientais (ocupacionais, toxicidades de drogas) e pneumonias intersticiais idiopáticas.

As Diretrizes de Doenças Pulmonares Intersticiais da Sociedade Brasileira de Pneumologia e Tisiologia classificaram as DPI em cinco categorias de acordo com suas etiologias: as de causas conhecidas; as pneumonias intersticiais idiopáticas; as linfoides; as granulomatosas; e as miscelâneas (doenças que não apresentam características que permitam incluí-las nos grupos anteriores) (Figura 6.1).

A inflamação crônica e consequente fibrose dos septos alveolares resultam em troca gasosa inadequada com hipoxemia, queda funcional física e pulmonar, reduzindo principalmente a capacidade vital (CV) e a capacidade vital forçada (CVF), comprometendo a qualidade de vida do paciente.

Epidemiologia

Os dados epidemiológicos são raros na literatura nacional, variando de 3 a 26 casos por 100.000 habitantes por ano. As DPI associadas às doenças do tecido conjuntivo predominam em mulheres, enquanto a fibrose pulmonar idiopática predomina no sexo masculino. A faixa etária normalmente acometida está entre os 55 e 75 anos. Entre essas doenças, a fibrose pulmonar idiopática corresponde a 30% desses diagnósticos. A sobrevida média é de 2,5 a 3,5 anos após o diagnóstico, sendo pior o prognóstico dos indivíduos maiores de 70 anos, fumantes, magros e/ou hipertensos. Estima-se que a prevalência de casos não diagnosticados na população é 10 vezes maior que a doença clinicamente diagnosticada.

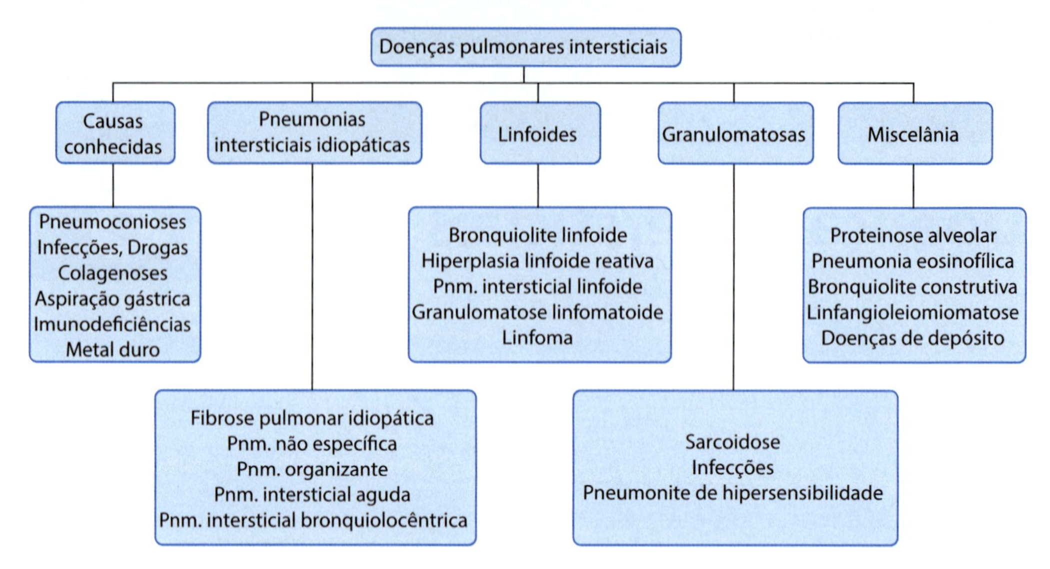

Figura 6.1 – Classificação das DPI de acordo com as Diretrizes de Doenças Pulmonares Intersticiais da Sociedade Brasileira de Pneumologia e Tisiologia. Fonte: SPPT, 2012.

Diagnóstico

O diagnóstico para este grupo de doenças é complexo e representa desafio para toda a equipe multiprofissional de saúde, uma vez que necessita de profissionais especializados e treinados em radiologia e patologia. Recomenda-se que os casos de DPI sejam discutidos por um grupo experiente na própria instituição ou em centros de referências. Seu diagnóstico, estadiamento preciso e atenção às manifestações extrapulmonares e comorbidades são importantes para o adequado manejo dos pacientes. O prognóstico, a escolha da medicação e a consideração a respeito de transplante pulmonar dependerão desses fatores.

Normalmente, a doença é descoberta por achados anormais na radiografia de tórax com presença de infiltrados bilaterais e redução do volume pulmonar, tornando-se necessários exames complementares para o diagnóstico. A tomografia computadorizada de alta resolução (TCAR) pode ser considerada um exame de avaliação da macroscopia pulmonar e tem um papel essencial no diagnóstico diferencial das DPI. Juntamente com os dados clínicos, esse exame pode ser conclusivo em aproximadamente 60% dos casos.

Em pacientes com DPI que apresentam TCAR e radiografias normais, o teste de função pulmonar classicamente restritivo pode detectar a doença em sua fase inicial. Esse teste, juntamente com as medidas da capacidade de difusão do monóxido de carbono (DLCO) e das trocas gasosas durante o exercício, contribui com o diagnóstico precoce. Além disso, são úteis para diagnóstico diferencial de outras doenças, estadiamento, prognóstico e acompanhamento da resposta ao tratamento.

O lavado broncoalveolar é um método de investigação diagnóstica pouco invasiva, que permite a coleta de amostras representativa de diversos componentes do trato respiratório inferior, auxiliando no diagnóstico diferencial de infecções, neoplasias, proteinose alveolar e sarcoidose.

Em alguns casos, exames invasivos podem ser realizados para complementar a investigação diagnóstica das DPI, tais como a realização da biópsia transbrônquica ou da biópsia cirúrgica. Nesses dois procedimentos, informações essenciais a respeito do quadro clínico do paciente devem ser apresentadas ao patologista para exame do material, visto que, em muitos casos, o diagnóstico será feito pela correlação dos achados clínicos, de imagem, de outros exames complementares e dos resultados da biópsia.

Sintomas

São semelhantes na grande maioria das DPI e incluem principalmente dispneia gradual específica ao esforço, queda da oxigenação ao exercício e tosse normalmente seca e paroxística.

História e Exame Físico

A história clínica detalhada fornece as informações mais relevantes nas DPI, possibilitando colher informações sobre o início e duração dos sintomas. Aspectos como história familiar e exposição ocupacional devem ser valorizados, principalmente em ocupações que envolvam exposições a poeiras, fungos, gazes e vapores.

O histórico de tabagismo parece influenciar alguns aspectos da DPI. Nessas categorias, existem algumas DPI que quase sempre ocorrem em fumantes e normalmente estão associadas ao enfisema (pneumonia intersticial descamativa, histiocitose pulmonar de células de Langerhans e bronquiolite respiratória); doenças que podem ser precipitadas pelo tabagismo (síndrome de Goodpasture e pneumonia eosinofílica aguda) e doenças mais prevalentes em fumantes (fibrose pulmonar idiopática). Algumas DPI são menos prevalentes em fumantes, destacando-se a pneumonite de hipersensibilidade e a sarcoidose.

A utilização de algumas drogas está associada ao desenvolvimento de doenças pulmonares intersticiais, especialmente os antineoplásicos. Os sintomas da doença não se desenvolvem necessariamente imediatamente ao início do uso da medicação e podem aparecer após meses de uso (p. ex.: amiodarona) ou anos (como no caso das nitrosoureias) após o término do tratamento.

Outro aspecto importante a ser questionado durante a coleta da história é a investigação para os sintomas da doença do refluxo gastresofágico (pirose e regurgitação ácida). Essa doença caracterizada pelo refluxo patológico do estômago para o esôfago foi listada pelo Consenso Internacional para Pneumopatias Intersticiais como um dos fatores de risco para a fibrose pulmonar.

Na maioria dos casos de DPI, os pacientes podem apresentar à ausculta pulmonar presença de estertores crepitantes finos ou tipo velcro que são normalmente bilaterais e mais predominantes nas bases pulmonares.

A tosse geralmente é seca e paroxística e antitussígenos habituais são ineficazes. Pode ser classificada como aguda (presença do sintoma por um período de até 3 semanas), subaguda (tosse persistente por período entre 3 e 8 semanas) e crônica (tosse com duração maior que 8 semanas). Nesses pacientes, outras causas de tosse podem estar presentes e devem ser excluídas, tais como em hiper-responsividade brônquica e doença do refluxo gastresofágico. A presença da tosse está associada com a progressão da doença, expressa por menor capacidade vital forçada e menor saturação periférica de oxigênio.

O baqueteamento digital deve ser investigado e é comum principalmente na fibrose pulmonar idiopática e na pneumonite de hipersensibilidade. Ele é observado, respectivamente, em 30 a 50% e em aproximadamente 25% dos casos, sendo pouco frequente em outras condições. Sua presença pode indicar pior prognóstico do paciente.

Deformidades nas articulações, *rash* cutâneo, fraqueza muscular, sinovite e dor articular podem sugerir presença de doença do tecido conjuntivo subjacente, como a artrite reumatoide.

Sinais de insuficiência cardíaca à direita juntamente com hipertensão pulmonar podem ser encontrados na evolução final da doença manifestando-se principalmente por estase das veias jugulares e edema de membros inferiores.

É importante ressaltar que neoplasias e doenças pulmonares infecciosas devem ser descartadas para realização do diagnóstico.

Causas da Intolerância ao Exercício

- Para a realização de adequado tratamento fisioterapêutico, é necessário que se conheçam todos os aspectos que contribuem para a intolerância ao exercício em pacientes com DPI, entre eles podemos citar:
- Destruição do espaço aéreo ou preenchimento com material inflamatório ou fibrótico provocando diminuição da complacência pulmonar, aumento do espaço morto e alteração na troca gasosa;
- Redução da capacidade inspiratória com consequente aumento da frequência respiratória desproporcional ao volume corrente;
- Agravamento da hipoxemia ocasionando aumento da resistência vascular pulmonar em pacientes com doenças graves;
- Aumento do trabalho do miocárdio e do débito cardíaco em presença de redução do aporte de oxigênio;
- Aumento da resistência vascular pulmonar e da pressão arterial pulmonar impedindo o retorno venoso, levando a tonturas aos esforços e síncopes;
- Falta de condicionamento físico, diminuição da massa muscular e perda de peso gerando fadiga.

Tratamento Fisioterapêutico

Oxigenoterapia

As necessidades de oxigênio devem ser avaliadas tanto por meio do exame de gasometria arterial como por meio da oximetria de pulso. Muitos pacientes na fase inicial da doença apresentam oxigenação normal ao repouso, mas também queda da saturação de oxigênio ao esforço.

O uso do oxigênio auxilia na melhora do desempenho em exercício e previne o desenvolvimento da hipertensão arterial pulmonar. A manutenção da oxigenação adequada aumenta o fornecimento de oxigênio para os músculos, incluindo o coração e pode retardar o limiar anaeróbico, reduzir as necessidades ventilatórias e melhorar o VO_2 máx.

A utilização por meio de uma cânula nasal associada a um dispositivo portátil de oxigênio deve ser considerada em pacientes com capacidade de deambulação. Sua forma de utilização contínua apresenta vantagens comparado ao uso intermitente nesses pacientes, uma vez que a dessaturação durante o exercício pode não ser revertida com o uso intermitente.

Reabilitação pulmonar

Embora não tenha sido estudada com profundidade como no caso da DPOC, todos os pacientes são orientados a participar de um programa de reabilitação pulmonar. Devido ao comprometimento pulmonar, gerado pela pneumopatia, a reabilitação pulmonar não beneficia o paciente na evolução da própria doença, mas o auxilia diminuindo as deficiências e disfunções sistêmicas consequentes aos processos secundários da doença pulmonar. Da mesma maneira que as outras condições respiratórias crônicas, os pacientes com DPI apresentam perda de peso, redução da massa muscular e falta de condicionamento. Ao contrário das anormalidades estruturais fixas nos pulmões, a disfunção musculoesquelética pode melhorar como resultado da participação em um programa de reabilitação pulmonar.

Com o treinamento físico supervisionado, minimizam-se as disfunções musculares periféricas e respiratórias, as anormalidades nutricionais, as deficiências cardiovasculares, os distúrbios esqueléticos, sensoriais e psicossociais, proporcionando ao paciente a maximização da independência funcional e melhora na qualidade de vida. Esses objetivos podem ser alcançados por meio de condutas que incluem o exercício físico aeróbio, exercícios resistidos, alongamentos, a educação do paciente e de seus familiares e a intervenção psicossocial.

Fisioterapia respiratória

A indicação da fisioterapia respiratória deve estar pautada no tempo, gravidade e nas principais causas que levam esses pacientes à internação, que normalmente resulta da evolução da própria doença ou infecções pulmonares.

A fisioterapia respiratória nas pneumopatias tem como objetivo tratar o paciente proporcionando a melhora da sua funcionalidade pulmonar por meio da limpeza brônquica, estimulando a eliminação das secreções e melhorando a ventilação pulmonar.

As técnicas convencionais da fisioterapia respiratória são a cinesioterapia respiratória, ciclo ativo da respiração, aceleração do fluxo expiratório, drenagem postural, percussões, expiração forçada, associação de aparelhos como o sistema de pressão expiratória positiva (PEP), Flutter® ou Shaker® (pressão positiva oscilatória) e técnicas de tosse (tosse explosiva, tosse assistida e *huffing*). A aerossolterapia (com solução salina) está indicada quando a secreção se apresentar hiperviscosa e hiperaderente, visando facilitar a sua eliminação com o menor gasto energético.

Fisioterapia motora

Em razão de o tratamento com corticosteroides ser proeminente no tratamento médico de algumas formas de DPI, muitos pacientes podem apresentar miopatia por esteroides com consequente perda da força muscular e da funcionalidade. Durante o período de internação, o fisioterapeuta deve sempre estimular a saída do paciente do leito, orientando e auxiliando a sedestação, a deambulação e a prática de exercícios. Os exercícios são importantes principalmente para a redução dos riscos de trombose venosa profunda e manutenção da força muscular respiratória e periférica. Atualmente, sabe-se que a mobilização precoce dos pacientes internados além de melhorar a funcionalidade, também é capaz de melhorar os volumes e capacidades pulmonares, auxiliando na ventilação e higiene brônquica.

Para a graduação da dispneia durante a realização dos exercícios, a escala de Borg Modificada (Figura 6.2) vem sendo a ferramenta mais empregada na prática clínica. Pode ser aplicada em repouso e durante o exercício auxiliando, principalmente na prescrição da intensidade das atividades físicas propostas tanto no período de internação hospitalar como na reabilitação pulmonar.

Estudos mostram que a dispneia tem uma relação inversa com a capacidade vital funcional, a qualidade de vida e o prognóstico de pacientes com DPI. Sendo assim, a escala de Borg modificada serve também para a avaliação da gravidade e acompanhamento da evolução da doença.

Escala de Borg modificada	
0	Nenhuma
0,5	Muito, muito leve
1	Muito leve
2	Leve
3	Moderada
4	Pouco intensa
5	Intensa
6	
7	Muito intensa
8	
9	Muito, muito intensa
10	Máxima

Figura 6.2 – Escala de Borg modificada. Fonte: Zimmermann et al., 2007.

Abordagem Fisioterapêutica na Terapia Intensiva

Pacientes com DPI podem necessitar de tratamento intensivo em situações de agudização do quadro respiratório (causada principalmente por infecções pulmonares e descompensações cardíacas), pós-transplante pulmonar e na fase terminal da doença (para controle dos sintomas, ou quando os familiares não conseguem lidar com a terminalidade).

O fisioterapeuta deve dar atenção especial à força muscular, mecânica respiratória e oxigenação desses pacientes. Geralmente são pacientes desnutridos e com déficit de oxigenação, com perda progressiva da força muscular, o que, associado ao imobilismo, pode piorar o prognóstico em razão de fatores como o aumento do tempo de ventilação mecânica invasiva (VMI), de infecções nosocomiais, de internação na UTI e hospitalar.

As principais alterações na mecânica respiratória na agudização são as intensificações na redução da complacência pulmonar e no aumento da resistência das vias aéreas, implicando assincronia entre o paciente e o ventilador mecânico em consequência do aumento da PEEP intrínseca, podendo gerar altas pressões de distensão pulmonar.

Além dos tratamentos fisioterapêuticos já abordados neste capítulo, os tratamentos que poderão ser associados durante a internação na UTI são a VMI e a não invasiva (VMNI), a reabilitação física precoce, os cuidados paliativos e as terapias integrativas.

Ventilação mecânica invasiva

Pacientes com DPI podem requerer VMI por diversos fatores: durante a anestesia para procedimentos cirúrgicos e diagnósticos; por insuficiência respiratória (IRpA); ou por exacerbações agudas não infecciosas da doença intersticial de base.

Eles são particularmente susceptíveis à lesão induzida pela ventilação (VILI) em virtude do reduzido volume de pulmão aerado (*baby lung*) com risco para hiperdistensão pulmonar, necessitando de uma estratégia ventilatória específica. A ventilação assistida pode contribuir para uma nova deterioração da função respiratória e reduzir as chances de desmame dos pacientes com função pulmonar limítrofe fora do respirador.

A IRpA nos pacientes com DPI pode ser dividida em dois grupos:

- Exacerbação aguda: caracterizada por piora aguda dos sintomas clínicos da DPI, nos últimos 30 dias, sem causa aparente, principalmente da dispneia e tosse; a piora radiológica é frequentemente na forma de vidro fosco sobreposta às alterações prévias. Incidência de

5 a 10% na fibrose pulmonar idiopática, com mortalidade próxima a 100% nos que necessitam de VMI. Deve ser avaliada a condição prévia do paciente, sendo indicada a VMI quando a causa da IRpA não for evolução da doença de base;

- Evolução da doença de base: neste caso, deve ser evitada a indicação de internação em UTI e de VMI, desde que seja discutido antecipadamente e respeitando-se a vontade do paciente e/ou dos familiares.

Como o achado histológico nas exacerbações agudas da DPI é de dano alveolar difuso, semelhante ao observado em pacientes com síndrome do desconforto respiratório agudo (SDRA) e, na falta de estudos prospectivos, alguns autores sugerem que estratégias utilizadas para a SDRA poderiam ser extrapoladas para pacientes com exacerbações agudas da DPI (Figura 6.3A).

Manobras de resgate para hipoxemia refratária podem ser usadas em centros de referência com experiência em tais manobras (Figura 6.3B).

Ventilação mecânica não invasiva

A VMNI pode ser usada como tratamento inicial de pacientes com DPI que evoluam com IRpA, ou como suporte ventilatório paliativo para pacientes que previamente expressaram o desejo de não serem intubados.

O uso da VMNI na IRpA da DPI deve ser monitorado pelo fisioterapeuta, sendo a modalidade *pressão* positiva *contínua* em vias aéreas (CPAP, do inglês *continuos positive airway pressure),*

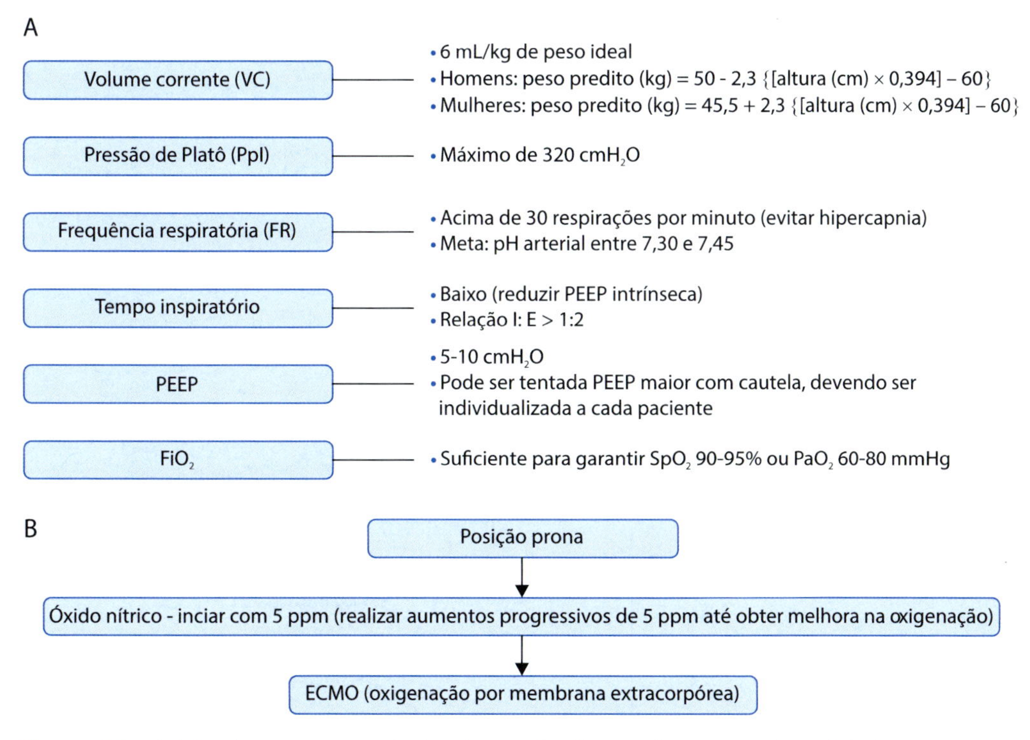

Figura 6.3 – (A) Parâmetros para ajuste da ventilação mecânica invasiva e (B) Condutas para Hipoxemia Refratária de acordo com as Diretrizes de Ventilação Mecânica do Serviço de Fisioterapia do Hospital Alemão Oswaldo Cruz. Fonte: Diretrizes de Ventilação Mecânica do Serviço de Fisioterapia do Hospital Alemão Oswaldo Cruz.

Bilevel ou PAV (do inglês *pressure aging vessel*) escolhida segundo a melhor sincronia com o paciente, com a indicação da VMI considerada se não houver melhora dos parâmetros subjetivos e/ou objetivos: redução da FR; aumento do VC; melhora do nível de consciência; diminuição ou cessação de uso de musculatura acessória; aumento da PaO_2 e/ou da SpO_2; e diminuição da $PaCO_2$ sem distensão abdominal significativa (Figura 6.4). Sucesso esperado em 50% dessa população.

No contexto de cuidados paliativos, a VMNI não deve ser usada de maneira indiscriminada, mas com indicações precisas: evitar intubação orotraqueal (IOT) no atendimento de urgência até o conhecimento do diagnóstico; prognóstico e desejo do paciente; tempo extra para a família e o paciente com DPI avançada concluírem as despedidas; tratamento de exacerbações agudas para

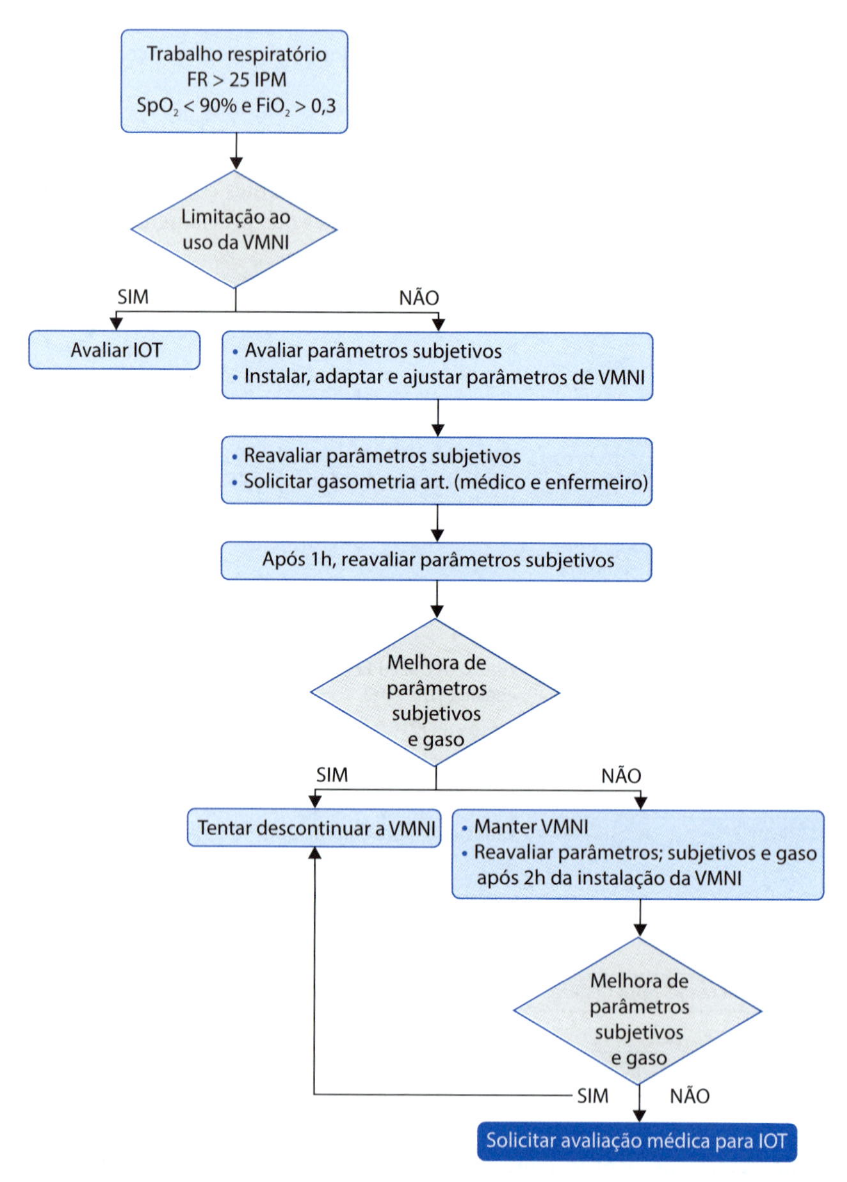

Figura 6.4 – Protocolo de ventilação mecânica não invasiva do serviço de fisioterapia do Hospital Alemão Oswaldo Cruz. Fonte: Andréa Diogo Sala.

pacientes que não desejam a IOT; promover descanso do esforço respiratório e alívio da dispneia enquanto outras medidas não são instituídas.

Reabilitação física precoce

Além das disfunções sistêmicas já descritas, a restrição à mobilidade a que os pacientes em UTI são submetidos poderá acentuar ainda mais os sintomas, com consequente piora na qualidade de vida após alta hospitalar. As perdas progressivas das capacidades circulatórias e ventilatórias na DPI são os principais fatores de restrição ao exercício, o que exige uma intervenção o mais precoce possível por parte do fisioterapeuta.

Durante o processo de reabilitação precoce na UTI, deve-se ter especial atenção com os pacientes tratados com corticosteroides, azatioprina e ciclofosfamida porque podem evoluir com osteoporose, leucopenia, plaquetopenia e alteração do coagulograma (Figura 6.5).

A expectativa de sobrevida baixa e o mau prognóstico devem ser considerados, sendo que, nesta situação, o programa de reabilitação terá os objetivos de controlar da dor, prevenir os efeitos do imobilismo, promover adaptações estruturais ao leito e apoio psicológico para os membros da família, para melhor aproveitamento do tempo remanescente. A reabilitação deve ser transdisciplinar e composta por três elos de igual poder de decisão e participação: equipe; paciente; e família/cuidador.

Cuidados paliativos e terapias integrativas

Neste capítulo, já abordamos o uso da VMNI e da reabilitação nos pacientes com DPI em cuidados paliativos, contudo o fisioterapeuta deve lançar mão de diversos recursos visando o controle dos principais sintomas desses pacientes, que são a dor, a dispneia e a fadiga (Figura 6.6).

O uso de oxigênio suplementar deve ser baseado no alívio de sintomas e melhora da qualidade de vida, e não como tratamento da hipoxemia. Sua indicação deve ser feita de forma intermitente em situações que desencadeiam hipoxemia com agravamento da dispneia. Medidas adicionais como ar comprimido via cateter nasal e fluxo de ar no rosto, por meio de ventiladores comuns, podem ajudar no alívio da dispneia. O tratamento da depressão e da ansiedade, que têm alta prevalência em pacientes pneumopatas terminais, pode afetar positivamente a percepção da dispneia.

Quando o paciente se encontra em fila de transplante pulmonar, a abordagem de questões referentes à terminalidade é difícil e até afetivamente inapropriada, já que a dinâmica psíquica do paciente está ancorada na esperança pelo transplante e na melhora da condição clínica, levando a uma transição tardia e abrupta do cuidado com foco curativo para o paliativo. Porém, em razão da complexidade e gravidade dos sintomas, a equipe de cuidados paliativos deveria auxiliar a equipe especializada a conduzir o caso, em uma interação dinâmica entre elas até o óbito ou êxito do transplante.

A Medicina Integrativa pode ter um papel relevante em face de todo o quadro clínico e sintomatologia já discutidos. Ela é baseada em evidências de múltiplas fontes, integrando a melhor seleção de terapias para o paciente, sejam elas convencionais ou complementares; tendo o paciente como um parceiro ativo; procurando remover as barreiras que possam inibir os processos biológicos pela capacidade inata de cura do corpo (*healing*), com base na interação entre mente, corpo, espírito e comunidade.

Engloba as terapias integrativas, que consistem em técnicas corporais não invasivas, isentas de qualquer base religiosa, adaptadas às necessidades e limitações do paciente, baseadas em técnicas do yoga e de terapias corporais de toque. O público alvo são os pacientes, familiares, cuidadores e seus acompanhantes.

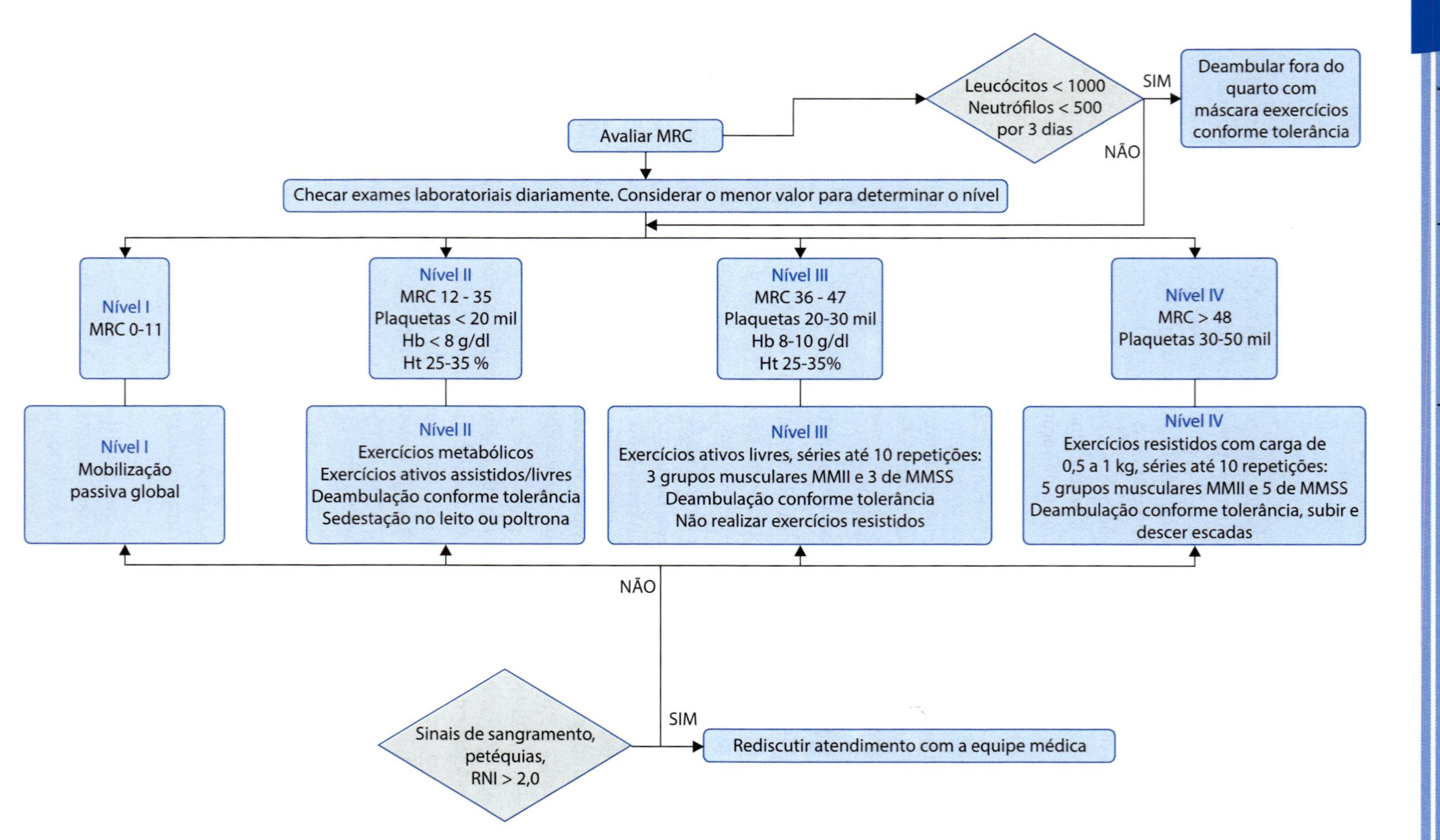

Figura 6.5 – Protocolo de reabilitação física precoce do serviço de fisioterapia do Hospital Alemão Oswaldo Cruz. Fonte: Andréa Diogo Sala.

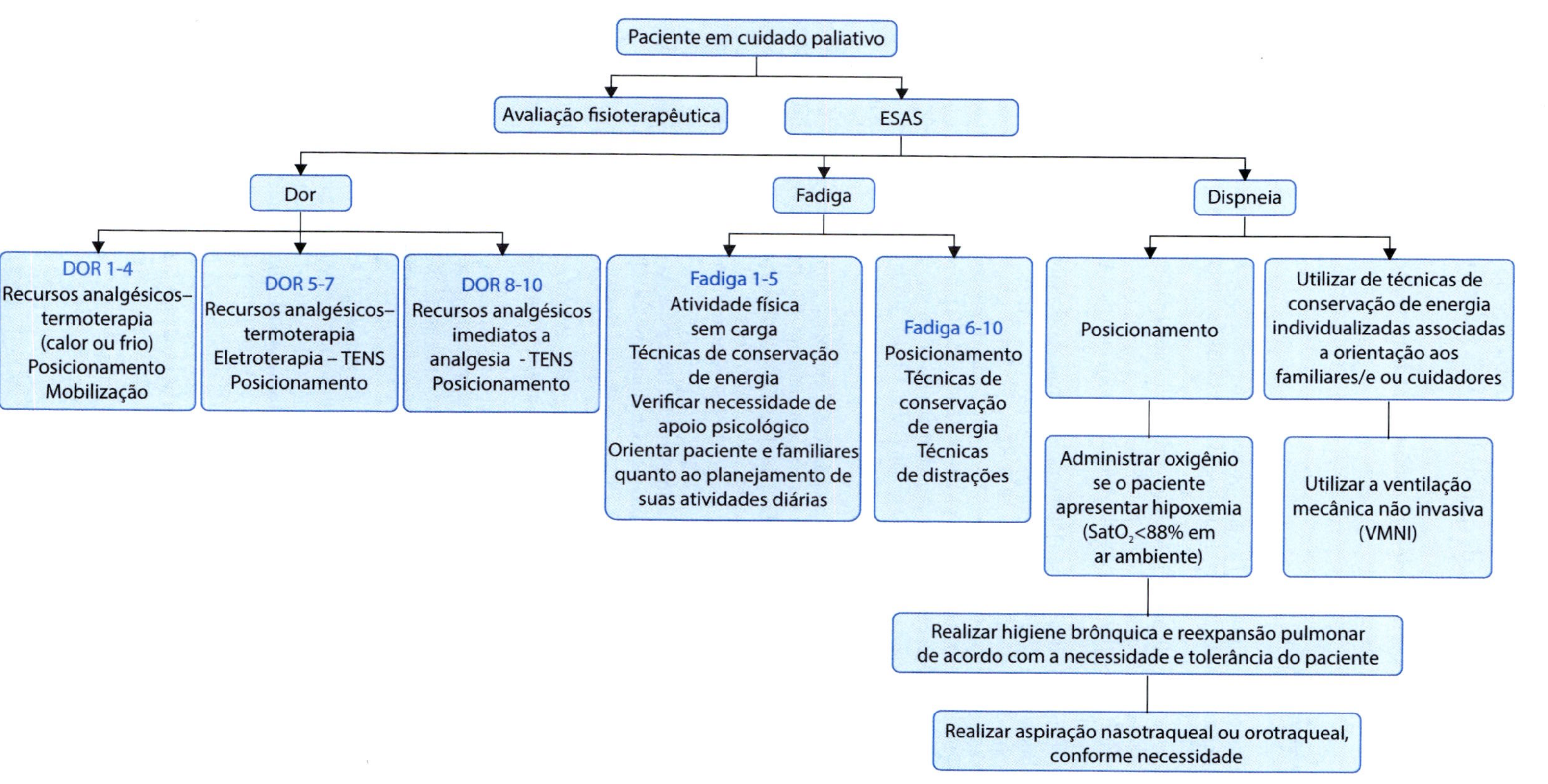

Figura 6.6 – Diretrizes em fisioterapia em cuidados paliativos do serviço de fisioterapia do Hospital Alemão Oswaldo Cruz. Fonte: Andréa Diogo Sala.

Proporcionar a esses pacientes e seus familiares ambientes de cura, como o contato com a natureza, promove também melhoria da qualidade de vida deles e de seus familiares, reduzindo estresse e ansiedade.

A escolha da terapêutica sempre deverá estar centrada no paciente e sua família e embasada nas melhores evidências da literatura.

Leitura Recomendada

1. American Thoracic Society. American Thoracic Society/European Respiratory Society international multidisciplinary consensus classification of the idiopathic interstitial pneumonias. Am J RespirCrit Care Med 2002; 165: 277-304.
2. American Thoracic Society. Idiopathic pulmonary fibrosis diagnosis and treatment: international consensus statement. Am J RespirCrit Care Med 2000; 161: 646-664.
3. Baydur A. Mechanical ventilation in interstitial lung disease. Which patients are likely to benefit? CHEST. May, 2008; 133 (5): 1062-63.
4. Diretrizes para Programas de Reabilitação Pulmonar. American Association of Cardiovascular and Pulmonary Rehabilitation. 3 ed. São Paulo: Editora Roca, 2007.
5. Diretrizes Brasileiras de Ventilação Mecânica 2013. Tema 22: Ventilação Mecânica nas Doenças Intersticiais Pulmonares. p.103-105. Disponível em: <http://itarget.com.br/newclients/sbpt.org.br/2011/downloads/arquivos/Dir_VM_2013/Diretrizes_VM2013_SBPT_AMIB.pdf>.
6. Ghefter RF, Pereira CAC. Doenças pulmonares parenquimatosas difusas. In: Lago AP, Rodrigues H, Infantini RM. Fisioterapia respiratória intensiva. São Paulo: CBBE, 2010; p.407-431.
7. Jorge LL. Reabilitação em cuidados paliativos. In: Costa A, Othero M. Reabilitação em cuidados paliativos. Lourdes, Portugal: Lusodidacta, 2014; p.63-76.
8. Kawano L, Teixeira LR. Cuidados paliativos no paciente pneumopata com doença avançada. In: Santos FS. Cuidados paliativos. Diretrizes, humanização e alívio dos sintomas. São Paulo: Atheneu, 2011; p.541-7.
9. King TE Jr, Costabel U, Cordier J-F, doPico GA, du Bois RM, LynchD, et al. Idiopathic pulmonaryfibrosis: diagnosis and treatment. Am J RespirCritCareMed 2000;161:646-664.
10. Lima PTR. Medicina Integrativa. Manuais de Especialização Albert Einstein Sociedade Beneficente Israelita Brasileira. São Paulo: Manole, 2015; p.1-23.
11. Martins ALP, Jamami M, Costa D. Estudo das propriedades reológicas do muco brônquico de pacientes submetidos a técnicas de fisioterapia respiratória. RevBrasFisioter. 2005;9(1):33-39.
12. Pellegrino R, Viegi G, Brusasco V, Crapo RO, Burgos F, Casaburi R, et al. Interpretative strategies for lung functiontests. EurRespir J 2005; 26: 948–968.
13. Raghu G, Collard HR, Egan JJ, Martinez FJ, Behr J, Brown KK, et al. An official ATS/ERS/JRS/ALAT statement: idiopathic pulmonary fibrosis: evidence-based guidelines for diagnosis and management. Am J RespirCrit Care Med. 2011;183(6):788-824.
14. Ramos D, Ramos EM, Jardim JR, Faresin SM, Saldiva PH, Macchione M, Tigre E, et al. Efeitos da aerossolterapia nas propriedades físico-químicas do muco brônquico. RevBrasFisioter. 2004;8(1):61-66.
15. Ramos D, Ramos EM, Jardim JR, Faresin SM, Saldiva PH, Macchione M, Tigre E et al. Drenagem postural x tapotagem x técnica de expiração forçada: análise da transpotabilidade do muco brônquico. Rev Bras Fisioter. 2003;7(3):223-228.
16. SBPT. Sociedade Brasileira de Pneumologia e Tisiologia. Diretrizes de Doenças Pulmonares Intersticiais da Sociedade Brasileira de Pneumologia e Tisiologia. J BrasPneumol. v.38, Suplemento 2, p. S1-S133, 2012.
17. Strickland SL, Rubin BK, Drescher GS, Haas CF, O'Malley CA, Volsko TA, Branson RD, Hess DR; American Association for Respiratory Care, Irving, Texas. AARC clinical practice guideline: effectiveness of nonpharmacologic airway clearance therapies in hospitalized patients. RespirCare. 2013 Dec;58(12):2187-93.
18. Zimmermann CS, Carvalho CR, Silveira KR, Yamaguti WP, Moderno EV, et al. Comparison of two questionnaires which measure the health-related quality of life of idiopathic pulmonary fibrosis patients. Braz J Med Biol Res. 2007; 40(2):179-87.

Capítulo

7

Síndrome do Desconforto Respiratório Agudo (SDRA)

Luiz Alberto Forgiarini Junior
Marcelo do Amaral Beraldo

Introdução

A síndrome do desconforto respiratório agudo (SDRA) é uma condição clínica na qual uma das principais características é a hipoxemia grave. Por essa razão, as estratégias ventilatórias desempenham um papel extremamente importante na correção da troca gasosa. A adequação da estratégia ventilatória é relevante não somente para correção da hipoxemia, mas também para evitar a lesão induzida pela ventilação mecânica. Recentemente, foi estabelecido que estratégias para ventilar esses pacientes, como a ventilação protetora, máximo recrutamento alveolar e posição prona podem ser uma alternativa para essa população. São estratégias que visam a reexpansão de alvéolos colapsados e a melhora da oxigenação, sendo a utilização de valores adequados de pressão positiva ao final da expiração (PEEP), seja por meio do emprego de tabelas de PEEP *versus* fração inspirada de oxigênio (FiO_2), seja de sua titulação.

A definição da SDRA foi realizada primariamente, em 1967, pelo Dr. Ashbaugh e, posteriormente, redefinida no ano de 2012 durante congresso realizado em Berlim. A SRDA foi definida como um quadro de insuficiência respiratória aguda, de início agudo (7 dias do início dos sinais e sintomas), hipoxemia, infiltrados alvéolo-intersticiais difusos na radiografia de tórax e ausência de insuficiência cardíaca ou hipervolemia que possam justificar a ocorrência de edema pulmonar. A gravidade da SDRA está relacionada às alterações da oxigenação, sendo expressa por meio da relação PaO_2/FIO_2 como grave ($PaO_2/FIO_2 \leq 100$) moderada ($PaO_2/FIO_2 \leq 200$) e leve ($PaO_2/FIO_2 \leq 300$), respectivamente.

Um importante papel é desempenhado pelas estratégias ventilatórias empregadas nos pacientes com diagnóstico de SDRA, estando relacionado à correção da troca gasosa e ao aumento da sobrevida desses pacientes. Entretanto, nos últimos anos, ocorreram importantes modificações relacionadas tanto à ventilação protetora quanto às manobras de recrutamento alveolar. A adequada assistência ventilatória mecânica é de extrema importância nessa população, uma vez que as condutas ventilatórias podem resultar no aumento da lesão pulmonar desses pacientes, consequentemente aumentando a mortalidade.

A estratégia de ventilação protetora tem por objetivo evitar ou minimizar a ocorrência de lesão pulmonar induzida pela ventilação mecânica (LPiV), minimizando a hiperdistensão e o colapso pulmonar cíclico nesses pacientes. Já a manobra de recrutamento alveolar (MRA) é o processo que induz um aumento intencional e transitório da pressão transpulmonar, objetivando a reabertura de alvéolos não ventilados, ou pobremente ventilados. O benefício esperado é a reversão da hipoxemia e a melhora da complacência pulmonar, diminuindo o colapso pulmonar cíclico.

Estratégia Protetora

A estratégia protetora tem sido amplamente utilizada em pacientes com diagnóstico de SDRA, entretanto, atualmente, existem evidências de que outras condições clínicas também podem ser beneficiadas pela utilização dessa estratégia de ventilação.

O primeiro estudo randomizado e controlado que comparou a estratégia de ventilação protetora à estratégia ventilatória convencional (volume corrente – Vt = 12 mL/kg de peso predito) foi realizado por Amato e colaboradores. Nesse estudo, os autores observaram uma redução significativa da mortalidade dos pacientes com SDRA randomizados para a estratégia protetora de VM em comparação àqueles com maior volume corrente. Desde então, outros seis ensaios clínicos randomizados foram realizados, comparando os desfechos clínicos de pacientes ventilados com valores mais baixos de Vt (6 mL/kg de peso predito).

Em 2015, Amato e colaboradores utilizaram uma ferramenta estatística conhecida como análise de mediação para analisar os dados individuais de 3.562 pacientes com SDRA incluídos em nove ensaios clínicos randomizados previamente relatados, com o objetivo de identificar qual variável (Vt, pressão de distensão, PEEP, pressão de platô – Pplatô) apresenta o maior poder para mediar o desfecho clínico (mortalidade) dos pacientes. Esse estudo evidenciou que a pressão de distensão (também chamada de pressão motriz inspiratória ou *driving pressure*) foi a variável que mais mediou ou associou-se ao incremento da sobrevida dos pacientes. Com base nesse achado, fica evidente que estratégias ventilatórias com pressão de platô baixa, baixo Vt e PEEP elevada podem elevar a sobrevida dos pacientes com SDRA. Cada componente está intimamente relacionado ao outro. Isso se deve ao fato de que a complacência do sistema respiratório (Csr) está fortemente relacionada ao volume de pulmão aerado remanescente (pulmão funcional) e que o volume corrente normalizado em relação ao Crs pode ser um melhor preditor de sobrevida, do que o Vt ou PEEP em pacientes com SDRA.

No ano de 2014, foram publicadas as Recomendações Brasileiras de Ventilação Mecânica, estabelecendo os parâmetros ventilatórios para os pacientes com SDRA, levando em consideração a sua gravidade.

Quanto ao modo ventilatório, recomenda-se que, nas primeiras 48 a 72 horas, sejam utilizados modos controlados (pressão ou volume). Em 2015, Rittayamai e colaboradores realizaram uma revisão sistemática comparando a ventilação controlada a pressão e a volume em pacientes com insuficiência respiratória aguda (IRpA). Os autores demonstraram não haver diferença entre esses modos ventilatórios em relação a desfechos clínicos e fisiológicos.

Uma vez ajustado o modo ventilatório, deve-se ajustar o volume corrente, sendo este categorizado de acordo com a gravidade. Na SDRA leve, o Vt deve ser ajustado em 6 mL/kg de peso predito. Já na SDRA moderada ou grave, o Vt deve ser ajustado entre 3 e 6 mL/kg, também baseado no peso predito. Linares-Perdomo e colaboradores comparam três diferentes equações preditoras de peso ideal (Instituto Nacional de Saúde – ARDSnet; ACTUARIAL e STEWART) e demonstraram diferenças significativas entre as equações para homens e mulheres, considerando esse fato importante fonte de variações entre estudos, recomendando, assim, a utilização da equação do Instituto Nacional de Saúde – ARDSnet, haja visto que está associada ao estudo que determinou Vt 6 mL/kg como alvo. Com relação à fração inspirada de oxigênio (FiO_2), deve ser utilizada a menor FiO_2 possível, a fim de garantir uma saturação periférica de oxigênio (SpO_2) maior que 92%, independentemente da gravidade da SDRA.

A Pplatô deve ser mantida ≤ 30 cmH_2O e, ainda, manter uma diferença entre Platô e PEEP (pressão de distensão ou *driving pressure*) ≤ 15 cmH_2O independentemente da gravidade. Em pacientes com SDRA moderada ou grave, pode-se tolerar uma Pplatô até 40 cmH_2O por causa da utilização de PEEP elevada, desde que a pressão de distensão seja ≤ 15 cmH_2O.

A frequência respiratória inicial deve ser de f = 20 ipm, podendo, conforme a necessidade, ser aumentada até 35 ipm, visando a obtenção da pressão parcial de dióxido de carbono ($PaCO_2$) almejada, desde que não resulte em auto-PEEP.

Com relação ao ajuste da PEEP, há diversas formas de este ser realizado, entretanto ainda não há uma conclusão definitiva sobre a superioridade de uma sobre a outra. Uma das alternativas a ser adotada é a utilização das tabelas PEEP *versus* FiO_2. A tabela do estudo ARDSnet (PEEP baixa *versus* FiO_2) deve ser utilizada na SDRA leve (Tabela 7.1), entretanto, nos casos de SDRA moderada e grave devem-se utilizar as tabelas dos estudos ALVEOLI e LOVS (PEEP alta *versus* FiO2) (Tabela 7.2).

O ajuste da PEEP pode ser feito por meio do método decremental, sendo titulada por meio dos valores da complacência do sistema respiratório verificados a cada um dos passos. Inicialmente, deve ser realizada a manobra de recrutamento alveolar (MRA) máximo e medida a complacência estática do sistema respiratório. Imediatamente após a realização da MRA, deve-se ajustar a PEEP no valor de 23 a 26 cmH_2O e decrescer até o valor de 8 a 12 cmH_2O. Realizam-se decrementos de 2 ou 3 cmH_2O a cada 4 minutos. Deve-se identificar a PEEP com melhor complacência ou dois estágios com complacências equivalentes. Após essa obtenção, ajusta-se uma PEEP 2 a 3 cmH_2O acima desse valor. Uma vez encontrado o valor de PEEP, o operador deve realizar nova MRA máxima, ajustando-se a PEEP ideal identificada após essa manobra.

Um outro método de ajuste da PEEP é a obtenção do ponto de inflexão inferior pela técnica dos volumes aleatórios. Nos pacientes sedados e sem drive ventilatório, essa técnica pode ser utilizada. Ela consiste em fixar a PEEP em zero e variar o Vt em 50 mL até atingir o valor máximo de

Tabela 7.1 Tabela PEEP *versus* FiO_2 para SDRA leve

Estudo ARDSnet														
FiO_2	0,3	0,4	0,4	0,5	0,5	0,6	0,7	0,7	0,7	0,8	0,9	0,9	0,9	1,0
PEEP	5	5	8	8	10	10	10	12	14	14	14	16	18	18 a 24

Fonte: adaptado de N Engl J Med. 2000;342:1301-8.

Tabela 7.2 Tabela PEEP *versus* FiO_2 para pacientes com SDRA moderada a grave

Estudo ALVEOLI									
FiO_2	0,3	0,3	0,4	0,4	0,5	0,5	0,5 a 0,8	0.9	1.0
PEEP	5	5	8	8	10	10	10	12	14
Estudo LOVS									
FiO_2	0,3	0,4	0,5	0,6	0,7	0,8	0,9	1,0	
PEEP	5 a 10	10 a 18	18 a 20	20	20	20 a 22	22	22 a 24	

Fonte: adaptado de Rittayamai et al., 2015; Linares-Perdomo et al., 2015.

1.000 mL ou Pplatô de 40 cmH_2O, registrando a medida de Pplatô após três ciclos ventilatórios. O operador deve anotar os valores em uma tabela Vt *versus* Pplatô e criar um gráfico XY. Logo, espera-se um traçado sigmoide e deve ser observado o ponto de inflexão inferior da curva, fixando a PEEP 2 cmH_2O acima desse ponto.

Nos pacientes sedados, sem *drive* ventilatório, a PEEP ideal pode também ser identificada por meio da obtenção do ponto de melhor complacência. Ajusta-se um Vt = 6 mL/kg de peso predito, variando-se 2 a 3 cmH_2O na PEEP, registrando-se a Pplatô a cada três ciclos ventilatórios. Deve-se montar uma tabela PEEP *versus* complacência estática do sistema respiratório, objetivando a PEEP que gera a melhor complacência. Após encontrá-la, o operador deve ajustar a PEEP em 2 cmH_2O acima desse ponto.

Manobra de recrutamento alveolar (MRA)

Processo que induz um aumento intencional e transitório da pressão transpulmonar, objetivando a reabertura de alvéolos não ventilados ou pobremente ventilados. O benefício esperado é o aprimoramento da oxigenação e a melhora da complacência pulmonar.

O efeito da MRA sobre a oxigenação dos pacientes é evidente, demonstrando que esta exerce um papel muito importante na condução de pacientes com hipoxemia grave. Entretanto, verifica-se que a realização dessa manobra sem a titulação adequada da PEEP resulta em rápido declínio da relação PaO_2/FiO_2. Nos pacientes que apresentam SDRA moderada e grave, a MRA deve ser utilizada como parte da estratégia protetora, visando a redução da pressão de distensão, após a titulação da PEEP por meio do método decremental.

A MRA máximo deve ser realizada no modo pressão controlada (PCV), com pressão de distensão = 15 cmH_2O. Deve ser iniciada com PEEP = 10 cmH_2O, sendo esse valor incrementado em 5 cmH_2O a cada 2 minutos, até atingir uma PEEP = 25 cmH_2O. A partir desde valor, os incrementos de PEEP devem ser de 10 cmH_2O, atingindo-se normalmente uma PEEP = 35 cmH_2O (o valor máximo aceitável é de 45 cmH_2O). Após a realização dessa manobra, a PEEP deve ser reduzida para 25 cmH_2O, quando deve ser iniciada a manobra de titulação decremental da PEEP (Figura 7.1).

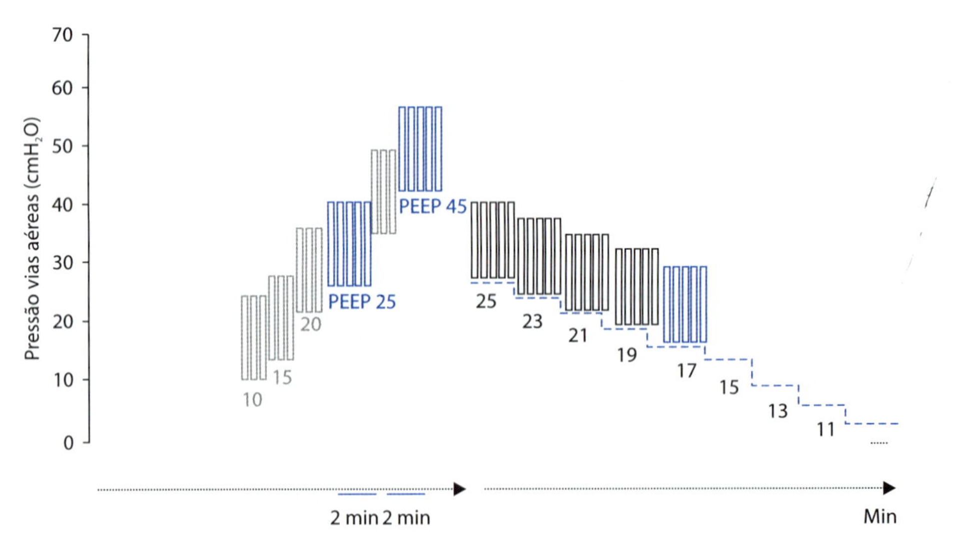

Figura 7.1 – Manobra de recrutamento alveolar máximo. Fonte: Adaptado de Rittayamai et al., 2015.

Deve-se destacar que são descritos diferentes métodos para realização de MRA, podendo ser citada ainda pressão positiva continua nas vias aéreas (CPAP) (35 a 40 cmH_2O por 30 a 40 segundos). Entretanto, atualmente, recomenda-se a utilização da MRA máxima.

Posição prona

A publicação de um importante estudo, denominado PROSEVA (*Proning Severe ARDS Patients*), que avaliou os efeitos da aplicação precoce da posição prona em pacientes com SDRA grave, demonstrou que, por meio de um estudo multicêntrico controlado e randomizado, a aplicação precoce e prolongada da posição prona em pacientes com formas graves de SDRA resultou em redução significativa da mortalidade. Contrapondo os estudos prévios nos casos em que os desfechos relacionados à mortalidade não eram satisfatórios.

A posição prona está indicada e deve ser realizada nas primeiras 48 horas de ventilação mecânica nos casos de SDRA moderada. Já nos casos de SDRA em que a relação $PaO_2/FiO_2 < 150$ mmHg ou naqueles em que a manutenção da estratégia protetora dentro dos limites de segurança é difícil (pressão de distensão < 15 cmH_2O e pH > 7,15), deve ser utilizada precocemente (< 48 horas do diagnóstico de SDRA), a posição deve ser mantida por 16 a 20 horas.

Essa estratégia está contraindicada nos pacientes com hipertensão intracraniana, fratura pélvica, fratura de coluna, peritoniostomia, tórax instável, instabilidade hemodinâmica grave e inexperiência da equipe. Situações como hipertensão intra-abdominal e gestação apresentam-se como contraindicação relativa.

Quando instituída, alguns cuidados devem ser tomados tais como a elevação da FiO_2 para 100% durante a rotação; pacientes ventilados no modo PCV deve-se monitorizar a queda de Vt exalado; avaliar a integridade dos acessos e monitorar continuamente o paciente.

A equipe deve ainda aliviar pontos de contato do corpo ao leito e proteger a face do paciente, sendo que a posição da face e membros devem ser modificadas a cada 2 horas assim como zonas de sofrimento cutâneo. Caso o paciente apresente SpO_2 < 90% mantida por mais de 10 minutos ou em caso de parada cardiorrespiratória após a rotação, deverá ser retornado à posição supina.

Os pacientes considerados respondedores à posição prona são aqueles que após 1 hora de posição apresentem um aumento de 10 mmHg na PaO_2, ou 20 mmHg na relação PaO_2/FiO_2.

Pode-se concluir que surgiram novas informações que acabaram otimizando o manejo ventilatório nos pacientes com SDRA. Essas informações estão relacionadas à implementação da ventilação protetora, à adequação da PEEP ótima por meio do método ideal para sua obtenção, à forma correta de utilização da MRA e ao emprego da posição prona como alternativa ventilatória.

Letura Recomendada

1. Amato MB, Barbas CS, Medeiros DM, Magaldi RB, Schettino GP, Lorenzi Filho G, et al. Effect of a protective-ventilation strategy on mortality in the acute respiratory distress syndrome. N Engl J Med. 1998;338(6):347-54.
2. Amato MB, Meade MO, Slutsky AS, Brochard L, Costa EL, Schoenfeld DA, et al. Driving pressure and survival in the acute respiratory distress syndrome. N Engl J Med. 2015;372(8):747-55.
3. Ashbaugh DG, Bigelow DB, Petty TL, Levine BE. Acute respiratory distress in adults. Lancet. 1967;290:319–23. doi: 10.1016/S0140-6736(67)90168-7.
4. Ranieri VM, Rubenfeld GD, Thompson BT, Ferguson ND, Caldwell E, et al. ARDS. Definition Task Force. Acute respiratory distress syndrome: the Berlin definition. JAMA. 2012;307:2526–33.
5. Barbas CS, Isola AM, Farias AC, Cavalcanti AB, Gama AM, Duarte AC, et al. Recomendações brasileiras de ventilação mecânica. Parte I. Rev Bras Ter Intensiva. 2014;26(2):89-121.

6. Brochard L, Roudot-Thoraval F, Roupie E, Delclaux C, Chastre J, Fernandez-Mondejar E, et al. Tidal volume reduction for prevention of ventilator induced lung injury in acute respiratory distress syndrome. The multicenter trial group on tidal volume reduction in ARDS. Am J Respir Crit Care Med. 1998;158:1831–8.
7. Brower RG, Shanholtz CB, Fessler HE, Shade DM, White P, Jr, Wiener CM, et al. Prospective, randomized controlled clinical trial comparing traditional versus reduced tidal volume ventilation in acute respiratory distress syndrome patients. Crit Care Med. 1999;27:1492-8.
8. Brower RG, Lanken PN, MacIntyre N, Matthay MA, Morris A, Ancukiewicz M, et al. Higher versus lower positive end-expiratory pressures in patients with the acute respiratory distress syndrome. N Engl J Med. 2004;351(4):327-36.
9. Fan E, Wilcox ME, Brower RG, Stewart TE, Mehta S, Lapinsky SE, et al. Recruitment maneuvers for acute lung injuty: a systematic review. Am J Repir Crit Care Med. 2008;178:1156-63.
10. Guerin C, Reignier J, Richard JC, Beuret P, Gacouin A. Prone positioning in severe acute respiratory distress syndrome. N Engl J Med 2013;368:2159-68.
11. Brower RG, Matthay MA, Morris A, Schoenfeld A, Thompson BT, Wheeler A. The acute respiratory distress syndrome network. Ventilation with lower tidal volumes as compared with traditional tidal volumes for acute lung injury and the acute respiratory distress syndrome. N Engl J Med. 2000;342:1301-8.
12. Kacmareck RM, Kallet RH. Respiratory controversies in the critical care setting. Should recruitment maneuvers be used in the management of ALI and ARDS? Respir Care 52;622-631.
13. Linares-Perdomo O, East TD, Brower R, Morris AH. standardizing predicted body weight equations for mechanical ventilation tidal volume settings. Chest 2015; 148(1):73-78.
14. Meade MO, Cook DJ, Guyatt GH, Slutsky AS, Arabi YM, Cooper DJ, et al. Ventilation strategy using low tidal volumes, recruitment maneuvers, and high positive end-expiratory pressure for acute lung injury and acute respiratory distress syndrome: a randomized controlled trial. JAMA. 2008;299(6):637-45.
15. Ochiai R. Mechanical ventilation of acute respiratory distress syndrome. J Intensive Care. 2015; 3(1): 25.
16. Rittayamai N, Katsios CM, Beloncle F, Friedrich JO, Mancebo J, Brochard L. Pressure-controlled vs volume-controlled ventilation in acute respiratory failure - a physiology-based narrative and systematic review. Chest 2015; 148(2):340-355.
17. Stewart TE, Meade MO, Cook DJ, Granton JT, Hodder RV, Lapinsky SE, et al. Evaluation of a ventilation strategy to prevent barotrauma in patient at high risk for acute respiratory distress syndrome: pressure and volume limited ventilation strategy group. New Engl J Med. 1998;338:355-61.
18. Villar J, Kacmarek RM, Perez-Mendez L, Aguirre-Jaime A. A high positive end-expiration pressure, low tidal volume ventilatory strategy improves outcome in persistent acute respiratory distress syndrome: a randomized, controlled trial. Crit Care Med. 2006;34:1311-8.

Capítulo

Edema Agudo de Pulmão

8

Kadma Karênina Damasceno Soares Monteiro
Karine Krueger Rodrigues

Definição

Edema agudo de pulmão (EAP) representa uma emergência que requer admissão imediata, tratamento rápido e investigação dos fatores predisponentes e desencadeantes.

Essa entidade clínica é uma emergência cardiológica bastante comum, com taxa de mortalidade elevada, que deve ser diferenciada do edema pulmonar associado à lesão de membrana capilar, tendo em vista as diversas etiologias.

Fisiopatologia

No EAP de origem cardiogênica, a disfunção cardíaca acarreta aumento da pressão na circulação pulmonar que consequentemente favorece o extravasamento de fluidos para os alvéolos. Na tentativa de compensar esse mecanismo, ocorre o aumento da filtração pelo sistema linfático, baseada no aumento do trabalho respiratório. Desse modo, temos alteração da relação V/Q, redução da complacência pulmonar, bem como redução da resistência de pequenas vias respiratórias e volumes pulmonares. Clinicamente observamos, além da dificuldade respiratória, a hipoxemia e ansiedade, ambas oriundas da ativação do sistema nervoso simpático sendo associadas também a taquicardia, a hipertensão arterial, a vasoconstrição periférica e a sudorese.

Já no edema agudo não cardiogênico, observamos a alteração da permeabilidade da barreira alveolocapilar, acarretando um extravasamento do líquido para o interstício pulmonar. Esse líquido apresenta uma composição proteica semelhante ao plasma.

No edema agudo de pulmão não cardiogênico, observamos também uma diminuição da complacência e aumento do *shunt* pulmonar, o que ocasiona hipoxemia refratária a oxigenoterapia.

Tipos de EAP

Alteração da pressão hidrostática

Cardiogênico

Em virtude de aliterações de funcionamento da bomba cardíaca ocorre o aumento da pressão venosa pulmonar, acarretando aumento na pressão hidrostática dos capilares pulmonares e, por consequência, extravasamento para o interstício pulmonar. A exemplo: insuficiência ventricular esquerda aguda ou crônica descompensada; estenose mitral ou hipervolemia.

Não cardiogênico

Este tipo de EAP pode ocorrer por aumento/ou redução da pressão hidrostática, intravascular ou intersticial. O deslocamento do líquido do vaso para o interstício resulta de aumento da pressão intravascular (tromboembolismo pulmonar [TEP]) ou redução da pressão hidrostática no interstício (drenagens rápidas de derrames pleurais maciços).

Edema agudo de pulmão de altura

▸ Edema pulmonar neurogênico – EPN

Lesões cerebrais que acarretem queda da pressão de perfusão cerebral (PPC) levam à descarga simpática, provocando EPN por meio de dois mecanismos: aumento da pressão hidrostática pulmonar; e aumento da permeabilidade do capilar pulmonar. O EPN é um evento mecânico de sobrecarga de ventrículo esquerdo, relacionando-se também com alterações inflamatórias sistêmicas envolvendo uma complexa relação endócrina, metabólica, imunológica e hematológica.

Alteração de permeabilidade de capilares

Resulta de processos inflamatórios locais (pneumonias) ou sistêmicos (sepse), que pode acarretar síndrome do desconforto respiratório agudo (SDRA).

Redução da Drenagem Linfática

O sistema de drenagem linfática, que também é regido pelo ritmo respiratório, sistema de ordenha, tem capacidade linfática ampliada em até 300 vezes. Quando excede essa capacidade, tem-se o extravasamento, contudo outra forma de desenvolver EAP é por alterações no próprio sistema linfático, tal como na linfangite.

Tratamento

Para o tratamento dessa enfermidade, torna-se necessário o engajamento de diversos profissionais, tais como médicos, enfermeiros, fisioterapeutas, entre outros.

Após o diagnóstico, é necessária a introdução de medidas médicas para a reversão do EAP; em associação, pode-se ter a atuação da fisioterapia cujo objetivo principal é a redução do trabalho respiratório e melhora da oxigenação.

Ressalta-se que a atuação do fisioterapeuta não se restringe à instalação de ventilação mecânica não invasiva (VMNI) ou ao auxílio no procedimento de intubação orotraqueal (IOT), mas também contempla a otimização da mecânica respiratória por meio de posicionamento e a escolha do melhor sistema de administração de oxigenoterapia.

Posicionamento

Em razão da fisiopatologia do EAP, é necessário posicionar o paciente em decúbito elevado (mínimo de 45°), na tentativa de facilitar a mecânica respiratória, além disso, deve-se manter os membros inferiores pendentes com o intuito de reduzir o retorno venoso.

Oxigenoterapia

A escolha do dispositivo de oxigenoterapia dependerá da oxigenação determinada pela saturação periférica de oxigênio, a qual deve-se encontrar entre 94 e 98%. Para tanto, as formas de administração de oxigênio estão disponíveis em baixo e alto fluxo.

Ventilação mecânica não invasiva

A VMNI tem por objetivo melhorar não só a função respiratória, mas também a função cardíaca, mesmo em se tratando de uma intervenção não farmacológica, resultando seu sucesso de efeitos fisiológicos do uso da pressão positiva no final da expiração (PEEP), tais como: diminuição da pré e pós-carga de ventrículo esquerdo (VE); aumento do débito cardíaco e melhora da função de VE; além dos seus efeitos respiratórios, de recrutamento alveolar, melhora da pressão arterial de oxigênio (PaO_2) e redução do trabalho respiratório.

Diante das diversas modalidades de VNMI, as atualmente preconizadas são pressão positiva contínua na via aérea (CPAP) e Binível/Bipap (pressão positiva binível na via aérea), sendo já conhecido que ambas as modalidades reduzem a mortalidade.

Sabe-se que a terapêutica com CPAP é a 1ª escolha, uma vez que é considerada segura, eficaz e de custo baixo, quando comparada com o Binível. Vale ressaltar que em pacientes com pressão arterial de gás carbônico (PCO_2) elevada, o Binível é mais adequado, tendo em vista que essa modalidade favorece o aumento da ventilação alveolar.

Quanto à parametrização das modalidades ventilatórias, recomenda-se que ao se utilizar CPAP, a pressão selecionada esteja entre 5 e 10 cmH_2O e, caso a escolha seja uma ventilação Binível, preconiza-se um EPAP entre 5 e 10 cmH_2O e IPAP de até 15 cmH_2O.

Se necessária a suplementação de oxigênio, ela deve ser realizada a fim de manter saturação entre 94 e 98%.

Após 1 ou 2 horas, deve-se reavaliar o paciente e caso ele não apresente melhora, existe a indicação de falha na VMNI. Tal falha ou intolerância dessa terapêutica demonstra a necessidade de implementação de VMI.

Ventilação mecânica invasiva (VMI)

Se o paciente apresentar indicações diretas de IOT ou falha na VMNI, a VMI estará indicada. Cabendo também ao fisioterapeuta a parametrização ventilatória.

Segundo a literatura disponível, até o presente momento, não há nenhuma modalidade ventilatória específica para essa patologia. Diante do exposto, existe a recomendação de volumes correntes mais baixos (6 mL/kg, a partir do peso predito).

A PEEP deve ser associada à mínima fração inspirada de oxigênio para manter saturação igual ou maior a 94%, uma vez que, apesar do benefício da PEEP moderada, existe a possibilidade de esta acarretar hiperinsuflação e gerar alterações hemodinâmicas.

No tocante à frequência respiratória, deve-se regular entre 12 e 16 incursões respiratórias por minuto, com fluxo inspiratório/tempo inspiratório visando manter uma relação de 1:2 ou 1:3.

Cabe lembrar que a implementação dos parâmetros da VMI deve ser monitorizada por meio de análise gasométrica (PaO_2 e $PaCO_2$).

Um fluxograma de avaliação e atendimento fisioterapêutico, demonstrado na Figura 8.1, sintetiza este capítulo.

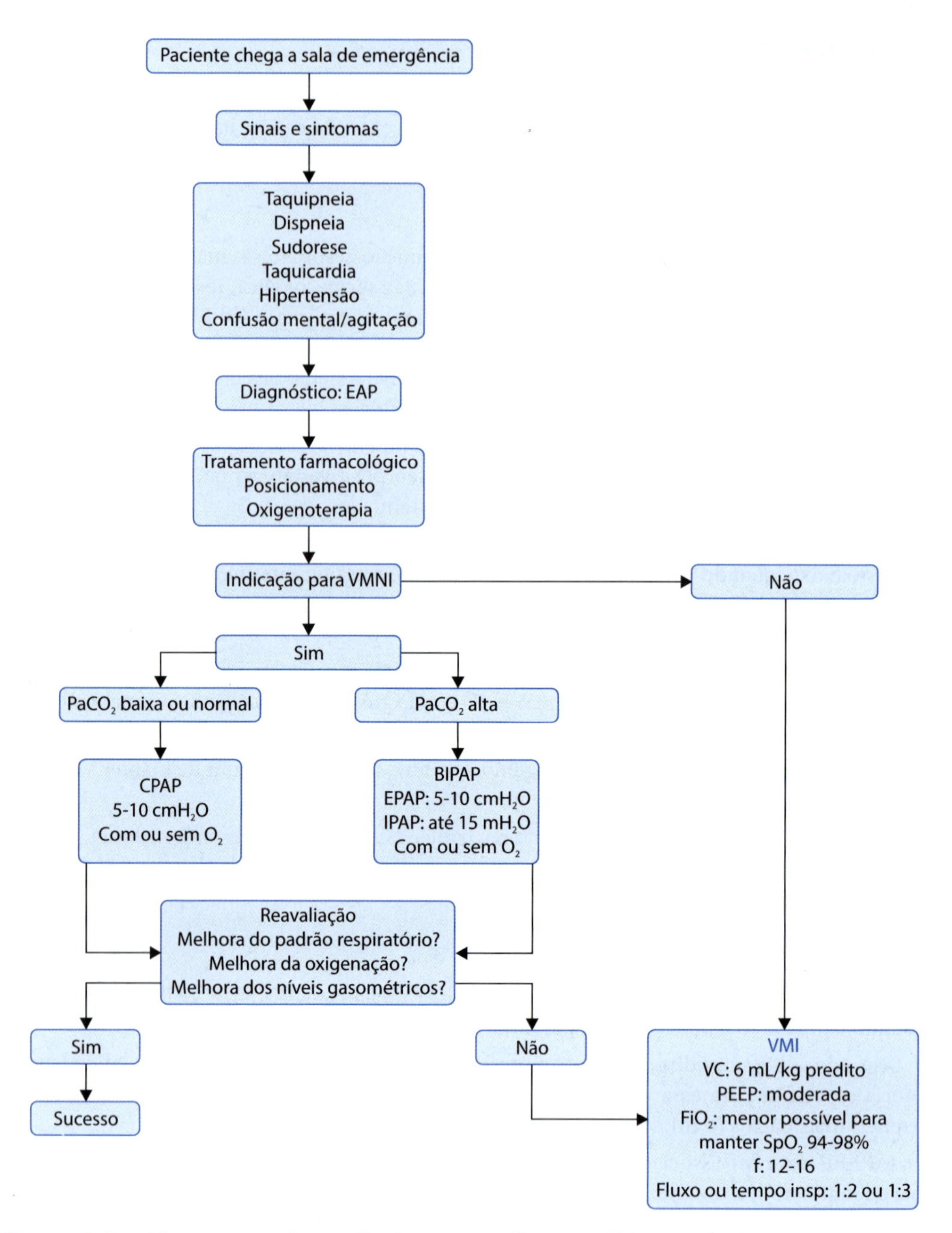

Figura 8.1 – Fluxograma de avaliação e atendimento fisioterapêutico no EAP. Fonte: Rodrigues KK; Monteiro KKDS.

Leitura Recomendada

1. Alexandrescu DM, Costache II Acute cardiogenic pulmonary edema--etiological spectrum and precipitating factors. Rev Med Chir Soc Med Nat Iasi. 2014 Apr-Jun;118(2):301-6.
2. Alwi I. Diagnosis and management of cardiogenic pulmonary edema. Acta Med Indones. 2010 Jul;42(3):176-84.
3. Vital FM, Ladeira MT, Atallah AN. Non-invasive positive pressure ventilation (CPAP or bilevel NPPV) for cardiogenic pulmonary edema. Cochrane Database Syst Rev. 2013 May 31;5:CD005351.
4. Tarantino AB. Doenças pulmonares. 6 ed. Rio de Janeiro: Guanabara Koogan, 2008.
5. Braunwald E, Heart disease: a testbook of cardiovascular medicine. 4 ed. Filadélfia: W.B. Saulnders Company, 1992; 551-68.
6. O'driscoll BR, Howard LS, Davison AG. BTS guideline for emergency oxygen use in adult patients. Thorax. V. 63, p. 1-68, 2008.
7. Wiesen J, Ornstein M, Tonelli AR, Menon V, Ashton RW. State of the evidence: mechanical ventilation with PEEP in patients with cardiogenic shock Heart. 2013 Dec;99(24):1812-7.
8. Associação de Medicina Intensiva Brasileira – AMIB. Diretrizes Brasileiras de Ventilação Mecânica. 2013.
9. Park M, Lorenzi-Filho G, Feltrim MI, Viecili PRN, Sangean MC, Volpe M, et al. Oxigenioterapia, pressão positiva contínua em vias aéreas ou ventilação não invasiva em dois níveis de pressão no tratamento do edema agudo de pulmão cardiogênico. Arq Bras Cardiol 2001; 76: 221-5.
10. Weng CL, Zhao YT, Liu QH, Fu CJ, Sun F, Ma YL, et al. Meta-analysis: noninvasive ventilation in acute cardiogenic pulmonary edema. Ann Intern Med. 2010 May 4;152(9):590-600.
11. Alfonso Megido J, González Franco A. Non-invasive mechanical ventilation in the treatment of acute heart failure. Med Clin (Barc). 2014 Mar;142 Suppl 1:55-8.
12. Potts JM. Noninvasive positive pressure ventilation: effect on mortality in acute cardiogenic pulmonary edema: a pragmatic meta-analysis. Pol Arch Med Wewn. 2009 Jun;119(6):349-53.
13. Mariani J, Macchia A, Belziti C, Deabreu M, Gagliardi J, Doval H, et al. Noninvasive ventilation in acute cardiogenic pulmonary edema: a meta-analysis of randomized controlled trials. J Card Fail. 2011 Oct;17(10):850-9.
14. Sociedade Brasileira de Pneumologia e Tisiologia. Oxigenoterapia Domiciliar Prolongada (ODP). Jornal de Pneumol. V. 26 N.6 Nov-Dec, 2000.
15. Edema pulmonar neurogênico: uma revisão atualizada da literatura. Rev. Bras. Ter. Intensiva. V. 24 N.1 Jan-Mar, 2012.

Capítulo 9

Insuficiência Cardíaca

Patrícia Forestieri
Solange Guizilini

Introdução

A insuficiência cardíaca (IC), via final comum da maioria das cardiopatias, é uma síndrome clínica complexa caracterizada por intolerância aos esforços, fadiga e dispneia. É resultante de qualquer desordem cardíaca estrutural ou funcional que compromete a capacidade do ventrículo de receber ou ejetar sangue, havendo suprimento sanguíneo insuficiente para suprir as demandas metabólicas teciduais.

Nas duas últimas décadas, a definição de "falha de bomba", atribuída à IC, foi substituída pelo conceito de doença sistêmica de origem inflamatória e neuro-hormonal, em que a redução da capacidade funcional está relacionada, não somente com a diminuição do desempenho do coração, mas também com alterações periféricas.

Com base na intensidade dos sintomas apresentados pelos pacientes, a IC pode ser caracterizada em quatro classes propostas pela New York Heart Association (NYHA). Essas classes estratificam o grau de limitação imposto pela doença para atividades de vida diária do paciente e, portanto, sua qualidade de vida frente a tal condição (Tabela 9.1).

Na sala de emergência de um hospital, é muito comum a chegada de pacientes que apresentam disfunção miocárdica prévia (sistólica ou diastólica) associada à exacerbação de sinais e sintomas após um período de relativa estabilidade, a chamada insuficiência cardíaca aguda descompensada (ICAD). A ICAD pode ser nova ou consequente à piora dos sintomas de IC prévia (ICAD).

A ICAD é definida como início de sinais ou sintomas de dispneia, fadiga e edema que levam o paciente a buscar o atendimento médico emergencial e são condizentes com disfunção cardíaca.

Tabela 9.1 Classificação de insuficiência cardíaca – NYHA

Classe	Descrição
Classe I	Assintomático.
Classe II	Assintomático em repouso. Sintomas desencadeados por esforços usuais.
Classe III	Assintomático em repouso. Sintomas presentes em esforços menores que usuais.
Classe IV	Sintomas (fadiga, dispneia, palpitações) desencadeados por esforços menores que os usuais ou em repouso.

Fonte: III Diretriz Brasileira de Insuficiência Cardíaca.

No Brasil, a ICAD é a maior causa de internação hospitalar por doença cardiovascular. Constitui um grupo de pacientes com diversas desordens, de inúmeras causas possíveis – muitas ainda pouco compreendidas – sendo uma síndrome de amplo espectro com condições clínicas heterogêneas, incluindo edema pulmonar, crise hipertensiva e choque cardiogênico evidenciando uma situação emergencial.

A etiologia mais frequente de ICAD é a síndrome coronariana aguda (SCA) (36,2%), seguida pela insuficiência cardíaca isquêmica (19,9%), disfunções valvares (10,4%), arritmias (7,9 %) e crise hipertensiva (5,7%).

Fisiopatologia

Os mecanismos envolvidos na fisiopatologia da IC são muito variáveis. É uma condição fisiopatológica progressiva que se inicia pela redução da capacidade contrátil do miocárdio, diminuição do débito cardíaco e elevação das pressões de enchimento de ventrículo esquerdo. Em resposta à redução do desempenho cardíaco, diversos mecanismos são ativados, os chamados mecanismos compensatórios.

Esses mecanismos são decorrentes da ativação de outros sistemas tais como, o sistema neuro-hormonal (mediado pela atividade adrenérgica), o sistema renina-angiotensina-aldosterona (SRAA), arginina-vasopressina, endotelina e citocinas inflamatórias. Esses sistemas interagem entre si e, uma vez ativados, resultam em aumento da frequência cardíaca (FC), aumento da vasoconstrição periférica e aumento da volemia pela retenção de sódio e água, para compensar a disfunção cardíaca, e são ativados antes mesmo dos sintomas aparecerem. Ao longo do tempo, a ativação constante desses sistemas tem consequências adversas e severas sobre todo o organismo.

O aumento da vasoconstrição periférica ocorre em consequência do aumento de catecolaminas oriundo da ativação adrenérgica e o aumento da angiotensina – II. Resultante dessa vasoconstrição há aumento da pós-carga e aumento do consumo de oxigênio pelo miocárdio com isquemia miocárdica, hipertrofia, morte dos cardiomiócitos, arritmias e fibrose. A fim de aumentar a volemia, a aldosterona promove a retenção de sódio e água, o que, em contrapartida, induz à hipocalemia e arritmias ventriculares. Em longo prazo, a ação dessas substâncias, conduz a uma situação hemodinâmica desfavorável, com disfunção endotelial e com deterioração ventricular contínua, que resulta em dilatação e morte de cardiomiócitos que acabam sendo substituídos por uma fibrose.

O ventrículo sofre um remodelamento em resposta a essa condição, mas ao longo do tempo esse remodelamento ventricular torna-se desfavorável, agravando sua disfunção, tornando-se um ciclo vicioso e elevando o risco de morbidades e mortalidade.

Diagnóstico e Exame Clínico

O diagnóstico de ICAD é realizado a partir da avaliação de sinais e sintomas clínicos com o auxílio de exames complementares (Critérios de Framingham) (Tabela 9.2).

Todavia, o diferencial da investigação diagnóstica em pacientes com IC é a avaliação do perfil clínico-hemodinâmico (Tabela 9.3) que tem como objetivo definir as condições de volemia e de perfusão nos pacientes com ICAD. A estimativa da condição hemodinâmica se faz por meio da avaliação de sinais e sintomas de hipervolemia ou hipovolemia e de baixa perfusão periférica à beira do leito.

Tabela 9.2 Critério de Framingham para diagnóstico de IC	
Critérios maiores	Critérios menores
a) dispneia paroxística noturna	a) edema de tornozelos bilateral
b) turgência jugular	b) tosse noturna
c) crepitações pulmonares	c) dispneia a esforços ordinários
d) cardiomegalia (a radiografia de tórax)	d) hepatomegalia
e) edema agudo de pulmão	e) derrame pleural
f) terceira bulha (galope)	f) redução da capacidade funcional em 1/3 da máxima registrada previamente
g) aumento da pressão venosa central	g) taquicardia (> 120 bpm)
h) refluxo hepatojugular	
i) perda de peso > 4,5 kg em 5 dias em resposta ao tratamento.	

II Diretriz Brasileira de Insuficiência Cardíaca Aguda, 2009. Fonte: Montera et al., 2009.

Tabela 9.3 Perfil clínico-hemodinâmico	
Perfil A	Quente e seco (sem sinais de congestão, perfusão preservada)
Perfil B	Quente e úmido (com sinais de congestão mas perfusão preservada)
Perfil C	Frio e úmido (sinais de congestão e má perfusão periférica)
Perfil L	Frio e seco (sem sinais de congestão e má perfusão periférica)

Sociedade Brasileira de Cardiologia, 2012. Fonte: Paola, Barbosa e Guimarães, 2012.

Sinais e Sintomas Principais

- Dispneia: relatada como um sintoma presente nas 72 horas recentes com piora nas últimas 12 horas. No entanto, por ser um sintoma também vigente em outras afecções (doenças pulmonares), não é o único sinal que pode confirmar o diagnóstico. Porém, o diagnóstico torna-se bastante provável, se o paciente apresenta história prévia de IC.
- Ortopneia: é a denominação dada à sensação de dispneia presente na posição horizontal, ou seja, no decúbito dorsal. A melhora dessa sensação ocorre com a elevação da parte superior do tórax, e/ou com o ortostatismo. É um dos sintomas clássicos de IC esquerda, associado à presença de congestão pulmonar.
- Dispneia paroxística noturna (DPN): nome dado à situação em que o paciente apresenta interrupção abrupta do sono por uma sensação de dispneia muito forte, levando-o a se sentar ou se levantar do leito em busca de uma área ventilada, próximo a uma janela. Alguns pacientes relatam ser uma sensação de sufocamento. A intensidade e a duração são variáveis, mas aparecem algumas horas depois que o paciente já adormeceu.
- Fadiga: o baixo débito cardíaco com redução da perfusão dos músculos esqueléticos, que ocorre tanto durante o esforço físico como durante o repouso, gera uma série de alterações musculares com a maior predominância de fibras do tipo II, menor atividade enzimática oxidativa, atrofia muscular e elevadas concentrações de citocinas. Essa perda da integridade muscular predispõe o paciente à fadiga precoce aos esforços, limitando sua capacidade funcional com subsequente redução na qualidade de vida.

- Outros sinais e sintomas: hipotensão postural, vertigens, anorexia, náuseas, distensão abdominal e diarreia (em casos de isquemia ou congestão visceral).

Exame Físico

A presença de edema de membros inferiores e turgência jugular associada à presença de terceira bulha na ausculta cardíaca são sinais importantes de IC, mas sua ausência não exclui o diagnóstico. A hepatoesplenomegalia, ascite abdominal, taquicardia e hipertensão arterial sistêmica são sinais que podem estar presentes. Pacientes em estágios avançados apresentam caquexia. Sinais típicos de baixo débito cardíaco incluem hipotensão arterial, alterações do nível de consciência, oligúria, pulso filiforme e extremidades frias.

A congestão pulmonar se define como o acúmulo de líquido nos pulmões que impede a troca gasosa e leva à hipoxemia arterial. Sequencialmente, sua produção se dá: primeiro na região hilar dos pulmões, logo chega ao espaço intersticial e, finalmente, em sua forma mais grave, inunda os alvéolos. É caracterizada pela presença de estertores pulmonares ou broncoconstrição.

Exames

- Radiografia de tórax: facilmente obtida e deve ser utilizada em todo paciente com suspeita de IC aguda. Permite avaliação da congestão pulmonar e ajuda na diferenciação de causas torácicas e pulmonares da dispneia. Os sinais radiológicos comumente achados são aumento de área cardíaca (cardiomegalia), infiltrados pulmonares, congestão venosa pulmonar, edema intersticial e derrame pleural.
- Avaliação laboratorial: hemograma, sódio, potássio, ureia, creatinina e glicose.
- Eletrocardiograma (ECG): essencial na avaliação de pacientes com ICAD bem como para o estudo de sua etiologia.
- Peptídeo natriurético atrial (BNP) e seu precursor o NT pró-BNP: são hormônios produzidos pelos cardiomiócitos dos átrios e ventrículos. Sua dosagem sanguínea tem um bom valor preditivo e é um diferencial de dispneia na sala de emergência. Um BNP < 100 pg/mL tem sido critério de exclusão para IC em pacientes com dispneia aguda, enquanto um BNP com valores acima de 400 pg/mL torna mais provável o diagnóstico de IC.
- Gasometria arterial: deve ser solicitada em caso de distúrbio respiratório grave ou sinais de baixo débito para a análise da oxigenação (PO_2) e da função respiratória (PCO_2), bem como do equilíbrio acidobásico (pH).
- Ecodopplercardiograma: essencial na avaliação de pacientes com ICAD, pois ajuda a determinar a etiologia da síndrome, sua gravidade e as possíveis causas de descompensação clínica, além de possibilitar o prognóstico e conciliar a tomada de decisões terapêuticas.

Tratamento

Na fase de admissão hospitalar o tratamento da IC tem como objetivos principais o alívio dos sintomas, restauração da oxigenação (saturação de oxigênio acima de 90%), estabilização hemodinâmica, correção dos distúrbios hidreletrolíticos, evitar ou reverter a disfunção renal e corrigir os fatores que desencadearam a descompensação clínica.

O tratamento farmacológico (Quadro 9.1) admissional é baseado em uso de diuréticos e vasodilatadores e com medicamentos que bloqueiam a atividade neuro-hormonal e a remodelação ventricular com medicamentos que inibem ou antagonizam a atividade adrenérgica, a angiotensina - II e a aldosterona.

Quadro 9.1 Tratamento farmacológico
Diuréticos;
Inibidores de enzima conversora de angiotensina (IECA);
Digitálicos;
Inotrópicos não digitálicos;
Vasocilatadores;
Bloqueadores beta-adrenérgicos;
Anti-arrítmicos;
Anticoagulantes.

II Diretriz Brasileira de Insuficiência Cardíaca Aguda. Fonte: Montera et al., 2009.

Naqueles pacientes com sinais de baixo débito cardíaco, além de reposição volêmica, pode ser necessário o suporte inotrópico endovenoso e, nos casosmais avançados, o uso de dispositivos de assistência circulatória pode ser necessário.

Após estabilização do quadro clínico, durante a internação hospitalar, o tratamento visa otimizar a medicação para a alta hospitalar, iniciar medidas que reduzam as internações hospitalares, educar o paciente quanto à restrição hidrossalina e ao controle de peso e orientar medidas que melhorem a qualidade de vida desse indivíduo.

Oxigenoterapia

Na ICAD, a hipoxemia é o resultado da congestão pulmonar e/ou grave hipoperfusão sistêmica. A hipóxia tecidual promove aumento adicional da demanda por oxigênio devido ao maior trabalho da musculatura respiratória na tentativa de compensação. O resultado é uma cascata de alterações metabólicas que culminam em disfunção orgânica e óbito. A utilização de oxigênio suplementar, aliado ao tratamento da condição de base, torna-se primordial para impedir essa evolução. Nos pacientes com ICAD e doença pulmonar obstrutiva crônica (DPOC) com hipercapnia, a suplementação de oxigênio deve ser com baixas frações de oxigênio visando a saturação de oxigênio acima de 90%.

Ventilação mecânica não invasiva

O uso da VNI em pacientes cardiopatas está relacionado à descompensação clínica que pode evoluir para edema agudo de pulmão (EAP), sendo uma alternativa de tratamento que evita a redução da capacidade residual funcional (CRF), com melhorada mecânica respiratória e da oxigenação. Além de promover melhora das trocas gasosas e diminuição do trabalho respiratório, reduz a pré-carga e a pós-carga com consequente melhora do desempenho de ventrículo esquerdo.

Nos pacientes com edema agudo de pulmão (EAP) sem hipotensão, a VNI deve ser considerada estratégia inicial para suporte respiratório. É também indicada na persistência de desconforto respiratório em que o paciente apresenta aumento da frequência respiratória, queda da saturação de oxigênio, batimento de asa de nariz e uso de musculatura acessória ou retenção aguda de gás carbônico apesar da oferta de oxigênio (ou via cateter nasal ou via máscara de Venturi).

Durante a internação hospitalar, a VNI pode ser uma alternativa de tratamento para o paciente que se apresenta hemodinamicamente estável e com adequada reposição volêmica. A redução da pressão transmural sistólica de VE gerada pela VNI reduz a pré-carga e a pós-carga de VE, o que favorece a contratilidade cardíaca e pode levar ao aumento do débito cardíaco. Assim sendo, nessa fase, o uso da VNI tem a finalidade de otimizar o desempenho de VE e evitar a congestão pulmonar. Estudos apontam que o uso de *pressão* positiva *contínua* em vias aéreas (CPAP) com 5 a 10 cmH_2O promove o aumento do débito cardíaco em pacientes com IC estável.

Quanto à escolha entre as modalidades CPAP e BIPAP (do inglês *bilevel positive airway pressure*), os estudos não apontam diferenças significativas. Pacientes em EAP que utilizam BIPAP parecem apesentar resolução precoce do desconforto respiratório, mas não há diferenças quanto aos índices de intubação orotraqueal e mortalidade.

Fora a situação emergencial, para aqueles pacientes que apresentam distúrbios respiratórios do sono, é recomendada a utilização do CPAP noturno.

O CPAP tem sido extensivamente utilizado associado à realização de exercícios físicos na reabilitação cardiopulmonar de pacientes com DPOC, promovendo melhora na tolerância aos esforços com resultados positivos na capacidade funcional dessa população. Ainda são escassos os estudos sobre a associação do uso de CPAP e reabilitação cardíaca para pacientes com IC estáveis, todavia, já foi mostrado que a utilização de CPAP associada ao exercício pode contribuir para a melhora das respostas ventilatórias e hemodinâmicas e do equilíbrio autonômico, favorecendo a reabilitação cardíaca.

Ventilação mecânica invasiva

O uso da VMI deve ser considerado nos pacientes com ICAD que mantêm sinais de desconforto respiratório e/ou hipoxemia mesmo após a realização de VNI. Outra indicação para VM é caso haja alguma contraindicação a VNI.

Durante a VMI, deve-se ter atenção especial com a função ventricular direita e com a resistência vascular periférica. Elevadas pressões podem fazer com que haja um aumento da pressão alveolar menor do que a pressão arterial e maior do que a venosa, ou seja, há compressão dos vasos perialveolares durante o ciclo respiratório aumentando o trabalho de ventrículo direito, o que pode levar à disfunção de VD. Portanto, nos pacientes que apresentam IC direita, deve-se evitar a hiperdistensão pulmonar.

Quanto ao desmame da ventilação mecânica, são poucas as evidências sobre qual a melhor forma de realizá-lo em indivíduos com IC, e muito se discute qual a melhor estratégia para sua realização em indivíduos cardiopatas. Alguns estudos, mostraram que, em indivíduos com doenças cardiovasculares, a passagem da ventilação mecânica para a Tubo-T resultava no aumento da pressão arterial sistêmica, da frequência cardíaca e da pressão de oclusão da artéria pulmonar, resultando em aumento da sobrecarga cardíaca, sendo necessário o retorno à ventilação mecânica.

Já no modo pressão de suporte (PSV) alguns estudos evidenciaram melhora da oxigenação e dos parâmetros funcionais respiratórios, demonstrado pela diminuição da frequência respiratória, aumento do volume minuto e volume corrente e valores significativamente menores de frequência cardíaca. O uso da PSV parece apresentar menor taxa de falha de desmame, quando comparado ao desmame em ventilação mandatória intermitente sincronizada e ao desmame com períodos progressivos (5 a 120 minutos) de respiração espontânea em Tubo-T. Entretanto, não há evidências claras que confirmem a superioridade do uso da PSV sobre a técnica com uso de Tubo-T.

Estudos recentes em população heterogênea confirmam que a realização de VNI imediatamente após extubação planejada reduz a frequência de reintubações, a taxa de mortalidade hospitalar e o tempo de permanência em unidade de terapia intensiva (UTI). Apesar de não ser um achado específico para pacientes cardiopatas, pode-se utilizar esse recurso, tendo em vista os benefícios já citados da VNI para pacientes com IC.

Reabilitação cardíaca

Apesar de toda a otimização de drogas farmacológicas na internação hospitalar, mudanças na musculatura esquelética associadas à fraqueza muscular consequente da própria doença são potencializadas pelos efeitos do repouso prolongado no leito. Assim, diminuindo ainda mais a tolerância aos esforços e com piora na sobrevida.

A coexistência de baixa perfusão, o sedentarismo, o uso de medicação, depleção nutricional, estresse oxidativo e inflamação sistêmica compõem o cenário de fatores que determinam a disfunção muscular periférica e respiratória culminando em limitação funcional que, ao longo prazo, culminam em redução na qualidade de vida. Durante a internação hospitalar, os maiores objetivos do exercício físico são reduzir os efeitos deletérios do repouso prolongado no leito, avaliar repostas clínicas ao aumento progressivo do esforço, diminuindo, assim, o tempo de internação hospitalar.

Na fase hospitalar, o fisioterapeuta tem o objetivo de iniciar o programa de reabilitação cardíaca, já com mobilização precoce e educação. É nessa fase que há o início para uma vida mais ativa e produtiva com a conscientização da importância da mudança dos hábitos de vida. Há o predomínio de atividades de baixo gasto energético, que otimizam a capacidade funcional para as atividades de vida diária, preparando o paciente física e psicologicamente para a alta hospitalar. Comumente, é iniciado um protocolo de exercícios, composto por sete etapas progressivas com atividades de baixa intensidade (2 a 4 METS). Já nessa fase, há o envolvimento de toda equipe multiprofissional, devidamente especializada em reabilitação cardíaca.

O treinamento com exercícios é capaz de reverter o estado de descondicionamento físico mediado pela disfunção muscular esquelética que se agrava com o sedentarismo, geralmente resultante da falta de um programa de reabilitação cardíaca precoce ao diagnóstico e do imobilismo inerente à permanência no leito hospitalar. Entretanto, as evidências sobre a mobilização precoce de pacientes com ICAD no ambiente hospitalar ainda permanecem escassas, havendo uma lacuna sobre quais os tipos de exercícios a serem realizados e principalmente quanto aos critérios de início e interrupção das atividades.

Convencionalmente, em pacientes com doença cardíaca, as modalidades de exercícios utilizados são treinamentos de *endurance* e os intervalados.

Mesmo após estabilização do quadro, alguns pacientes com ICAD são limitados ou incapazes de realizar um programa de mobilização precoce devido à dispneia e fadiga de membros inferiores, dificultando sua saída do leito. Para esse perfil de pacientes, a eletroestimulação muscular periférica tem sido proposta como uma modalidade de treinamento de exercícios sem exigir esforço do indivíduo, havendo benefícios musculares e melhora na capacidade funcional.

Para a alta hospitalar, junto com a participação de toda a equipe multiprofissional, o fisioterapeuta tem o objetivo de dar melhores condições funcionais para esse paciente, visando o retorno mais breve possível às atividades sociais e laborais.

Leitura Recomendada

1. Bajaj A, Rathor P, Sehgal V, Shetty A. Efficacy of noninvasive ventilation after planned extubation: a systematic review and meta-analysis of randomized controlled trials Heart &Lung 2015; 12 Jan.
2. Borchi EA, Marcondes-braga FG, Ayub-ferreira SM, Rohde LE, Oliveira WA, Almeida DR, et al.. Sociedade Brasileira de Cardiologia. II Diretriz Brasileira de Insuficiência Cardíaca Crônica. Arq. Bras. Cardiol 2009; 93(1 supl1):1-71.
3. Davies EJ, Moxham T, Ree K, Singh S, Coats AJS, Shah Ebrahim, et al. Exercise training for systolic heart failure: Cochrane systematic review and meta-analysis. European Journal of Heart Failure 2010; 12 (7): 706-15.

4. John Victor Peter, John L Moran, Jennie Phillips-Hughes, Petra Graham, Andrew D Bersten Effect of non--invasive positive pressure ventilation (NIPPV) on mortality in patients with acute cardiogenic pulmonary oedema: a meta-analysis Lancet 2006; 367: 1155-63.
5. Ladeira MT, Vital FM, Andriolo RB, Andriolo BN, Atallah AN, Peccin MS. Pressure support versus T-tube for weaning from mechanical ventilation in adults. Cochrane Database Syst Rev, 2014 May 27.
6. Luecke T, Pelosi P. Clinical review: positive end-expiratory pressure and cardiac output. Critical Care, 2005; 9:607-621.
7. Masip J, Betbese AJ, Paez J, et al. Non-invasive pressure support ventilation versus conventional oxygen therapy in acute cardiogenic pulmonary oedema: a randomized trial. Lancet, 2000; p. 2126-2132.
8. Masip J, Roque M, Sanchez B, Fernandez R, Subirana M, Montera MW, et al. Sociedade Brasileira de Cardiologia. II Diretriz Brasileira de Insuficiência Cardíaca Aguda. ArqBrasCardiol. 2009;93(3 supl.3):1-65.
9. Masip J, Roque M, Sanchez B, Fernandez R, Subirana M, Exposito JA. Non-invasive ventilation in acute cardiogenic pulmonary edema: systematic review and meta-analysis JAMA, 2005; 294, pp. 3124–3130.
10. Okita K, Kinugawa S, Tsutsui H. Exercise intolerance in chronicheart failur – skeletal muscle dysfunction and potential therapies. Circ J 2013; 77:293-300.
11. Paola AV, Barbosa MM, Guimarães JI. Cardiologia: livro texto da Sociedade Brasileira de cardiologia. São Paulo: Manole, 2012.
12. Yancy CW, Jessup M, Bozkurt B, Masoudi FA, Butler J, McBride PE, et al. Guideline for the Management of Heart Failure, JAm CollCardiol 2013, doi:10.1016/j.jacc.2013.05.019.
13. Regenga, M. Fisioterapia em cardiologia: da UTI à reabilitação. São Paulo: Editora Rocca, 2000.
14. Reis MS, Sampaio LM, Lacerda D, De Oliveira LV, Pereira GB, Pantoni CB, Thommazo LD, Catai AM, Borghi-Silva A.Acute effects of different levels of continuous positive airway pressure on cardiac autonomic modulation in chronic heart failure and chronic obstructive pulmonary disease.Archives of Medical Science: AMS, 2010 Oct; 6(5)719-727.
15. Zannad F, Adamopoulos C, Mebazzaa A, Gheorghiade M. The challenge of acute decompensated heart failure. Heart Fail Rev 2006, jun 11(2):135-9.

Capítulo

10

Síndrome Coronariana Aguda

Isis Begot Valente
Ivan Daniel Bezerra Nogueira
Rodolpho Patines Pereira

Introdução

A síndrome coronariana aguda (SCA) pode ser a primeira manifestação da doença arterial coronariana (DAC) e refere-se ao conjunto de manifestações clínicas que refletem um quadro de isquemia miocárdica aguda. É responsável por centenas de milhares de mortes por ano em todo o mundo, sendo ainda a principal causa nos adultos norte-americanos, de acordo com a American Heart Association. No Brasil, conforme os dados fornecidos pelo Datasus, o infarto agudo do miocárdio (IAM) é a primeira causa de morte, acarretando cerca de 100 mil óbitos anuais.

Fisiopatologia

O mecanismo fisiopatológico subjacente mais frequente para SCA começa com a aterosclerose, que se desenvolve e progride ao longo de décadas anteriores ao evento agudo. A aterosclerose pode ser descrita como doença inflamatória crônica de origem multifatorial que ocorre em resposta à agressão endotelial, acometendo principalmente a camada íntima das artérias, dando origem à formação da placa aterosclerótica por fatores de risco, tais como dislipidemia (DLP), hipertensão arterial sistêmica (HAS), tabagismo e genética.

A ruptura da placa aterosclerótica em uma artéria coronária é o evento inicial responsável pelos quadros coronarianos agudos. Existem dois tipos de placa aterosclerótica:

- Placa estável: caracterizada por sua capa fibrótica espessa, poucas células inflamatórias e núcleo lipídico pequeno;
- Placa instável: caracterizada por sua capa fibrótica fina, atividade inflamatória intensa e núcleo lipídico grande (Figura 10.1). Após a ruptura da placa, há uma exposição de substâncias que promovem a ativação e agregação plaquetária, geração de trombina e, por fim, a formação do trombo. Esse trombo interrompe o fluxo sanguíneo desequilibrando a oferta e o consumo de oxigênio miocárdico, o que pode produzir isquemia e necrose tecidual.

De acordo com o grau de oclusão causado pelo trombo, definem-se as três formas clínicas da SCA, que abrangem: angina instável (AI), IAM sem supradesnivelamento do segmento ST (IAMSSST), IAM com supradesnivelamento do segmento ST (IAMCSST) (Tabela 10.1).

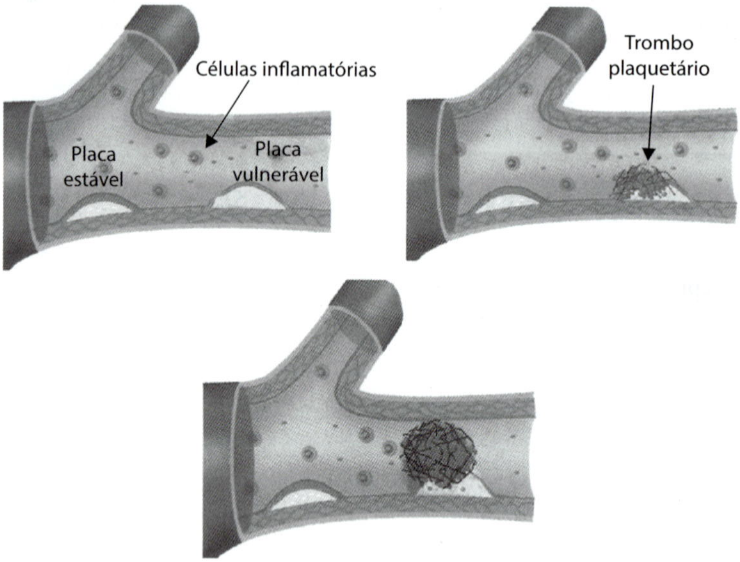

Figura 10.1 – Placa estável e instável. Fonte: adaptada de Stefanini, Kasinski e Carvalho, 2004.

Tabela 10.1 Definição das três formas clínicas de SCA

	AI	IAMSSST	IAMCSST
Grau de oclusão	Obstrução parcial da luz da artéria	Obstrução parcial da luz da artéria	Obstrução total da luz da artéria
Biomarcadores	Sem alteração dos biomarcadores de lesão miocárdica	Elevação de biomarcadores de lesão miocárdica	Elevação de biomarcadores de lesão miocárdica
ECG	Pode apresentar infradesnivelamento do segmento ST ou um eletro sem alterações	Pode apresentar infradesnivelamento do segmento ST ou inversão de onda T	Alteração com supradesnivelamento do segmento ST em pelo menos duas derivações contíguas

ECG: eletrocardiograma. Fonte: Stefanini, Kasinski e Carvalho, 2004.

Além do mecanismo aterosclerótico citado acima, a SCA pode ser desenvolvida por meio de outras doenças como arterites (doença de Takayasu e Kawasaki); espasmo coronariano (angina de Prinzmetal); abuso de cocaína; embolização em decorrência de fibrilação atrial, doença de prótese valvar, mixoma cardíaco, endocardite infecciosa, entre outras.

A isquemia miocárdica pode ter consequências graves e os pacientes sobreviventes ao evento apresentam um risco aumentado de morte súbita. A modalidade de parada cardiorrespiratória mais frequente no pós-IAM é a fibrilação ventricular, isso pode ocorrer em decorrência do desequilíbrio de potássio nos meios extracelular em torno da fibra cardíaca, das alterações nos impulsos e conduções elétricas de despolarização e repolarização cardíaca ou por reflexos simpáticos potentes.

Diagnóstico

O diagnóstico da SCA é feito baseando-se na história clínica, exame físico, achados eletrocardiográficos (exame realizado em até 10 minutos após a admissão na sala de emergência) e na elevação seriada dos biomarcadores de lesão miocárdica, em que os mais investigados são a mioglobina, creatininaquinase (CK e CKMB) e troponina (mais específicas para a lesão miocárdica).

A principal manifestação clínica da SCA é dor precordial em aperto, peso, constrição, ardência ou dor epigástrica geralmente em repouso, podendo apresentar irradiação para membros superiores (em geral esquerdo), mandíbula e região dorsal. Sua duração é de pelo menos 20 minutos e pode ser acompanhada de outros sintomas associados, tais como dispneia, sudorese, náusea, vômito e síncope. Algumas vezes, a apresentação clínica é atípica, sem dor característica, manifestando-se em idosos, diabéticos, obesos e em mulheres.

Estratégias de Tratamento e Terapia de Reperfusão

O paciente que chega a unidade de emergência com dor torácica deve ser imediatamente triado, sendo que inúmeras terapias comprovadamente modificam sua evolução, porém a efetividade da maioria destas é tempo-dependente.

Segundo a IV Diretriz da Sociedade Brasileira de Cardiologia sobre tratamento do IAMC ST de 2009, a administração de O_2 é indicada para todos os pacientes com IAM em um período de 3 a 6 horas, após, deve-se respeitar as indicações como queda de saturação de O_2 abaixo de 90% e presença de congestão pulmonar. A administração de oxigênio de maneira desnecessária e por tempo prolongado pode causar vasoconstrição sistêmica, aumento da resistência vascular e da pressão arterial, sendo prejudicial.

As terapias com reperfusão precoce da artéria ocluída limitam a necrose miocárdica e reduzem a mortalidade nesses pacientes. O tratamento pode ser realizado com a utilização de agentes fibrinolíticos, angioplastia e, quando necessária, cirurgia de revascularização do miocárdio.

Os fibrinolíticos têm indicação nos pacientes com IAMCSST, que apresentam supradesnivelamento do segmento ST em pelo menos duas derivações contíguas do ECG ou um novo bloqueio de ramo esquerdo, e desde que não haja contraindicações por riscos de complicações hemorrágicas.

A angioplastia é um procedimento que utiliza um cateter balão com ou sem implante do *stent* coronário, tendo como objetivo restabelecer o fluxo sanguíneo de maneira mecânica (Figura 10.2). Essa técnica pode ser dividida em:

- Angioplastia primária (sem uso prévio de fibrinolítico) que deve ser iniciada em até 90 minutos após o diagnóstico do IAM;
- Angioplastia de resgate, decorrente ao insucesso do fibrinolítico, quando não houver critérios de reperfusão da artéria (persistência de dor torácica e do supra de ST no ECG), havendo necessidade de intervenção mecânica.

A cirurgia de revascularização do miocárdio (Figura 10.3) é geralmente considerada em pacientes que apresentaram IAM com lesão de tronco de coronária esquerda, doença triarterial, doença biarterial com estenose proximal do ramo interventricular anterior, ou doença biarterial não passível de tratamento por angioplastia e comprometimento importante da função ventricular.

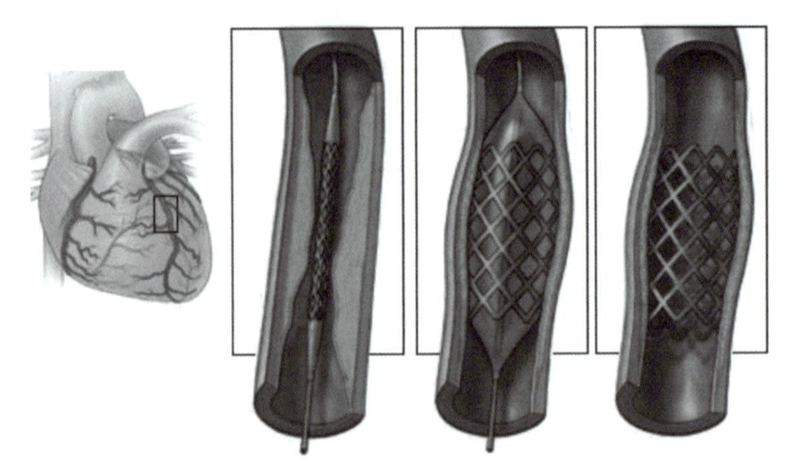

Figura 10.2 – Imagem ilustrativa de angioplastia com implante de *stent*. Fonte: espanol.kaiserpermanente.org

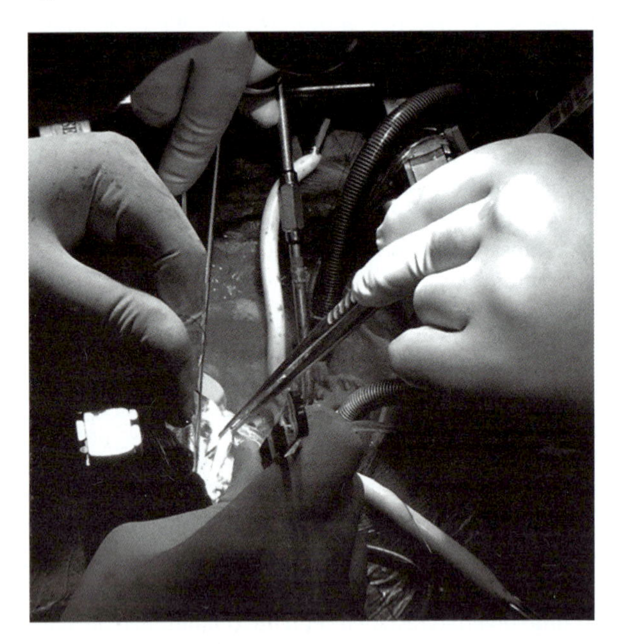

Figura 10.3 – Imagem ilustrativa de cirurgia de revascularização do miocárdio. Fonte: Rodolpho Patines Pereira.

Reabilitação Cardiovascular

Define-se a reabilitação cardiovascular como o conjunto de ações sobre o indivíduo necessárias para a manutenção de boas condições físicas, mentais e sociais, tendo como objetivo: atenuar os efeitos da doença; prevenir ou reverter o processo de progressão; melhorar sintomatologia; reduzir taxa de morbidade e mortalidade; diminuir custo com saúde; melhorar o estado psicológico além do físico por meio de uma intervenção multidisciplinar.

A indicação da reabilitação cardiovascular se estende da prevenção até o tratamento de doenças, para o coronariopata torna-se inquestionável a indicação diante do grau de recomendação A e nível de evidência 1. Além disso, um programa de reabilitação cardiovascular baseado em exercício, de início precoce, demonstrou uma melhora significante da disfunção erétil e da capacidade funcional em pacientes após IAM de baixo risco.

Para a prescrição do exercício, deve-se individualizar conforme a fase da reabilitação cardiovascular em que o paciente se encontra, levando em consideração as limitações individuais ou comorbidades associadas.

Fase Hospitalar

Segundo a American Heart Association, pós-SCA, os pacientes não devem permanecer por um período maior que 12 horas em repouso no leito, podendo, então, iniciar um programa de reabilitação cardiovascular intra-hospitalar (fase I) de forma precoce desde que o paciente se apresente estável do ponto de vista hemodinâmico e elétrico. Atrasar o início do programa de exercício em 1 semana exige 1 mês adicional de treinamento posterior para alcançar os mesmos resultados. A duração dessa fase tem decrescido nos últimos anos, em decorrência do avanço terapêutico, proporcionando internações hospitalares mais breves.

No início do programa, o gasto energético deve ser estimado em 2 equivalentes metabólicos (MET) com progressão de acordo com a resposta do paciente frente ao esforço. O grau de esforço atingido deve ser moderado, entre 3 e 4 MET e, durante o programa de reabilitação, o paciente deve ser orientado a manter a percepção do esforço de Borg entre 4 e 5 (escala de 0 a 10) por causa da utilização de betabloqueadores que interferem na frequência cardíaca.

A reabilitação precoce já é consolidada na literatura e podem ser utilizados diversos recursos terapêuticos durante toda a internação, entre eles a mudança de decúbito, mobilização passiva e ativa, retirada do doente do leito, deambulação, prancha ortostática, cicloergômetro na posição supina ou em sedestação e a eletrestimulação muscular periférica (FES), tem um papel fundamental para a diminuição do tempo total de internação hospitalar, redução de custos hospitalares e melhora do estado funcional.

Nos pacientes com EAP após IAM, a VNI com pressão positiva é uma intervenção efetiva e segura independentemente de ser um nível pressórico (CPAP) ou dois níveis pressóricos (Bilevel), diminui a necessidade de intubação orotraqueal e a mortalidade, sendo coadjuvante à terapia medicamentosa . Além disso, dois níveis pressóricos não aumentam a taxa de IAM em comparação a um nível pressórico.

Algumas comorbidades contraindicam o início de um programa de reabilitação baseado em exercício: angina, infradesnivelamento do segmento ST ≥ 2 mm, hipertensão ≥ 200/110 mmHg ou queda ≥ 20 mmHg na pressão sistólica com sintomas, arritmias com repercussões hemodinâmicas, sinais de baixo débito/falência ventricular e infecção sistêmica.

Durante a fase I, o programa de reabilitação supervisionado pelo fisioterapeuta deve ser interrompido na presença de sinais de intolerância ao esforço como: baixo débito cardíaco (cianose, palidez, náuseas); bradicardia; queda na pressão arterial sistólica > 15 mmHg em comparação à basal; aumento excessivo na pressão arterial sistólica definida como ≥ 200 mmHg; aumento da pressão arterial diastólica durante o exercício ≥ 110 mmHg; dor torácica; fadiga nominal ≥ 6/10 na percepção do esforço percebido de Borg e/ou sinais eletrocardiográficos de isquemia cardíaca ou arritmias ventriculares.

Fase Ambulatorial

A reabilitação ambulatorial se inicia após a alta hospitalar (Fase II), em que o paciente recebe um atendimento de forma individualizada com base nos testes e avaliações de esforço, determinando intervenções com foco nos exercícios aeróbicos e resistidos. A duração é variável, dependendo de cada paciente, mas em média dura de 1 a 3 meses. Conforme ocorre a evolução terapêutica e dependendo da doença, o paciente progride para as fases III e IV, não apresentando duração pré-determinada para cada uma delas. Nesse momento, a reabilitação pode ser controlada a distância e os exercícios prescritos se tornam parte do cotidiano.

Para evitar o risco de possíveis complicações durante o exercício, os pacientes podem ser estratificados mediante a classificação proposta pela Associação Americana de Reabilitação Cardiopulmonar (AACVPR), antes de iniciarem um programa de exercício (Tabela 10.2).

Tabela 10.2 Estratificação de risco para eventos adversos segundo a AACVPR
Baixo risco
Fração de ejeção maior que 50%; Sem arritmias complexas ao repouso ou induzidas ao exercício; Infarto agudo do miocárdio, cirurgias de revascularização do miocárdio e angioplastias não complicadas; Ausência de insuficiência cardíaca congestiva ou sinais/sintomas que indiquem isquemia pós-evento; Assintomáticos, incluindo ausência de angina com o esforço ou no período de recuperação; Capacidade funcional igual ou maior que 7 METS (em teste ergométrico incremental).
Risco moderado
Fração de ejeção entre 40 e 49%; Sinais/sintomas, incluindo angina em níveis moderados de exercício (5 a 6,9 MET) ou no período de recuperação.
Alto risco
Fração de ejeção menor que 40%; Sobreviventes de parada cardíaca ou morte súbita; Arritmias ventriculares complexas em repouso ou com o exercício; Infarto do miocárdio ou cirurgia cardíaca complicadas com chique cardiogênico, insuficiência cardíaca congestiva e/ou sinais/sintomas de isquemia pós-procedimento; Hemodinâmica anormal com o exercício; Capacidade funcional abaixo de 5 MET; Sintomas e/ou sinais, incluindo angina a baixo nível de exercício (maior que 5 MET) ou no período de recuperação; Infradesnível do segmento ST isquêmico durante o exercício (maior a 2 mm). Considera-se de alto risco a presença de algum dos fatores de risco incluídos nesta categoria.

Fonte: adaptada de Herdy et al., 2014.

Novas Propostas para a Reabilitação

A reabilitação cardiovascular tem se tornado limitada devido à dificuldade de acessibilidade aos centros de reabilitação, proporcionando o surgimento de novas estratégias. A telerreabilitação é uma abordagem que não limita o paciente cardiopata ao ambiente hospitalar, podendo implementar um programa de reabilitação na sua rotina diária em casa. Essa estratégia pode ser viável e eficaz para aumentar a taxa de presença e a adesão à reabilitação, podendo reduzir os custos e as taxas de reinternação hospitalar, quando comparada com a reabilitação convencional sozinha.

Uma recente revisão sistemática que comparou a reabilitação cardiovascular realizada em casa com reabilitação convencional mostrou que ambas são igualmente eficazes na melhora clínica e na qualidade de vida, em pacientes com baixo risco cardiovascular após IAM.

Leitura Recomendada

1. Ambrose JA, Singh M. Pathophysiology of coronary artery disease leading to acute coronary syndromes. F1000Prime Rep. 2015 Jan 14; 7:08.
2. American College of Emergency Physicians, Society for Cardiovascular/Angiography and Interventions, O'Gara PT, Kushner FG, Ascheim DD, Casey DE Jr, et al. 2013 ACCF/AHA guideline for the management of ST-elevation myocardial infarction: a report of the American College of Cardiology foundation/American Heart Association task force on practice guidelines. J Am Coll Cardiol 2013, 61:e 78-140.
3. American Association of Cardiovascular & Pulmonary Rehabilitation. Guidelines for cardiac rehabilitation and secondary prevention programs. 3 rd. Human Kinetics. 1999. p. 281.
4. American College of Sports Medicine. Diretrizes do ACSM para os testes de esforço e sua prescrição. 6 ed. Rio de Janeiro: Guanabara Koogan, 2003.
5. Antman EM, Anbe DT, Armstrong PW, Bates ER, Green LA, Hand M, et al. ACC/AHA guidelines for the management of patients with ST-elevation myocardial infarction: a report of the American College of Cardiology/American Heart Association Task Force on Practice Guidelines (Committee to Revise the 1999 Guidelines for the Management of Patients with Acute Myocardial Infarction). Circulation. 2004;31;110(9).
6. Balady GJ, Williams MA, Ades PA, Bittner V, Comoss P, Foody JA, et al. Core components of cardiac rehabilitation/secondary prevention programs: 2007 Update: A Scientific Statement from the American Heart Association Exercise, Cardiac Rehabilitation, and Prevention Committee, the Council on Clinical Cardiology; the Councils on Cardiovascular Nursing, Epidemiology and Prevention, and Nutrition, Physical Activity, and Metabolism; and the Association of Cardiovascular and Pulmonary Rehabilitation. J Cardiopulm Rehabil Prev. 2007; 27: 121-9.
7. Begot I, Peixoto TC, Gonzaga LR, Bolzan DW, Papa V, Carvalho AC, et al. A home-based walking program improves erectile dysfunction in men with an acute myocardial infarction. Am J Cardiol. 2015 Mar 1;115(5):571-5.
8. Braunwald, E, Douglas L, Peter L, Roberto B. Tratado de doenças cardiovasculares. 9 ed. Rio de Janeiro: Elsevier, 2013.
9. Canesln l FM. et al. "Tempo é vida" um dever de conscientização da morte súbita, Londrina, v. 84, n. 6, jun. 2005.
10. Dalal HM, Zawada A, Jolly K, Moxham T, Taylor RS. Home based versus centre based cardiac rehabilitation: Cochrane systematic review and meta-analysis. BMJ 2010;340:c1133.
11. Frederix I, Vanhees L, Dendale P, Goetschalckx K. A review of telerehabilitation for cardiac patients. J Telemed Telecare. 2015 Jan;21(1):45-53.
12. Guyton, Arthur C.; Hall, John E. Tratado de fisiologia médica. 11 ed. São Paulo: Elsevier, 2006. 1115 p.
13. Haykowsky M, Scott J, Esch B, Schopflocher D, Myers J, Paterson I, et al. A meta-analysis of the exercise training on left ventricular remodeling following myocardial infarction: start early and go longer for greatest exercise benefits on remodeling. Trials. 2011;12(92):1-8.
14. Herdy AH, López-Jimenez F, Terzic CP, Milani M, Stein R, Carvalho T, Sociedade Brasileira de Cardiologia. Diretriz sul-americana de prevenção e reabilitação cardiovascular. Arq Bras Cardiol 2014; 103 (2 Supl.1): 1-31.
15. I Manual Socesp de condutas multidisciplinares no paciente grave. Rev Soc Cardiol Estado de São Paulo 2015;25(2 Supl A): 13-58.

16. Parker K, Stone JA, Arena R, Lundberg D, Aggarwal S, Goodhart D, Traboulsi M. An early cardiac access clinic significantly improves cardiac rehabilitation participation and completion rates in low-risk ST-elevation myocardial infarction patients. Can J Cardiol. 2011 Sep-Oct;27(5):619-27.
17. Piegas LS, Feitosa G, Mattos LA, et al. Sociedade Brasileira de Cardiologia. Diretriz da Sociedade Brasileira de Cardiologia sobre Tratamento do Infarto agudo do Miocárdio com Supradesnível do Segmento ST. Arq Bras Cardiol.93(6 supl.2):e179-e264, 2009.
18. Piepoli MF, Corrà U, Benzer W, Bjarnason-Wehrens B, Dendale P, Gaita D, et al. Cardiac Rehabilitation Section of the European Association of Cardiovascular Prevention and Rehabilitation Secondary prevention through cardiac rehabilitation: from knowledge to implementation. A position paper from the Cardiac Rehabilitation Section of the European Association of Cardiovascular Prevention and Rehabilitation. Eur J Cardiovasc Prev Rehabil. 2010;17(1):1-17.
19. Stefanini E, Kasinski N, Carvalho AC. Guia de medicina ambulatorial e hospitalar de Cardiologia/EPM/Unifesp. São Paulo: Manole, 2004.
20. Thygesen K, Alpert JS, White HD, Joint ESC/ACCF/AHA/WHF Task Force for the Redefinition of Myocardial Infarction, Jaffe AS, Apple FS, et al. Universal definition of myocardial infarction. Circulation. 2007 Nov 27; 116(22):2634-53.
21. Vega, Joaquim Minuzzo, et al (ed.). Tratado de fisioterapia hospitalar: assistência integral ao paciente. São Paulo: Atheneu, 2012. 1221 p.
22. Vital FM, Ladeira MT, Atallah AN. Non-invasive positive pressure ventilation (CPAP or bilevel NPPV) for cardiogenic pulmonary edema. Cochrane Database Syst Rev. 2013;5:CD005351.
23. Vital FM, Saconato H, Ladeira MT, Sen A, Hawkes CA, Soares B, et al. Non-invasive positive pressure ventilation (CPAP or bilevel NPPV) for cardiogenic pulmonary edema. Cochrane Database Syst Rev. 2008;(3):CD005351.

Capítulo

11

Pacientes com Lesão Cerebral

Gabriela Silveira Bueno Macuco Curiati
Jeanette Janaina Jaber Lucato
Thiago Marraccini Nogueira da Cunha
Caroline da Luz Nascimento
Camila Souza Miranda
Mariana Sacchi Mendonça
Thiago Wetzel Pinto de Mello

Trauma Cranioencefálico

No panorama do trauma, o traumatismo cranioencefálico (TCE) é a principal causa de mortalidade e incapacidade funcional mundial, considerando a possibilidade do desenvolvimento de sequelas motoras, comportamentais e cognitivas, com importantes gastos reabilitacionais e maior dificuldade de reintrodução psicossocial e familiar.

O TCE é uma das maiores causas de morte e ocupa o terceiro lugar na mortalidade total, depois de doenças cardiovasculares e câncer. Sendo os acidentes automobilísticos a principal causa de TCE (aproximadamente 50%), a segunda principal causa são as quedas (20 a 30% dos TCE) e as outras causas mais comuns são ferimentos de arma de fogo e lesões esportivas.

As sequelas podem não resultar da lesão traumática imediata: o dano progressivo ao tecido cerebral pode desenvolver-se ao longo do tempo e tornar-se ainda mais agressivo se a hipertensão intracraniana (HIC) for consequência da lesão. Embora a atuação da fisioterapia seja extensa e faça-se presente em vários segmentos do tratamento intensivo, as modalidades da fisioterapia têm demonstrado que aumentam a pressão intracraniana (PIC) significativamente, apesar da pressão de perfusão cerebral (PPC) usualmente ser mantida em níveis adequados.

No TCE, o edema conduz à elevação da PIC. Quando elevada, a PIC – pressão exercida pelos componentes intracranianos contra o crânio – é uma complicação potencialmente devastadora na lesão neurológica e ocorre entre 50 e 75% dos pacientes que sofreram TCE grave.

A PPC é a diferença entre a pressão arterial média (PAM) e a PIC. Vários autores defendem que a PPC em adultos deve ser mantida em valor não inferior a 70 mmHg e sugerem que PPC entre 60 e 70 mmHg é adequada após o TCE.

O risco de hipóxia tecidual poderia ser realmente elevado quando a PPC está abaixo do limiar de 60 mmHg, mas esse risco ainda é elevado quando a PPC está ligeiramente acima desse limiar, como exemplificado na Figura 11.1. No TCE grave, o risco de hipóxia tecidual é comum quando a PPC está abaixo de 60 mmHg e menos frequente quando entre 60 e 70 mmHg. A isquemia é uma das chaves para os mecanismos de lesão secundária após o TCE.

Se a PPC decresce abaixo de 50 mmHg, pode evoluir para hipóxia e isquemia e se a PPC for elevada acima de 150 mmHg, pode causar edema cerebral (Figura 11.1).

Em um adulto normal, a PIC normal é definida de 5 a 15 mmHg, a HIC é definida como PIC maior que 20 mmHg, e a HIC sustentada é definida como a HIC que persiste por 5 minutos ou mais. Os valores de HIC significativos são: 20 a 24 mmHg por 30 minutos; 25 a 29 mmHg por 10 minutos; e superior a 30 mmHg por 1 minuto. A HIC é classificada em: HIC leve - de 15 a 25 mmHg, HIC moderada - de 25 a 40 mmHg, e HIC grave - superior a 40 mmHg, que em valores sustentados indica severo risco de vida. Apesar de haver a classificação da PIC quanto à gravidade, quando uma lesão de massa temporal está presente, herniação pode ocorrer com valores de PIC menores que 20 mmHg.

Atualmente, não há consenso disponível que defina o valor mínimo para que o tratamento da PIC seja iniciado, porém os valores de 20 a 25 mmHg são relatados como o limite superior para o tratamento começar.

Na UTI, o principal objetivo dos cuidados nos pacientes neurológicos é evitar a injúria secundária, mantendo estabilidade hemodinâmica, metabólica e respiratória, com o intuito de manter uma adequada oferta de oxigênio e de nutrientes ao tecido cerebral.

As vítimas de TCE experimentam dor decorrente do trauma e ainda sofrem manipulações diversas durante seu tratamento, como a intubação e aspiração da traqueia, punções cutâneas e sondagem vesical e nasogástrica; estímulos potencialmente nociceptivos que promovem o aumento da PAM. Essa hipertensão induzida pode aumentar o volume de sangue dentro do compartimento intracraniano, especialmente se há redução da complacência encefálica e da autorregulação. Por essas razões, o TCE pode alterar a complacência e a perfusão encefálica de modos diversos.

As técnicas mais comuns usadas por fisioterapeutas na UTI são posicionamento, mobilização, hiperinsuflação manual, percussão, vibração, aspiração, tosse e vários exercícios respiratórios. A abordagem a ser utilizada pelo fisioterapeuta pode ser direcionada apenas a tratar os pacientes de UTI com uma combinação dessas técnicas, independentemente da condição fisiopatológica de base do paciente com a intenção exclusiva de prevenir complicações pulmonares ou, o profissional pode, criteriosamente, eleger técnicas sobretudo indicadas com base

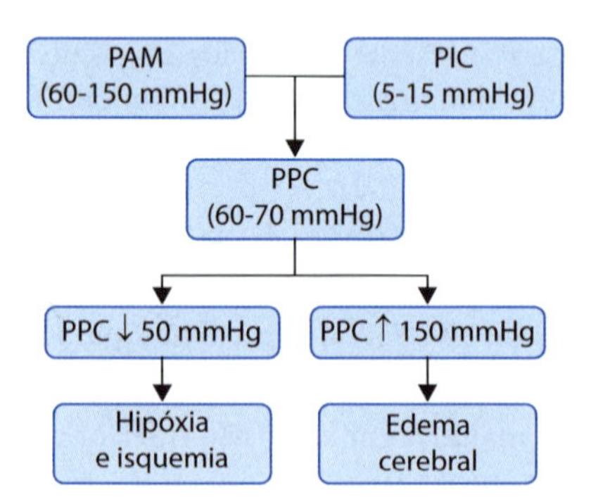

Figura 11.1 – Esquema relacionando à PPC com a hipóxia, isquemia e edema cerebral. PAM: pressão arterial média; PIC: pressão intracraniana; HIC: hipertensão intracraniana; PPC: pressão de perfusão cerebral. Fonte: Elaborado pelos autores.

no conhecimento da fisiopatologia, minimizando o risco de causar prejuízos ao quadro clínico de seu paciente.

Contudo, há especulações de que, na terapia intensiva, a intervenção fisioterapêutica resulta em mudanças fisiológicas adversas como alterações clinicamente significantes nos parâmetros hemodinâmicos, respiratórios e intracranianos, necessitando, assim, de intervenção médica. Pelo fato de os pacientes da terapia intensiva estarem criticamente doentes, tornam-se potencialmente instáveis durante todos os aspectos da conduta, como com cuidados básicos da enfermagem, mudanças de posicionamento, aspiração e intervenção fisioterapêutica.

Como resultado, terapias que focam a prevenção e monitorização da lesão secundária, que é extremamente deletéria, podem melhorar o prognóstico substancialmente. As principais estratégias de prevenção de lesão secundária incluem a otimização da PIC e a manutenção da ventilação para promover a perfusão do tecido cerebral.

Ventilação Mecânica

A VM constitui um dispositivo terapêutico imprescindível em pacientes com TCE grave, uma vez que visa à proteção da via aérea pela intubação endotraqueal e permite a sedação, inclusive curarização, evitando, assim, os danos causados pela hipoxemia e hipercapnia. A hipóxia e a hipercapnia podem aumentar a PIC dramaticamente, e a VM pode alterar a hemodinâmica cerebral. Uma boa manutenção respiratória é crucial para controlar a PIC.

Preocupações especiais sobre os efeitos da lesão neurológica na ventilação complicaram os cuidados nos pacientes em VM na UTI. Entre todos os pacientes intubados em qualquer UTI, 20% são intubados secundários à lesão neurológica. Uma das primeiras preocupações quanto aos pacientes com consciência prejudicada é a tendência da língua de ocluir as vias aéreas, o que ocorre mais frequentemente quando os pacientes perdem de repente a consciência pela anestesia e lesão neurológica.

Outras preocupações incluem perda do reflexo bulbar, inibição do reflexo de tosse e comprometimento do mecanismo de deglutição; todos os que podem estar relacionados à danificação dos nervos cranianos que afetam a respiração e a resposta protetora bulbar. Em geral, qualquer paciente que tenha risco de aspiração é um candidato à intubação.

Lesões graves frequentemente resultam em períodos prolongados de VM, uma situação que aumenta o risco de pneumonia nosocomial. Apesar da riqueza de informações da terapia em pacientes recebendo VM, a falta de atenção no cuidado pulmonar é indiscutivelmente negligenciada. Porém, há conflitantes preocupações que devem balancear duas necessidades: a da terapia pulmonar e, assim, a melhora do estado pulmonar; e a necessidade de prevenir lesão secundária à PIC aumentada.

O uso do ventilador afeta, de várias maneiras, a PIC e o parênquima do paciente traumatizado. Uma das questões mais afetadas pela VM é a oxigenação cerebral. Embora estratégias que enfatizem suporte máximo de oxigênio com máxima fração inspirada de oxigênio (FiO_2) terem sido propostas, nenhum estudo demonstra benefício no uso profilático de alta FiO_2 no paciente com lesão cerebral, e existe uma consideração hipotética da lesão pulmonar exposta à alta FiO_2 na lesão pulmonar grave. O uso da hipercapnia permissiva como componente da estratégia da VM de proteção pulmonar também tem sido considerado, assim como seus efeitos na PIC elevada.

O desmame e a respiração espontânea afetam a PIC. A transição da ventilação controlada para a ventilação espontânea pode ser realizada seguramente se a PIC do paciente estiver dentro do intervalo normal. Em qualquer situação em que o paciente tiver alta PIC, a respiração espontânea pode estar associada a significativo aumento da PIC.

Hiperventilação

Por muitos anos, a hiperventilação (HV) sistemática e indiscriminada foi usada para prevenir HIC em pacientes vítimas de TCE grave. A pressão parcial de CO_2 no sangue arterial ($PaCO_2$) era, sistematicamente, mantida entre 20 e 30 mmHg. A hiperventilação (HV) visa reduzir os riscos que acompanham os níveis mais graves de HIC pós-traumática, na esperança de poupar o encéfalo da falência de sua circulação e metabolismo. Assim, prevenindo e combatendo a HIC, a maioria dos clínicos assumia que a HV beneficiaria a todos esses pacientes, sem nenhum efeito adverso. Na década de 1980, o uso indiscriminado da HV começou a ser criticado, pois a redução do FSE induzida pela hipocapnia pode conduzir ou exacerbar a isquemia pós-traumática. Atualmente, a HV não é mais usada de modo profilático no tratamento de TCE grave. Entretanto, na HIC refratária, a HV pode ser cuidadosamente aplicada sob avaliação rigorosa da extração cerebral de oxigênio. Isso é feito medindo-se a saturação de oxigênio da hemoglobina no bulbo jugular, expressando-se indiretamente o FSE.

Em 1995, o *Guidelines for the Management of Severe Head Injury*, baseado em evidências, reverteu décadas de recomendações da rotina de utilização da HV em pacientes com TCE. A nova conclusão foi fundamentada em descobertas de vários estudos das bases fisiológicas do uso da HV. Uma preocupação com a HV em pacientes com TCE foram os efeitos da redução do FSE em uma população na qual a perfusão cerebral pode já estar comprometida. O limiar da perfusão abaixo do qual ocorre a isquemia cerebral não é conhecido com precisão, mas estudiosos sugerem que o dano é arriscado quando o FSE decresce a níveis inferiores a 15-20 mL/100g/minuto.

Nas primeiras horas após o TCE, os valores absolutos do FSE equiparam-se aos de um evento isquêmico; assim sendo, a manobra de HV nem sempre diminui a PIC para melhorar a PPC. O valor ideal da $PaCO_2$ é aquele que mantém a PIC menor que 20 mmHg e a extração cerebral de oxigênio entre 24 e 42% para evitar isquemia cerebral.

A presença de baixo FSE seguida de TCE é significativamente associada à mortalidade precoce e a mau prognóstico. Como um baixo FSE é comum nas primeiras 24 horas após TCE, há uma preocupação de agravar-se o risco de isquemia cerebral pela HV, tanto global como localizada.

A HV diminui o FSE, mas é controverso se essa redução do fluxo é suficiente para induzir isquemia no cérebro lesado. Em um estudo, foram observadas mudanças no FSE com HV moderada, mas não houve nenhuma mudança no consumo de oxigênio regional, mesmo quando o FSE é reduzido.

Stochhetti (2005), em sua revisão, considerou que a redução da PIC pela vasoconstrição cerebral e decréscimo do FSE pode gerar isquemia e concluiu que a instituição da HV pode ser mais apropriada após o 2º ou 3º dia após o trauma. Não obstante, o risco de complicações isquêmicas não pode ser excluído, e a monitorização cuidadosa da oxigenação cerebral é necessária.

Atualmente, um estudo prospectivo randomizado foi conduzido para verificar os efeitos da HV crônica nos resultados clínicos de pacientes com TCE. Foram comparados pacientes ventilados por 5 dias com $PaCO_2$ de 25 mmHg e pacientes com $PaCO_2$ de 35 mmHg. Pacientes com menores valores de Glasgow tiveram resultado funcional significativamente melhor após 3 e 6 meses da lesão quando não submetidos à HV.

Piores prognósticos também foram vistos por Marik e colaboradores (2002) em pacientes submetidos à HV profilática em relação à normocapnia e foram confirmados por Valadka e colaboradores (2007), que verificaram pior prognóstico no TCE grave tratado rotineiramente com HV. Concluíram que o uso profilático da HV não é recomendado e se torna a última escolha na HIC ou em nível normal ou elevado do FSE no início da HIC, assim como na lesão de massa craniana.

Como já citado, os estudos de FSE e de metabolismo cerebral em pacientes vítimas de TCE grave têm demonstrado uma redução significativa do fluxo logo nas primeiras horas após o trauma, com valores aproximados aos associados à isquemia. O uso da HV neste cenário só agravaria ainda mais as lesões isquêmicas, e pelo menos um estudo clínico randomizado demonstrou piora no prognóstico dos pacientes submetidos à HV profilática.

A HV empírica só tem lugar diante de sinais clínicos de herniação cerebral (anisocoria e midríase súbitas); quando realizada manualmente por meio do uso de uma bolsa de ventilação pode reduzir rapidamente a PIC e evitar uma herniação. Por outro lado, a HV otimizada pode ser utilizada quando se observa um desequilíbrio entre a oferta e o consumo cerebral de oxigênio, caracterizando os estudos de hiperemia ou "perfusão de luxo", em que o FSE encontra-se anormalmente elevado em relação à demanda metabólica cerebral, isto é, o FSE está excessivo em relação ao consumo cerebral de oxigênio. Esses estados podem ser detectados pela medida de saturação de oxigênio do bulbo da jugular, e pelo cálculo da extração cerebral de oxigênio.

A HV permanece ainda como um recurso heroico no TCE grave com sinais evidentes de herniação (decorticação e descerebração) para se ganhar tempo para afastar uma patologia cirúrgica que possa revertê-la imediatamente. Porém, a HV severa é danosa mesmo nos indivíduos normais, por provocar hipoxemia e acidose metabólica e, se continuada, acaba por desacoplar o desejável mecanismo bioquímico fisiológico de autorregulação circulatória cerebral.

Segundo Thomas e colaboradores (2002), entretanto, há razões distintas para investigar a aplicação clínica dos novos guias. Primeiramente, as recomendações substituídas da HV têm sido feitas há anos e foram firmemente impostas na prática clínica. Assim, para que a HV seja abandonada como rotina terapêutica em TCE, vários centros terão que mudar suas práticas. De fato, a mais recente revisão do departamento emergencial de manejo ao TCE reitera o desuso da utilização rotineira da HV no TCE e afirma que novos estudos devem ser realizados para determinar se os terapeutas são conscientes do que cumprir dos guias. As outras razões são para investigar se a aplicação clínica da HV dos guias está relacionada à HV inadvertida. Mesmo quando cuidadores não têm o objetivo de hiperventilar os pacientes, há razões para preocupação no sentido de que a HV involuntária possa ter sido feita. As duas principais causas disso são o uso da ventilação manual e a pressão natural da ressuscitação do trauma.

A exposição à hipercapnia ou à hipocapnia está associada com um resultado clínico ruim. Entretanto, o número exato de $PaCO_2$ associado a bons prognósticos ainda permanece desconhecido.

PEEP

A ventilação com pressão positiva (PEEP) aumenta a capacidade residual funcional, reduz o *shunt* intrapulmonar, previne o uso de alta fração inspirada de oxigênio e pode reduzir a incidência de lesão induzida pela VM. Porém, pode causar efeitos deletérios no compartimento cerebral, mesmo quando um nível normal de $PaCO_2$ é mantido, afetando a fisiologia pulmonar e a hemodinâmica. A aplicação da PEEP nos pacientes criticamente enfermos, após TCE, permanece controversa.

A proximidade da cavidade torácica e da abóboda cerebral sugere que a pressão torácica aumentada causada pelo aumento da PEEP é diretamente transmitida para o crânio. Com o aumento da PEEP há aumento da pressão intratorácica, pico de pressão inspiratória e pressão média das vias aéreas e diminuição do retorno venoso, PAM e débito cardíaco. Cada um desses pode ter um efeito independente na PIC. A pressão média das vias aéreas pode causar aumento da pressão intratorácica, fato que pode causar aumento da PIC. A elevação desses valores pode causar aumento da pressão venosa jugular e redução do retorno venoso, que pode ocasionar aumento no volume sanguíneo encefálico e no líquido cefalorraquidiano (LCR) no sistema venoso cerebral e ventricular e resultar em aumento da PIC.

Mudanças no fluxo venoso causadas pela PEEP podem ter efeitos críticos na PIC em situações em que a complacência do ventrículo está diminuída e a elastância elevada pelo TCE. Nesses casos, pequenas mudanças no volume intracraniano causam aumentos significativos da PIC. A variedade de efeitos da PEEP na PIC em diferentes situações clínicas sugere que outros fatores fisiológicos estão em ação. Os efeitos da PEEP na PIC parecem ser significativamente influenciados por reduções na complacência ventricular, quando diminui a habilidade do ventrículo de combater mudanças na PIC em resposta à pressão vascular e venosa. Insuficiente compensação circulatória resulta em diminuição da pressão sanguínea e redução da PPC, podendo conduzir à isquemia cerebral.

Além disso, o aumento da pressão venosa cerebral pode afetar a PIC por meio da taxa reduzida da absorção do LCR nos seios da dura-máter, e pelo aumento da resistência ao fluxo venoso cerebral.

Porém, o ensinamento clássico de não usar ou usar baixos níveis de PEEP é inapropriado, pois pode haver falha na correção da hipoxemia. Sabemos que pode ocorrer redução da PIC pela melhor oxigenação cerebral, quando em adequado volume pulmonar. O efeito da PEEP na circulação cerebral depende da complacência intracraniana e do valor absoluto da PIC. Esta não será afetada enquanto estiver acima da pressão venosa central (PVC) gerada pela PEEP.

Teoricamente, a PEEP pode causar efeitos deletérios no compartimento intracraniano pelo aumento da pressão intratorácica e, por meio da transmissão retrógrada da pressão venosa central, pode interferir no fluxo venoso cerebral. Além disso, a PEEP pode reduzir o débito cardíaco, com uma consequente diminuição da PAM e PPC. A transmissão da PEEP na cavidade torácica é variável e depende das propriedades da parede torácica e dos pulmões. Fatores que podem reduzir a complacência pulmonar, como pneumonia, atelectasia ou lesão pulmonar aguda, têm um efeito protetor pela minimização da transmissão da pressão ventilatória.

Na prática clínica, a reduzida complacência pulmonar (resultando frequentemente da ocorrência concomitante de pneumonia, contusão pulmonar ou SARA) limitará o aumento da pressão intratorácica mesmo quando a pressão alveolar aumentar.

Ocorre uma significativa redução da PPC após a PEEP apenas em pacientes com baixa PVC, sugerindo os efeitos deletérios da hipovolemia durante a ventilação com a PEEP.

Alguns autores afirmam que a PEEP de 10 a 15 cm H_2O produz um significante aumento da PIC, mas também mudanças insignificantes na PPC. Já Caricato e colaboradores (2005) mostraram que o aumento da PEEP de 0 a 12 cmH_2O não apresentou efeitos significativos na PIC em pacientes com TCE, com ou sem alterações pulmonares e, em pacientes com baixa complacência do sistema respiratório e lesão encefálica, essa aplicação não apresenta efeito significativo na hemodinâmica encefálica e sistêmica. Por outro lado, a aplicação da PEEP com valores superiores ou iguais a 15 cm H_2O pode agravar ou induzir a HIC.

A complacência pulmonar é um dos mais importantes fatores que afetam a transmissão da PEEP no sistema intracraniano. Portanto, a PEEP reduz a PAM e a PPC e pode conduzir a efeitos prejudiciais ao compartimento intracraniano apenas em pacientes com pulmões normais. Uma possível diminuição do DC pode explicar o fenômeno. Notavelmente, pacientes com pulmões normais, em geral, não precisam de valores altos de PEEP.

Para pacientes com baixa complacência, a PEEP superior a 12 cm H_2O não tem efeito significativo na hemodinâmica sistêmica e cerebral. Quando valores maiores que 5 de PEEP devem ser aplicados em pacientes com lesão cerebral, os autores recomendam monitorização de variáveis, assim como da PIC e da PPC. A mensuração da complacência deveria ser usada para identificar pacientes com riscos mais elevados de efeitos deletérios da PEEP no sistema intracraniano.

Fisioterapia Respiratória e Manobras de Higiene Brônquica

A fisioterapia respiratória é um conjunto de procedimentos designados a melhorar a oxigenação e a ventilação. As estratégias de prevenção do aumento da PIC incluem sua otimização e manutenção da ventilação para promover perfusão tecidual cerebral. A decisão de não realizar cuidados pulmonares deve ser examinada dentro da visão holística de providenciar cuidados para o paciente como um todo no momento certo, em vez de considerar um único sistema. A escolha feita pelo fisioterapeuta deve levar em conta o estado do paciente e o benefício de sua aplicação.

Cuidados pulmonares agressivos, no caso de pacientes com TCE com risco de desenvolver HIC e que frequentemente necessitam de VM, são essenciais para promover a recuperação sem complicações pulmonares. O cuidado pulmonar é um termo amplo para designar várias condutas que podem direta ou indiretamente estimular o paciente. A necessidade de evitar estimulação excessiva desses pacientes com risco de HIC é frequentemente citada, apesar da falta de evidência conclusiva suportando a hipótese de que os procedimentos de cuidado pulmonar têm impacto negativo na PIC.

Consideradas como recursos mais antigos da fisioterapia respiratória, as técnicas de higiene brônquica constituem-se de procedimentos físicos destinados a facilitar o *clearance* mucociliar, frequentemente reduzido em pacientes hipersecretivos. Quando esse quadro se associa à tosse ineficaz ou a pacientes intubados e ventilados mecanicamente, pode resultar em obstrução brônquica, redução da ventilação alveolar, surgimento de atelectasias, distúrbio da troca gasosa e infecções pulmonares.

As manobras manuais são realizadas geralmente em combinação ou associadas a outras técnicas, tais como a drenagem postural e exercícios respiratórios.

Os principais riscos e complicações da drenagem postural consistem em, durante os procedimentos, provocar a redução da ventilação alveolar e da saturação arterial de oxigênio ou o aumento da PIC, produzir repercussões hemodinâmicas como hipotensão arterial e arritmias cardíacas, além do possível favorecimento a broncoaspiração e pneumonia aspirativa, além de poder induzir broncoespasmo, dispneia e aumento do trabalho muscular respiratório.

Em pacientes com sedação insuficiente, as manobras de fisioterapia respiratória podem determinar aumentos significativos na frequência cardíaca, pressão arterial, débito cardíaco, consumo de oxigênio e produção de CO_2. Alterações sistêmicas da pressão arterial, da pressão intratorácica e do reflexo de tosse, induzidos pela fisioterapia respiratória, devem ter algum impacto sobre a PPC. Intervenções usuais da fisioterapia respiratória, em pacientes gravemente enfermos, podem influenciar o transporte de oxigênio cerebral por meio de efeitos adversos sobre o débito cardíaco. Teoricamente, as manobras de fisioterapia respiratória aplicadas sobre a caixa torácica, aumentam a pressão intratorácica, com queda do retorno venoso para o coração e diminuição do débito cardíaco e da PAM, o que poderia comprometer também o retorno venoso cerebral e acarretar aumento da PIC.

As principais técnicas descritas e utilizadas são drenagem postural, percussão torácica, vibração torácica, *bag squeezing*, tosse e aspiração das vias aéreas.

Estudos evidenciam que a percussão torácica deve ser segura para ser realizada em pacientes com risco de HIC, porém a pequena amostragem de pacientes limita a generalização dos resultados.

Um estudo clínico, prospectivo e intervencionista que avaliou os efeitos das manobras de vibrocompressão manual e da aspiração sobre as medidas da PIC e PPC na fase aguda do TCE demonstrou que a manobra de vibrocompressão manual não determinou aumento da PIC ou da PPC em nenhum dos dias avaliados. A manobra de aspiração, em especial com instilação traqueal de soro, determinou aumento significativo da PIC. Porém, esse aumento seguiu-se de aumento compensatório da PPC e foi transitório, não configurando quadro de HIC em nenhum dos pacientes. As descobertas do estudo sugerem que a aspiração causa pequenos e temporários aumentos da PIC. Se a PAM aumenta em resposta à manobra, a PPC também aumenta. A queda da PIC após a manobra de vibrocompressão vista no 3º dia pode ter ocorrido devido à melhora na ventilação pulmonar e queda da $PaCO_2$ ocasionada pela intervenção.

O aumento da pressão arterial parece ocorrer como resposta compensatória à hipóxia induzida pelo procedimento. Outros autores sugerem que a aspiração pode gerar aumento da PIC como resposta do reflexo de tosse e hipercapnia, com consequente vasodilatação cerebral.

A aspiração endotraqueal é uma técnica importante, pois reduz o risco de consolidação e atelectasia que pode conduzir à ventilação inadequada. O procedimento é associado a complicações e riscos; incluindo sangramento, infecções, atelectasia, hipoxemia, instabilidade cardiovascular e elevação da PIC; e pode causar lesões na mucosa da traqueia. A duração do procedimento de aspiração afeta a severidade dos efeitos adversos.

As aspirações do tubo traqueal devem ser precedidas de sedação, de modo a suprimir-se o reflexo da tosse, que pode causar aumento significativo da PIC.

Já se descreve na literatura que utilizar um método de aspiração que inclui hiperoxigenação e fatores como a hiperinsuflação e garantir uma intervenção adequada minimiza o risco de complicações no cuidado de pacientes com TCE grave.

Comparando-se a aspiração traqueal com circuito aberto e a com circuito fechado, verificou-se que ambas elevaram a PIC de forma significativa, sendo que a aspiração com circuito fechado mostrou elevação significativamente menor do que com o circuito aberto, devendo esta última ser evitada sempre que possível nesses pacientes. Acredita-se que o que contribuiu para que a aspiração com circuito aberto eleve mais a PIC do que a aspiração com circuito fechado é o fato de que esta última mantém o paciente conectado ao ventilador, preservando ao menos parte do volume corrente. Quando o paciente é desconectado do ventilador, há uma elevação da CO_2, principalmente naqueles mais sedados ou curarizados. Como a elevação do CO_2 promove vasodilatação cerebral, seu aumento eleva a PIC, devendo a hipercapnia, ou condutas que aumentam o $CO_{2,}$ serem evitadas ao máximo nesses pacientes.

A fisioterapia pode ser realizada sem maiores problemas em pacientes com TCE em fase aguda. A aspiração traqueal, quando bem indicada, é inevitável e vital, mas deve ser cautelosa, rápida e realizada sempre que possível com o circuito de aspiração fechado nestes pacientes.

Acidente Vascular Encefálico

O Acidente Vascular Encefálico (AVE) é definido, segundo a Organização Mundial da Saúde (OMS), como o desenvolvimento súbito de sinais e sintomas clínicos de um distúrbio focal ou global das funções neurológicas, com duração superior a 24 horas, de etiologia vascular, podendo ser de origem isquêmica ou hemorrágica.

O AVE é uma das maiores causas de morte em países desenvolvidos. No Brasil, segundo o Ministério da Saúde, o AVE representa a primeira causa de morte e incapacidade, ultrapassando as doenças coronarianas. Cerca de 50% dos indivíduos evoluem com algum tipo de sequela, gerando forte impacto social, econômico e financeiro.

Classificação

O AVE pode ser de origem isquêmica (AVEi) ou de origem hemorrágica (AVEh).

AVEi

Originado pela obstrução da passagem de sangue em um determinado ponto da circulação cerebral, provocando interrupção do fluxo.

Tem diversas etiologias e é classificado como tromboembólico, estenose crítica, cardioembólico, dissecção arterial e infartos lacunares.

Os fatores de risco para o AVEi podem ser divididos em tratáveis e não tratáveis. Entre os tratáveis, encontram-se a hipertensão arterial sistêmica (HAS), diabetes, dislipidemia, doenças cardíacas, obesidade, sedentarismo, tabagismo, ingesta abusiva de álcool e uso de anticoncepcionais. Já os não tratáveis envolvem a idade, o sexo, sendo que há maior prevalência de AVEi no sexo masculino, e a etnia (negros e asiáticos são os mais acometidos).

O tratamento médico para minimizar a instalação e severidade das sequelas após um AVEi é direcionado para a melhora rápida da circulação sanguínea cerebral, por meio da trombólise, que só pode ser realizada nos casos de etiologia isquêmica. A trombólise deve ser realizada entre 3 e 4 horas e meia do início dos sintomas, após esse tempo ocorre morte dos neurônios da zona de penumbra. Após a trombólise a intervenção médica objetiva a estabilização clínica do paciente e a investigação do mecanismo etiológico do AVEi, para prevenção de sua recorrência. Antiagregantes plaquetários e anticoagulantes, além de alguns medicamentos neuroprotetores, são utilizados na prevenção da reincidência do AVEi.

O tratamento cirúrgico pode ser indicado em casos de estenose acima de 50%. Nesses casos há dois procedimentos cirúrgicos: a endarterectomia e a angioplastia. A endarterectomia de carótida visa à retirada completa da placa de ateroma da parede da artéria. A angioplastia é um procedimento endovascular minimamente invasivo em que é feita a inserção de um cateter balão na área acometida, o qual é inflado, restabelecendo o fluxo sanguíneo. Nesse caso, pode ser colocado um *stent*, peça metálica em forma de malha que é posicionada na artéria carótida obstruída.

Além disso, naqueles casos em que há importante formação de edema, com compressão de estruturas do sistema nervoso central (SNC) e risco de hipertensão intracraniana, pode ser recomendada como tratamento a craniectomia descompressiva.

AVEh

Pode ser causado pela ruptura espontânea (não traumática) de um vaso, com extravasamento de sangue para o interior do cérebro (hemorragia intraparenquimatosa), para o sistema ventricular (intraventricular) e/ou subaracnóideo (hemorragia subaracnóidea).

A hemorragia intraparenquimatosa é o subtipo de AVEh de pior prognóstico, com alta taxa de mortalidade em 1 ano. Caracteriza-se por uma coleção de sangue no parênquima cerebral, de mecanismo não traumático, sendo geralmente um evento súbito. As hemorragias intraparenquimatosas acometem predominantemente os lobos cerebrais, mas também incidem no tálamo, putâmen, tronco encefálico e cerebelo.

Já a hemorragia subaracnóidea (HSA) geralmente relaciona-se com o rompimento de aneurismas, alocados no espaço subaracnóideo. É considerada uma emergência devido às altas taxas de mortalidade e morbidade.

Na HSA, algumas escalas são utilizadas para a avaliação desses pacientes, entre as quais destacam-se a escala de Hunt e Hess, que avalia a graduação clínica e o risco cirúrgico e pode auxiliar o neurocirurgião na tomada de decisão sobre a cirurgia, e a escala de Fisher, baseada na quantidade e distribuição de sangue por meio da tomografia cerebral.

Para a HSA, os principais fatores de risco são a HAS, o tabagismo e o etilismo, além do fator genético.

A HSA apresenta algumas complicações que vão além do objetivo deste capítulo. Entretanto, podemos mencionar como complicações o ressangramento, o vasoespasmo, a hidrocefalia, a hipertensão intracraniana e edema agudo pulmonar de origem neurogênica.

A abordagem inicial do paciente com AVEh busca a avaliação das vias aéreas, dos parâmetros respiratórios e hemodinâmicos, temperatura e detecção de sinais neurológicos focais, além de traumas externos e glicemia capilar.

De forma geral, os objetivos do tratamento dos subtipos de AVEh são promover a estabilidade clínica e o controle da PIC.

Assim, a HAS deve ser controlada para reduzir o risco de ressangramento, sendo indicado a manutenção da PAM abaixo de 130 mmHg.

A HIC é uma das complicações com maior taxa de mortalidade. Sendo assim, as medidas para o seu controle visam a manutenção da PIC abaixo de 20 mmHg.

Em situações graves, com risco de declínio da função neurológica, herniação e hidrocefalia obstrutiva, o tratamento cirúrgico pode ser indicado. A craniotomia e/ou craniectomia estão entre os procedimentos cirúrgicos mais realizados, assim como a derivação ventricular nos casos de hidrocefalia. Além disso, para aqueles casos relacionados à ruptura de aneurismas, a clipagem do aneurisma é o procedimento cirúrgico mais prevalente. A Figura 11.2 sintetiza as abordagens nos dois tipos de AVE.

Avaliação neurológica

A avaliação neurológica do paciente com AVE pode ser feita por meio de modelos institucionais ou pelo uso de escalas específicas para esta população.

Inicialmente, deve-se realizar o exame físico geral, avaliando os diferentes sistemas, como o respiratório, o cardiovascular, o tegumentar, além da observação de outros sinais que podem limitar uma determinada função, como luxações, subluxações e/ou deformidades. Soma-se a isso a avaliação do nível de consciência, a qual pode ser realizada por meio da escala de coma de Glasgow.

A avaliação fisioterapêutica baseia-se na funcionalidade do paciente, que envolve a capacidade de assumir, manter e realizar atividades em diferentes posturas, como decúbitos laterais, sedestação e ortostase. Também é necessário avaliar a locomoção e a sua participação em tarefas como banho, utilização de vaso sanitário, alimentação e vestuário.

Além disso, a avaliação dos fatores que interferem na motricidade, como força muscular, sensibilidade, coordenação, tônus, trofismo, reflexos superficiais e profundos, movimentos involuntários e funções cognitivas e executivas, auxiliam na determinação dos déficits funcionais e consequente estabelecimento de metas e abordagem terapêuticas.

Manifestações clínicas

Após o AVE, podem variar entre um indivíduo e outro. Tal variabilidade está relacionada à topografia da lesão e respectivas áreas funcionais, podendo acometer o hemisfério cerebral, o tronco encefálico e/ou o cerebelo.

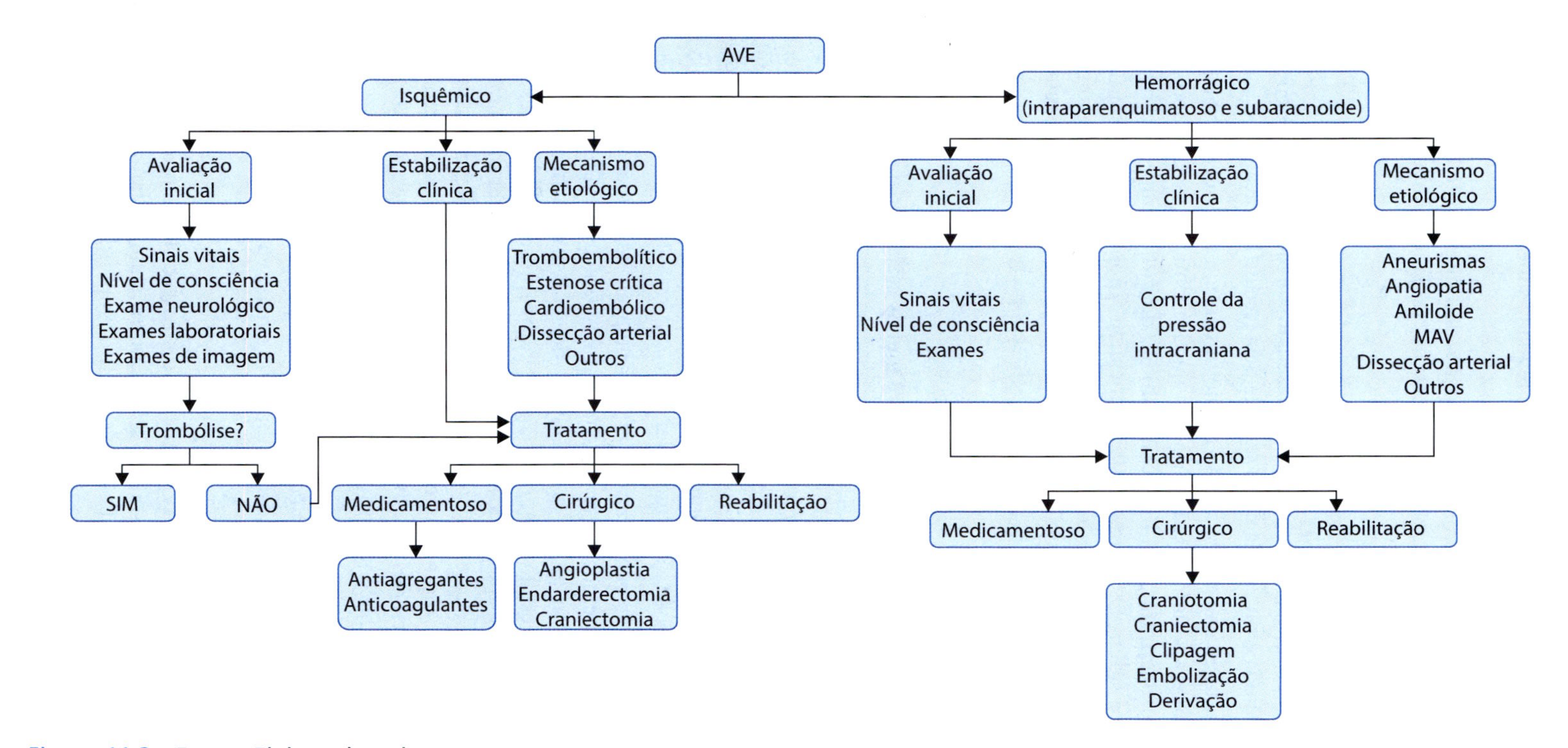

Figura 11.2 – Fonte: Elaborada pelos autores.

De forma geral, observam-se déficits motores, caracterizados por hemiplegia ou hemiparesia, que podem estar associados a déficits de sensibilidade superficial e profunda, além de alterações de coordenação.

Distúrbios cognitivos, executivos, de percepção, de linguagem e do nível de consciência, além de alterações de funções relacionadas aos nervos cranianos também podem ser identificados em pacientes após o AVE.

Estágios de evolução

Na maioria dos casos os sinais clínicos se apresentam de forma diferente em duas fases, uma fase denominada aguda e/ou flácida que é seguida pela fase de liberação.

Alguns autores mencionam que a lesão do motoneurônio superior (MNS) apresenta fatores negativos, positivos e adaptativos em relação ao quadro clínico apresentado pelo paciente. Os fatores negativos incluem fraqueza muscular, lentidão do movimento, hiporreflexia, hipotonia, perda de destreza e fadiga. Os fatores positivos incluem fenômenos de liberação piramidal, caracterizados por hiperreflexia, hipertonia elástica, clônus, sinal de Babinski e aumento do reflexo de tríplice retirada. Os fatores adaptativos estão associados às mudanças adaptativas do sistema neural, dos músculos e tecidos moles explicados pelo fenômeno da neuroplasticidade, explicados posteriormente neste capítulo.

Fase aguda

Também chamada de fase de choque, a qual é muitas vezes associada a uma depressão profunda de função motora.

Após lesão do MNS, a desorganização neuronal na área de lesão pode levar a estímulos insuficientes para a realização de movimentos complexos e ativação graduada e coordenada dos músculos, os quais também apresentam alterações em suas propriedades. Essa insuficiência resulta em fraqueza muscular, perda de destreza, lentidão do movimento e incoordenação. Nessa fase, os reflexos tendinosos podem estar diminuídos ou ausentes. Os termos hipotonia e flacidez são usados para indicar a perda de tônus muscular.

A reabilitação pode ser benéfica para essa população desde que o paciente esteja clinicamente estabilizado, o que ocorre geralmente em 72 horas. As evidências sustentam os benefícios de atendimento em unidades específicas de AVE em termos da promoção de uma melhora significativa dos resultados funcionais em comparação aos pacientes que não recebem tratamento especializado. A mobilização precoce, além de promover melhoras dos déficits por mecanismos de plasticidade, previne ou minimiza os efeitos prejudiciais da hospitalização e do imobilismo. Uma reorganização funcional é promovida por meio da estimulação inicial e da utilização, quando possível, dos membros paréticos/plégicos, evitando o desuso aprendido e minimizando os padrões de compensação, com uso do lado não acometido.

Os fisioterapeutas também devem estar vigilantes durante o atendimento dos pacientes em relação ao potencial risco de emergências médicas, como arritmias cardíacas, trombose venosa profunda (TVP), HAS descontrolada ou até um novo evento vascular.

Fase de liberação

Diferenciada da fase flácida, a fase de liberação é caracterizada por fatores descritos como positivos na literatura. Entre eles, destacam-se os reflexos cutaneoplantar em extensão (sinal de Babinski) e cutâneo abdominal ausente, hiperreflexia e a hipertonia elástica, sendo decorrente da hiperexcitabilidade do reflexo de estiramento, como um componente da síndrome do MNS. Após um AVE, estima-se que os sinais de liberação piramidal podem ser clinicamente evidentes em 4 a 6 semanas. Esse curso e tempo lento sugerem que mudanças plásticas nas conexões sinápticas possam contribuir para o desenvolvimento da espasticidade.

Nessa fase, o paciente comumente apresenta uma melhora do quadro funcional e a espasticidade muitas vezes auxilia no ganho da função, sendo fundamental a intensificação da reabilitação. Em contrapartida, algumas situações de rigidez articular importante e graus elevados de hipertonia elástica podem levar a alterações marcantes dos movimentos, limitando-os. Nessas situações, considera-se a abordagem multidisciplinar, com a avaliação médica para uso de medicações que atuem no relaxamento muscular ou até a aplicação de toxina botulínica em alguns casos.

Plasticidade e aprendizagem motora

A reabilitação do paciente AVE envolve o processo de alcançar e manter a máxima função possível nos domínios físico, intelectual, psicológico e/ou social. Ao longo desse processo, há a recuperação espontânea e a associada à reabilitação. A recuperação espontânea pode ser atribuída a três mecanismos principais e complementares, que acontecem especialmente nos 6 primeiros meses após o AVE. O primeiro mecanismo se deve à diminuição inicial transitória do fluxo sanguíneo e do metabolismo na área próxima a lesão isquêmica, o que diminui parte da função nos primeiros dias ou semanas, porém de forma reversível. Em segundo lugar, há melhora funcional por mecanismos de compensação com aumento do movimento de músculos axiais ou proximais. Em terceiro lugar há mecanismos de plasticidade propriamente ditos, que se dão por mudanças fisiológicas e neuroanatômicas.

A plasticidade cerebral pode ser definida como a propriedade do sistema nervoso de reorganizar sua própria estrutura e funcionamento, como forma de adaptação às alterações promovidas pelo ambiente externo.

A plasticidade é reforçada pela experiência dirigida e específica para a função e o seu estudo em cérebros normais e com lesão levou ao desenvolvimento de terapias em reabilitação que otimizassem esse processo. Há evidências de que a reabilitação com início precoce, nos primeiros dias após o AVE e assim que seja alcançada a estabilização clínica do paciente, está relacionada a melhores resultados, e que as habilidades motoras conquistadas nas primeiras semanas são determinantes como preditivas da funcionalidade a longo prazo. Entretanto, não há evidências definitivas em relação ao tempo, tipo e intensidade de exercícios que promova a melhor recuperação possível.

A reabilitação motora realizada pela fisioterapia envolve o processo de reaprender os movimentos após a lesão cerebral. Durante o processo de reabilitação as melhoras ocorridas na funcionalidade do paciente se devem a mecanismos de recuperação ou compensação, sendo que ambos ocorrem por meio dos processos de aprendizagem motora. A aprendizagem motora é definida como o processo de aquisição e/ou modificação de novas estratégias que gerem movimentos habilidosos, por meio da prática, treinamento (repetição) ou experiência, levando a movimentos realizados com maior precisão e velocidade, mantidos após a prática. A aprendizagem motora pode ser mensurada em humanos por meio dos exames de imageamento cerebral e indiretamente na melhora do desempenho motor.

A aprendizagem motora acontece em diferentes estágios, sendo o primeiro deles a fase de aquisição, na qual há o primeiro contato com a nova tarefa, seguida pela consolidação, com estabilização ou melhora do desempenho, mesmo sem treino adicional e pela retenção com diminuição do esforço cognitivo associado à tarefa e manutenção dos ganhos por maiores períodos. Um aspecto fundamental ao longo do processo de aprendizagem motora é a possibilidade dos ganhos obtidos em uma tarefa serem generalizados ou transferidos para outros movimentos, tarefas e/ou contextos.

Há evidências de que o processo de aprendizagem motora em pacientes com sequelas de AVE é otimizado quando há prática associada à tarefa; divisão das tarefas em componentes menores e com objetivos funcionais; repetição dos movimentos desejados próximos ao normal; atenção sustentada e substituição de mecanismos implícitos quando comprometidos, por explícitos. A prática distribuída, com períodos de descanso entre as repetições, e variabilidade da tarefa na fase de aquisição promove uma melhor retenção da tarefa obtida, mesmo que o desempenho em um primeiro momento seja pior do que se a tarefa fosse repetida de forma constante.

Abordagem fisioterapêutica (motora)

Para aqueles pacientes inconscientes, recomenda-se a estimulação do nível de alerta, com mudanças de posição no leito, diferentes estímulos sensoriais, além de exercícios passivos de membros superiores e membros inferiores, que visam a preservação da amplitude de movimento e da flexibilidade.

Já em pacientes com nível de alerta preservado e maior colaboração, devemos estimular uma participação mais ativa no processo de reabilitação neurológica.

Cada vez mais se tem enfatizado a utilização da funcionalidade e adaptação das tarefas do dia a dia para reabilitação em diversas disfunções neurológicas, com ênfase no paciente após o AVE.

Sugere-se que sejam utilizados métodos baseados na promoção de aprendizado motor, incluindo identificação de objetos, instrução, utilização de *feedback* auditivo e visual, direcionamento manual e prática.

Os princípios do treinamento funcional em pacientes pós AVE incluem:

- Prevenir encurtamento e contratura de tecidos moles, estimulando por técnicas ativas sempre que possível. Devem-se enfatizar músculos e grupos musculares com maior risco de encurtamento (p. ex: flexores plantares do tornozelo, flexores e adutores do quadril, rotadores internos e adutores do ombro, flexores do cotovelo, flexores de punho, dedos e polegar);
- Recrutamento muscular com utilização de contrações concêntricas e isométricas, além de movimentos com controle excêntrico e estimulação elétrica funcional, por meio da corrente FES (*functional eletrical stimulation*). Enfatizam-se os músculos: extensores de quadril, joelho, tornozelo para apoio de membros inferiores; e flexores, abdutores e rotadores externos do ombro;
- Treino do controle motor utilizando objetivos concretos, ativando, assim, músculos de forma sinérgica, ajustando a velocidade do movimento em funções específicas como alcance funcional em sedestação, sentar e levantar, subir e descer escadas e treino de marcha o mais precoce possível;
- Melhorar a força muscular por meio da utilização de carga e/ou aumento de repetições;
- Mobilizar articulações do hemicorpo plégico;
- Otimizar e, sempre que possível, promover treinamento cardiovascular, enfatizando atividades aeróbicas (p. ex.: por meio da utilização de cicloergômetro, esteiras).

Cuidados específicos

O atendimento fisioterapêutico do paciente após o AVE requer alguns cuidados específicos que, quando adotados, minimizam as intercorrências. (Figura 11.3)

Torna-se necessária a identificação do subtipo de AVE e a respectiva etiologia.

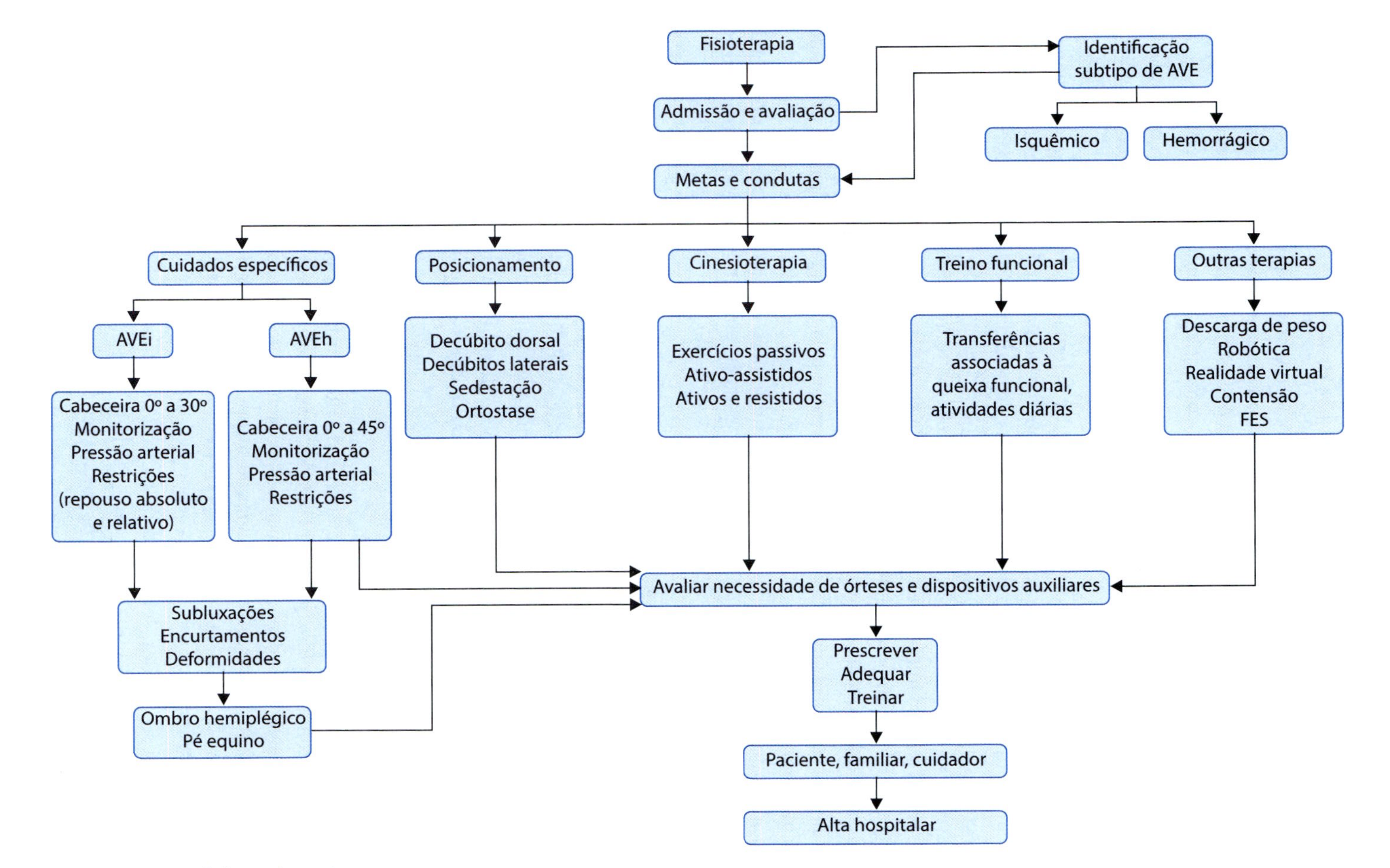

Figura 11.3 – Fonte: elaborada pelos autores.

Pacientes com AVEi, na fase aguda, muitas vezes tem recomendação de permanecer em repouso absoluto ou relativo no leito, além de manter o decúbito dorsal horizontal, ou seja, sem elevação de cabeceira. Tais medidas visam a prevenção da recorrência de um novo evento, bem como permitir uma melhor perfusão sanguínea ao tecido nervoso.

Deve-se evitar movimentos de inclinação e rotação de cervical para aqueles pacientes com AVEi cuja etiologia seja tromboembólica ou relacionada a estenose crítica (acima de 70% de obstrução), com o objetivo de não provocar alterações no fluxo sanguíneo cerebral, que podem expor o paciente à recorrência de um novo AVE e, consequentemente, novos déficits.

Em contrapartida, pacientes com AVEh na fase aguda geralmente têm recomendação de permanecer com a cabeceira elevada entre 30 e 45º. Tal estratégia visa melhorar o retorno venoso cerebral e, desse modo, diminuir as chances de ocorrência de HIC.

Para aqueles pacientes com derivação ventricular externa, sugere-se o adequado manejo do equipamento. Deve-se manter o sistema nivelado com o conduto auditivo do paciente, o que corresponde a uma altura de 12 a 15 cm de H_2O na coluna de medida da PIC. Em mudanças de posição, como a sedestação por exemplo, sugere-se interromper a drenagem do LCR por meio do fechamento da válvula. Em caso de sinais e sintomas, como cefaleia, tontura entre outros, deve-se retornar o paciente para a posição inicial e restabelecer a drenagem do LCR com abertura da válvula. Sempre se deve comunicar a equipe multiprofissional, especialmente a equipe médica e a equipe de enfermagem, em relação a qualquer intercorrência durante o atendimento fisioterapêutico.

Por fim, os pacientes após o AVE podem apresentar, pela topografia da lesão e pelo imobilismo, disautonomia. O sinal mais evidente é o da hipotensão postural, que se caracteriza por uma diminuição da pressão sistólica > 20 mmHg e/ou diminuição da diastólica > 10 mmHg da basal. Assim, recomenda-se que a pressão arterial seja avaliada antes, durante e após o atendimento fisioterapêutico.

Posicionamento

No ambiente hospitalar, podemos encontrar pacientes inconscientes e pacientes mais colaborativos e participativos. O posicionamento adequado de um paciente após o AVE pode estar relacionado a diferentes objetivos: prevenir a formação de úlceras depressão bem como encurtamentos musculares e deformidades articulares; oferecer carga de peso e estimulação sensorial.

Na fase aguda, há um grande risco de subluxação do ombro plégico; por isso, especial atenção deve ser dada ao seu posicionamento e manejo nas diferentes posturas.

Para tal, recomenda-se a leitura do Capítulo 24 – Transferência e posicionamento.

Órteses

O uso de órteses tem sido bastante enfatizado nos últimos anos. Alguns tipos de talas são utilizados para alongar tecidos moles encurtados. Para que as órteses melhorem o desempenho funcional, deve haver uma congruência entre os objetivos do treinamento e o modelo da órtese. As órteses tornozelo-pé, também chamadas de suropodálicas, têm sido utilizadas para compensar os efeitos da deficiência da marcha, especificamente a dorsiflexão inadequada durante a fase de balanço e a instabilidade subtalar mediolateral durante a fase de apoio.

Estas podem ser rígidas, sendo indicadas para posicionamento quando o paciente encontra-se em sedestação ou em decúbitos, ou articulada, podendo ser utilizada durante a marcha. Dispositivos como a tira de *stuss* também podem ser prescritos para melhor posicionamento do pé durante a fase de balanço da marcha.

Em casos de risco ou presença de subluxação de ombro plégico, recomenda-se o uso de tipoia ou imobilizador de ombro em posturas altas, como sedestação e ortostatismo.

Além disso, as órteses de posicionamento punho-mão também podem ser utilizadas com o objetivo de minimizar a incidência de encurtamentos musculares e deformidades articulares do membro superior plégico/parético.

Dispositivos auxiliares

Suportes de auxílio à marcha são frequentemente utilizados por pacientes com alterações motoras após AVE. Em razão da assimetria de força encontrada nesses pacientes, é mais comum a prescrição de dispositivos auxiliares unilaterais como bengalas simples, bengala de quatro pontos e muleta canadense. Contudo, alguns pacientes podem apresentar ataxia como déficit predominante, podendo ser o andador o dispositivo mais recomendado.

Em todas as situações é necessária a avaliação minuciosa da marcha e das alterações biomecânicas encontradas. O treinamento com o dispositivo é fundamental para decidir e promover os ajustes necessários, uma vez que a escolha inadequada pode levar a alteração de ganhos funcionais e comprometer ainda mais o quadro funcional do paciente. É importante reforçar que a independência deve sempre ser estimulada nesses pacientes, porém a indicação de um dispositivo auxiliar só pode ser feita quando promove uma marcha segura e após treinamento com o profissional, minimizando a ocorrência de eventos adversos, dentre os quais se destacam as quedas.

Estimulação elétrica funcional

A estimulação elétrica funcional, conhecida pela sigla em inglês FES é uma técnica de estimulação elétrica dos neurônios motores por meio de corrente de baixa frequência com o objetivo de produzir contração muscular específica.

O uso da FES em pacientes com sequelas após o AVE maximiza os estímulos eferentes e aferentes dos músculos estimulados, facilitando a reorganização neural. Além disso, promove grande número de repetições de movimentos mais próximos ao movimento normal, o que favorece o processo de aprendizagem motora.

Ao se utilizar a eletroestimulação nesses pacientes é importante a definição de parâmetros e do ponto motor que promovam uma contração efetiva, porém sem levar à fadiga muscular, e a proposta de exercícios associados que não diminuam o esforço voluntário dos pacientes.

De forma mais específica, a FES é amplamente usada na prática clínica em pacientes após o AVE na subluxação do ombro acometido, embora ainda não haja evidências robustas na literatura de sua eficácia. Pelas características da articulação glenoumeral, na qual se faz necessária a estabilização articular ativa, a subluxação do ombro é uma alteração frequente decorrente da fraqueza da musculatura estabilizadora de ombro em pacientes após o AVE e pode levar ao atraso na recuperação da função. A eletroestimulação, principalmente nos músculos deltoide posterior e supraespinhal, promove estímulo à coaptação do ombro e consequente melhora da mobilidade e diminuição da dor, quando presente. A FES também é utilizada no membro superior acometido em músculos do antebraço associado a tarefas funcionais. São descritas ainda na literatura órteses funcionais de punho-mão com eletrodos de superfície que promovem eletroestimulação, levando à melhora da qualidade de movimentos distais e de precisão, porém essas apresentam menor aplicabilidade clínica em decorrência dos altos custos.

Com relação à função de membros inferiores e marcha, a FES é utilizada para aumento da ativação muscular, melhor estabilidade e modulação da hipertonia. Um dos principais usos da FES é em músculo tibial anterior, para melhora do posicionamento do tornozelo em flexão plantar ("pé caído"), com melhora da força muscular, do equilíbrio e aumento da velocidade da marcha. O resultado dessa intervenção se mostrou superior em pacientes agudos quando comparado a pacientes crônicos. A FES nesse caso pode ser usada de forma isolada ou acoplada à órteses funcionais e está em acordo com os princípios de aprendizagem motora uma vez que as repetições se dão em uma condição altamente funcional. O uso da eletroestimulação em membros inferiores também se dá para otimizar a descarga de peso no lado acometido, com melhora da simetria e os eletrodos podem ser posicionados em músculos antigravitários, como músculo glúteo máximo e quadríceps femoral.

Terapia de contensão induzida

A terapia de contensão induzida e suas variantes é considerada um dos tratamentos mais efetivos direcionados à melhora da função e atividade para membro superior acometido após AVE e foi proposta inicialmente como uma forma de minimizar os efeitos do desuso aprendido e diminuir a melhora na atividade e participação apenas por mecanismos de compensação, ou seja, pelo uso exclusivo ou preferencial do membro não acometido.

A terapia de contensão induzida tradicional é composta por prática intensiva, com progressão de dificuldade e específica à tarefa, 6 horas por dia, por 2 semanas, com contensão do membro não acometido por 90% do tempo que o paciente está acordado e com realização do pacote de transferência pela aplicação diária da escala *Motor Activity Log* que auxilia na promoção da transferência das tarefas treinadas para a vida real. Existem algumas alternativas possíveis e com maior facilidade de aplicabilidade clínica. Uma delas é a terapia de contensão induzida modificada, na qual pode haver diferenças em relação à tradicional pelo tipo de prática, que se torna mais distribuído, com menor duração de cada bloco de repetições (de 30 minutos a 6 horas), pelo menor tempo de restrição do membro não acometido ou ainda pela não aplicabilidade do pacote de transferências. Uma outra possibilidade ainda é a terapia de uso forçado na qual apenas o membro superior não acometido é restrito, sem a proposta de atividades dirigidas.

Idealmente o paciente selecionado para a terapia de contensão induzida deve apresentar extensão voluntária de punho e dedos, de forma que consiga executar funções adaptadas que devem ser desafiadoras, porém de possível execução.

Há uma discussão na literatura em relação ao custo-benefício da aplicação da terapia de contensão induzida em pacientes na fase aguda ou subaguda após AVE. Há evidências de que o uso exclusivo do membro superior acometido nos primeiros sete a 15 dias após o AVE isquêmico pode levar ao aumento do volume de lesão encefálica, podendo estar associado à futura menor função sensório-motora na fase crônica. Entretanto esse efeito deletério pode estar associado ao tempo a que o paciente está submetido à contensão, sendo que um menor tempo de restrição do membro não acometido e atividades direcionadas, como na terapia de contensão modificada, tem efeito superior às terapias convencionais para membro superior nesses pacientes.

Outro cuidado a se tomar com a aplicação de contensão induzida em pacientes agudos é a possibilidade de exacerbação de dor no membro superior acometido.

Descarga de peso

As alterações motoras e sensoriais de diferentes magnitudes decorrentes de um AVE levam a um comprometimento do controle motor do membro inferior acometido, com consequente assimetria na descarga de peso entre os membros. Essa assimetria pode ser intensificada pelo desuso aprendido do membro acometido, sendo que inicialmente o paciente não transfere o peso para o lado afetado por fraqueza ou alterações somatossensoriais e mantém esse padrão de assimetria mesmo após a melhora das funções motoras e sensitivas. Outro fator relacionado que pode aumentar a assimetria é o medo de cair, mais frequente após a primeira queda, mas que pode acontecer mesmo sem queda.

A habilidade de alternar a descarga de peso entre os membros inferiores é essencial para as respostas de equilíbrio e para a marcha próximas ao normal. Os mecanismos de recuperação para equilíbrio em pacientes com AVE têm como um dos objetivos diminuir a assimetria da descarga de peso entre os membros. Há diferentes abordagens para se levar à simetria na descarga de peso, como mudanças voluntárias do peso corporal entre os membros inferiores bilateralmente a partir de estímulos visuais ou auditivos, e em diferentes posturas como sentado, ajoelhado ou em pé, nas quais aconteça o deslocamento do centro de gravidade de forma simétrica para ambos os lados. Uma técnica frequentemente usada na literatura é o uso de calços no lado não acometido, o que provoca um deslocamento mantido para o lado acometido e por consequência a descarga de peso mais simétrica. Um aspecto importante a se considerar para a proposta da melhor terapia que promova a simetria de descarga de peso em membros inferiores é que o treino de estabilidade deve preceder a mobilidade e esta ordem pode proporcionar um melhor resultado final na simetria da descarga de peso entre os membros inferiores.

Realidade virtual/robótica

A RV é a simulação de um ambiente ou situação real gerados por um computador e vivenciado pelo praticante por meio de uma interface homem-máquina. O treino em RV possibilita a prática com grande número de repetições; com variabilidade e imprevisibilidade de contextos e estímulos; motivação e atenção sustentadas relacionadas ao ambiente desafiador e divertido; foco externo de atenção (nos efeitos do movimento) em detrimento de uso de foco interno (nos movimentos realizados); *feedback* sobre o desempenho em tempo real e sobre os resultados a cada bloco de prática.

A RV pode ser usada em terapia por meio de sistemas mais complexos, que estão presentes em grandes centros de pesquisa como o sistema IREX (*interactive rehabilitation exercise software*) e o treino em esteira associada à RV, e os sistemas comerciais como o Nintendo Wii® e o Xbox com Kinect®.

A RV na reabilitação motora em pacientes após AVE é utilizada principalmente na fase crônica. Nesses pacientes, há evidências positivas que suportam o uso da RV para reabilitação da função motora em membros superiores e melhor retorno às atividades de vida diária quando comparada a terapias convencionais e há necessidade de uma maior investigação dos efeitos da RV para equilíbrio e marcha em pacientes após AVE. Em pacientes agudos, há poucos estudos como os de Cameirão e colaboradores, 2011 e Simsek colaboradores, 2015, também com maiores evidências do uso da RV na reabilitação de membros superiores.

Alta hospitalar

O momento da alta hospitalar é importante para o paciente e seus familiares. É necessário considerar que muitas vezes se trata do primeiro AVE, com consequente perda da mobilidade e funcionalidade do paciente. Portanto, é fundamental que tanto o paciente quanto os seus familiares estejam devidamente orientados para prevenção e continuidade do processo de reabilitação após a alta hospitalar.

Sempre que possível, deve-se fornecer as orientações sobre posicionamento, transferências, estimulação da independência do paciente, adaptações do ambiente e exercícios domiciliares exclusivos, elaborados a partir da avaliação fisioterapêutica e direcionados para a necessidade individual de cada paciente.

Leitura Recomendada

1. Abreu MO, Almeida, ML. Manuseio da ventilação mecânica no trauma cranioencefálico: hiperventilação e pressão positiva expiratória final. Revista Brasileira de Terapia Intensiva, Salvador, v. 21, n. 1, p. 72-79, mês, 2009.

2. Andrade AF, Paiva WS, Amorim RLO, Figueiredo EG, Neto ER, Teixeira MJ. Mecanismos de lesão cerebral no traumatismo cranioencefálico. Rev. Assoc Med. Bras, São Paulo, v. 55, n. 1, p. 75-81, mês, 2009.
3. Andrade FC, Andrade Jr FC. Usos e abusos da hiperventilação nos traumatismos cranioencefálicos graves. Arq Neuropsiquiatr,Sorocaba, v. 58, n. 3-A, p. 648-655, 2000.
4. Arbour R. Intracranial hypertension: monitoring and nursing assessment. Critical Care Nurse, Philadelphia, v. 24, n. 5, p. 19-32, outubro, 2004.
5. Barbosa AP, Cabral AS. Novas terapias para hipertensão endocraniana. Jornal de Pediatria, Rio de Janeiro, v. 79, n. 2, p. 139-148, 2003.
6. Caricato A, Conti G, Della Corte F, Mancino A, Santilli F, Sandroni C, et al. Effects of PEEP on the intracranial system of patients with head injury and subarachnoid hemorrhage: the role of respiratory system compliance. J Trauma, Roma, v. 58, n. 3, p. 571-576, 2005.
7. Carr J, Shepherd R. Reabilitação neurológica: otimizando o desempenho motor. São Paulo: Manole, 2003.
8. da Silva Cameirão M, Bermúdez I Badia S, Duarte E, Verschure PF. Virtual reality based rehabilitation speeds up functional recovery of the upper extremities after stroke: a randomized controlled pilot study in the acute phase of stroke using the rehabilitation gaming system. RestorNeurolNeurosci 29(5):287-98, 2011.
9. Diringer MN, Videen TO, Yundt K, Zazulia AR, Aiyagari V, Dacey RG JR, et al. Regional cerebrovascular and metabolic effects of hyperventilation after severe traumatic brain injury. J Neurosurg 2002; 96:103-108.
10. Dromerick AW, Edwards DF, Hahn M. Does the application of constraint-induced movement therapy during acute rehabilitation reduce arm impairment after ischemic stroke? Stroke 31(12):2984-8, 2000.
11. Dutton RP, McCunn M. Traumatic brain injury. Curr Opin Crit Care, v. 9, n. 6, p. 503-509, 2003.
12. El-Helow MR, Zamzam ML, M, A, El Nahhas N, El-Nabil LM, et al. Efficacy of modified constraint-induced movement therapy in acute stroke. Eur J PhysRehabil Med. 51(4):371-9, 2015.
13. Fluet GG, Deutsch JE. Virtual reality for sensorimotor rehabilitation post-stroke: the promise and current state of the field. CurrPhys Med Rehabil Rep 1(1):9-20, 2013.
14. Gemma M, Tommasino C, Cerri M, Giannotti A, Piazzi B, BorghI T. Intracranial effects of endotraqueal suctioning in the acute phase of head injury. J Neurosurg Anesthesiol, v. 14, p. 50-54, 2002.
15. Georgiadis D, Schwarz S, Baumgartner Rw, Veltkamp R, Schwab S. Influence of positive end-expiratory pressure on intracranial pressure and cerebral perfusion pressure in patients with acute stroke. Stroke, v. 32, p. 2088-2092, 2001.
16. Godoy MDP. Fisioterapia Intensiva na hipertensão intracraniana. In: Souza, L. C. Fisioterapia intensiva. São Paulo: Atheneu, 2007, cap. 10, p.437-450.
17. Hara Y. Brain plasticity and rehabilitation in stroke patients. J Nippon Med Sch. 82(1):4-13, 2015.
18. Hara Y. Neurorehabilitation with new functional electrical stimulation for hemiparetic upper extremity in stroke patients. J Nippon Med Sch75(1):4-14, 2008.
19. Hosp JA, Luft AR. Cortical plasticity during motor learning and recovery after ischemic stroke. Neural Plast. 2011:871296., 2011.
20. Jang YY, Kim TH, Lee BH. Effects of brain-computer interface-controlled functional electrical stimulation training on shoulder subluxation for patients with stroke: a randomized controlled trial. OccupTherInt15, 2016.
21. Krakauer JW. Motor learning: its relevance to stroke recovery and neurorehabilitation. CurrOpin Neurol. 19(1):84-90, 2006.
22. Kumar P, Mardon M, Bradley M, Gray S, Swinkels A. Assessment of glenohumeral subluxation in poststroke hemiplegia: comparison between ultrasound and fingerbreadth palpation methods. PhysTher 94(11):1622-31, 2014.
23. Kunkel D, Pickering RM, Burnett M, Littlewood J, Burridge JH, Ashburn A; Stroke Association Rehabilitation Research Centre. Functional electrical stimulation with exercises for standing balance and weight transfer in acute stroke patients: a feasibility randomized controlled trial. Neuromodulation 16(2):168-77, 2013.
24. Kwakkel G, Veerbeek JM, Van Wegen EE, Wolf SL. Constraint-induced movement therapy after stroke. Lancet Neurol. 14(2):224-34, 2015.
25. Laver KE, George S, Thomas S, Deutsch JE, Crotty M. Virtual reality for stroke rehabilitation. Cochrane Database Syst Rev. 12;2, 2015.
26. Liebano RE, Hassen MAS, Racy HHMJ, Corrêa JB. Principais manobras cinesioterapêuticas manuais utilizadas na fisioterapia respiratória: descrição das técnicas. Rev. Cien Med, Campinas, v. 18, n. 1, p. 35-45, jan/fev, 2009.
27. Marik Pe, Varon J, Trask T. Management of head trauma. Chest, v. 122, n. 2, p. 699-711, 2002.
28. May, K. The pathophysiology and causes of raised intracranial pressure. British Journal of Nursing, Thatcham, v. 18, n. 15, p. 911-914, julho, 2009.

29. McGuinness A. Role of the nurse in managing patients with hepatic cerebral oedema. British Journal of Nursing. V. 16, n. 6, p. 340-343, 2007.
30. Mizumoto N, Tango HK, Pagnocca ML. Efeitos da hipertensão arterial induzida sobre a complacência e pressão de perfusão encefálica em hipertensão intracraniana experimental: comparação entre lesão encefálica criogênica e balão subdural. Rev. Bras Anestesiol, São Paulo, v. 55, n. 3, p. 289-307, maio/junho, 2005.
31. Mohapatra S, Eviota AC, Ringquist KL, Muthukrishnan SR, Aruin AS. Compelled body weight shift technique to facilitate rehabilitation of individuals with acute stroke. ISRN Rehabil. 2012.
32. Muench E. Effects of positive end-expiratory pressure on regional cerebral blood flow, intracranial pressure, and brain tissue oxygenation. Crit Care Med, Alemanha, v. 33, n. 10, p. 2367-2372, 2005.
33. Murillo A, Castellano V, Torrente S, Cornejo C, Vinagre R, Cuenca M. Protocolo de aspiración endotraqueal em pacientes com trauma craneal grave: Estudio de variables neurofisiológicas. Enferm Intensiva, Madri, v. 13, n. 3, p. 99-106, 2002.
34. Nemer SN, Machado ST, Caldeira JB, Azeredo LM, Clipes T, Gago R, et al. Efeitos da fisioterapia respiratória e da mobilização passiva sobre a pressão intracraniana. Fisioterapia Brasil, Niterói, v. 6, n. 6, novembro/dezembro, 2005.
35. Ng SS, Lai CW, Tang MW, Woo J. Cutaneous electrical stimulation to improve balance performance in patients with sub-acute stroke: a randomised controlled trial. Hong Kong Med J 22 Suppl 2:33-6, 2016.
36. Nijland R, Kwakkel G, Bakers J, Van Wegen E. Constraint-induced movement therapy for the upper paretic limb in acute or sub-acute stroke: a systematic review. Int J Stroke 6(5):425-33, 2011.
37. Nudo RJ. Neural bases of recovery after brain injury. J CommunDisord 44(5):515-20, 2011.
38. Nyquist P, Stevens RD, Mirski MA. Neurologic injury and mechanical ventilation. Neurocritical Care, Baltimore, n. 9, p. 400-409, agosto, 2008.
39. Olson DM, Thoyre SM, Turner DA, Bennett S, Graffagnino C. Changes in intracranial pressure associated with chest physiotherapy. Neurocrit Care, Durham, v. 6, p. 100-103, abril, 2007.
40. Olson DM, Thoyre SM, Bennett SN, Stoner JB, Graffagnino C. Effect of Mechanical Chest Percussion on Intracranial Pressure: a pilot study. American Journal of Critical Care, Durham, v. 18, n. 4, p. 330-335, julho, 2009.
41. Pinto ASS, Saraiva DMRF. Abordagem intra-hospitalar ao politraumatizado. Covilhã, p. 1-25, junho, 2003.
42. Puckree T, Naidoo P. Balance and stability-focused exercise program improves stability and balance in patients after acute stroke in a resource-poor setting. PM R 6(12):1081-7, 2014.
43. Pyöriä O, Era P, Talvitie U. Relationships between standing balance and symmetry measurements in patients following recent strokes (3 weeks or less) or older strokes (6 months or more). PhysTher. 84(2):128-36, 2004.
44. Rangel-Castilho L, Gopinath S, Robertson CS. Management of intracranial hypertension. Neurologic Clinics, Houston, p. 521-541, 2008.
45. Roberts BW, Karagiannis P, Coletta M, Kilgannon JH, Chansky ME, Trzeciak S. Effects of PaCO2 derangements on clinical outcomes after cerebral injury: A systematic review. Resuscitation, V 91, p. 32-41, 2015.
46. Saback LMP, Almeida ML, Andrade W. Trauma cranioencefálico e síndrome do desconforto respiratório agudo: como ventilar? Avaliação da prática clínica. Revista brasileira de terapia intensiva, Salvador, v. 19, n. 1, p. 44-52, março, 2007.
47. Sabut SK, Sikdar C, Kumar R, Mahadevappa M. Improvement of gait & muscle strength with functional electrical stimulation in sub-acute & chronic stroke patients. ConfProc IEEE Eng Med BiolSoc2011:2085-8, 2011.
48. Şimşek TT, Çekok K. The effects of Nintendo WiiTM-based balance and upper extremity training on activities of daily living and quality of life in patients with sub-acute stroke: a randomized controlled study. Int J Neurosci1:1-10, 2015.
49. Stiller, K. Physiotherapy in intensive care. Chest, Australia, v. 118, n. 6, p. 1801-1813, dez, 2000.
50. Stocchetti N, Maas AI, Chieregato A, Van Der Plas AA. Hyperventilation in head injury: a review. Chest, Milão, v. 127, n. 5, p. 1812-1827, 2005.
51. Stoller O, Rosemeyer H, Baur H, Schindelholz M, Hunt Kj, Radlinger L, et al. Short-time weight-bearing capacity assessment for non-ambulatory patients with subacute stroke: reliability and discriminative power. BMC Res Notes 26;8:723, 2015.
52. Tang ME, Lobel DA. Severe traumatic brain injury: maximizing outcomes. Mount Sinai Journal of Medicine, Jacksonville, v. 70, p. 119-128, 2009.
53. Thiesen RA, Dragosavac D, Roquejani AC, Falcão ALE, Araujo S, Dantas Filho VP. Influência da fisioterapia respiratória na pressão intracraniana em pacientes com traumatismo cranioencefálico grave. Arq Neuropsiquiatr, n. 63, n. 1, p. 110-113, 2005.

54. Thomas SH, Orf J, Wedel SK, Conn AK. Hyperventilation in traumatic brain injury patients: inconsistency between consensus guidelines and clinical practice. J Trauma, Califórnia, v. 52, n. 1, p. 47-53, janeiro, 2002.
55. Toledo C, Garrido C, Troncoso E, Lobo SM. Efeitos da fisioterapia respiratória na pressão intracraniana e pressão de perfusão cerebral no traumatismo cranioencefálico grave. Revista Brasileira de Terapia Intensiva, São José do Rio Preto, v. 20, n. 4, p. 339-343, mês, 2008.
56. Torres RB, Terzi RG, Falcão AL, Höehr NF, Dantas Filho VP. Optimized hyperventilation preserves 2,3-diphosphoglycerate in severe traumatic brain injury. Arq Neuropsiquiatr, Campinas, v. 65, n. 3-B, p. 739-744, junho, 2007.
57. Torriani C, Sales ALM. Fisioterapia no pós-operatório de cirurgia neurológica. In: Sarmento GJV. Fisioterapia hospitalar: pré e pós-operatórios.Barueri: Manole, 2009, cap. 5, p. 109-124.
58. Vafadar AK, Côté JN, Archambault PS. Effectiveness of functional electrical stimulation in improving clinical outcomes in the upper arm following stroke: a systematic review and meta-analysis. Biomed Res Int 2015:729768, 2015.
59. Valadka AB, Robertson CS. Surgery of cerebral trauma and associated critical care. Neurosurgery, v. 61, n. 1, p. 203-220, 2007.
60. Videtta W, Villarejo F, Cohen M, Domeniconi G, Santa Cruz R, Pinillos O, et al. Effects of positive end-expiratory pressure on intracranial pressure and cerebral perfusion pressure. Acta Neurochir Suppl, v. 81, p. 93-97, 2002.
61. Zeppos L, Patman S, Berney S, Adsett JA, Britson JM, Paratz JD. Physiotherapy intervention in intensive care is safe: as observational study. Australian Journal of Physiotherapy, Australia, v. 53, p. 279-283, 2007.

Capítulo 12

Doenças Neuromusculares

Isabela Pessa Anequini Leite

Contextualização

As doenças neuromusculares (DNM) compõem um número grande de afecções decorrentes do comprometimento primário da unidade motora, composta por motoneurônio medular, raiz nervosa, nervo periférico, junção mioneural e músculo (Tabelas 12.1 e 12.2). A origem pode ser hereditária ou adquirida e há várias centenas de doenças catalogadas com diferentes formas de apresentação e evolução, entretanto tendo a fraqueza muscular como característica preponderante.

Algumas dessas doenças, por suas características de intensa fraqueza e importante progressão, tornam-se crônico degenerativas e necessitam de cuidados hospitalares. Entre elas, podemos citar as doenças de neurônio motor como esclerose lateral amiotrófica e amiotrofia espinhal progressiva; as doenças da placa motora como síndrome de Guillain Barré (SGB) e miastenia grave (MG) e aquelas que atingem o músculo como as distrofias musculares.

Por se tratar, em sua maioria, de doenças crônico degenerativas, sem cura, o tratamento das DNM é clínico com abordagem multidisciplinar para maximizar a saúde, a capacidade funcional, evitando complicações e contornando os acometimentos como fraquezas, deformidades esqueléticas, desusos, insuficiência cardiorrespiratória, problemas ósseos, alterações de peso e síndrome metabólica; gerando acesso à plena integração na comunidade e qualidade de vida.

Doenças Neuromusculares com Instalação de Insuficiência Respiratória Aguda

A SGB e MG são condições patológicas que podem levar o paciente ao ambiente hospitalar em situação de insuficiência respiratória aguda. Muitas vezes, estes doentes podem não ter diagnóstico prévio da patologia.

Há quatro componentes envolvidos na insuficiência respiratória; o primeiro é o comprometimento das vias aéreas superiores devido à fraqueza do facial, orofaringe, laringe e músculos que pode dificultar a deglutição e eliminação de secreção levando ao risco de broncoaspiração ou resultar em obstrução mecânica da via aérea superior, principalmente na posição supina; o segundo é a fraqueza dos músculos da inspiração (o diafragma, intercostais e músculos acessórios) resultando em expansão pulmonar inadequada com microatelectasia à alteração de ventilação/perfusão com consequente hipoxemia, taquipneia e fadiga respiratória; em terceiro, verifica-se a fraqueza da musculatura expiratória que impede uma tosse adequada e remoção de secreções, aumentando o risco de aspiração e pneumonia; em quarto, as complicações agudas como pneumonia ou embolia pulmonar podem levar ao aumento do trabalho respiratório.

A melhora clínica geralmente ocorre entre 3 e 18 meses após início dos sintomas e a ausência de melhora funcional 3 semanas após pico máximo indica evolução mais grave. O prognóstico e de recuperação total em aproximadamente 15% dos casos, permanência de pequenos déficits em 65%, déficit severo com incapacidade funcional em 10% e óbito em 10%.

Tabela 12.1 Classificação das doenças neuromusculares com acometimento dos nervos e da placa motora mais frequentes no ambiente hospitalar adulto

Classe	Doença	Etiologia e fisiopatologia	Características clínicas principais
Doença do neurônio motor	Esclerose lateral amiotrófica (ELA)	Etiologia desconhecida Fator(es) que leva(m) ao processo de degeneração e apoptose do motoneurônio Teorias em estudo: mutação genética, excitotoxicidade, fatores tróficos, estresse oxidativo, lesão mitocondrial etc.	Fraqueza muscular, fadiga muscular, distal, assimétrica Sintomas bulbares (disfagia, disartria, disfonia) Fraqueza musculatura inspiratória e evolução para insuficiência respiratória Rapidamente progressiva Hipersalivação e hipersudorese Cãibras, espasticidade, fasciculação, atrofia e Babinski
Neuropatia periférica	Síndrome de Guillain-Barré (SGB)	Autoimune Instalação aguda após eventos infecciosos (infecção VA altas, HIV, vírus dengue, GECA, citomegalovírus etc.) Processo inflamatório desmielinizante das raízes e nervos periféricos	Dor e fraqueza em MMII, simétrica e distal Parestesias ascendente com flacidez dos músculos Fraqueza de nervos cranianos Rapidamente progressiva Hipoestesia, arreflexia Dor neurogênica Pode evoluir rapidamente para insuficiência respiratória Disautonomia (taquicardia, arritmias, hipotensão, retenção urinária etc.)
Doença da placa motora	Miastenia *gravis* (MG)	Autoimune Ação de anticorpos contra receptores pós-sinápticos de acetilcolina na junção mioneural	Fraqueza generalizada, fadiga e ptose palpebral Crise miastênica desencadeada por infecções (doenças sistêmicas, sobrecarga emocional, gravidez etc.) Fraqueza língua e faringe (disfagia) Fraqueza de palato (disfonia)

VA: vias aéreas. GECA: gastroenterocolite aguda. Fonte: Adaptado de Arnold & Flanigan, 2012.

Tabela 12.2 Classificação das distrofias musculares mais frequentes no ambiente hospitalar adulto

Tipo de distrofia	Etiologia e fisiopatologia	Características clínicas principais	Alterações em outros sistemas sintomas
Distrofia muscular de Duchenne e Becker (DMD/DMB)	Mutação no cromossomo Xp21 Ausência total ou parcial da proteína distrofina na membrana celular Somente meninos	Fraqueza muscular, predomínio proximal Início: cintura pélvica, 3 anos (DMD) e adolescência ou idade adulta (DMB) Evolução: rápida (DMD) e lenta (DMB) Perda de marcha: estirão de crescimento (DMD), adolescência ou idade adulta (DMB) Óbito: entre adolescência e vida adulta (DMD/DMB)	DMD: Cardíaco: miocardiopatia dilatada Respiratório: restrição ventilatória Cognitivo: 1/3 casos Digestivo (constipações) Bulbar: disfagia ocasionais DMB: Cardíaco mais grave, podendo levar à indicação de transplante cardíaco
Distrofia muscular de cinturas (DMC)	Diversas mutações genéticas Herança autossômica dominante ou recessiva Ausência de proteínas musculares Ambos os sexos	Fraqueza muscular, predomínio proximal Início: entre adolescência e idade adulta Evolução: variável Perda da marcha: entre adolescência e idade adulta Óbito: geralmente na idade adulta	Cardíaco: miocardiopatia dilatada, pode se manifestar antes dos sintomas físicos Respiratório: restrição ventilatória
Distrofia muscular fácioescápulo-umeral (DFSH)	Mutação no cromossomo 4q35 Herança autossômica dominante Redução do gene e alterações intracelulares Ambos os sexos	Fraqueza assimétrica, padrão cruzada, predomínio da cintura escapular e pélvica, pés, face e abdômen Variabilidade clínica Início: infância até idade adulta Evolução: lenta. Perda da marcha: pode ocorrer ou não	Cardíaco: ocasionais Respiratório: restrição ventilatória Oftalmológico: úlceras e alterações da retina Auditivo: diminuição acuidade Bulbar: disfagia, disartria e disfonia

Continua

Continuação

Tipo de distrofia	Etiologia e fisiopatologia	Características clínicas principais	Alterações em outros sistemas sintomas
Distrofia miotônica (D. miotônica)	Mutação no cromossomo 19q13.3 Herança autossômica dominante Fenômeno miotônico (dificuldade de relaxamento muscular) Ambos os sexos	Fraqueza simétrica, predomínio distal (mãos e pés), face e abdômen Variabilidade clínica. Pode haver caso congênito de sintomas graves já no nascimento Início: infância até idade adulta Evolução: variável Perda da marcha: pode ocorrer ou não	Cardíaco: arritmias e bradicardias Respiratório: restrição ventilatória Endócrino: diabetes, hipotireoidismo, infertilidade Oftalmológico: catarata Bulbar: disfagia, disartria, disfonia Neurovegetativo e central: hipersudorese, sonolência, hipersalivação, apneias centrais

Fonte: adaptado de McDonald, 2012.

A MG tem prevalência de 1/10.000 e picos de incidência em mulheres entre 20 e 30 anos e em homens entre 50 e 60 anos. A crise miastênica está presente em 15 a 20% dos pacientes e pode ser desencadeada por infecções, doenças sistêmicas, sobrecarga emocional ou gravidez. A mortalidade é de cerca de 4%.

Instrumentos de avaliação respiratória para SGB e MG no ambiente hospitalar

A avaliação fisioterapêutica deve ser composta de inspeção, exame físico, exames complementares e medidas de mecânica respiratória. O exame físico é realizado por meio da ausculta pulmonar, a frequência cardíaca, a frequência respiratória, pressão arterial, expansibilidade torácica, perfusão periférica e saturação periférica de oxigênio (SpO_2). Exames complementares como a radiografia de tórax e a gasometria arterial devem ser observados quando disponíveis.

Como são doenças com rápida instalação de insuficiência respiratória, as medidas de mecânica respiratória como a capacidade vital (CV) lenta, por meio da ventilometria e a pressão inspiratória máxima (PImáx) e pressão expiratória máxima (PEmáx) são importantes para nortear na tomada de decisão quanto à conduta terapêutica adequada.

A PImáx reflete a força da musculatura inspiratória, principalmente o músculo diafragma, mas também os intercostais externos e musculatura acessória. A PEmáx reflete a força da musculatura expiratória – intercostais internos e abdominais e permite correlacionar com a capacidade de tosse e de expelir secreções.

A decisão da conduta é baseada na avaliação subjetiva do paciente em busca de sinais clínicos de fadiga do músculo respiratório, combinados com medições frequentes da VC, PImáx e PEmáx.

Condutas respiratórias na SGB e MG no ambiente hospitalar

Atualmente, não há dados suficientes para recomendar o uso da ventilação mecânica não invasiva (VMNI) nesses pacientes com insuficiência respiratória aguda. E ela não é conduta adequada a menos que a função das vias aéreas superiores esteja bem preservada.

A literatura relata que a intubação orotraqueal (IOT) e a VMI são necessárias em 25 a 50% dos pacientes com SGB com duração média de ventilação mecânica (VM) de 18 a 29 dias. A mesma conduta é necessária entre 15 e 27% dos pacientes com MG, com duração média de VM de 14 a 31 dias.

Cerca de 48% dos pacientes são intubados entre as 6 e 8 horas da manhã, o que reforça a necessidade de monitorização e reavaliação constantes para verificar necessidade de readequação das condutas.

A Figura 12.1 apresenta um fluxograma de intervenção nas doenças neuromusculares com instalação aguda de insuficiência respiratória no ambiente hospitalar adulto. Os preditores de VMI na SGB estão explicitados na Tabela 12.3 e a Tabela 12.4 mostra os sinais e sintomas de insuficiência respiratória e a necessidade de intubação orotraqueal.

Doenças Neuromusculares com Restrição da Ventilação e Hipoventilação Crônica

Nas doenças como a esclerose lateral amiotrófica e as distrofias musculares, o enfraquecimento progressivo dos músculos dos membros é acompanhado de fraqueza da musculatura respiratória, mais especificamente da musculatura inspiratória (diafragma e intercostais), que cursará com diminuição da CV.

À medida que a capacidade de insuflação pulmonar cai, gera-se um quadro de hipoventilação e a pressão de gás carbônico (CO_2) no sangue tende a aumentar (hipercapnia) com consequente hipóxia.

Durante a progressão da doença, a avaliação respiratória com a espirometria permite identificar a baixa capacidade vital, que em níveis menores de 40% do previsto associados à hipercapnia diurna (pressão parcial de CO_2 [$PaCO_2$] > 45 mmHg) e hipoventilação noturna (caracterizada por SpO_2 < 95%, por tempo maior ou igual a 5 minutos), indica a necessidade de início da VMNI segundo a American Thoracic Society (2004) e MDA (Muscular Dystrophy Association). O grau de recomendação para uso de VMNI em distrofia muscular de Duchenne é de 1B e em ELA é de 1C segundo Guideline da Canadian Thoracic Society.

Os sintomas de hipoventilação como cefaleia matutina, desorientação, ansiedade, diminuição de apetite, fadiga, distúrbios do sono como pesadelos, insônia e terror noturno devem ser observadas, pois também podem indicar a necessidade de VMNI.

Os distúrbios respiratórios são restritivos, por alteração da mecânica respiratória e iniciam-se durante o sono e progridem para o período diurno, nesses casos há melhorias clínicas com o uso de VMNI como descanso da musculatura respiratório, melhora da sensibilidade do centro respiratório ao CO_2, aumento dos volumes pulmonares, aumento da complacência pulmonar, recrutamento de vias áreas atelectasiadas, diminuição do espaço morto, diminuição das repercussões da hipoxemia e da hipercapnia na função muscular e consequente melhora da qualidade do sono.

Paralelamente, verifica-se a fraqueza da musculatura abdominal que, juntamente com a incapacidade de hiperinsuflação, corroborará o acúmulo de secreções e a inabilidade da tosse.

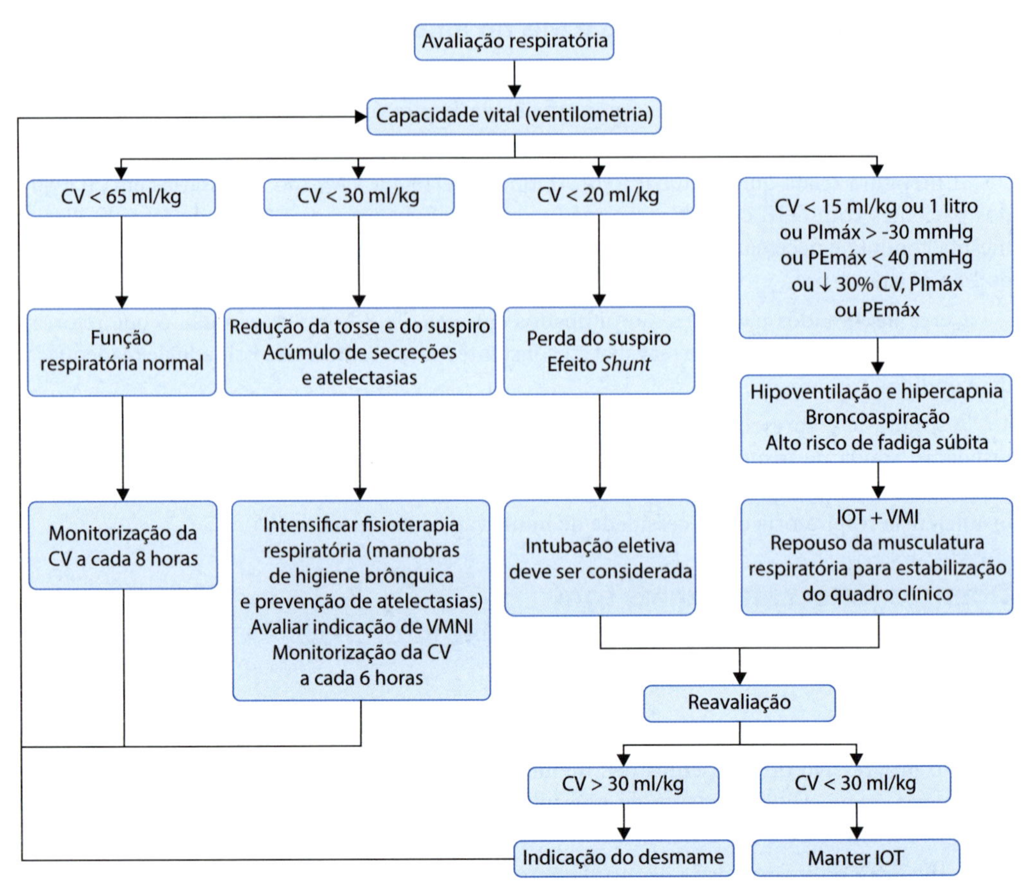

Figura 12.1 – Fluxograma de intervenção nas doenças neuromusculares com instalação aguda de insuficiência respiratória – síndrome de Guillain-Barré e miastenia *gravis* – no ambiente hospitalar. CV: capacidade vital; PIMáx: pressão inspiratória máxima; PEmáx: pressão expiratória máxima; IOT: intubação orotraqueal; VMI: ventilação mecânica invasiva; VMNI: ventilação mecânica não invasiva. Observação: é necessário associar sinais clínicos (Glasgow, hemodinâmicos e insuficiência respiratória aguda) para a tomada de decisão. Fonte: adaptado de Knobel, 2002.

Mais de 85% dos episódios de insuficiência respiratória ocorrem durante os resfriados e são acompanhados de agravamento da fraqueza e fadiga dos músculos inspiratórios e dos abdominais. De forma geral, os eventos respiratórios levaram o doente neuromuscular ao ambiente hospitalar, cerca de 90% das hospitalizações desses doentes resultam de infecções respiratórias. Nas doenças como ELA e distrofia miotônica, o aumento da sialorreia também pode contribuir para a instalação de pneumonias broncoaspirativas.

Entretanto, eventos cardíacos (arritmias, insuficiência cardíaca, infarto), intervenções cirúrgicas (gastrostomia e cirurgias de forma geral) e intervenções ortopédicas (cirurgias de escoliose ou teno-osteotomias), mesmo que eletivas, podem ser sucedidas de insuficiência respiratória e necessidade de tratamento especializado.

Portanto, nos pacientes com DNM com progressivas com restrição ventilatória e hipoventilação, com ou sem uso de VMNI prévia, o objetivo da intervenção fisioterapêutica deve ser a

Tabela 12.3 Preditores de ventilação mecânica invasiva na síndrome de Guillain-Barré

Preditores para IOT + VM	
Tempo decorrido entre a insuficiência respiratória até a admissão de 7 dias	4 preditores = necessidade de IOT + VM em mais de 85% dos casos 3 preditores = necessidade de IOT + VM em 85% dos casos
Incapacidade de tosse	
Incapacidade de ficar em pé	
Incapacidade de levantar os cotovelos	
Incapacidade de levantar a cabeça	
Enzimas hepáticas aumentas	

IOT: intubação orotraqueal. VM: ventilação mecânica. Fonte: Hughes et al., 2005 e Mehta, 2006.

Tabela 12.4 Sinais e sintomas de insuficiência respiratória e a necessidade de intubação orotraqueal na síndrome de Guillain-Barré

Critérios clínicos para IOT + VM	
Sinais de alerta	Aumento generalizado da fraqueza muscular Disfagia Disfonia Dispneia aos esforços e em repouso
Sinais subjetivos	Respiração rápida e superficial Taquicardia Tosse fraca Fala entrecortada Uso da musculatura acessória Respiração paradoxal Ortopneia Fraqueza dos músculos trapézio e cervical Contagem da respiração única Tosse depois de engolir
Critérios absolutos	Nível de consciência prejudicado Parada cardiorrespiratória Choque Arritmias Alterações gasométricas importantes Disfunção bulbar Broncospiração confirmada

Fonte: Mehta, 2006.

manutenção das vias aéreas pérvias, a melhora da higiene brônquica (caso haja situação de infecção ou hipersecreção) e a melhora ventilatória (Figura 12.2).

Condutas respiratórias na ELA e DM no ambiente hospitalar

Manobras de higiene brônquica

As técnicas convencionais de desobstrução brônquica como tapotagem ou percussões, vibração e vibrocompressão, percussão cubital, drenagem postural podem ser aplicadas sem restrições.

Deve-se tomar cuidado com técnicas que exijam esforço e possam levar à fadiga muscular como técnica expiratória forçada ou *huff*, estímulos à tosse, aceleração do fluxo expiratório ou pressão expiratória, *shaking*, exercícios respiratórios com os lábios franzidos ou freno labial, exercícios respiratórios segmentares e exercícios de inspiração máxima sustentada.

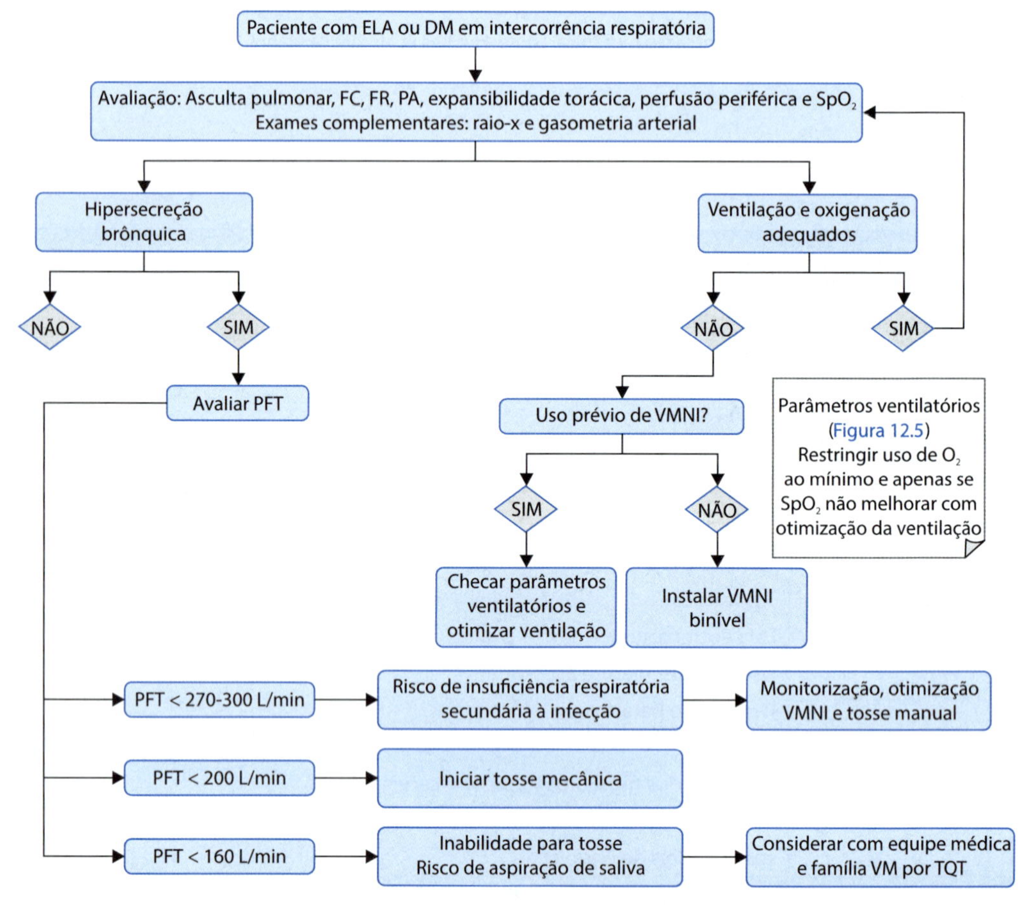

Figura 12.2 – Fluxograma de intervenção nas doenças neuromusculares com restrição ventilatória e hipoventilação crônica em situações de insuficiência respiratória – ELA e DM. ELA: esclerose lateral amiotrófica; DM: distrofia muscular; FC: frequência cardíaca; FR: frequência respiratória; PA: pressão arterial; SpO_2: saturação periférica de oxigênio; raio X: radiografia; O_2: oxigênio; VMNI: ventilação mecânica não invasiva; VM: ventilação mecânica; TQT: traqueostomia; PFT: pico de fluxo de tosse. Fonte: adaptado de McKim et al., 2011 e Rocha & Miranda, 2007.

Nas DNM progressivas, recomenda-se a realização de técnica de empilhamento de ar que tem por objetivo a máxima capacidade de insuflação, ou seja, máximo volume de ar que pode ser retido no pulmão com a glote fechada. O aumento do volume de ar dentro dos pulmões deve resultar em maior volume expiratório, capaz de mobilizar secreções, em associação ou não à compressão abdominal aplicada pelo terapeuta.

A técnica de empilhamento de ar, também conhecida como *air stacking*, é realizada com ressuscitador manual e geralmente os pacientes em seguimento com equipe especializada no tratamento de DNM já o sabem realizar (Tabela 12.5). Essa técnica depende da força muscular da faringe e da laringe, portanto o paciente com grande comprometimento bulbar ou alterações cognitivas ou de nível de consciência não conseguirá realizar a técnica de forma adequada.

Nas situações em que a força para tossir praticamente não existe ou se houver disponibilidade de recurso, é indicado o uso de aparelho mecânico capaz de fazer insuflação com pressão positiva e aspiração, com pressão negativa, imediatamente após a expansão pulmonar. Esse aparelho é conhecido como IN-Exsufflator® ou Cough-assist® (Respironics) (Figura 12.3).

O uso de aspiração nasotraqueais e/ou orotraqueais deve ser limitado a situações de emergência e/ou aquelas em que o nível de consciência do paciente não permitirá a colaboração e/ou segurança dos métodos de insuflação com ressuscitador manual ou aparelho mecânico.

Melhora da mecânica respiratória

De forma geral, mesmo que já em uso de VMNI noturna e/ou diurna, esses pacientes apresentam-se hipoventilados devido ao inflamatório/infeccioso com quadro de secreção e/ou obstrução de vias aéreas, assim faz-se necessária a otimização da mecânica ventilatória para auxiliar no controle da infecção e prevenir maiores complicações hemodinâmicas. Essa otimização pode estar relacionada aos parâmetros ventilatórios e/ou tempo de uso da VMNI.

A Figura 12.4 resume os parâmetros que devem ser ajustados na VMNI.

No momento de alta hospitalar, após a resolução do processo infeccioso alguns pacientes podem necessitar de desmame ou diminuição dos parâmetros, enquanto outros, devido à intercorrência, podem apresentar agravamento do quadro com necessidade de manutenção dos novos parâmetros ventilatórios.

Tabela 12.5 Sequência de realização da manobra de empilhamento de ar (*air stacking*)

Descrição da Técnica de *Air Stacking*			
Etapa 1 Posicionamento	**Etapa 2 Insuflação**	**Etapa 3 Tosse**	**Etapa 4 Repetição**
Acoplar máscara na face do paciente. Com uma mão, segurar a máscara em "C"; com a outra, segurar a bolsa. A cabeça deve estar encostada na cabeceira da cama	Solicitar inspiração e, ao mesmo tempo, apertar a bolsa para insuflar ar aos pulmões. Solicitar que o paciente segure o ar. Insuflar mais 1 ou 2 vezes, dependendo da capacidade de empilhamento do paciente.	Solicitar abertura da glote com tosse e auxiliar com prensa abdominal.	Repetir todo o procedimento até que o paciente consiga expelir a secreção ou que esta chegue até a boca para ser aspirada ou retirada com papel.

Fonte: Kang & Bach, 2000 e Bach, 2004.

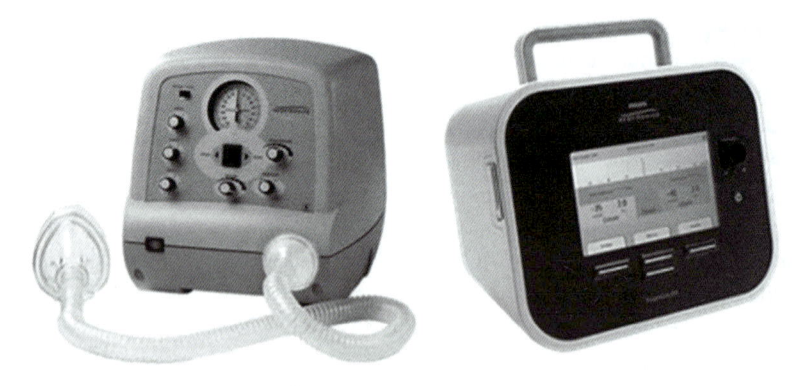

Figura 12.3 – Máquina da tosse (Cough-assist® Respironics). A esquerda Cough Assist® e a direita Cough Assist E70® ambos da marca Philips Respironics®. Fonte: Philips Respironics® http://www.philips.com.br/healthcare.

Parâmetros ventilatórios	
Ipap	Conforme e tolerância para manter VC ideal e $SpO_2 \geq 95\%$ (VC ideal = entre 6 e 8 ml/kg de peso predito)
Epap	Inicia-se em níveis pequenos (entre 3 e 5 cmH_2O) para ↓ trabalho respiratório imposto pela auto-peep
FR *back up*	Entre 8 e 12 ipm
Rise time	Rampa de fluxo de ar Conforme tolerância Quanto mais baixo, mais rápido é o fluxo de entrada de ar, enquanto quanto mais alto, mais lento é o fluxo de ar

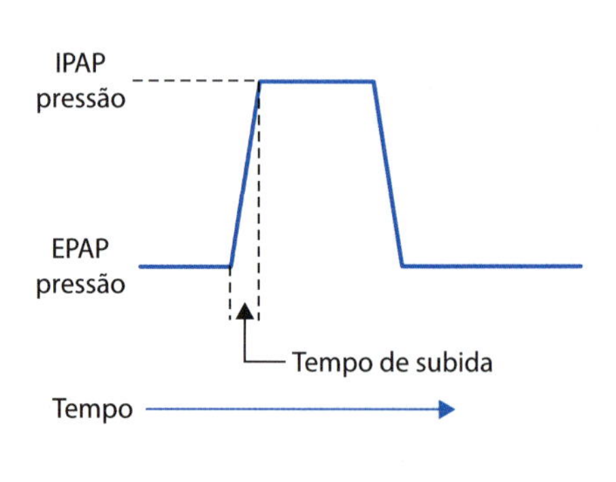

Figura 12.4 – Elucidação dos parâmetros da ventilação mecânica não invasiva. Ipap: pressão positiva inspiratória nas vias aéreas; Epap: pressão positiva expiratória nas vias aéreas; VC: volume corrente; SpO_2: saturação periférica de oxigênio; FR: frequência respiratória; Ipm: incursões por minuto. Observação: manter diferença entre Ipap e Epap maior que 6 cmH_2O. Fonte: Guilleminault et al, 1998; Bach 2004; Finder et al., 2004

O aparelho de VMNI no Brasil é garantido por lei (Portaria nº 913 de 25 de novembro de 2002) a todos os portadores de DNM, para isso é necessário o laudo médico da doença com espirometria (ou, em caso de internação hospitalar, laudo atestado incapacidade de realização do teste espirométrico) e relatório com itens necessários como aparelho de VMNI binível, máscara, circuito, cabresto, *no break*, umidificador, além de documentos pessoais do paciente e cuidador.

Escolha das Interfaces

Caso o paciente já faça uso de ventilação em domicílio, deve-se dar prioridade ao uso de sua máscara devido à prévia adaptação. Diversos tipos de máscaras são disponíveis no mercado, entre elas máscara nasal, máscara facial ou oronasal, máscara total, *Helmet* e peças bucais.

Estudos identificaram a predominância dos seguintes tipos de máscaras na insuficiência respiratória aguda: máscaras faciais (63%); máscaras nasais (31%); pronga nasal (6%). Em contraste na VMNI crônica: máscaras nasais (73%); pronga nasal (11%); máscaras faciais (6%); e peças bucais (5%).

A avaliação e higiene das interfaces e os cuidados de posicionamento do paciente são indispensáveis e devem ser realizados por parte dos profissionais da saúde. Esses cuidados ajudam a prevenir, diminuir ou sanar, na medida do possível, as complicações durante a VMNI.

Os principais problemas encontrados com uso da VMNI são fugas de ar, deslocamento da máscara, asfixia pela perda do fluxo ou desconexão do circuito, alteração da integridade cutânea em facial e nariz, aerofagia, distensão gástrica, risco de broncoaspiração, secura da mucosa nasal e bucal e contaminação do sistema.

Erros frequentes na intervenção da ELA e DM

Oxigenoterapia

O que acontece frequentemente nas internações hospitalares devido a infecções pulmonares é o uso de oxigênio associada à aspiração nasotraqueal. No entanto, nessas situações clínicas, nenhum dos procedimentos tem boa resolubilidade e apenas contribuem para uma maior retenção de CO_2. Assim, o doente permanece com um quadro de pneumonia e falência respiratória e, na maioria dos casos, tem que ser intubado e ventilado mecanicamente.

Dessa forma, a suplementação de oxigênio deve ser evitada ou minimizada a uso temporário com a menor dose possível por complicações decorrentes como diminuição do *drive* central com retenção de CO_2, maior incidência de insuficiência respiratória e impossibilidade *biofeedback* das manobras de higiene e alterações de parâmetro pela oximetria.

Escolha da VMNI (CPAP ou Binível)

Os aparelhos de VMNI por pressão positiva contínua nas vias aéreas (CPAP) têm por objetivo manter as vias aéreas pérvias e evitar o colapso alveolar e são indicados nas situações clínicas de apneia obstrutiva do sono.

Os aparelhos de VMNI biníveis (*bilevel positive airway pressure*) são geradores de fluxo contínuo, porém capazes de detectar o estímulo respiratório do paciente. Esses ventiladores podem ser pressóricos ou volumétricos. Nos aparelhos pressóricos, a pressão sobe rapidamente até o valor programado de pressão positiva inspiratória nas vias respiratórias (Ipap) e mantém-se durante a inspiração. Terminada a fase inspiratória, a demanda do fluxo cai e a pressão diminui aos níveis de pressão expiratória de pressão positiva expiratórias nas vias respiratórias (Epap). Já os volumétricos disponibilizam somente o volume determinado, não importando a pressão com que atinja os pulmões.

Nesses pacientes com DNM, o tratamento por meio do CPAP é inviabilizado pelo comprometimento inspiratório para insuflar os pulmões, associado à fraqueza de musculatura orofaríngea que leva à incapacidade de manter as vias aéreas abertas e gerar pressão negativa suficiente para desencadear um ventilador de pressão positiva.

Devido à possibilidade de configuração de pressão, volume e sensibilidade, os aparelhos biníveis são mais indicados, pois permitem, assim, um fluxo de ar sem grande esforço inspiratório e uma expiração passiva sem esforço e sem fadiga muscular.

Intubação orotraqueal e traqueostomia

A insuficiência respiratória aguda causada por fraqueza muscular respiratória é a causa mais comum de morte em pacientes com DNM. Os episódios de insuficiência respiratória aguda, como já descritos anteriormente, são desencadeados por alterações de vias aéreas superiores ou infecções respiratórias e esses pacientes são comumente transferidos para um tratamento em unidade de terapia intensiva (UTI) para IOT e suporte ventilatório mecânico. No entanto, nessa situação associam-se morbidades como pneumonias nasocomiais e dano à mucosa traqueal que, associadas à dificuldade de desmame ventilatório, provocam a submissão a procedimento de traqueostomia (TQT), uso contínuo de VM e aumento no tempo de internação hospitalar. A TQT ainda prejudica os mecanismos normais de defesa da traqueia, aumenta a secreção e colonização, prejudica a deglutição e impede a fonação (a menos que válvulas fonadoras, de alto custo, sejam utilizadas).

A literatura tem sido categórica em demonstrar que a IOT e traqueostomia quase nunca são necessárias nas DNM crônicas e que o uso de VMNI associado à tosse assistida é capaz de prolongar a vida em décadas com maior qualidade de vida.

Cerca de 33,7% dos pacientes com ELA relatam se recusar à IOT + VM. A literatura confirma que o uso de VMNI, de forma correta, evita a morte e a necessidade da IOT em 79,2% dos episódios agudos na ELA .

A TQT só deve ser indicada nas situações de absoluta intolerância da VMNI ou, então, por grave acometimento da musculatura bulbar com pico de fluxo de tosse menor que 160 L/minutos e $SpO_2 < 95\%$. Mesmo nesta última situação, pode-se ainda insistir com o suporte pressórico não invasivo desde que estejam disponíveis a máquina de auxílio mecânico da tosse e um oxímetro de pulso.

Protocolos de Extubação e Decanulação nas DNM

Os protocolos convencionais de extubação e decanulação passam pelo desmame da VM e as tentativas de teste de respiração espontânea. Entretanto, há pouco relato na literatura e diretrizes hospitalares quanto aos procedimentos com doentes neuromusculares, os quais, já é sabido, apresentam importante fraqueza muscular inspiratória e, por vezes, expiratória.

Na prática, o que se observa é que, quase em sua totalidade, os pacientes com DNM falham no teste de respiração espontânea.

Bach e colaboradores (2010) e Bach & Gonçalves (2004), baseados em suas vastas experiências com prática e acadêmica com DNM, elaboraram protocolos de extubação (Figura 12.5) e decanulação (Figura 12.6), respectivamente. Esses protocolos permitem um procedimento seguro, com índice de sucesso de 95% dos casos e com baixo índice de reintubações. Reforçando, assim, o conceito de que a VMNI associada à tosse mecânica é a maneira mais adequada de proporcionar sobrevida e qualidade de vida aos doentes neuromusculares crônicos.

Manejo da Dor nas DNM no Ambiente Hospitalar

Patologia da dor em doenças neuromusculares não está bem documentada e deve ser bem avaliada pela equipe de forma multidisciplinar (médico, enfermeiro e fisioterapeuta) para identificação das características e estabelecimento de possíveis causas.

As dores de causa musculoesqueléticas estão relacionadas à presença da fraqueza muscular, pontos de pressão óssea, contraturas e deformidades, alinhamento impróprio e *overstretching* da cápsula articular e imobilismo no leito.

O objetivo de, quando possível, se restaurar o alinhamento adequado para a articulação com uso de talas, órtese ou mesmo coxins de posicionamento; além do uso de técnicas de analgesia. Se possível, o uso de travesseiros e coxins já utilizados em ambiente domiciliar deve ser priorizado.

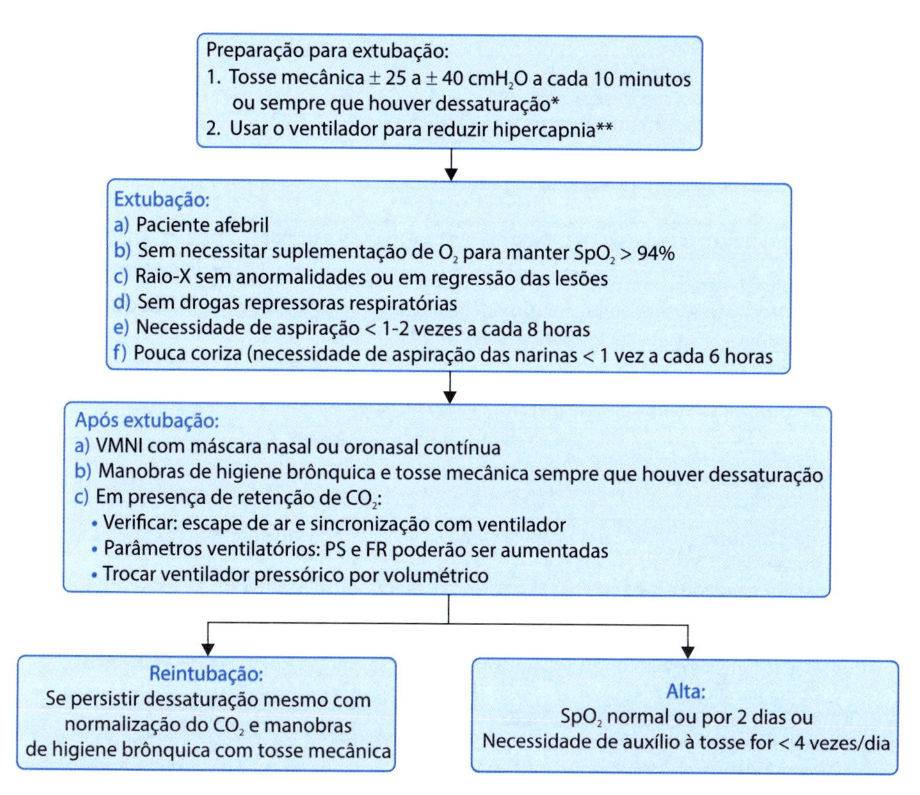

Figura 12.5 – Protocolo de extubação para pacientes de doenças neuromusculares segundo Bach et al. (2010). SpO_2: saturação periférica de oxigênio; VMNI: ventilação mecânica não invasiva; CO_2: gás carbônico; PS: pressão de suporte; FR: frequência respiratória. Fonte: adaptado de Bach et al., 2010.

As técnicas convencionais de analgesia mais utilizadas como ultrassom, estimulação nervosa transcutânea (TENS) de alta frequência, frio, calor e massagem são pouco estudadas nas DNM, não sendo encontrados muitos relatos quanto à melhora da sintomatologia, da mesma forma não há restrições estabelecidas quanto ao seu uso (Tabela 12.6).

A presença de luxações ou subluxações em ombros e quadril também é frequente, assim devem ser redobrados os cuidados com transferências posturais e mudanças de decúbito.

Cuidados Paliativos nas DNM no Ambiente Hospitalar

Os cuidados no final da vida para alguém nos estágios terminais de uma doença crônica progressiva devem centrar-se na melhoria da qualidade de vida para o paciente e sua família. A abordagem deve ser interdisciplinar incluindo médicos, enfermeiros, fisioterapeutas, fonoaudiólogos, nutricionistas, terapeutas ocupacionais, psicólogos, assistentes sociais, representantes espirituais e familiares.

O conceito de cuidados paliativos, de forma geral, ainda é pouco conhecido e compreendido em nossa sociedade. Nas DNM, estudos confirmam que a maioria das famílias de pacientes com distrofia muscular de Duchenne (85%) nunca obteve informações sobre os cuidados paliativos e seu início mesmo se tratando de uma doença crônico degenerativa grave com evolução relativamente rápida.

Condições para indicação:
- Estabilidade clínica e neurológica
- Capacidade de fala com *cuff* desinsuflado
- Deglutição preservada, sem risco de aspiração para via aérea
- PFT ou PFT assistida > 160 L/min
- Capacidade de realizar *air stacking*

Etapa 1: Retirar suplementação de O_2 + tosse mecânica e manual assistida (como alternativa a aspirações)

Etapa 2: Cânula fenestrada com *cuff*
De dia: cuff desinsuflado/de noite: o *cuff* insuflado
Tosse mecânica com *cuff* inflado sempre que SpO_2 < 95%

Etapa 3: Treino com VMNI com interface apropriada e cânula de traqueostomia tapada. Treino de voz e fala
Monitorizar oximetria e tosse mecânica como na etapa 2

Etapa 4: VMNI diurna. Iniciar a VMNI noturna.
Tosse mecânica como na etapa 2

Etapa 5: Após 24 horas de VMNI com a cânula tapada, checar integridade das VAS, cordas vocais, traquéia através de uma broncoscopia;
Em normalidade e potência nas cordas vocais e glote, introduzir cânula fenestrada para a introdução do botão

Etapa 6: Avaliar função respiratória, segurança, adaptação, tolerância à modalidade VMNI com o botão por 24 horas

Etapa 7: Decanulação e passagem definitiva para VMNI se a necessidade de tosse mecânica < 4 vezes/dia
Tosse mecânica ou manual assistida nas primeiras horas da retirada da traqueostomia

Etapa 8: Avaliar diariamente função respiratória, PFT, *air stacking* nos primeiros 3 dias

Figura 12.6 – Protocolo de decanulação para pacientes de doenças neuromusculares segundo Bach & Gonçalves (2004). PFT: pico de fluxo de tosse; VMNI: ventilação mecânica não invasiva; VAS: vias aéreas superiores. Fonte: Bach & Goncalves, 2004.

Tabela 12.6 Técnicas fisioterapêuticas utilizadas para controle da dor nas DNM em ambiente hospitalar

Técnica	Efeitos	Aplicação	Cuidados
Termoterapia Calor supeficial	Vasodilatação Relaxamento muscular Melhora do metabolismo e circulação local Alteração das propriedades viscoelásticas teciduais Redução da inflamação Alívio do espasmo muscular Interferência no ciclo dor-espasmo-dor	Bolsas térmicas, infravermelho	Alteração de sensibilidade

Continua

Continuação

Termoterapia Crioterapia	Disfunções musculoesqueléticas, traumáticas, inflamatórias (processos agudos)	Compressas, bolsas	Alteração de sensibilidade
TENS	Atuação sobre fibras nervosas aferentes Modulação inibitória segmentar e no SNC Estimulação da liberação de endorfinas, endomorfinas e encefalinas	Convencional: Frequência elevada e baixa intensidade Tempo: 20 min (intervalo de 30 minutos entre aplicações)	Contraindicação: marcapasso
Laser	Anti-inflamatório analgésico Cicatrizante Aumento da fagocitose e proliferação na quantidade de fibroblastos Aceleração da divisão celular, do processo de cicatrização de lesões teciduais e reepitelização	Dose a 4J/cm^2, 2 vezes/semana de forma pontual	Contraindicação: ausente
Cinesioterapia	Atuação sobre a cascata: movimentação e atividade física comprometimento do condicionamento físico, forca muscular, flexibilidade e capacidade aeróbica síndrome do imobilismo	Passivo Ativo-assistido Ativo Resistido	Contraindicação: ausente
Massoterapia	Estimulação mecânica dos tecidos e dos receptores sensoriais Sensação de prazer ou bem-estar Diminuição da tensão sobre os músculos Relaxamento muscular Alívio da dor	Manipulação (aplicação rítmica de pressão e estiramento) com as mãos dos tecidos moles do corpo	Contraindicações: cirurgias abertas, pontos cirúrgicos e lesões de pele

TENS: eletroestimulação nervosa transcutânea. Fonte: Johnson et al, 2012 e Florentino et al., 2012.

Dessa forma, é importante ressaltar que os cuidados paliativos não pretendem nem apressar nem postergar a morte, e sim propiciar assistência que minimize o sofrimento físico e emocional, que proporcione uma melhor qualidade de vida e uma qualidade de morte, evitando procedimentos e intervenções desnecessárias.

A identificação precoce dos sintomas e o respeito às escolhas do paciente e de sua família possibilitam uma assistência adequada. Nas DNM, os sintomas físicos mais frequentes são dispneia, dor, sialorreia e inapetência, entre outras queixas específicas.

Leitura Recomendada

1. Arias R, Andrews J, Pandya S, Pettit K, Trout C, Apkon S, et al. Palliative care services in families of males with Duchenne muscular dystrophy. Muscle & Nerve. V.44, p.93-101, 2011.
2. Arnold WD, Flanigan KM. A practical approach to molecular diagnostic testing in neuromuscular diseases. Phys Med Rehabil Clin N Am. V. 23, p.589-608, 2012.
3. Bach JR. Guia de exame e tratamento das doenças neuromusculares. São Paulo: Santos. 2004, 166p.
4. Bach JR, Goncalves M. Ventilator weaning by lung expansion and decannulation. Am J Phys Med Rehabil. V.83, p.560-568, 2004.
5. Bach JR, Gonçalves MR, Hamdani I, Winck JC. Extubation of patients with neuromuscular weakness: a new management paradigm. Chest. V.137, p.1033-1039, 2010.
6. Bach JR, Hon A. Amyotrophic lateral sclerosis: noninvasive ventilation, uncuffed tracheostomy tubes, and mechanically assisted coughing. Am J Phys Med Rehabil. V.89, p.412-424, 2010.
7. Carter GT, Miró J, Abresch RT, El-Abassi R, Jensen MP. Disease burden in neuromuscular disease: the role of chronic pain. Physical Medicine & Rehabilitation Clinics of North America.V.23, p.719-729, 2012.
8. Finder JD, Birnkrant D, Carl J, Farber HJ, Gozal D, Iannaccone ST, et al. Respiratory care of the patient with Duchenne muscular dystrophy: ATS consensus statement. American Journal Respiratory Critical Care Medicine. V.170, p.456-65, 2004.
9. Florentino DM, Souza FRAS, Maiworn AI, Carvalho ACA, Silva KM. Fisioterapia no alívio da dor: uma visão reabilitadora em cuidados paliativos. Revista do Hospital Universitário Pedro Ernesto, UERJ. Ano 11, p.50-57, abril-junho, 2012.
10. Fukujima MM, Franco SRDA, Monteiro ES, Prado GF (org.). Atualização em fisioterapia na emergência. São Paulo: UNIFESP. 2009; 174p.
11. Guilleminault C, Philip P, Robinson A. Sleep and neuromuscular disease: bilevel positive airway pressure by nasal mask as a treatment for sleep disordered breathing in patients with neuromuscular disease. J Neurol Neurosurg Psychiatry. V.65, N.2, p.225-32, 1998.
12. Hughes RAC, Wijdicks EFM, Benson E, Cornblath DR, Hahn AF, Meythaler JM, et al. Supportive care for patients with Guillain-Barré syndrome. Arch Neurol. V.62, N.8, p.1194-1198, 2005.
13. Ishikawa, Y. Manual for the care of patients using noninvasive ventilation: in neuromuscular disorders. Japan: Japan Planning Center. 2005, 263p.
14. Johnson LB, Florence JM, Abresch RT. Physical therapy evaluation and management in neuromuscular diseases. Physical Medicine & Rehabilitation Clinics of North America. V.23, p.633-651, 2012.
15. Kang S, Bach JR. Maximum insufflation capacity. Chest. V.118, p.61-65, 2000.
16. Knobel E. Pneumologia e fisioterapia respiratória. São Paulo: Atheneu. 2004, p. 236.
17. Knobel E. Terapia intensiva: neurologia. São Paulo: Atheneu. 2002, p. 346.
18. McDonald CM. Clinical approach to the diagnostic evaluation of hereditary and acquired neuromuscular diseases. Physical Medicine & Rehabilitation Clinics of North America. V. 23, p. 495-63, 2012.
19. McDonald CM, Fowler WM. The role of the neuromuscular medicine and physiatry specialists in the multidisciplinary management of neuromuscular disease. Phys Med Rehabil Clin N Am. V.23, p.475-493, 2012.
20. McKim DA, Road J, Avendano M, Abdool S, Côté F, Duguid N, et al; Canadian Thoracic Society Home Mechanical Ventilation Committee. Home mechanical ventilation: a Canadian Thoracic Society clinical practice guideline. Can Respir Journal. V.18, N.4, p.197-215, 2011.
21. Mehta S. Neuromuscular disease causing acute respiratory failure. Respiratory Care. V.51, N.9, p.1016-1023, 2006.

lat SZ, Isaac M. End-of-life care for the hospitalized patient. Med Clin N Am. V.92, p.349-370, 2008.

Miranda MJ. Disfunção ventilatória na doença do neurónio motor: quando e como intervir? Acta V.20, p.157-165, 2007.

24. Servera E, Sancho J, Zafra MJ, Catala A, Vergara P, Marın J. Alternatives to endotracheal intubation for patients with neuromuscular diseases. Am J Phys Med Rehabil. V.84, p.851-857, 2005.
25. Schönhofer B, Sonneborn M, Haidl P, Böhrer H, Köhler D. Comparison of two different modes for noninvasive mechanical ventilation in chronic respiratory failure: volume versus pressure controlled device. Eur Respir J. v.10, p.184-191, 1997.
26. Tzeng AC, Bach JR. Prevention of pulmonary morbidity for patients with neuromuscular disease. Chest. V.118, p.1390-1396, 2000.
27. Winck JC, Gonçalves MR, Lourenço C, Viana P, Almeida J, Bach JR. Effects of mechanical insuflation-exsuflation on respiratory parameter for patients with chronic airway secretion encumbrance. Chest. V.126, p.774-780, 2004.
28. Winck JC, Gonçalves MR, Silva N. Oxygen or ventilation during flight for patients with neuromuscular disease. Thorax. V.65, p.370-371, 2010.

Capítulo 13

Sepse

Cynthia Salmagi Coutinho
Débora Ishini Santos
Thiago Marraccini Nogueira da Cunha
Tuanny Teixeira Pinheiro

Introdução

Sepse é um dos temas mais antigos na história da medicina e, na atualidade, continua a ser um tema de grande relevância em saúde pública. Nos Estados Unidos, configura-se na principal causa de morte entre pacientes internados em unidade de terapia intensiva (UTI). Os gastos do serviço de saúde nos Estados Unidos são estimados em até U$ 24,3 bilhões ao ano, com uma mortalidade variando em torno de 29 a 60%, como já demonstrado em análises anteriores. No Brasil, 30% dos leitos de UTI estão ocupados com pacientes sépticos. As mortes relacionadas à sepse entre o ano de 2002 e o de 2010 foram de 12,9%, sendo a maior prevalência em crianças (primeiro ano de vida) e entre os pacientes com 60 anos ou mais.

A sepse, para o Instituto Latino Americano (ILAS), é uma situação em que o organismo desenvolve uma síndrome de resposta inflamatória sistêmica (SIRS, do inglês *systemic inflammatory response syndrome*) desencadeada por uma infecção suspeita ou confirmada (Quadro 13.1). Essa síndrome pode apresentar formas progressivamente mais graves conforme a evolução do quadro clínico.

- SIRS: insultos que geram estado inflamatório. Definida com dois ou mais critérios de inflamação sistêmica.
- Sepse: apresenta-se um quadro infeccioso documentado ou presumido com reação inflamatória sistêmica.
- Sepse grave: quadro séptico associado à disfunção orgânica (cardiovascular, neurológica, renal, respiratória, hepática, hematológica ou metabólica), hipotensão ou sinais de hipoperfusão.
- Choque séptico: sepse com hipotensão refratária à reposição volêmica adequada, necessitando de inotrópicos-vasopressores.
- Síndrome da disfunção de múltiplos órgãos (DMOS): disfunções orgânicas que dificultam manter a homeostase sem intervenção.

Após a publicação feita no JAMA, a Society of Critical Care Medicine e a European Society of Intensive Care Medicine (ESICM), os termos como septicemia, sepse grave, síndrome séptica foram colocados como desuso. Diante desses estudos publicados, ocorreu um consenso na mudança da definição de sepse e choque séptico, sendo:

- Sepse: disfunção orgânica potencialmente fatal causada por uma resposta imune desregulada a uma infecção suspeita ou confirmada com aumento agudo de ≥ 2 pontos no SOFA (Sequencial Organ Failure Assessment Score) em resposta à infecção (representando disfunção orgânica).
- Choque séptico: sepse acompanhada por profundas anormalidades circulatórias com necessidade de vasopressor para manter a pressão arterial média acima de 65 mmHg, anormalidade celulares e metabólicas com lactato > 2 mmol/L (18 mg/dL) após a reanimação volêmica adequada.

Ressaltamos que o ILAS com a American College of Chest Physicians e a American College of Emergency Physicians não endossaram a nova definição (Quadro 13.1).

Quadro 13.1 Definições de Sepse segundo ILAS e ESICM

	Definições – Seguidas pelo ILAS	Definições – Seguidas pela ESICM
Sepse	SIRS: temperatura > 38 °C ou < 36 °C; frequência cardíaca > 90 bpm; frequência respiratória > 20 mrm ou PaCO2 < 32 mmHg; e leucócitos totais < 4.000 ou > 12.000, ou > 10% de bastões + Suspeita de Infecção	Suspeita/documentação de infecção Aumento de 2 ou mais no SOFA
Sepse grave	Sepse + PAS < 90 ou PAM < 65 Lactato > 2 mmol/L RNI > 1,5 ou KTTP > 60 s Bilirrubina > 2 mg/dL Débito urinário < 0,5 mL/kg/h por 2 h Creatinina > 2 mg/dL Plaquetas < 100.000 SaO_2 < 90% em ar ambiente	Definição excluída
Choque séptico	Sepse + hipotensão mesmo com reanimação volêmica adequada	Sepse + necessidade de vasopressores para manter PAM > 65 + Lactato > 2 mmol/L após reanimação volêmica adequada

ILAS: Instituto Latino Americano da Sepse; ESICM: European Society of Intensive Care Medicine; PA: pressão arterial; PAM: pressão arterial média; INR: International Normalised Ratio; TTPA: tempo de tromboplastina parcial ativada; $PaCO_2$: pressão arterial de gás carbônico; SaO_2: saturação arterial de oxigênio; SOFA: Sequencial Organ Failure Assessment Score. Fonte: Adaptado de Sepse: um problema de saúde pública/Instituto Latino Americano de Sepse. Brasília: CFM, 2015. 90 p.

Fisiopatologia

Resposta imune

A defesa do organismo contra patógenos está organizada em resposta imune inata (mediada pelos receptores *toll-like* nas células de defesa) e respostas imunes adaptativas ou específicas. Na resposta imune inata, moléculas de superfície de bactérias gram-positivas (peptideoglicanos) e de bactérias gram-negativas (LPS-lipopolissacarídeos) ligam-se aos receptores *toll-like* em monócitos, macrófagos e neutrófilos provocando a ativação celular e liberação de citocinas pró-inflamatórias como TNF-alfa e interleucina-6 (IL-6), além de ativação do sistema complemento representando a primeira linha de defesa do sistema imunológico.

A resposta imune adaptativa ou específica para cada microrganismo é desenvolvida a partir do gatilho inflamatório representado pela imunidade inata e funciona de maneira complementar, amplificando-a. Mediada por linfócitos B, os quais produzem e liberam as imunoglobulinas na circulação, responsáveis pela opsonização ou sinalização do patógeno, facilitando a sua inativação por neutrófilos e macrófagos teciduais. Linfócitos *T-helper* 1 secretam citocinas pró-inflamatórias, que refinam os mecanismos de defesa do sistema imune inato e linfócitos *T-helper* 2 secretam citocinas anti-inflamatórias (IL-4, IL-6), necessárias no controle e resfriamento da cascata inflamatória.

A ativação extensa de mediadores pró-inflamatórios pelo sistema imune inato tem papel significativo no estabelecimento do estado de choque circulatório e sua progressão, desempenhando também papel fundamental na lesão e disfunção orgânica relacionada ao choque séptico. Nos pacientes que sobrevivem ao insulto inicial, segue-se uma forte resposta compensatória de características imunossupressoras mediada por linfócitos *T-helper* 2 e acompanhada de apoptose de linfócitos B, linfócitos T CD4+ e células do epitélio intestinal e pulmonar.

Nesse momento, o paciente encontra-se com maior predisposição ao desenvolvimento de infecções secundárias, como pneumonia, infecção da corrente sanguínea por transposição bacteriana espontânea a partir da mucosa intestinal, que contribuem para a alta mortalidade dos pacientes que desenvolveram choque séptico.

Microcirculação

A principal função da microcirculação é o aporte de oxigênio e nutrientes, sendo de papel fundamental na sobrevivência celular e manutenção da função orgânica.

Células endoteliais desempenham um papel central no sistema de controle do funcionamento da microcirculação por regular a trombose e fibrinólise microvascular, a adesão e migração leucocitária, o tônus arteriolar, a permeabilidade e o recrutamento capilar.

Uma das principais substâncias envolvidas neste mecanismo de fluxo microcirculatório é o óxido nítrico (NO). A presença de NO ativa a enzima guanilato ciclase, que estimula a produção de monofosfato cíclico de guanosina, o qual apresenta um papel importante do relaxamento da musculatura lisa.

Os mecanismos autorregulatórios das células endoteliais na sepse ficam intensamente prejudicados. A ativação da enzima óxido nítrico sintase induzida não é homogênea, permitindo áreas de vasodilatação com presença de NO e áreas com sofrimento microvascular por desvio do fluxo sanguíneo e shunt arteriovenoso. Juntamente com as alterações nas vias de sinalização intra e extracelulares, perda da comunicação eletrofisiológica intercelular, perda da sensibilidade adrenérgica e tônus nas células musculares lisas culminando no distúrbio microvascular.

O processo inflamatório secundário à sepse é responsável pela ativação de neutrófilos presentes na circulação. Nesse contexto, os polimorfonucleares passam a apresentar maior facilidade de adesão ao endotélio vascular para a migração tecidual, além de liberar radicais livres que causam dano às células endoteliais, provocando alteração da permeabilidade capilar e edema intersticial com consequente comprometimento da oxigenação celular e disfunção mitocondrial. Esse processo também aumenta a adesão de leucócitos e hemácias ao endotélio vascular e propicia um estado pró-coagulante na microcirculação.

Acontecimentos como distúrbio da microcirculação, aumento da permeabilidade dos vasos e liberação de citocinas também ocorre em âmbito neural. Assim, vasos sanguíneos que suprem nervos periféricos sofrem com a ação inflamatória da sepse gerando o edema neural, hipóxia e degeneração axonal, levando o doente a desenvolver alterações de fibras sensitivas e motoras que, em associação a outros fatores presentes na sepse, podem desenvolver o quadro de polineuropatia.

Os distúrbios da microcirculação são característicos do quadro séptico e sua permanência pode persistir mesmo após o tratamento adequado da macro-hemodinâmica, dessa forma a hipóxia tecidual pode existir mesmo com parâmetros hemodinâmicos adequados. Assim valores de pressão arterial sistêmica, pressão venosa central, pressão de oclusão da artéria pulmonar, débito cardíaco e diurese não são fidedignos quando se trata de alterações da microcirculação. Um método que vem sendo empregado para constatar a redução de perfusão em pequenos vasos (< 20 mm) é o OPS (*orthogonal polarization spetral imaging*), o qual já demonstrou que alterações no fluxo microvascular sublingual são mais severas em indivíduos não sobreviventes em comparação aos sobreviventes, sendo essas alterações consideradas melhores preditores de mortalidade em relação ao lactato e parâmetros macro-hemodinâmicos.

Desse modo, o desequilíbrio entre oferta e consumo de oxigênio presente na sepse pode ocorrer por redução do consumo, em virtude de disfunções mitocondriais ou por redução na oferta decorrentes das alterações microcirculatórias.

Ventilação Mecânica na Sepse

Pacientes sépticos frequentemente evoluem com algum grau de comprometimento respiratório. Isso resulta do processo inflamatório vigente nessa doença, que ocasiona alteração de permeabilidade capilar, extravasamento de líquido para o interstício pulmonar com consequente colapso das unidades alveolares. Esse mecanismo fisiopatológico é o principal responsável pelo desenvolvimento da insuficiência respiratória aguda hipoxêmica (IRpAH) e, nos casos mais graves, da síndrome do desconforto respiratório agudo (SDRA).

Sendo assim, o suporte pressórico se faz necessário nesses pacientes, sendo sob a forma de ventilação mecânica não invasiva (VMNI) ou ventilação mecânica invasiva (VMI). Cabe salientar que a ventilação artificial, por sí só, pode ocasionar lesões ao tecido pulmonar, agravando ainda mais o quadro respiratório.

Dessa forma, traçar a estratégia ventilatória adequada é crucial para redução da morbimortalidade e deve ser planejado com o objetivo de prevenir e/ou minimizar a lesão induzida pela ventilação mecânica, sendo as mais frequentes as lesões por altos volumes ocasionando hiperdistensão alveolar, lesões por altas pressões alveolares e as forças de cisalhamento, que ocorrem simultaneamente durante os ciclos respiratórios; e favorecer a manutenção das unidades alveolares maximizando desta forma a oxigenação.

Diversos estudos foram realizados para identificar a melhor técnica ventilatória. A estratégia protetora tem se mostrado eficaz na redução da mortalidade, sendo esta a opção de 1ª escolha para tratar pacientes que evoluem com SDRA. Seu objetivo é prevenir as lesões por altos volumes e altas pressões por meio do uso de baixos volumes correntes (< 6 mL/Kg do peso corporal predito) associado à manutenção da pressão de platô < 30 cmH_2O.

A utilização de níveis mais altos de pressão positiva ao final da expiração (PEEP, do inglês *positive end expiratory pressure*) tem sido bastante associada à redução do colapso alveolar ao final da expiração, minimizando e/ou prevenindo as forças de cisalhamento. A manutenção das unidades alveolares abertas permite melhor participação nas trocas gasosas, favorecendo a redução da fração inspirada de oxigênio (FiO_2), evitando assim sua toxicidade.

Uma importante metanálise demonstrou redução na mortalidade em pacientes que utilizavam PEEP alta associada a volumes correntes baixos em pacientes com SDRA moderada a grave, não havendo o mesmo benefício em pacientes com SDRA leve.

Apesar de a estratégia protetora associada a altos níveis de PEEP ser amplamente difundida e apoiada por inúmeros estudos, ajustes individuais de volume corrente e PEEP deverá ser considerados para atender objetivos clínicos vitais. Características singulares de cada paciente, tais como acidose metabólica grave e diminuição da complacência do compartimento toracoabdominal, podem exigir manipulação adicional dos volumes correntes e manutenção da pressão de platô > 30 cmH_2O, dificultando a instituição padronizada dessa estratégia.

Dessa forma, ajustes isolados dos componentes que constituem a estratégia protetora determinam um importante desafio na prática clínica. Ensaios clínicos demonstraram respostas conflitantes quando há necessidade de manipular separadamente esses componentes, pois a otimização de um pode afetar negativamente o outro. Nesses casos, a questão parece estar em prever quais índices estão mais intensamente associados a uma redução de mortalidade.

Um estudo recente demonstrou que normalizar o volume corrente de acordo com a complacência do sistema respiratório (Csr) poderia proporcionar melhor preditor de lesão pulmonar do que utilizar o volume corrente pelo peso corporal predito. Para tal, é utlizado um índice que determina o tamanho do pulmão funcional (proporção do pulmão aerado, disponível para ventilação), denominado *driving pressure* ($\Delta P = Vt/Csr$), e pode ser rotineiramente calculado como Pplatô – PEEP.

A lógica de se avaliar esse índice está em quantificar o processo de estiramento imposto pela ventilação mecânica nas unidades alveolares preservadas. Dessa forma, a manutenção de uma $\Delta P < 16$ cmH_2O está relacionada a uma menor lesão pulmonar do que utilizar apenas baixos volumes correntes.

A avaliação dos dados individuais de 3.562 pacientes demonstrou que o ΔP foi superior em estratificar o risco em relação aos componentes individuais da estratégia protetora. O volume corrente foi um forte preditor de mortalidade apenas quando normalizado para a Csr, mas não quando normalizado pelo peso corporal predito. Pacientes com aumento da pressão de platô, apresentaram aumento da mortalidade apenas quando associados a um ΔP elevados. Da mesma forma, os efeitos protetores da PEEP foram observados apenas quando associados a uma redução do ΔP.

Sendo assim, é necessário avaliar a capacidade do pulmão funcional mantendo-se uma *driving pressure* < 16 cmH_2O e deve ser associada a estratégia protetora, com o intuito de minimizar as lesões induzidas pela ventilação mecânica. A cabeceira deve se manter elevada em pelo menos 30° a 45°, para favorecer a mecânica pulmonar e prevenir a pneumonia associada à ventilação mecânica. Havendo reversão da causa base, um protocolo de desmame deverá ser instituído.

Apesar de os benefícios da VMNI ser amplamente reconhecidos, não existem estudos que relatem os efeitos dessa terapia especificamente na população séptica. Sendo assim, os dados apresentados provêm de estudos em pacientes com IRpA, que incluem pacientes sépticos, porém sem análise isolada dessa população.

Estudos realizados com o objetivo de avaliar os benefícios da VMNI em pacientes hipoxêmicos, obtiveram resultados conflitantes. Restringindo essa terapia a pequenos grupos de pacientes com menor gravidade. As variáveis que caracterizam esse grupo são pacientes facilmente despertáveis, com boa tolerância à máscara de não invasiva, estáveis hemodinâmicamente, com capacidade de manter vias aéreas pérveas, sendo o fator mais importante a capacidade de reverter rapidamente a causa base.

Identificar fatores que predizem a falha está intimamente relacionado à redução da mortalidade. Pois da mesma forma que a terapia precoce com a VMNI está associada a menores complicações e tempo de internação, a falha está associada ao aumento do uso da VMNI. Alguns estudos demonstraram que pacientes com SDRA moderado a grave, idade > 40 anos, acidose metabólica, choque e persistência da relação $PaO_2/FiO_2 < 200$ mmHg, após 1 hora de tratamento, tiveram maior probabilidade de insucesso.

Sendo assim, o sucesso da terapia dependerá da avaliação das variáveis que caracterizam o paciente hipoxêmico. O raciocínio implica testar a VMNI em grupos de menor gravidade, com reavaliação a cada 30 minutos, devendo estar sempre atento aos sinais de insucesso. Nos casos em que não houver estabilização do quadro respiratório, deve-se optar pela intubação orotraqueal (Figura 13.1).

Exercício Físico na Sepse

No âmbito hospitalar, pacientes sépticos evoluem com novas incapacidades físicas, independentemente do estado funcional prévio à internação. Ocorre a produção excessiva de citocinas pró-inflamatórias que geram radicais livres, além de redução da síntese protéica e aumento da degradação proteolítica induzindo a miopatia que, associada ao repouso no leito, entre outros fatores, pode contribuir para a polineuromiopatia do doente crítico. Ao mesmo tempo, o paciente

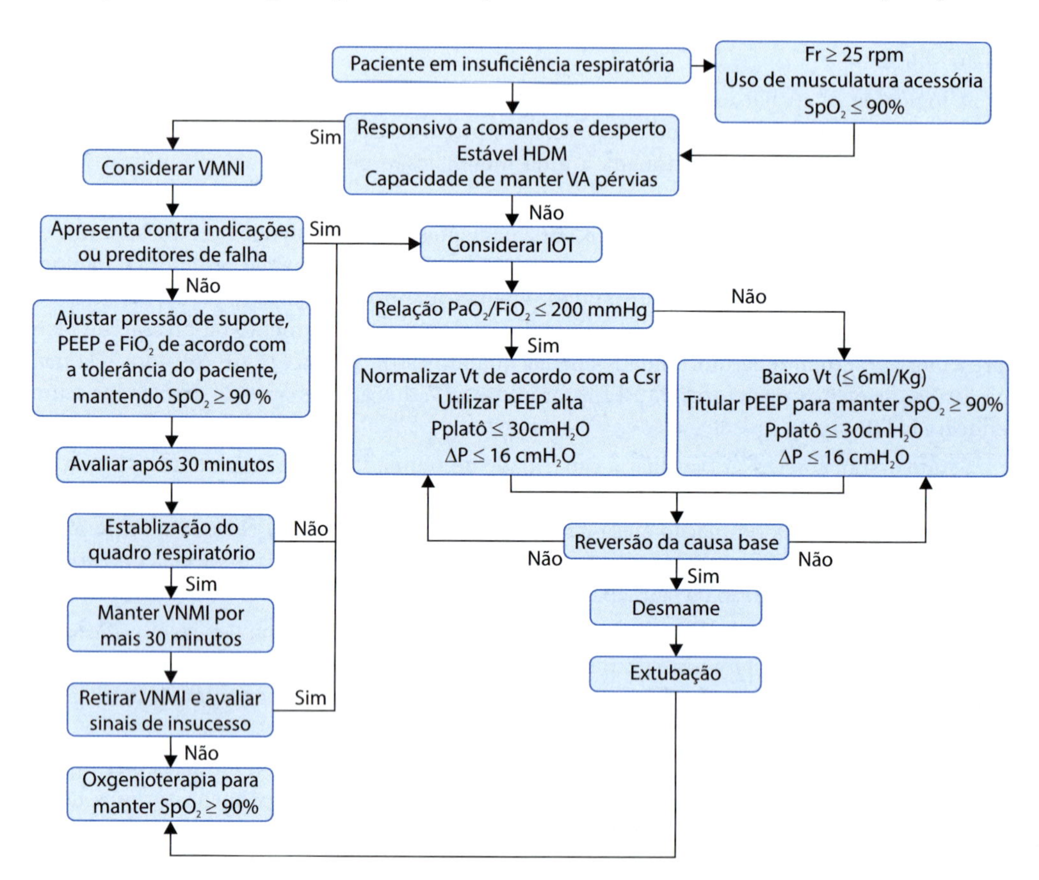

Figura 13.1 – Algoritmo de ventilação mecânica na sepse. Csr: complacência estática; FiO_2: fração inspirada de oxigênio; Fr: frequência respiratória; HDM: hemodinamicamente; IOT: intubação orotraqueal; PaO_2: pressão arterial de oxigênio; Pplatô: pressão de platô; PEEP: *positive end expiratory pressure;* ΔP: *driving pressure*; SpO_2: saturação periférica de oxigênio; VA: vias aéreas; VMNI: ventilação mecânica não invasiva; Vt: volume-corrente. Fonte: Elaborado pela autora. Nota: para este capítulo foi utilizada a definição atualizada de Berlim: SDRA leve, moderada e grave (relação PaO_2/FiO_2 < 300, < 200 e < 100 mmHg, respectivamente).

apresenta piora do componente cognitivo e da qualidade de vida. Logo, a reabilitação física pode promover benefícios em relação a essas alterações, evitando que persistam por um longo período após a alta hospitalar.

Diferentes estudos já demonstraram benefícios da fisioterapia precoce em pacientes críticos, como a diminuição de efeitos deletérios relacionados à inatividade física, redução do tempo de internação na UTI e no hospital, como também do tempo de permanência em ventilação mecânica (VM), ganho no estado funcional e melhoria na qualidade de vida. Contudo, são escassas as pesquisas que relacionam a prática de mobilização precoce em pacientes especificamente sépticos. Dessa forma, faz-se necessária a análise da literatura atual para desenvolver estratégias adequadas e promover melhora do atendimento a esta população.

Kayambu e colaboradores (2015), em um estudo piloto controlado randomizado, realizaram a reabilitação precoce somente em pacientes com sepse, sepse grave e choque séptico aplicando mobilização passiva, ativa e resistida, eletroestimulação neuromuscular transcutânea (ENMT), ortostatismo passivo com prancha ortostática, treino de transferências e de equilíbrio, sedestação, marcha estacionária e deambulação com o intuito de investigar o efeito dessas estratégias na capacidade física, qualidade de vida e mortalidade, além de desfechos secundários.

Os pesquisadores utilizaram como métodos de avaliação da função física, da capacidade de exercício e da força muscular global, o *Acute Care Index of Function* (ACIF), o *Physical Function ICU Test* (PFIT) e o *Medical Research Council Muscle Score* (MRC), respectivamente. Também aplicaram para a qualidade de vida o *Short Form 36 Health Survey* (SF-36).

A partir disso, demonstraram significância estatística no grupo intervenção quanto à melhoria na qualidade de vida em relação aos domínios da função física e aspectos físicos, em 6 meses após alta hospitalar. Além de aumento da citocina anti-inflamatória, IL-10. Não houve diferença significativa quanto a duração da ventilação mecânica; tempo de permanência hospitalar; readmissão na UTI; mortalidade; função física, capacidade de exercício e força muscular global na UTI; citocina pró-inflamatória (IL-6); concentração de lactato sanguíneo e nível de ansiedade. Contudo, trata-se de uma amostra pequena e a avaliação da função física não foi aplicada a longo prazo.

Seguindo pela mesma linha de raciocínio, Sossdorf e colaboradores (2013) analisaram retrospectivamente intervenções fisioterapêuticas como mobilização passiva ou ativa, exercícios em membros, posicionamento e exercícios respiratórios em 999 pacientes com sepse grave e choque séptico, constatando que 77% receberam atendimento, com média de 4 dias entre a admissão na UTI e a primeira sessão, além de ausência de efeitos adversos durante a terapia. Ademais, a frequência de atendimentos foi associada com melhores resultados, porém não foi possível identificar melhora na sobrevida desses pacientes.

Alguns estudos que abordavam pacientes sépticos, utilizaram-se da bicicleta ergométrica, como estratégia, para realizar exercício passivo chegando a evoluir até a bipedestação e deambulação, conforme colaboração do paciente. Para realizar uma avaliação funcional dos pacientes utilizou-se, também, Functional Independence Measure (FIM) para quantificar o estado funcional, Barthel Index (BI) para verificar o nível de independência para atividades de vida diária, dinamometria para constatar a força de preensão manual e isométrica de quadríceps, Berg Balance Scale (BBS) para quantificar o equilíbrio para se levantar de uma cadeira, Functional Ambulation Categories (FAC) para avaliar a autonomia durante a caminhada e Six Minute Walk Test (6MWT) para verificar a distância percorrida. Outras ferramentas podem ser utilizadas para avaliar e prescrever atividades funcionais e de mobilidade nas unidades de terapia intensiva são elas: ICU Mobility Scale (IMS), FSS ICU Mobility Scale (IMS), Function al Status Score (FSS-ICU), The PermeIntensive Care Unit Mobility Score, Physical Function I

CU Test (PFIT) e Chelsea Critical Care Physical Assessment tool (CPAx). Cada uma com sua particularidade e aplicabilidade.

Já esta comprovado por meio de estudos que as intervenções realizadas são viáveis e seguras. Assim, vasopressores e suporte ventilatório não são considerados contraindicações para mobilização de pacientes com este perfil. O exercício passivo não demonstrou alterações nos parâmetros hemodinâmicos, e podem gerar benefícios diminuição dos dias com *delirium*, da dependência da VM, do tempo de internação hospitalar e na UTI e dos níveis de citocinas pró-inflamatórias, além de melhores resultados funcionais.

Por sua vez, a eletroestimulação neuromuscular (EENM) em pacientes críticos parece estar associada a menor perda de massa muscular. No entanto, os resultados adquiridos em vigência de quadro séptico são passíveis de discussão por causa da diversidade de protocolos aplicados e das formas de avaliação da massa e força muscular.

Um estudo randomizado de Poulsen e colaboradores (2011) realizou EENM em oito pacientes com choque séptico durante 7 dias. A estimulação ocorreu no vasto medial e lateral de um dos membros inferiores por 60 minutos, uma vez ao dia, sendo o outro membro alocado no grupo controle. A largura de pulso foi de 300 milisegundos (μs), a frequência de 35 Hz, o tempo *on* 4 segundos e o tempo *off* 6 segundos e a intensidade variaram para que houvesse contração muscular visível. Após tomografia computadorizada (TC) não foi constatada diferença de massa muscular entre os membros. Contudo, a amostra do estudo era pequena e não houve avaliação de força muscular para correlacionar com os resultados obtidos.

Já Rodriguez e colaboradores (2012) aplicaram a EENM em 14 pacientes com choque séptico até o dia de extubação (13 dias), duas vezes ao dia durante 30 minutos nos músculos bíceps braquial e vasto medial de um hemicorpo, sendo o outro hemicorpo considerado controle. Os parâmetros ajustados foram largura de pulso de 300 μs, frequência de 100 Hz, tempo *on* de 2 segundos e tempo *off* de 4 segundos, sendo a intensidade variável para obter contração visível. Foi utilizado ultrassom para avaliar a espessura do bíceps braquial, que não apresentou diferença significativa. Também foi aplicado o MRC que demonstrou aumento significativo da força muscular de bíceps e quadríceps em comparação ao dimídio não estimulado.

Outros estudos que continham pacientes sépticos em sua amostra realizaram eletroestimulação por 55 minutos variando de 7 dias até alta da UTI, nos músculos quadríceps e fibulares bilateralmente, ajustando largura de pulso de 400 μs, frequência de 45 Hz, tempo *on* de 12 segundos e tempo *off* de 6 segundos, com intensidade necessária para atingir contração visível. Por fim, concluíram melhora da força muscular, preservação da massa muscular e diminuição do tempo de desmame e permanência na VM.

Dessa forma, a variação dos parâmetros de modulação da EENM pode ser um dos motivos para os estudos apresentarem diferentes desfechos, pois esse aspecto pode gerar graus distintos de fadiga muscular. Alguns autores demonstraram que estimulação com baixa e média frequência (15 a 30 Hz) ocasiona níveis reduzidos de fadiga. Já com relação à largura de pulso, a de média duração (150 μs) está associada com menor grau de fadiga e a de longa duração (300 a 600 μs) com máximo recrutamento de unidades motoras e, assim, pode-se obter melhora do desempenho muscular durante as contrações repetidas. Com relação ao ciclo de trabalho é indicada a proporção de 1:2, exemplo 4 segundos *on* e 8 segundos *off* e sobre a duração da estimulação, o tempo é variável de 30 minutos a 1 hora, contudo programas de 2,5 horas/semana apresentam benefícios positivos. Além disso, a intensidade para obter contração visível em pacientes sépticos necessita ser mais elevada em relação a indivíduos saudáveis, já que há redução da excitabilidade da membrana muscular.

Portanto, ao constatar todos esses dados conclui-se que a fisioterapia motora é viável e segura para os pacientes sépticos, trazendo diversos benefícios durante a internação e após alta hospitalar. Há a necessidade de ser aplicada rotineiramente nos ambientes de terapia intensiva e é de suma importância avaliar o quadro clínico de forma individual, levando em conta o nível de consciência, colaboração, estabilidade hemodinâmica e respiratória para compreender quando e qual terapia será mais adequada considerando os riscos, benefícios, efeitos e eficácia de modo a não agravar o estado desses pacientes (Figura 13.2).

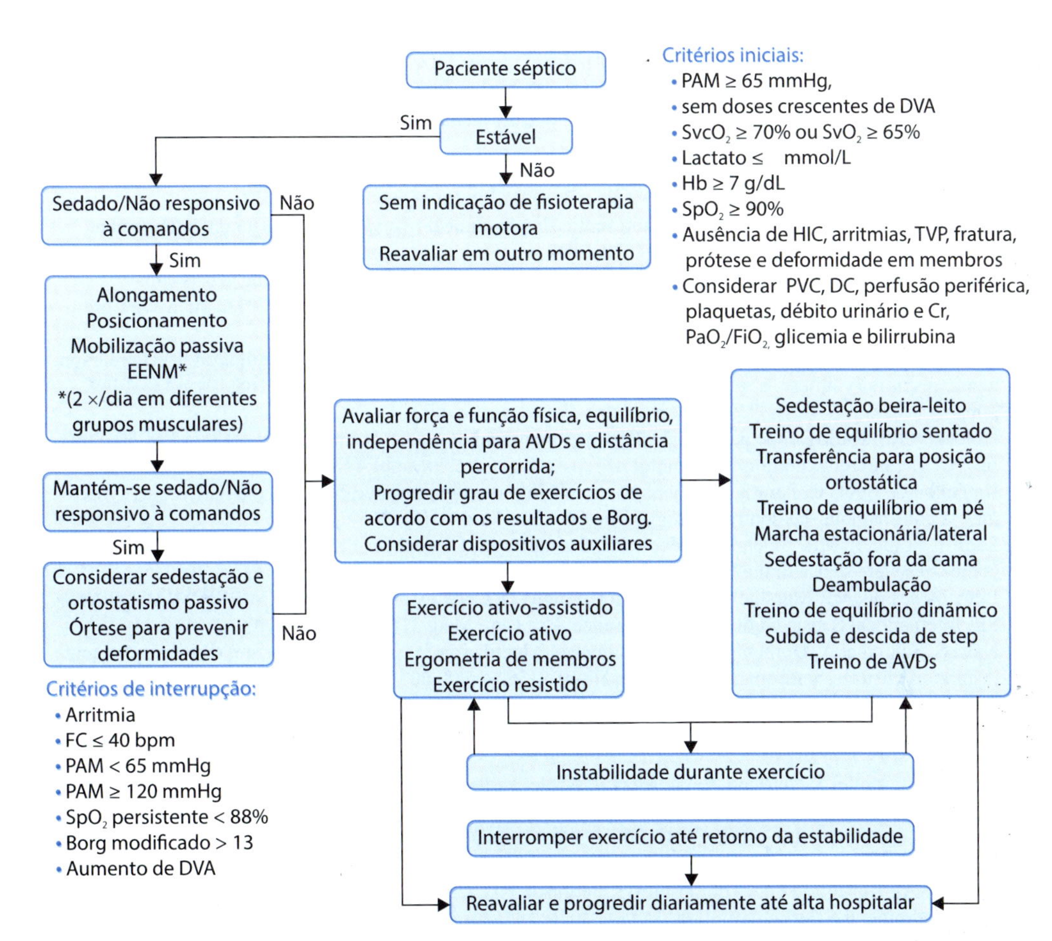

Figura 13.2 – Algoritmo de exercício físico na sepse. AVDs: atividades de vida diária; Cr: creatinina; DC: débito cardíaco; DVA: droga vasoativa; EENM: eletroestimulação neuromuscular; FiO_2: fração inspirada de oxigênio; FC: frequência cardíaca; Hb: hemoglobina; HIC: hipertensão intracraniana; PAM: pressão arterial média; PaO_2: pressão arterial de oxigênio; PVC: pressão venosa central; SpO_2: saturação periférica de oxigênio; $SvcO_2$: saturação venosa central de oxigênio; SvO_2: saturação venosa de oxigênio; TVP: trombose venosa profunda. Fonte: elaborado pela autora.

Leitura Recomendada

1. Angus DC, van der Poll T. Severe sepsis and septic shock. N Engl J Med, 369(9):840-851, 2013.
2. Amato MBP, Barbas CSV, Medeiros DM, Magaldi RB, Schettino GP, Lorenzi GF, et al. Effect of a protective-ventilation strategy on mortality in the acute respiratory distress syndrome. N Engl J Med, 338:347-54, 1998.
3. Amato MBP, Meade MO, Slutsky AS, Brochard L, Costa ELV, Schoenfeld DA, et al. Driving pressure and survival in the acute respiratory distress syndrome. N Engl J Med, 372:747-55, 2015.
4. Amidei C, Sole ML. Physiological responses to passive exercise in adults receiving mechanical ventilation. AJCC, 22(4): 337-348, 2013.
5. Antonelli M, Conti G, Rocco M, Bufi M, De Blasi RA, Vivino G, et al. A comparison of noninvasive positive-pressure ventilation and conventional mechanical ventilation in patients with acute respiratory failure. New Engl J Med, 339(7): 429-435, 1998.
6. Briel M, Meade M, Mercat A, Brower RG, Talmor D, Walter SD, et al. Higher vs lower positive end-expiratory pressure in patients with acute lung injury and acute respiratory distress syndrome: Systematic review and meta-analysis. JAMA, 303(9):865-873, 2010.
7. Bugedo G, Bruhn A, Regueira T, Romero C, Retamal J, Hernández G. Positive end-expiratory pressure increases strain in patients with ALI/ARDS. Rev Bras Ter Intensiva, 24(1):43-51. 2012.
8. Cawcutt KA, Peters SG. Severe sepsis and septic shock: clinical overview and update on management. Mayo Clinic Proceedings, 89(11):1572-1578, 2014.
9. Dellinger RP, Levy MM, Rhodes A, Annane D, Gerlach H, Opal SM, et al. Surviving sepsis campaign: international guidelines for management of severe sepsis and septic shock, 2012. Intensive Care Med, 39(2):165-228. 2013.
10. Ferrer M, Esquinas A, Leon M, Gonzalez G, Alarcon A, Torres A. Noninvasive ventilation in severe hypoxemic respiratory failure: a randomized clinical trial. Am J Respir Crit Care Med, 168(12): 1438-1444, 2003.
11. Hotchkiss RS, Karl IE. The pathophysiology and treatment of sepsis. N Engl J Med, 348(2):138-50, 2003.
12. Ince C. The microcirculation is the motor of sepsis. Crit Care, 9(Suppl 4):S13-S19, 2005.
13. Kayambu G, Boots R, Paratz J. Early physical rehabilitation in intensive care patients with sepsis syndromes: a pilot randomised controlled trial. Intensive Care Med, 41(5): 865-74, 2015.
14. Lagu T, Rothberg MB, Shieh MS, Pekow PS, Steingrub JS, Lindenauer PK. Hospitalizations, costs, and outcomes of severe sepsis in the United States 2003 to 2007. Crit Care Med, 40:754-761. 4, 2012.
15. Levy MM, Fink MP, Marshall JC, Abraham E, Angus D, Cook D, et al. 2001 SCCM/ESICM/ACCP/ATS/SIS International Sepsis Definitions Conference. Crit Care Med, 31(4): 1250-6, 2003.
16. Nava S, Schreiber A, Domenighetti G. Noninvasive ventilation for patients with acute lung injury or acute respiratory distress syndrome. Respir Care, 56(10): 1583-1588, 2011.
17. Pires-Neto RC, Kawaguchi YMF, Hirota AS, Fu C, Tanaka C, Caruso P, et al. Very early passive cycling exercise in mechanically ventilated critically Ill patients: physiological and safety aspects - a case series. Plos One, 8(9): 1-7, 2013.
18. Poulsen JB, Moller K, Jensen CV, Weisdorf S, Kehlet H, Perner A. Effect of transcutaneous electrical muscle stimulation on muscle volume in patients with septic shock. Crit Care Med, 39(3): 456-461, 2011.
19. Rana S, Jenad H, Gay PC, Buck CF, Hubmayr RD, Gajic O, et al. Failure of non-invasive ventilation in patients with acute lung injury: observational cohort study. Crit Care, 10(3):R79, 2006.
20. Ranieri VM, Rubenfeld GD, Thompson BT, Ferguson ND, Caldwell E, Fan E, et al. Acute respiratory distress syndrome: the Berlin definition. JAMA, 307(23):2526–33, 2012.
21. Rodriguez PO, Setten M, Maskin LP, Bonelli I, Vidomlansky SR, Attie S, et al. Muscle weakness in septic patients requiring mechanical ventilation: protective effect of transcutaneos neuromuscular electrical stimulation. J Crit Care, 27(3): 319.e1-8, 2012.
22. Schweickert WD, Pohlman MC, Pohlman AS, Nigos C, Pawlik AJ, Esbrook CL et al. Early physical and occupational therapy in mechanically ventilated, critically ill patients: a randomised controlled trial. Lancet, 373(9678): 1874-82, 2009.
23. Sepse: um problema de saúde pública / Instituto Latino-Americano de Sepse. Brasília: CFM, 2015. 90 p.
24. Seymour CW, Liu VX, Iwashyna TJ, et al. Assessment of clinical criteria for sepsis: for the Third International Consensus Definitions for Sepsis and Septic Shock (Sepsis-3). JAMA. Disponível em: <http://jamanetwork.com/journals/jama/fullarticle/2492875>.
25. Shankar-Hari M, Phillips GS, Levy ML, et al. Developing a new definition and assessing new clinical criteria for septic shock: for the Third International Consensus Definitions for Sepsis and Septic Shock (Sepsis-3). JAMA. Disponível em: <http://jamanetwork.com/journals/jama/fullarticle/2492876>.

26. Singer M, Deutschman CS, Seymour CW, et al. The Third International Consensus Definitions for Sepsis and Septic Shock (Sepsis-3). JAMA. Disponível em: <http://jamanetwork.com/journals/jama/fullarticle/2492881>.
27. Sossdorf M, Otto GP, Menge K, Claus R, Losche W, Kabisch B, et al. Potential effect of physiotherapeutic treatment on mortality rate in patients with severe sepsis and septic shock: a retrospective cohort analysis. J Crit Care, 28(6):954-958, 2013.
28. Taniguchi LU, Bierrenbach AL et al. Sepsis-related deaths in Brazil: an analysis of the national mortality registry from 2002 to 2010. Critical Care, 18:608, 2014.
29. Wageck B, Nunes GS, Silva FL, Damasceno MC, de Noronha M. Application and effects of neuromuscular electrical stimulation in critically ill patients: systematic review. Med Intensiva, 38(7): 444-54, 2014.
30. Castro-Avila AC, Serón P, Fan E, Gaete M, Mickan S. Effect of Early Rehabilitation during Intensive Care Unit Stay on Functional Status: Systematic Review and Meta-Analysis. PLoS One. 2015 Jul 1;10(7):e0130722.
31. Hodgson C, Needham D, Haines K, Bailey M, Ward A, Harrold M, et al. Feasibility and inter-rater reliability of the ICU Mobility Scale.Heart Lung. 2014 Jan-Feb;43(1):19-24.
32. Thrush A, Rozek M, Dekerlegand JL. The clinical utility of the functional status score for the intensive care unit (FSS-ICU) at a long-term acute care hospital: a prospective cohort study.Phys Ther. 2012 Dec;92(12):1536-45.
33. Perme C, Nawa RK, Winkelman C, Masud F.A Tool to Assess Mobility Status in Critically Ill Patients: The Perme Intensive Care Unit Mobility Score.Methodist Debakey Cardiovasc J. 2014;10(1):41-9.
34. Skinner EH, Berney S, Warrillow S, Denehy L. Development of a physical function outcome measure (PFIT) and a pilot exercise training protocol for use in intensive care unit. Crit Care and Resusc. 2009;11(2):110-115.
35. Corner EJ, Soni N, Handy JM, Brett SJ. Construct validity of the Chelsea critical care physical assessment tool: an observational study of recovery from critical illness. Critical Care. 2014;18(2):R55.
36. Parry SM, Denehy L, Beach LJ, Berney S, Williamson HC, Granger CL. Functional outcomes in ICU – what should we be using? - an observational study. Critical Care. 2015;19(1):127.

Capítulo

14

Queimados

Caio Henrique Veloso da Costa
Rodrigo Pereira Luiz

Introdução

A queimadura pode ser conceituada como uma lesão térmica e coagulativa de uma ou mais camadas da pele causada por diversos agentes agressores.

Pode ser classificada de acordo com a profundidade:

- 1º Grau: lesão da epiderme; tem como característica vermelhidão e dor intensa;
- 2º Grau: lesão da epiderme e partes de derme; apresenta dor variável e presença de bolhas; é subdividida em superficial e profunda;
- 3º Grau: lesão de todas as camadas da pele; indolor e de apresentação esbranquiçada.

Quanto à extensão, o cálculo é realizado pelo método de Lund e Browder (forma mais acurada de avaliação, leva em consideração as proporções corpóreas relacionadas com a idade), podendo também ser feito pela regra dos 9 (em que cada segmento do corpo representa 9% de superfície corpórea), porém esse método tende a superestimar a extensão da lesão. O cálculo da extensão segundo a regra dos 9 é feito da seguinte forma:

- Pequeno queimado: menos de 10% de superfície corpórea queimada (SCQ), com 1º ou 2º graus;
- Médio queimado: 10% a 20% da SCQ ou mão/pé/perineo ou 3º grau até 10% de SCQ;
- Grande queimado: acima de 20% da área da SCQ, ou > 10% de 3º grau ou qualquer extensão de queimadura elétrica, química ou por radiação.

Fisioterapia Motora

Esse perfil de doente tem a tendência de longos períodos de internação devido aos procedimentos cirúrgicos, que constituem seu principal tratamento. Consequentemente ao surgimento de novas formas de tratamento, a sobrevida desses pacientes aumentou, aumentando também a presença de morbidades como a fraqueza muscular (resultante do imobilismo induzido pelo próprio tratamento) e contraturas articulares, sendo um dos grandes objetivos da Fisioterapia evitar essas complicações. A fraqueza muscular e as deformidades têm um impacto funcional muito grande, sendo importante a abordagem precoce.

Posicionamento Terapêutico

O Serviço de Fisioterapia na Unidade de Tratamento de Queimaduras tem em sua abordagem inicial o posicionamento funcional já no momento da admissão, com ênfase na permanência de posturas articulares para reduzir edema, prevenir úlceras por pressão e contraturas articulares e, nos pós-operatórios, evitar as possíveis bridas futuras, dando destaque a posicionamento de ombros em no mínimo 90°, cotovelos em semiflexão, punhos semiestendidos e mãos em posição funcional, os membros inferiores devem manter-se alinhados ao quadril e com um coxim um pouco abaixo das panturrilhas para deixar o calcanhar livre e tornozelos em posição neutra (Figura 14.1 e Figura 14.2).

Órteses de posicionamento

Devido ao tratamento cirúrgico necessário, na maioria dos casos, o uso de órteses estáticas é muito importante. A enxertia é uma abordagem cirúrgica em que um fragmento de pele é transplantado para outro sítio, sendo a forma mais comum de tratamento o autoenxerto (o próprio paciente cede parte de sua pele). A área enxertada necessita de repouso absoluto, já que para integração ao

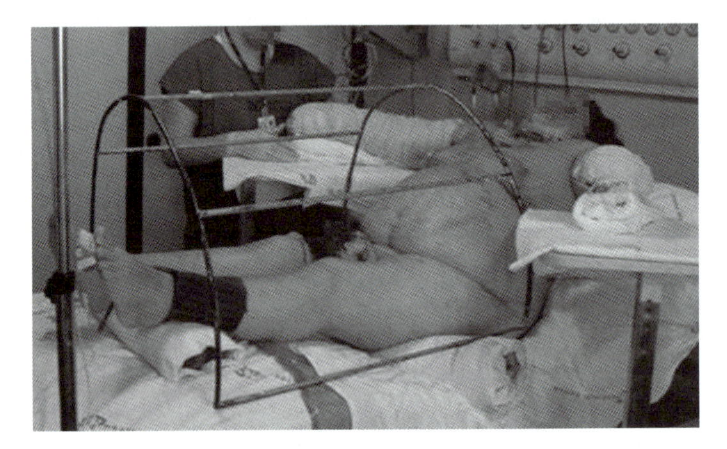

Figura 14.1 – Posicionamento funcional no leito no momento de admissão. Fonte: arquivo pessoal.

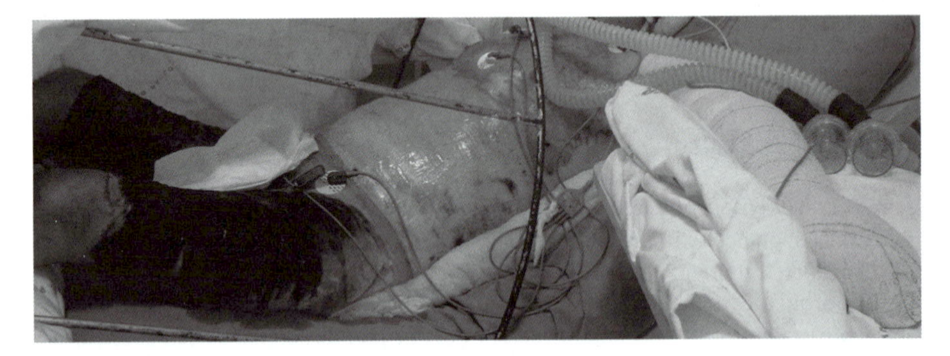

Figura 14.2 – Posicionamento funcional no leito, no pós-operatório, com áreas doadoras nas coxas e área cruenta em tronco, MMSS elevados e abduzidos, com arco de proteção para cobrir o paciente. Fonte: arquivo pessoal.

leito são necessários de 5 a 7 dias para adequada formação de leito vascular e integração. Nesses casos, são evitadas movimentações articulares onde houve o enxerto. Em áreas enxertadas que não sejam articulações, a movimentação pode ser feita e a descarga de peso, feita de maneira criteriosa e por volta do quinto dia pós-enxertia, já que essa área está protegida pelo curativo compressivo. Por causa da tendência de formação de contraturas articulares, a órtese estática evita que o paciente movimente a articulação enxertada, além de garantir pelo menos a amplitude de movimento que foi proporcionada pela órtese. Outro efeito dessa imobilização é a tensão gerada no enxerto, promove direcionamento para as fibras de colágeno que se deporão na nova pele. Devemos considerar outros traumas associados e possíveis cirurgias secundárias, como amputações de membros, traumatismo cranioencefálico (TCE), fraturas, entre outros e suas correções cirúrgicas (Figura 14.3).

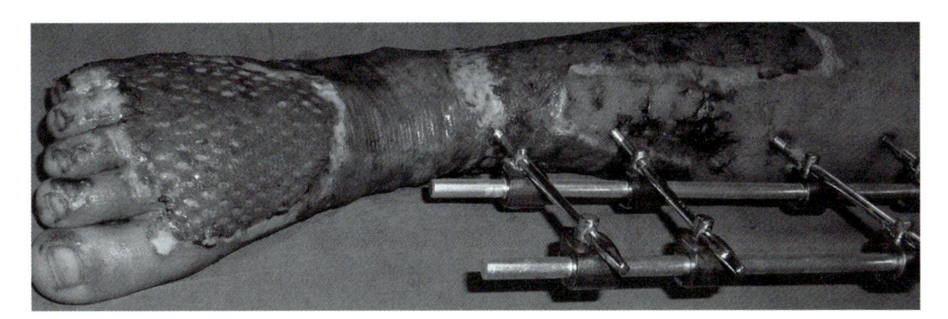

Figura 14.3 – Membro inferior direito com enxertia em retalho na perna e em malha em pé, com fixação externa em perna. Fonte: arquivo pessoal.

Cinesioterapia

A terapia física constitui a principal conduta do fisioterapeuta em uma unidade de tratamento de queimaduras. Os exercícios se iniciam o mais precocemente possível, respeitando a estabilidade clínica do paciente. Começam de forma passiva, progredindo para ativo de forma assistida; em seguida, sem carga; e, depois, com carga de acordo com a tolerância, colaboração e indicação do paciente. Exercícios de equilíbrio e treino de marcha também fazem parte da terapia.

O uso de terapia ergogênica e terapia nutricional adequada, frequentemente são necessários como adjuvantes da cinesioterapia, já que o quadro de fraqueza e de perda de massa muscular é comum nesse perfil de paciente. Os resultados do planejamento terapêutico dos exercícios em conjunto com o serviço de nutrição e dietética são muito interessantes.

Fisioterapia Respiratória

A fisioterapia respiratória junto à equipe multiprofissional é fundamental para o paciente queimado, as primeiras horas são primordiais para sobrevivência desses pacientes, devendo-se tomar algumas medidas especiais na sala de emergência e investigar lesão inalatória (LI). Nesse contexto, destacam-se os itens a seguir.

Anamnese

Os dados da história da queimadura associado aos sinais e sintomas podem levar a uma hipótese diagnóstica; deve-se considerar principalmente o tempo de exposição à fumaça, as condições do local do acidente (fechado ou aberto e ventilação), entre outros dados.

Sinais e sintomas

São diversos os sintomas que podem sugerir uma LI, os que mais se destacam são queimadura de face, presença de fuligem em vias aéreas, edema de face e glote, além de desconforto respiratório, que devemos sempre correlacionar com a anamnese do caso (p. ex.: em um explosão de frasco de álcool próximo à face da vítima e em local aberto, após apagar as chamas e não houver inalação de fumaça, o paciente poderá apresentar diversos sinais e sintomas, porém não haverá uma LI; assim como uma vítima pode não ter os sinais e sintomas e ter a LI, geralmente acidentes em locais fechados e não ventilados).

Exames complementares

Broncoscopia é o mais especifico e adequado exame para diagnosticar a LI, o raio X é fundamental para as infecções secundárias e possíveis complicações respiratórias, a tomografia computadorizada (TC) e ressonância nuclear magnética (RNM) são de alto custo e apresentam maior risco para o paciente, também serão verificadas gasometrias arteriais, hemogramas, culturas para controle de infecções, que são as principais causas de mortalidade dos pacientes queimados, entre outros exames.

Conduta Fisioterapêutica

Oxigenoterapia

Em pacientes queimados sem suspeita de LI, até a estabilização do quadro e resultados dos exames complementares devemos usar máscara de macronebulização de O_2 a 5 L/minuto, manter as vias aéreas pérvias e realizar manobras de higiene brônquica, quando indicadas, pois poderá haver acumulo de secreção com presença de fuligem.

Em pacientes com suspeita de LI e intoxicação por monóxido de carbono, deve-se desconsiderar o valor da oximetria de pulso periférico, pois o artefato curva não diferencia carboxi-hemoglobina de oxi-hemoglobina, podendo demonstrar falsos resultados de adequada oxigenação. Com o objetivo de diminuir o tempo da meia-vida da carboxi-hemoglobina que, em ar ambiente, seria de aproximadamente 5 horas, é recomendado instituir oxigenoterapia de alto fluxo (mais próximo de 100%) para que, assim, seja diminuída a meia-vida para aproximadamente 60 minutos. Após essa terapia de ataque, deve-se considerar outras patologias preexistentes como doenças pulmonar obstrutiva crônica (DPOC), doenças neuromusculares e outras em que é necessário evitar altos níveis de O_2.

Ventilação mecânica não invasiva – VMNI

Há contraindicação relativa do uso de VMNI em pacientes vítimas de trauma de face, assim como para o paciente queimado, a VMNI deverá ser utilizada com alguns cuidados especiais. Poderá ser aplicada de forma intermitente para evitar a formação de úlceras nos pontos de pressão (Figura 14.4), principalmente em locais de cartilagem, como em ponta de nariz e pavilhão auditivo. A interface deverá ser instalada sobre um curativo com a última camada seca (compressa ou gaze). Nos casos de pacientes com suspeita de intoxicação por monóxido de carbono, deverá ser associado com altas frações de oxigênio.

Torna-se uma contraindicação absoluta em paciente com LI e acometimento da região supraglótica em progressão, pois poderá retardar uma intubação orotraqueal (IOT) e dificultar ou até impedir, aumentando o risco de uma parada cardiorrespiratória (PCR) e ter de ser realizada uma traqueostomia (TQT)/cricotireoidostomia de urgência.

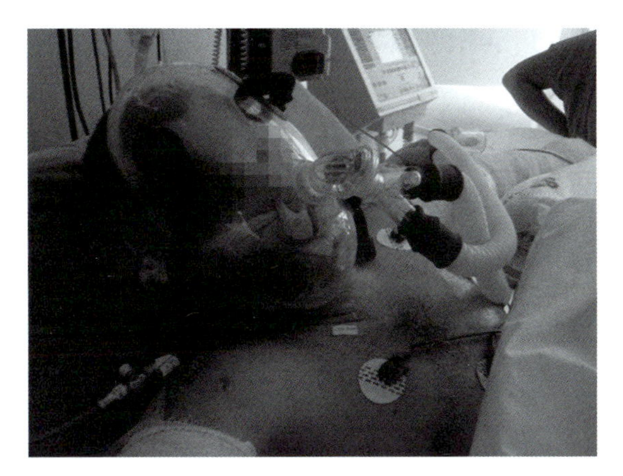

Figuras 14.4 – Paciente com VMNI com máscara facial total. Fonte: arquivo pessoal.

IOT e ventilação mecânica invasiva (VMI)

Considerar IOT com VMI em paciente com resposta inflamatória da região supraglótica ativa para poder preservar as vias aéreas e evitar a necessidade de TQT/cricotomia de urgência e PCR.

O manejo da VMI, quando houver suspeita de intoxicação por CO, deverá utilizar fração inspirada de O_2 (FiO_2) de 100%, menor tempo inspiratório e maior frequência respiratória, por 1 hora, tempo da carboxi-hemoglobina, com objetivo de eliminar mais dióxido de carbono (CO_2) e melhorar oxigenação e distribuição de O_2 para os tecidos.

Se o paciente apresentar piora repentina do quadro respiratório, com os parâmetros ajustados adequadamente, deve-se fazer uma avaliação criteriosa e intensiva e avaliar a possibilidade de queimaduras circulares em tórax e membros para eliminar os riscos de uma síndrome compartimental e descartar a necessidade de uma escarotomia em tórax e nos membros (Figura 14.5).

Considerando piora do quadro e possível desenvolvimento de uma síndrome do desconforto respiratório do adulto, deve-se utilizar estratégia protetora de ventilação, com volume-corrente baixo, de 4 a 6 mL/peso predito para o paciente, valores maiores de PEEP e manter valor menor de 30 cmH_2O de pressão de platô.

Após melhora do quadro respiratório e reversão da causa da IOT, deve-se programar desmame ventilatório.

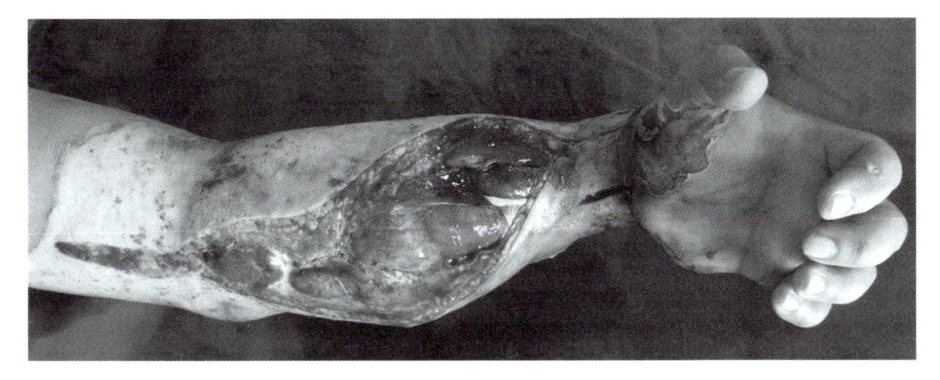

Figura 14.5 – Membro superior esquerdo com trauma elétrico e queimadura circular, realizada a escarotomia em razão de síndrome compartimental. Fonte: arquivo pessoal.

Fluxograma de atendimento de fisioterapia respiratória (Figura 14.6)

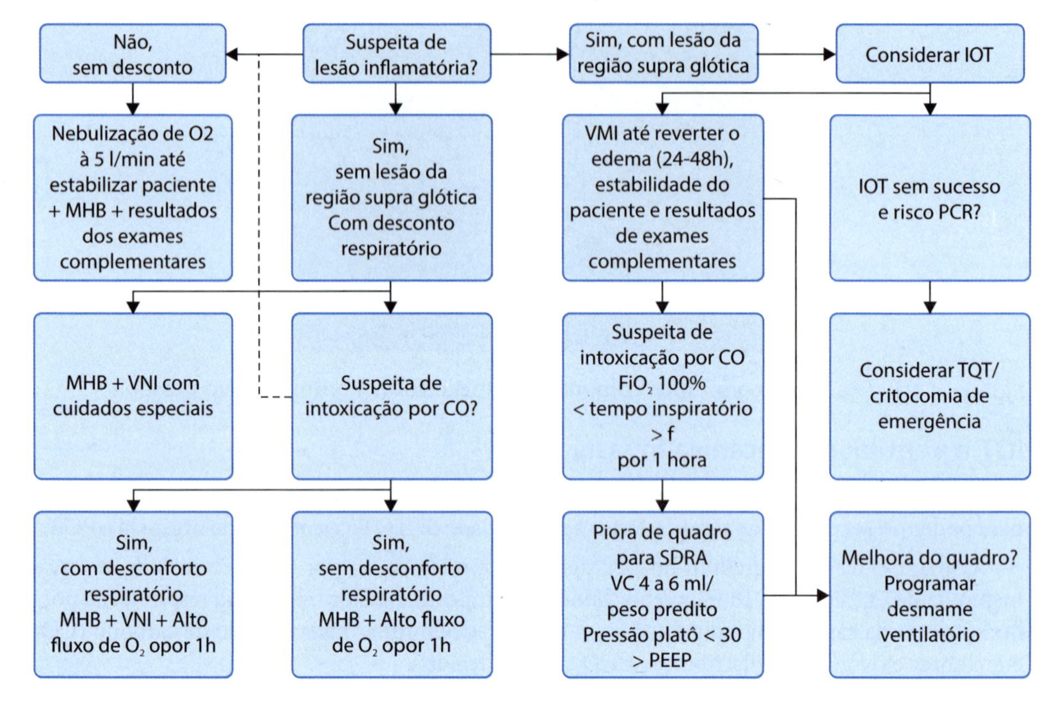

Figura 14.6 – Fluxograma de atendimento de fisioterapia respiratória.

Leitura Recomendada

1. Webb DC, Byrne M, Kolmus A, Law HY, Holland AE,Cleland H. Outcomes of a Shoulder Treatment Flowchart inPatients With Axillary Burns. Journal of Burn Care & Research. 2011.
2. Tan W-H, Goldstein R, Gerrard P, Ryan CM, Niewczyk P, Kowalske K, Zafonte R, Schneider JC. Outcomes and Predictors in Burn Rehabilitation. Journal of Burn Care & Research. 2012.
3. Schouten HJ, Nieuwenhuis MK, van Zuijlen PPM. A review on static splinting therapy to prevent burn scar contracture: do clinical and experimental data warrant its clinical application?.Burns. 2012.
4. de Lateur BJ, Magyar-Russell G, Bresnick MG, Bernier FA, Ober MS, Krabak BJ, et al Augmented exercise in the treatment of de
conditioning from major burn injury. ArchPhysMed Rehabil 2007.
5. Schneider JC, Qu HD, Lowry J, Walker J, Vitale E, Zona M. Efficacy of inpatient burn rehabilitation: a prospective pilot study examining range of motion, hand function and balance. Burns. 2012.
6. Souza R, Jardim C, Salge JM, Carvalho CRR. Lesão por inalação de fumaça. Jornal Brasileiro de Pneumologia. Volume 30, número 6 São Paulo Novembro/Dezembro. 2004.
7. Antonio ACP, Castro PS, Freire LO. Lesão por inalação de fumaça em ambientes fechados: uma atualização. Jornal Brasileiro de Pneumologia. Volume 39, número 3 (Maio/Junho), 2013.
8. Hettiaratchy S, Dziewulski P. ABC of burns, introduction - clinical review. BMJ. Volume 328, número 7452, p. 1366-1368. 2004.
9. Hettiaratchy S, Dziewulski P. ABC of burns, pathophysiology and types of burns - clinical review. BMJ. Volume 328, número 7453, p. 1427-1429, 2004.
10. Hettiaratchy S, Dziewulski P. ABC of burns, Initial management of a major burn: Overview. BMJ. Volume 328, número 7455, p. 1555-1557, 2004.
11. Lima-Junior EM, Novaes FN, Piccolo NS, Serra MCVF. Tratado de queimaduras no paciente agudo. 2 ed. Editora Atheneu. 2009.

Capítulo

15

Obeso

Andréa Daiane Fontana
Glaucia Lavarone
Adriana Lunardi

Disfunções Respiratórias Relacionadas à Obesidade

A obesidade pode alterar a função pulmonar em virtude de seus efeitos sobre a mecânica ventilatória, resistência das vias aéreas, volumes pulmonares e músculos respiratórios. O aumento da gordura total e abdominal compromete proporcionalmente à capacidade vital (CV) e volume expiratório forçado (VEF_1).

As alterações na função respiratória mais frequentemente encontradas na obesidade são de dois tipos: alterações proporcionais à obesidade geral (redução do volume de reserva expiratório [VRE] e aumento da capacidade de difusão); e alterações exclusivas da obesidade grau III (redução da CV e da capacidade pulmonar total). Além disso, o acúmulo de tecido adiposo no tórax e abdômen interfere não somente nos volumes pulmonares, como também nas trocas gasosas, especialmente na posição supina, em que a complacência da parede do tórax tende a ficar diminuída, o que determina o aumento da retração elástica e a redução da distensibilidade das estruturas extrapulmonares.

Com a redução dos volumes pulmonares, da capacidade pulmonar total e do VRE, há o aumento do volume sanguíneo total e pulmonar, o que, consequentemente, fará com que ocorra o fechamento de unidades pulmonares periféricas, prejuízo da relação ventilação-perfusão e hipoxemia, e associados às alterações hormonais e de citocinas, podem causar o aparecimento ou piora da asma.

A função respiratória pode estar prejudicada também quando há a presença de hipoventilação alveolar no obeso. A hipoventilação consiste na incapacidade do aparelho respiratório para eliminar gás carbônico (CO_2) na mesma proporção em que o gás chega aos pulmões, fazendo que haja a presença de hipercapnia ($PaCO_2 > 45$ mmHg) acompanhada de equivalente grau de hipoxemia (baixa PaO_2). Diferentes termos têm sido empregados para dar nome a esta síndrome, o mais comum é a Síndrome de Pickwick. Os sintomas geralmente são agravados em pacientes com síndrome da apneia obstrutiva do sono (SAOS) associada.

Além do comprometimento da capacidade aeróbica e da função respiratória, a obesidade também é um fator de risco predisponente à embolia pulmonar (TEP) e trombose venosa profunda (TVP). A TVP é formada por deposição intravascular de fibrina, hemácias, plaquetas e leucócitos, tendo geralmente início nas regiões de fluxo turbulento das veias profundas da panturrilha. Os trombos venosos podem fragmentar, dando origem aos êmbolos pulmonares.

Em obesos submetidos à cirurgia abdominal alta, em virtude da utilização de anestesia geral e manipulação cirúrgica, é comum que haja o aparecimento de disfunção diafragmática que pode ser causada em maior ou menor grau e é considerada o principal acometimento no pós-operatório responsável pelas alterações pulmonares, acarretando alterações do ciclo respiratório, diminuição dos volumes e capacidades pulmonares e, consequentemente, aumentando o risco de atelectasia e hipoxemia.

Disfunções Funcionais e de Força Muscular Relacionadas à Obesidade

O obeso apresenta redução da capacidade para a realização das atividades de vida diária (AVD), o que pode estar relacionado com alterações metabólicas e biomecânicas adversas da obesidade. Os indivíduos obesos, muitas vezes apresentam o ciclo vicioso de baixa capacidade de exercício, incapacidade física e dispneia, levando à inatividade física que, por sua vez, leva a um maior ganho de peso e perda da função física.

A diminuição de resistência e da força muscular na obesidade pode prejudicar tarefas simples como subir escadas e realizar caminhada. Além disso, os pacientes obesos podem apresentar baixa aptidão cardiorrespiratória em relação à sua massa corporal, redução da flexibilidade da coluna vertebral e amplitudes de movimento articular, o que eleva o risco de dores e lesões no trabalho, aumenta o absenteísmo e reduz a capacidade de trabalho. Em casa, o baixo condicionamento físico pode prejudicar a capacidade de realizar as AVD e interferir na capacidade de os pacientes se envolverem em atividades sociais; ademais, a falta de atividade física regular pode reduzir a concentração, a capacidade de lidar com a ansiedade e estresse e prejudicar a função cognitiva.

Portanto, a obesidade acarreta redução da capacidade aeróbica, da força muscular, da capacidade funcional e menor resistência à fadiga, quando comparados com indivíduos não obesos.

Intervenção Fisioterapêutica na Obesidade

Diante dessas alterações e de diversas comorbidades, a obesidade predispõe os indivíduos obesos a maior risco de complicações no ambiente hospitalar, em condições de tratamento clínico e principalmente cirúrgico. Portanto, a assistência a essa população específica requer cuidados especiais que levem em consideração suas peculiaridades, permitindo uma abordagem adequada, tanto para profilaxia como para tratamento de possíveis complicações.

Fisioterapia respiratória na obesidade

A fisioterapia respiratória no ambiente hospitalar tem como objetivo a prevenção e o tratamento de complicações pulmonares, como a hipoventilação, pneumonia, atelectasias, embolia pulmonar e insuficiência respiratória, presentes principalmente em condições de hipoatividade e cirúrgicas.

As técnicas a serem utilizadas podem ser bem variadas e geralmente envolvem técnicas de expansão e desobstrução pulmonar. Um aspecto importante a ser considerado no paciente obeso é o acúmulo de tecido adiposo na caixa torácica, o que torna as técnicas manuais de fisioterapia respiratória menos eficientes, sendo mais indicadas as técnicas realizadas ativamente pelos pacientes, com e sem a utilização de equipamentos.

As técnicas de fisioterapia respiratória convencional mais utilizadas incluem os exercícios diafragmáticos, exercícios de inspiração profunda, técnica de expiração forçada, ciclo ativo da respiração e drenagem autógena.

Reeducação diafragmática ou controle da respiração

É uma técnica de respiração com predomínio abdominal e torácico inferior que favorece a ventilação. O paciente pode realizar a técnica sentado, em pé inclinado para frente ou em decúbitos laterais (aumento da curvatura da parte dependente do diafragma). O paciente é orientado a relaxar o tórax superior, ombros e braços, e realizar uma inspiração profunda pelo nariz mobilizando o tórax inferior e, em seguida, uma expiração passiva. O paciente ou o terapeuta pode posicionar uma mão sobre o abdômen superior para maior percepção do movimento do tórax inferior e abdominal durante a respiração.

Exercícios de inspiração profunda ou de expansão torácica

São exercícios respiratórios que enfatizam a inspiração profunda, promovendo a expansão torácica e auxiliando na mobilização de secreção por meio da ativação da ventilação colateral e pelo fenômeno da interdependência. O paciente é orientado a fazer uma inspiração profunda que pode ser sustentada por pelo menos 3 minutos e, em seguida, uma expiração tranquila passiva. A sustentação da inspiração máxima contribui para diminuir o colapso pulmonar.

Técnica de expiração forçada

É uma combinação de uma ou duas expirações forçadas (*huffis*) e respiração diafragmática. O *huffing* é uma expiração forçada rápida com a boca e glote abertas, utilizando contração dos músculos abdominais e da parede torácica. *Huffis* a baixos volumes são utilizados para remover secreção das vias aéreas mais periféricas, enquanto aqueles a volumes mais altos removem secreções de vias aéreas mais proximais.

Ciclo ativo da respiração

Compreende a associação do controle da respiração, expansão torácica e técnica de expiração forçada. As técnicas são realizadas uma seguida da outra em uma ordem adaptada para cada paciente.

Drenagem autógena

Envolve a respiração a diferentes volumes pulmonares com expiração ativa que favorece a mobilização das secreções. A primeira fase da técnica ("desgrudar") é a respiração a baixo volume que mobiliza o muco periférico. A segunda fase ("coletar") é um período de respiração a volume corrente. Essa fase coleta o muco nas vias aéreas média. A terceira fase ("expelir") é composta por respirações a volumes pulmonares altos, promovendo, assim, a expectoração das secreções das vias aéreas centrais. A técnica pode ser finalizada com um *huff* a alto volume para estimular a eliminação da secreção da traqueia.

Incentivo respiratório

Técnica de expansão pulmonar que pode ser realizada com dois tipos de incentivadores: os orientados a fluxo; e os orientados a volume. Ao utilizar os incentivadores orientados a fluxo, como o Respiron®, o paciente deve fazer inspirações profundas e sustentadas, fazendo as bolas azuis subirem e ficarem suspensas durante 5 segundos. Durante o uso dos incentivadores orientados a volume, como o Voldyne®, o paciente deve inspirar profundamente fazendo o prato-pistão central subir e permanecer suspenso por no mínimo 5 segundos. O paciente deve permanecer sentado durante a realização da técnica. A expansão do tórax inferior deve ser enfatizada mais do que a expansão do tórax superior que é realizada pelo uso da musculatura acessória da respiração.

Vibração torácica mecânica

É uma técnica que consiste em gerar uma vibração na parede torácica para modificar a viscoelasticidade do muco e facilitar sua expulsão. Os equipamentos mais utilizados são o Flutter® e o Shaker®. Ambos apresentam um funcionamento baseado em oscilações de fluxo e pressão. Ao utilizar o equipamento o paciente deve realizar uma expiração forçada, como soprar por meio do aparelho, gerando alterações de fluxo e de pressão que são transmitidas para as vias aéreas, facilitando a mobilização de secreções brônquicas.

Ventilação não invasiva

A ventilação não invasiva em pacientes obesos é indicada no caso de síndrome da apneia obstrutiva do sono. Geralmente são utilizados aparelhos de CPAP (*continuous positive airway pressure*), o qual leva a uma abertura nas vias aéreas, promovendo bons resultados, como abolição das apneias e do ronco, melhora na função cognitiva, diminuição da sonolência diurna e melhora na saturação de oxigênio. No entanto, em alguns pacientes, como os que apresentam hipercapnia, pode ser indicado os aparelhos de Bipap, que permitem a aplicação da pressão positiva inspiratória e expiratória independentes. Os parâmetros dos aparelhos devem ser ajustados durante a polissonografia.

Abordagem da musculatura periférica na obesidade

Assim como na fisioterapia respiratória, existem diversas técnicas motoras a serem utilizadas. Elas podem ser bem variadas. É importante ressaltar que cuidados devem ser tomados com pacientes portadores de obesidade, já que a incidência de hipertensão arterial sistêmica nessa população é imensa. Assim como, outros aspectos limitantes como a osteoartrose de membros inferiores e quadril. Portanto, a monitorização da pressão arterial sistêmica e da dor durante os exercícios ativos, especialmente os resistidos é mandatória.

As técnicas de abordagem motora devem seguir a necessidade individual dos pacientes com obesidade e podem englobar alongamentos, mobilização e fortalecimento.

Alongamento muscular

Abordagem para manter a flexibilidade de articulações e músculos que pode ser realizada pelos métodos: o estático; o com uso de facilitação neuromuscular proprioceptiva; e o global.

No alongamento estático, uma força constante deve ser aplicada de modo a atingir os últimos graus de movimento de determinada articulação, ou o tolerado pelo paciente, e mantido por um curto espaço de tempo.

No alongamento com uso de facilitação neuromuscular, aplica-se o princípio da inibição recíproca com consequente resposta neuromuscular. Em geral, solicita-se uma contração isométrica (ativa ou contra uma forte resistência) e, em seguida, realiza-se um alongamento estático passivo.

No alongamento global, alongam-se vários músculos simultaneamente, passiva ou ativamente.

Mobilização articular global

Abordagem para manter a flexibilidade e amplitude de movimento das articulações. É realizada passivamente e, em geral, segue o padrão analítico articular respeitando o eixo de cada movimento das articulações maiores.

Fortalecimento muscular

Estratégia terapêutica que tem por objetivo o ganho de força ou sua manutenção, na qual o paciente exercita os grupos musculares específicos contra uma resistência manual, de faixa elástica ou pesos (halteres e anilhas).

Cirurgia da Obesidade

As condições respiratórias prejudicadas de pacientes obesos mórbidos ficam ainda mais agravadas sob situação cirúrgica, tornando os pacientes mais propensos a evoluírem com complicações no pós-operatório.

Um dos tipos de cirurgias a serem destacados nessa população é a bariátrica, considerada o tratamento mais eficaz da obesidade. Portanto, é uma condição cirúrgica encontrada com grande frequência no ambiente hospitalar, na qual a fisioterapia tem papel fundamental para evitar complicações.

Fisioterapia

A fisioterapia respiratória convencional tem mostrado eficiência na prevenção da redução da função pulmonar e na manutenção da força muscular inspiratória em pacientes no pós-operatório de cirurgia bariátrica. Podem ser incluídos exercícios respiratórios diafragmáticos, exercícios de inspiração profunda, exercícios de inspiração em dois ou três tempos e exercícios respiratórios associados a movimentos de flexão de ombros com extensão de membros superiores (cinesioterapia respiratória).

A fisioterapia respiratória convencional também é eficaz quando utilizada para treinamento pré-operatório, ajudando a evitar perdas nos volumes pulmonares, como volume corrente e volume minuto. A manutenção dos volumes e capacidades pulmonares no paciente obeso é fundamental quando submetido a um procedimento cirúrgico, pois o posicionamento do paciente durante todo o período intraoperatório favorece a hipoventilação e a ocorrência de atelectasias nas regiões dependentes dos pulmões. Além disso, a hipoatividade diafragmática e a dor presentes no período pós-operatório também levam a um padrão de respiração mais restritivo, podendo comprometer a expansibilidade torácica e pulmonar adequada. A utilização de recursos de fisioterapia respiratória pode contribuir para diminuição do risco de complicações pulmonares resultantes da hipoventilação, característica presente nos obesos mórbidos.

Um fluxograma de assistência fisioterapêutica pode auxiliar na tomada de decisão correta, dependendo dos achados da avaliação inicial (Figura 15.1).

- Pressão positiva: a utilização da pressão positiva por meio da ventilação não invasiva é mais um método potencial na prevenção de complicações causadas pela hipoventilação pulmonar. A aplicação de dois níveis de pressão (pressão positiva inspiratória de 12 cmH_2O e pressão positiva expiratória de 8 cmH_2O) em obesos no pós-operatório de cirurgia bariátrica pode diminuir a redução do volume de reserva expiratório e o risco de atelectasias. Estudo mostra a eficácia da técnica com os mesmos níveis de pressão na manutenção da oxigenação. Sua utilização no pré-operatório, também tem mostrado eficácia para prevenir o comprometimento do volume de reserva expiratório no pós-operatório. A pressão positiva expiratória (*expiratory positive airway pressure*, EPAP) com pressão de mola também é uma forma eficaz de aplicar a pressão positiva, sendo que uma pressão de 10 cmH_2O, durante 15 minutos por dia, já exerce efeito positivo no restabelecimento do volume de reserva expiratório no pós-operatório de cirurgia bariátrica. A aplicação da pressão positiva com dois níveis de pressão no período pré-operatório (pressão positiva

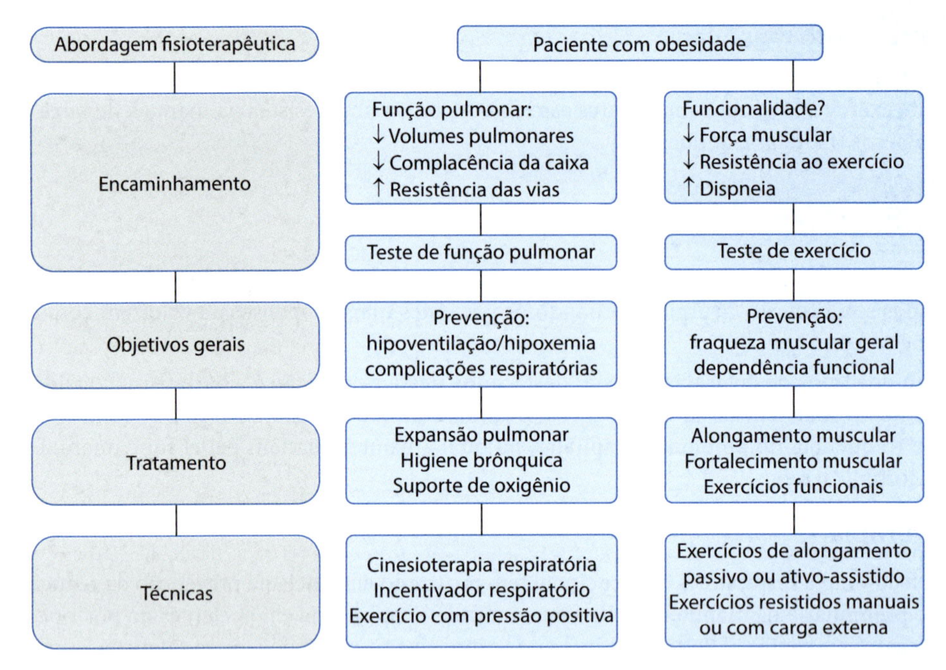

Figura 15.1 – Fluxograma de assistência fisioterapêutica ao paciente obeso. Fonte: Andréa Daiane Fontana, Glaucia Lavaron e Adriana Lunardi.

inspiratória de 12 cmH_2O e pressão positiva expiratória de 8 cmH_2O) e pressão positiva expiratória final (10 cmH_2O) no intraoperatório podem influenciar positivamente no tempo entre o final da anestesia e a extubação.

Fortalecimento muscular respiratório

Outro aspecto importante do paciente submetido à cirurgia bariátrica é a disfunção diafragmática causada pela anestesia, que pode prejudicar a mecânica da respiração e a ventilação pulmonar. Essa disfunção pode ser amenizada com um programa de treinamento de força muscular inspiratória, utilizando-se um Threshold IMT® com uma resistência de 40% da força máxima avaliada em um teste de manovacuometria prévio.

Mobilização e técnicas de compressão venosa

▸ Profilaxia para trombose venosa profunda e tromboembolismo pulmonar

A taxa de mortalidade em pacientes pós-operatórios de cirurgia bariátrica está relacionada com o tromboembolismo pulmonar. Sabe-se também que pacientes obesos apresentam maior risco de desenvolver trombose venosa profunda. Sendo assim, muita atenção deve ser dada a esses pacientes com o objetivo de evitar essas complicações resultantes da imobilidade.

A fisioterapia tem papel importante na profilaxia mecânica da trombose venosa profunda, e deve envolver cinesioterapia de membros inferiores e deambulação precoce, ativando, assim, a bomba muscular da panturrilha e evitando a estase venosa.

Técnicas de compressão venosa, como a utilização de meias elásticas também são indicadas na prevenção da trombose venosa profunda, pois, ao aumentar a pressão intravenosa, favorece o retorno venoso nos membros inferiores, evitando a estase venosa. As meias elásticas devem ser preferencialmente fabricadas sob medida e utilizadas o quanto antes no período pós-operatório.

A compressão pneumática por meio de equipamentos também é um método de compressão venosa disponível em alguns hospitais, e são utilizados com frequência até mesmo durante o período intraoperatório, para evitar a estase venosa causada pelo posicionamento e imobilidade dos membros inferiores durante a cirurgia.

Fortalecimento de musculatura periférica

Levando em consideração que pacientes submetidos à cirurgia bariátrica podem evoluir com perda de massa magra no período pós-operatório, especialmente devido à dieta extremamente restrita, o treinamento de força muscular periférica deve ser iniciado o quanto antes, com o objetivo e amenizar essa perda. O treinamento com musculação terapêutica, ou seja, a utilização da cinesioterapia contrarresistida, envolvendo exercícios com padrões funcionais, pode ser útil neste aspecto, permitindo menor perda ou manutenção da proporção de massa magra.

A intervenção fisioterapêutica no obeso hospitalizado deve, então, ser feita levando em consideração todos os aspectos da doença e os tipos de complicações frequentes, principalmente em pacientes cirúrgicos. Vale lembrar da importância da fisioterapia na fase pré-operatória, realizando uma avaliação ampla, incluindo a história pregressa da doença, queixas principais, antecedentes pessoais, exame físico, teste de função pulmonar, aspectos da mecânica respiratória e capacidade funcional que direcionará para uma preparação pré-cirúrgica mais adequada.

No período pós-operatório, entre as alterações fisiológicas esperadas estão a redução da ventilação pulmonar e da capacidade residual funcional, o prejuízo da relação ventilação-perfusão, a inibição do reflexo de vasoconstricção hipóxica, a alteração do tônus brônquio e o prejuízo da função mucociliar que têm seu pico nas primeiras 48 horas após a cirurgia. Se essas alterações esperadas forem persistentes ou severas, complicações pulmonares podem instalar-se e as principais são as atelectasias, pneumonias, insuficiência respiratória, broncoespasmo e exacerbação de doenças pulmonares obstrutivas crônicas, como asma e DPOC.

Na tentativa de prevenir o surgimento dessas complicações respiratórias, as técnicas de fisioterapia respiratória têm sido recomendadas como estratégias para recuperar a função ventilatória precocemente, tanto no período pré como no pós-operatório, especialmente em populações de alto risco para complicação como os obesos mórbidos.

Este capítulo teve a intenção de abordar as alterações relacionadas à obesidade, os cuidados na assistência fisioterapêutica hospitalar a esta população, especialmente em situação cirúrgica, a fim de auxiliar o fisioterapeuta e a equipe de saúde para a escolha do conjunto de técnicas mais adequado para a assistência aos pacientes com obesidade.

Leitura Recomendada

1. Faintuch J, Souza SAF, Valezi AC, Sant'Anna AF, Gama-Rodrigues JJ. Pulmonary function and aerobic capacity in asymptomatic bariatric candidates with very severe morbid obesity. Rev Hosp Clin Fac Med S Paulo. 2004;59(4):181-6.
2. Rasslan Z, Saad Jr R, Stirbulov R, Fabbri RMA, Lima CAC. Avaliação da função pulmonar na obesidade graus I e II. J Bras Pneumol. 2004;30(6):508-14.
3. Koenig SM. Pulmonary complications of obesity. Am J Med Sci. 2001;321(4):249-79.
4. Alpert MA. Cardiovascular and pulmonary complications of obesity: an overview. Am J Med Sci. 2001;321(4):213-4.
5. Genta PR. Efeitos da Obesidade no pulmão: asma, apneia do sono e hipoventilação. In: Mancini MC. Tratado de obesidade. São Paulo, AC Farmacêutica: 303-308, 2010.
6. Shore SA. Obesity and asthma: implications for treatment. Curr Opin Pulm Med. 2007;13(1):56-62.
7. Silva GA. Síndrome obesidade-hipoventilação alveolar. Med Rib Preto. 2006;39(2):195-204.

8. Delgado PM, Lunardi AC. Complicações respiratórias pós-operatórias em cirurgia bariátrica: revisão da literatura. Fisioter Pesq. 2011;18(4):388-92.
9. Aun R. Prevenção e tratamento dos fenômenos tromboembólicos. In: Garrido Jr AB. Cirurgia da obesidade. São Paulo, Atheneu: 81-90, 2003.
10. Lawrence VA, Cornell JE, Smetana GW. Strategies to reduce postoperative pulmonary complications after noncardiothoracic surgery: systematic review for the American College of Physicians. Ann Intern Med. 2006;144(8):596-608.
11. Bouchard DR, Langlois MF, Brochu M, Dionne IJ, Baillargeon JP. Metabolically healthy obese women and functional capacity. Metab Syndr Relat Disord. 2011;9(3):225-9.
12. Hills AP, Hennig EM, Byrne NM, Steele JR. The biomechanics of adiposity-structural and functional limitations of obesity and implications for movement. Obes Ver. 2002;3(1):35-43.
13. Maffiuletti NA, Jubeau M, Munzinger U, Bizzini M, Agosti F, Lafortuna CR, et al. Differences in quadriceps muscle strength and fatigue between lean and obese subjects. Eur J Appl Physiol. 2007;101(1):51-9.
14. He XZ, Baker DW. Body mass index, physical activity, and the risk of decline in overall health and physical functioning in late middle age. Am J Public Health. 2004;94(9):1567-73.
15. Capodaglio P, Castelnuovo G, Brunani A, Vismara L, Villa V, Capodaglio EM. Functional limitations and occupational issues in obesity: a review. Int J Occup Saf Ergon. 2010;16(4):507-23.
16. Janssen I, Bacon E, Pickett W. Obesity and its relationship with occupational injury in the canadian workforce. J Obes. 2011: 531403.
17. Blazer DG, Hybels CF, Fillenbaum GG. Metabolic syndrome predicts mobility decline in a community-based sample of older adults. J Am Geriatr Soc. 2006;54(3):502-6.
18. Webber BA, Pryor J, Bethiune DD, Potter HM, McKenzie D. Técnicas fisioterápicas. In: Pryor J, Webber BA. Fisioterapia para problemas respiratórios e cardíacos. Rio de Janeiro: Guanabara Koogan, 2002. P.92-14.
19. Restrepo RD, Wettstein R, Wittnebel L, Tracy M. Incentive spirometry. Respir Care. 2011;56(10):1600-4.
20. Brunetto AF. Tratamento fisioterapêutico na DPOC. In: Brunetto AF. Fisioterapia na DPOC: um sopro para a vida. Londrina: Eduel, 2009. P.183-267.
21. Mancini MC, Aloe F, Tavares S. Apneia do Sono em Obesos. Arq Bras Endocrinol Metab. 2000;44(1):81-90.
22. Togeiro SMGP, Tufik S. Apneia obstrutiva do sono e obesidade. In: Claudino AM, Zanella MT. Guia de transtornos alimentares e obesidade. São Paulo: Manole, 2005. P.277-86.
23. Villares SM, Mancini MC, Gomez S, Charf AM, Frazzato E, Halpern A. Associação entre polimorfismo Gln27Glu do receptor beta-2-adrenérgico e hipertensão arterial sistêmica em obesos mórbidos. Arq Bras Endocrinol Metab. 2000;44(1):72-80.
24. Vasconcelos KSS, Dias JMD, Dias RC. Relação entre intensidade de dor e capacidade funcional em indivíduos obesos com osteoartrite de joelho. Brazilian Journal of Physical Therapy. 2006;10(2):213-8.
25. Cabral CMN. Exercícios terapêuticos: alongamento muscular no tratamento do idoso. In: Perracini MR, Fló CM. Funcionalidade e Envelhecimento. Rio de Janeiro: Guanabara Koogan, 2009. P.481-4.
26. Rigatto AM, Alves SCC, Gonçalves CB, Firmo JF, Provin LM. Performance ventilatória na obesidade. Saúde Rev. 2005;7(17):57-62.
27. Paisani DM, Chiavegato LD, Faresin SM. Volumes, capacidades pulmonares e força muscular respiratória no pós-operatório de gastroplastia. J bras pneumol. 2005;31(2):125-32.
28. Forti E, Ike D, Barbalho-Moulim M, Rasera Jr I, Costal D. Effects of chest physiotherapy on respiratory function of postoperative gastroplasty patients. Clinics. 2009;64(7):683-9.
29. Peixoto-Souza FS, Gallo-Silva B, Echevarria LB, Silva MAA, Pessoti E, Pazzianotto-Forti E M. Fisioterapia respiratória associada à pressão positiva nas vias aéreas na evolução pós-operatória da cirurgia bariátrica. Fisioter Pesq. 2012;19(3):204-9.
30. Tomich GM, França DC, Diniz MTC, Britto RR, Sampaio RF, Parreira VF. Efeitos de exercícios respiratórios sobre o padrão respiratório e movimento toracoabdominal após gastroplastia. J Bras Pneumol. 2010;36(2):197-204.
31. Giovanetti EA, Boueri CA, Braga KF. Estudo comparativo dos volumes pulmonares e oxigenação após o uso do Respiron e Voldyne no pós-operatório de cirurgia abdominal alta. Reabilitar. 2004;6(25):30-9.
32. Barbalho-Moulim MCB, Miguel GPS, Pazzianotto Forti, Costa D. Comparação entre inspirometria de incentivo e pressão positiva expiratória na função pulmonar após cirurgia bariátrica. Fisioterapia e Pesquisa. 2009;16(2):166-72.
33. Baltieri L, Santos LA, Rasera-Junior I, Montebelo MIL, Pazzianotto-Lorti EM. Uso da pressão positiva em cirurgia bariátrica e efeitos sobre a função pulmonar e prevalência de atelectasias: estudo randomizado e cego. ABCD Arq Bras Cir Dig. 2014;27(1):26-30.

34. Pessoa KC, Araújo GF, Pinheiro NA, Ramos MRS, Maia SC. Ventilação não invasiva no pós-operatório imediato de derivação gastrojejunal com bypass em Y de Roux. Rev Bras Fisioter. 2010;14(4):290-5.
35. Baltieri L, Santos LA, Rasera-Junior I, Montebelo MIL, Pazzianotto-Forti EM. Use of positive pressure in pre and intraoperative of bariatric surgery and its effect on the time of extubation. Rev Bras Anestesiol. 2015;65(2):130-5.
36. Casali CC, Pereira AP, Martinez JA, Souza HC, Gastaldi AC. Effects of inspiratory muscle training on muscular and pulmonary function after bariatric surgery in obese patients. Obes Surg. 2011;21(9):1389-94.
37. Santo MA, Pajecki D, Riccioppo D, Cleva R, Kawmoto F, Cecconello I. Early complications em bariatric surgery: incidence, diagnosis and treatment. Arq Gastroenterol. 2013;50(1):50-5.
38. Abdollahi M, Cushman M, Rosendaal FR. Obesity: risk of venous thrombosis and the interaction with coagulation factor levels and oral contraceptive use. Thromb Haemost. 2003; 89: 493-8.
39. Kisner C, Colby LA. Exercícios terapêuticos. São Paulo: Manole, 2002. P.715-7.
40. Maffei FHA, Caiafa JS, Ramacciotti E, Castro AA para o Grupo de Elaboração de Normas de Orientação Clínica em Trombose Venosa Profunda da SBACV. Normas de orientação clínica para prevenção, diagnóstico e tratamento da trombose venosa profunda (revisão 2005). Salvador: SBACV, 2005. Disponível em: <http://www.sbacv-nac.org.br>.
41. Machado NLB, Leal e Leite T, Pitta GBB. Frequência da profilaxia mecânica para trombose venosa profunda em pacientes internados em uma unidade de emergência de Maceió. J Vasc Bras. 2008;7(4):133-40.
42. Pontelli EP; ScialomlI JM; Santos-Pontelli TEG. Profilaxia tromboembólica farmacológica e por compressão pneumática intermitente em 563 casos consecutivos de abdominoplastia. Rev. Bras. Cir. Plást. 2012;27(1):77-86.
43. Nassif DSB, Nassif PAN, Lucas RWC, Ribas-Filho, Czecko NG, Kail-Filho FA, Freitas ACT. Efeito da fisioterapia contrarresistida com relação à massa corporal magra em paciente no pós-operatório de cirurgia bariátrica. ABCD Arq Bras Cir Dig. 2011;24(3):219-25.
44. Pasquina P, Tramer MR, Walder B. Prophylactic respiratory physiotherapy after cardiac surgery: systematic review. BMJ. 2003;327(7428):1379.
45. Smetana GW, Lawrence VA, Cornell JE, American College of P. Preoperative pulmonary risk stratification for noncardiothoracic surgery: systematic review for the American College of Physicians. Annals of internal medicine. 2006;144(8):581-95.

Capítulo 16

Trauma Abdominal e Torácico

Patrícia Rodrigues Ferreira
Gustavo de Jesus Pires da Silva
Renata de Jesus Teodoro
Jamili Anbar Torquato

Trauma Abdominal

O trauma abdominal (TA) é responsável por um grande número de mortes evitáveis. O choque hemorrágico, consequência de grandes sangramentos na cavidade intraperitoneal, torácica, no espaço retroperitoneal (principalmente na presença de fraturas de bacia) e nas fraturas de ossos longos, pode levar à morte.

A incidência desse traumatismo vem aumentando progressivamente e sua gravidade é determinada pela lesão de órgãos ou estruturas vitais do abdômen e pela associação com outras lesões, principalmente crânio e tórax. Esse traumatismo resulta de uma ação súbita e violenta, exercida contra o abdômen por diversos agentes causadores: mecânicos; químicos; elétricos; e irradiações. O TA tem duas classificações principais: trauma aberto ou fechado. No traumatismo aberto, existe solução de continuidade da pele, sendo subdivididos em penetrantes e não penetrantes na cavidade abdominal; e, no traumatismo fechado ou contuso, há integridade da pele e os efeitos do agente agressor são transmitidos às vísceras e órgãos internos.

O TA aberto é usualmente causado por armas de fogo ou por armas brancas e o fechado, por acidentes automobilísticos, golpes e quedas acidentais. As contusões são responsáveis por 1% de todas as internações hospitalares por traumatismo abdominal.

Traumatismo abdominal aberto

Pode ser dividido em dois grupos: os penetrantes; e os perfurantes. O TA aberto penetrante é aquele que afeta o peritônio, comunicando a cavidade abdominal com o exterior, é a penetração da parede abdominal por objetos, projéteis, armas brancas, ou a ruptura da parede abdominal provocada por esmagamentos. A penetração limita-se à parede do abdômen sem provocar lesões internas. O TA aberto perfurante ocorre quando há envolvimento visceral (víscera oca ou maciça), um objeto penetra na cavidade abdominal atingindo alguma víscera, lesando órgãos e estruturas internas. As lesões abdominais compreendem ruptura ou laceração dos órgãos ocos, fazendo extravasar conteúdo das vísceras (fezes, alimentos, bile, suco gástrico e pancreático e urina), o que provoca a infecção conhecida por peritonite, assim como de estruturas sólidas (fígado, baço, pâncreas e rins), causando hemorragias internas, muitas vezes despercebidas logo após o trauma.

Traumatismo abdominal fechado

Como ocorre em outros locais, quando há uma desaceleração brusca as vísceras abdominais continuam a se movimentar para a frente. Com isso, gera-se uma força de cisalhamento nos locais de fixação dos órgãos, geralmente localizados nos seus pedículos. Isso acontece, por exemplo, com os rins, o baço e os intestinos delgado e grosso. O fígado também pode sofrer lacerações na região do ligamento redondo porque é fixado principalmente no diafragma. Como esse músculo tem grande mobilidade, permite a movimentação do fígado para a frente, forçando-o contra o ligamento redondo. Fraturas pélvicas podem levar às lesões de bexiga e de vasos da cavidade pélvica. Alguns órgãos podem ser comprimidos contra a coluna vertebral, tais como pâncreas, baço, fígado e rim.

A parede anterior, lateral, posterior e inferior do abdômen são extremamente fortes. Mas a parede superior é composta pelo diafragma, que é um músculo de aproximadamente 5 mm de espessura, correspondendo à parede mais fraca. Por isso, o aumento da pressão abdominal pode levar à perda do trabalho ventilatório do diafragma; ruptura do diafragma, ocorrendo a passagem das vísceras abdominais para a cavidade torácica, reduzindo a expansibilidade dos pulmões; isquemia de alguns órgãos pela compressão ou estiramento dos vasos em razão de deslocamento dos órgãos; e ao hemotórax por hemorragias abdominais. O aumento exagerado da pressão abdominal pode levar ainda a rupturas esofágicas (síndrome de Boerhave) ou ruptura da valva aórtica pelo refluxo sanguíneo.

Com o abdômen traumatizado, podem ocorrer lesões nos diversos órgãos e estruturas intra-abdominais, levando à ruptura de vísceras ocas e/ou parenquimatosas. As vísceras parenquimatosas lesadas ocasionam perda sanguínea, podendo levar a hemorragias importantes, enquanto as vísceras ocas lesadas causam liberação de secreções digestivas como suco gástrico ou intestinal, bile, fezes e urina, podendo causar peritonite.

Nas contusões, lesam-se os órgãos com maior teor de água, menor resistência da cápsula e mais fixos.

As lesões viscerais estão presentes em até 98% dos casos de ferimentos abertos por arma de fogo. Os órgãos mais atingidos nesse trauma do tipo aberto são aqueles que ocupam maior área, como o fígado.

O atendimento inicial aos pacientes com TA é de grande importância para o estabelecimento de prioridades. No primeiro momento, a manutenção da via aérea pérvia, com controle da coluna cervical, além da avaliação da respiração e controle da hemorragia, é essencial e determinante da sobrevida desses pacientes.

Quando o trauma abdominal não é isolado, havendo lesões em outras regiões, o atendimento inicial envolve o ABCDE do politraumatizado. Assim, uma série de prioridades e princípios devem ser seguidos envolvendo terapêutica e equipe multidisciplinar. O atendimento é diretamente proporcional à gravidade do trauma, sendo que as avaliações laboratoriais e radiológicas dependem das condições e necessidades de cada doente e, muitas vezes, a laparotomia se impõe de imediato.

O mecanismo de trauma, a localização da lesão e o estado hemodinâmico do paciente determinam o momento da avaliação do abdome. Boa parte dos quadros de hemoperitônio decorrentes de uma lesão visceral abdominal são oligossintomáticos. Além disso, os sintomas abdominais relacionados ao traumatismo, muitas vezes, são obscurecidos por lesões associadas com dor referida ou, por alterações do nível de consciência, principalmente, decorrentes do trauma craniano, o que dificulta a sua avaliação. Portanto, uma avaliação rigorosa do abdome e uma correta orientação reduzirão os erros na interpretação e os impactos desfavoráveis na evolução do paciente.

Sinais e sintomas do traumatismo abdominal

No TA aberto ou fechado, podem ocorrer lesões internas ou não, porém, quando presentes, podem colocar a vida das vítimas em risco por hemorragia interna severa, infecção pelo extravasamento do conteúdo das vísceras ocas, como suco gástrico, bile ou urina, provocando sintomas mais ou menos intensos.

Em alguns casos, pode ocorrer um evento conhecido como ruptura em dois tempos. Essa ruptura resulta de uma hemorragia interna contida, o que limita a perda de sangue, porém, depois de algum tempo, pode se romper, o que permite que uma segunda hemorragia ocorra se não controlada.

A dor abdominal, sintoma mais evidente e frequente nas vítimas desse trauma, é causada tanto pelo trauma direto na parede abdominal como pela irritação na membrana que recobre a cavidade abdominal e suas estruturas (peritônio), em virtude da presença de sangue ou conteúdo das vísceras ocas que extravasam ao se romperem. A dor da irritação peritoneal é difusa e pode estar acompanhada de rigidez da parede abdominal ("abdômen em tábua"), sendo um sintoma involuntário. O choque hipovolêmico desencadeado pela hemorragia é outra provável intercorrência no traumatismo abdominal, presente em graus de intensidade variados; assim os sinais e sintomas do choque hipovolêmico, como palidez, sudorese fria, pulso rápido e fino ou ausente, cianose de extremidades, hipotensão arterial, são os únicos achados no traumatismo abdominal, com hemorragia invisível.

Sinais indicativos de lesão abdominal são fratura de costelas inferiores, equimoses, hematomas, ferimentos na parede do abdômen. A mesma energia que provoca fratura de costela, pelve e coluna, faz lesão interna do abdômen. O abdômen escavado, como se estivesse vazio, é sinal de lesão do diafragma, com migração das vísceras do abdômen para o tórax.

As lesões penetrantes são mais evidentes, sendo mais facilmente identificáveis. Em alguns casos, essas lesões estão em locais menos visíveis, como no dorso, nas nádegas ou na transição do tórax com o abdômen. As lesões penetrantes, principalmente as produzidas por arma branca, às vezes causam a saída de vísceras abdominais, como o intestino, fenômeno conhecido por evisceração. Alguns outros sinais indicativos de lesão intra-abdominal: arroxeamento da bolsa escrotal (equimose escrotal); sangramento pela uretra, reto ou vagina; associada a fraturas da pelve, geralmente com lesão em estruturas do abdômen.

Atendimento no traumatismo abdominal

No atendimento de urgência e emergência, a assistência está dividida em avaliação primaria, cuja finalidade é minimizar tanto os danos cardiológicos como os cerebrais e respectivas sequelas; e avaliação secundária, que será realizada com uma atenção maior para minimizar os danos e estabelecer um diagnóstico e o tratamento definitivo.

Avaliação primária

No atendimento de urgência e emergência, a equipe que fará o atendimento pré-hospitalar usará de forma primária e sequencial o esquema ABCDE. Sendo A cuidados com a via aérea; B, eficiência e manutenção da capacidade respiratória; C, avaliação circulatória descartando hemorragia externa e/ou interna; D, avaliação da integridade e função neurológica; e E, lesões associadas a exposições ambientais às quais o corpo foi submetido.

Avaliação secundária

Na avaliação secundária, será dada atenção maior para minimizar tanto os danos cardiológicos como os cerebrais e respectivas sequelas e estabelecer um diagnóstico e o tratamento definitivo de acordo com o quadro clínico do paciente.

Atendimento hospitalar

O TA é uma das causas mais comuns de morte nos doentes traumatizados, podendo esta ser evitada. O abdômen é considerado a terceira região mais frequentemente afetada nos doentes politraumatizados, em que as lesões resultantes do traumatismo requerem uma intervenção cirúrgica chamada laparotomia.

As cirurgias abdominais podem ser altas (incisão supraumbilical) ou baixas (incisão infraumbilical). Ambas promovem piora da função pulmonar no período pós-operatório, entretanto, as cirurgias abdominais altas e as laparotomias promovem maior repercussão pulmonar, caracterizando-se por importante redução dos volumes e capacidades pulmonares, favorecendo o surgimento de complicações pulmonares pós-operatórias.

Quanto à direção, as incisões cirúrgicas podem ser longitudinais, transversais, oblíquas e combinadas.

A escolha da incisão é influenciada pela preferência da escola cirúrgica e maior experiência pessoal do cirurgião. São requisitos na escolha da incisão ideal: ter acesso fácil ao órgão a ser operado; oferecer espaço suficiente para que as manobras cirúrgicas sejam executadas com segurança; e menor trauma cirúrgico possível.

Disfunção Pulmonar no Pós-Operatório

Cirurgias com incisões próximas ao diafragma, como as torácicas e as laparotomias, são associadas com maior risco para complicações pulmonares pós-operatórias. A incidência de complicações pulmonares clinicamente relevantes no período pós-operatório de cirurgias abdominais varia de 10 a 60%.

São descritas alterações da função pulmonar em pós-operatório (PO) de cirurgia abdominal, que ocorrem tanto na cirurgia convencional (laparotomia) como na laparoscópica. O procedimento operatório causa alterações na mecânica respiratória, no padrão respiratório, nas trocas gasosas, nos mecanismos de defesa pulmonar, na complacência torácica e pulmonar, favorecendo o aparecimento de complicações pulmonares pós-operatórias.

Imediatamente após a cirurgia, há redução dos volumes e capacidades pulmonares em torno de 40 a 50% em relação aos valores pré-operatórios nas laparotomias, e de 30 a 40% nas laparoscopias, havendo diminuição, principalmente, na capacidade residual funcional (CRF), capacidade vital (CV) e capacidade pulmonar total (CPT). Observam-se, também, redução do volume corrente (VC), aumento da frequência respiratória (FR), prejuízo da elasticidade pulmonar e redução dos suspiros fisiológicos. Essas alterações podem ocasionar distúrbios da relação ventilação/perfusão (V/Q), favorecendo o surgimento de hipoxemia.

O retorno desses parâmetros aos valores pré-operatórios ocorre entre 5 e 10 dias após a colecistectomia laparoscópica e 12 a 15 dias após a cirurgia convencional.

Embora fatores como dor, local da incisão e ação anestésica possam contribuir para o declínio da função pulmonar, há evidências que esta deve-se fundamentalmente, a uma disfunção do diafragma no PO, sendo mais grave a disfunção quanto mais próxima for a incisão cirúrgica do diafragma. A redução da atividade do diafragma é máxima entre 2 e 8 horas após a cirurgia, podendo persistir por 1 ou 2 semanas, a depender da presença de outros fatores como ventilação artificial prolongada, uso de bloqueadores neuromusculares e necessidade de reabordagem cirúrgica. Vários fatores evidenciam essa disfunção:

- Redução da pressão transdiafragmática após a cirurgia;

- Redução das pressões respiratórias máximas. Na cirurgia laparoscópica, em que não há abertura da cavidade abdominal, ocorre diminuição na força dos músculos respiratórios – porém, de menores proporções, se comparada com a cirurgia convencional aberta (laparotomia);
- Diminuição da pressão gástrica às oscilações da pressão esofágica no PO;
- Inibição da condução pelo nervo frênico, resultante da estimulação das vias aferentes viscerais ou somáticas durante a manipulação cirúrgica (Figura 16.1);
- Decréscimo do diâmetro abdominal em relação ao torácico na inspiração profunda.

Essas alterações tornam o padrão respiratório predominantemente costal com respirações rápidas e superficiais. O comprometimento da força muscular inspiratória leva a uma diminuição do VC e esta, quando associada ao comprometimento da musculatura expiratória, acarreta a diminuição do fluxo expiratório e o prejuízo do mecanismo de tosse, favorecendo a retenção de secreções pulmonares, podendo, também, ter consequência como atelectasia.

As complicações pulmonares são importante causa de morbidade e mortalidade, aumentando o tempo de internação hospitalar, o uso de medicação e o custo hospitalar.

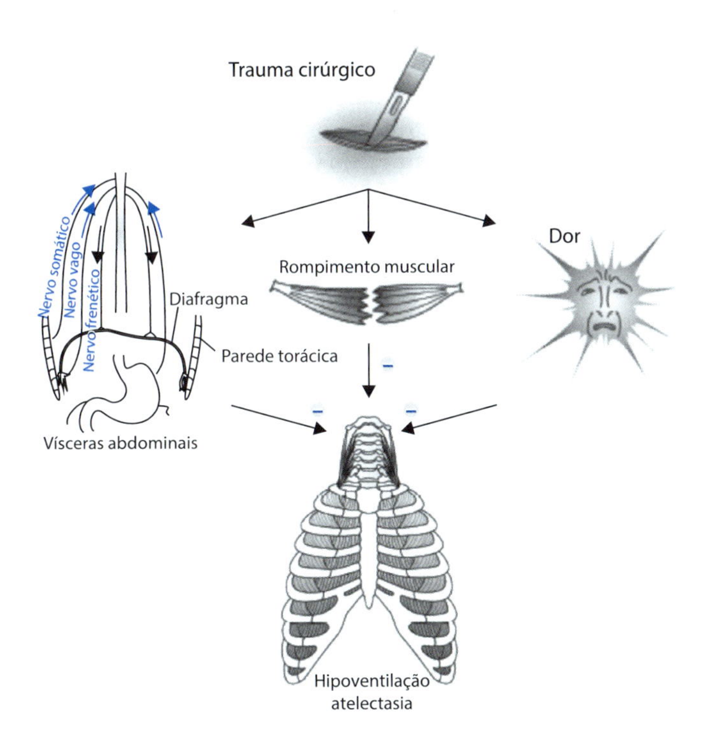

Figura 16.1 – Fatores produzindo disfunção muscular respiratória após trauma cirúrgico. Da esquerda para a direita: (1) trauma cirúrgico produz inibição da condução pelo nervo frênico, resultante da estimulação das vias aferentes viscerais ou somáticas durante a manipulação cirúrgica; (2) alteração da mecânica respiratória prejudica a efetividade dos músculos respiratórios; (3) a dor produz limitação voluntária da contração dos músculos respiratórios. Fonte: Warner, 2000.

Fatores de risco para disfunção pulmonar pós-operatória

A ocorrência de disfunção pulmonar pós-operatória é maior na presença de fatores de risco. As principais condições clínicas que têm sido relacionadas à disfunção pulmonar pós-operatória são:

- Idade;
- Obesidade;
- Tabagismo;
- Doença pulmonar e/ou sintomas respiratórios prévios;
- Uso de sonda nasoenteral ou nasogástrica;
- Local da incisão;
- Tempo cirúrgico.

Abordagem Fisioterapêutica após Cirurgias Abdominais

O fisioterapeuta tem importante papel no PO de cirurgias toracoabdominais em virtude da elevada incidência de complicações pulmonares pós-operatórias que aumentam a morbimortalidade e o tempo de internação hospitalar desses pacientes. No PO de cirurgias abdominais, essas complicações são frequentes e necessitam de tratamento intensivo. Sendo assim, a atuação fisioterapêutica junto à equipe multidisciplinar visa principalmente reduzir tais complicações, de forma a proporcionar uma recuperação funcional precoce, diminuindo a morbidade e o tempo de internação, reduzindo os custos com o tratamento nesse período. Para fins didáticos, dividiremos a abordagem fisioterapêutica em pacientes sob ventilação mecânica e aqueles em ventilação espontânea.

Abordagem fisioterapêutica em pacientes sob ventilação mecânica

O paciente em pós-operatório de cirurgia abdominal alta (laparotomia), frequentemente, necessita de cuidados intensivos, os quais incluem a intubação endotraqueal e ventilação mecânica. Nos pacientes com evolução satisfatória e sem complicações após a cirurgia, recomenda-se realizar a retirada da ventilação mecânica o mais precoce possível, logo que cessar o efeito anestésico, quando o paciente se apresentar hemodinamicamente estável, com analgesia adequada, sem distúrbios hidroeletrolíticos e com nível de consciência adequado (*glasgow score* ≥ 9).

No paciente em PO de cirurgia abdominal, a retirada do suporte ventilatório mecânico, habitualmente, é realizada na modalidade pressão de suporte. Deve estabelecer uma pressão positiva inspiratória para manutenção de VC em 6 mL/kg, volume minuto em torno de 6 a 7 L/minuto, frequência respiratória ≤ 25 por minuto. A pressão de suporte deve ser reduzida gradativamente, conforme a tolerância do paciente. Quando o paciente atingir pressão de suporte de 5 a 7 cmH_2O, PEEP ≤ 5 a 8 cmH_2O, fração inspirada de oxigênio $\leq 40\%$ com saturação de oxigênio superior a 94% e permanecer estável durante aproximadamente 30 minutos, ele poderá ser extubado.

Pacientes submetidos a procedimentos cirúrgicos abdominais podem apresentar variados graus de "hipertensão intra-abdominal", condição esta que pode agravar o declínio da função pulmonar, pois contribui para o deslocamento cefálico do diafragma e aumento da impedância toracoabdominal à inspiração, assim como podem evoluir com hipoxemia grave ocasionada por pneumonia, atelectasia ou síndrome do desconforto respiratório agudo. O uso de níveis mais elevados de pressão expiratória final positiva (PEEP) é um dos recursos que podem ser utilizados para reversão da hipoxemia. Dois estudos já demonstraram que em pacientes com "hipertensão intra-abdominal", pode-se elevar a PEEP até níveis de 15 cmH_2O sem repercussão sobre a pressão intra-abdominal.

Abordagem fisioterapêutica em pacientes em ventilação espontânea

Após extubação, o paciente deve ser mantido em suporte de oxigênio via cateter nasal ou máscara, se necessário, e a assistência fisioterapêutica respiratória deve ser intensificada, objetivando evitar atelectasias e acúmulo de secreções em vias aéreas, assim como restaurar a função diafragmática prejudicada no PO.

Frequentemente, pacientes submetidos a cirurgias abdominais são extubados e deslocados para a sala de recuperação anestésica ou são extubados nesta sala. Estudo recente demonstrou que o atendimento fisioterapêutico pode ser iniciado já na sala de recuperação anestésica e seguido na enfermaria. Foi demonstrado que a assistência fisioterapêutica iniciada na sala de recuperação anestésica reduziu a perda da função pulmonar, a perda da força muscular ventilatória e o tempo de internação na sala de recuperação, em comparação aos pacientes atendidos somente na enfermaria.

Em pacientes de risco para complicações pulmonares pós-operatórias e/ou aqueles com maior perda de função pulmonar, pode-se utilizar a ventilação não invasiva com pressão positiva em caráter profilático, objetivando restabelecer ventilação adequada e prevenindo atelectasias e a insuficiência respiratória, ou caráter terapêutico, visando evitar a intubação endotraqueal e seus efeitos adversos. Dois modos podem ser usados, a pressão positiva contínua em vias aéreas (CPAP) e a pressão positiva em dois níveis nas vias aéreas (BIPAP).

A CPAP não é capaz de aumentar a ventilação alveolar, motivo pelo qual, na presença de hipercapnia, deve-se preferir o uso do BIPAP. Recomenda-se o a aplicação de CPAP apenas em casos de hipoxemia. Nos pacientes submetidos à cirurgia abdominal, o uso desses recursos está associado à melhora da troca gasosa, redução de atelectasias e diminuição do trabalho respiratório, além de diminuição da necessidade de intubação endotraqueal e possivelmente da mortalidade. Em cirurgias abdominais, recomenda-se utilizar pressões inspiratórias mais baixas (EPAP < 8 e IPAP < 15) visando evitar o surgimento de fístulas ocasionadas pelo uso da pressão positiva e, se necessário, passagem de sonda nasogástrica. Devem ser respeitadas as limitações e contraindicações para utilização desses recursos.

Quando o paciente apresenta redução dos volumes pulmonares e tosse ineficaz e é incapaz de realizar exercícios que exigem atividade voluntária efetiva, como exercícios convencionais, pode-se utilizar a respiração com pressão positiva intermitente (RPPI). Sendo seus objetivos principais o aumento do volume corrente e, consequentemente, aumento do volume-minuto, favorecendo a expansão pulmonar e trocas gasosas. Contudo, esse recurso foi pouco investigado na literatura e, atualmente, os estudos demonstram que os resultados não diferem em relação aos exercícios de respiração profunda e espirometria de incentivo.

A espirometria de incentivo utiliza a sustentação máxima inspiratória (SMI) para atingir altos volumes pulmonares e necessita de dispositivos que, por meio de um feedback visual, estimulam os pacientes a atingirem os fluxos ou volumes determinados. Os incentivadores volumétricos se assemelham à fisiologia pulmonar e um estudo demonstrou superioridade destes em relação aos incentivadores a fluxo, dessa forma, sugere-se dar preferência aos incentivadores volumétricos na prática clínica. A literatura atual não indica o uso da espirometria de incentivo, de forma isolada, no pós-operatório de cirurgia abdominal. Esse recurso deve vir acompanhado de outros como exercícios de respiração profunda, recursos com pressão positiva e mobilização precoce.

Autores já demonstraram que o emprego dos exercícios de inspiração profunda e a espirometria de incentivo previnem complicações pulmonares, quando comparado a grupos sem intervenção fisioterapêutica no PO de cirurgia abdominal. Quando comparados os exercícios respiratórios à espirometria de incentivo, os resultados são semelhantes na prevenção de complicações pulmonares em pacientes no PO de cirurgias abdominais.

O treinamento dos músculos respiratórios por meio de dispositivo de carga linear pressórica também é uma opção nos pacientes operados, pois o ganho de força dessa musculatura está associado à maior eficiência da ventilação pulmonar. Evidências demonstram que esse treinamento foi capaz de incrementar a força muscular respiratória, o que não ocorreu no grupo-controle, em pacientes submetidos à colecistectomia convencional.

Os exercícios respiratórios são comumente utilizados em pacientes submetidos a cirurgias toracoabdominais, sendo os mais frequentes: respiração diafragmática; inspiração fracionada em tempos; inspiração máxima sustentada; associando ou não inspirômetros de incentivo; nos pacientes cooperativos; e com menor perda de função pulmonar pós-operatória.

A mobilização precoce é parte importante da assistência fisioterapêutica nos pacientes submetidos a cirurgias abdominais e, nos dias atuais, sabe-se que propicia incremento da função pulmonar e melhor evolução do paciente em semelhança a outras técnicas da fisioterapia respiratória.

Trauma Torácico

Os traumatismos torácicos (TT) se classificam em abertos (penetrantes ou não) e fechados. No entanto, essa classificação não tem grande valor prático, pois quaisquer desses tipos podem causar lesões em qualquer víscera torácica, tornando-se pouco confiáveis para o norteamento terapêutico.

As lesões de tórax são divididas naquelas que implicam risco imediato à vida e que, devem ser pesquisadas no exame primário e naquelas que implicam risco potencial à vida e que são observadas durante o exame secundário (Figura 16.2). Após o trauma no tórax, são comuns algumas lesões, como: as ósseas (que incluem fraturas de costelas, esterno, escápula e coluna); lesões cardíacas e de vasos sanguíneos (ruptura ou dissecção da aorta, contusão cardíaca, ruptura do miocárdio e infarto do miocárdio); as pulmonares (pneumotórax, hemotórax, contusão pulmonar, lesões do parênquima pulmonar e lesões traqueobrônquicas); no esôfago (lesões com fistula).

Comprometimento respiratório

No tórax, as fraturas ósseas das costelas e esterno desestabilizam a caixa torácica prejudicando a mecânica da respiração espontânea. Essa condição é agravada pela dor, o que reduz ainda mais a função respiratória. A lesão traumática direta no pulmão como a contusão pulmonar, em combinação com um concomitante aumento na permeabilidade vascular dos capilares pulmonares no local da lesão, leva a um extravasamento de líquido, resultando em insuficiência respiratória progressiva.

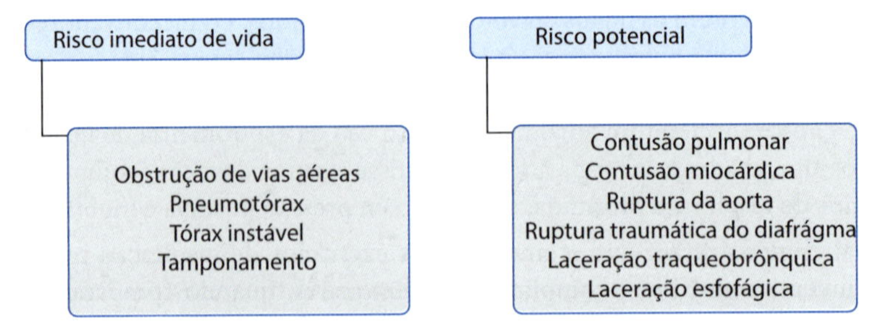

Figura 16.2 – Divisão de risco no trauma torácico. Fonte: elaborada pela autora Jamili Anbar Torquato.

Após um trauma torácico grave, pode aparecer o *shunt* intrapulmonar causado por uma interrupção dos capilares pulmonares e extravasamento para os espaços alveolares. A aspiração de sangue e/ou conteúdo gástrico, a embolia gordurosa no pulmão por fraturas de ossos longos e a síndrome da resposta inflamatória sistêmica podem agravar o quadro respiratório e levar à lesão pulmonar aguda (LPA) ou síndrome do desconforto respiratório agudo (SDRA).

Sistema cardiovascular

A redução no enchimento normal intraventricular causada por pneumotórax, tamponamento pericárdico ou hemorragia massiva, assim como as lesões em estruturas cardíacas ou contusões com arritmias cardíacas concomitantes contribuem para redução do débito cardíaco.

Diagnóstico

Alguns dos indicadores de lesões torácicas são os sinais exteriores de contusão, lesão, corte, sangramento externo, a instabilidade do tórax, dispneia, hemoptise, hipoxemia, desvio traqueal, enfisema, sons de respiração específica de um lado do tórax, a síndrome de veia cava superior e ruídos intestinais intratorácicos.

O enfisema intersticial pulmonar pode ser causado pela hiperdistensão e ruptura alveolar por extravasamento do gás extra-alveolar associado à ventilação mecânica que se move através da parede alveolar danificada para o espaço bronco vascular e interstício pulmonar. Como consequência, podem aparecer a fístula broncoalveolar, o pneumotórax ou o pneumotórax hipertensivo e o enfisema.

Sinais clínicos de trauma torácico

Os sinais clínicos de trauma torácico grave são a instabilidade do tórax, sinais de choque hemorrágico, baixo débito cardíaco e ruídos intestinais intratorácicos indicando a ruptura de diafragma.

A localização da lesão pode fornecer sinais de outras lesões associadas, como as fraturas do 1º ao 3º arcos costais, podem ser graves por sua localização protegida e podem estar associadas à lesão do mediastino. Portanto, lesões de grandes vasos sanguíneos, traqueais ou estruturas brônquicas podem estar associadas. Fraturas em costelas inferiores (9 a 12 de costelas) são mais frequentemente associados a lesões hepáticas, no lado direito, laceração esplênica no lado esquerdo ou lesão renal na parede torácica posterior inferior.

A tomografia computadorizada (TC) helicoidal do tórax e o ecocardiograma fornecem as informações de diagnóstico relativo de lesões intratorácicas. Se necessário, radiografia de tórax, broncoscopia pulmonar, angio-TC e um eletrocardiograma podem fornecer mais informações de diagnóstico.

A Figura 16.3 mostra o comprometimento do sistema cardiaco e do sistema respiratório no trauma de tórax.

Aspectos Relevantes na Terapêutica do Trauma de Tórax

Lesões ósseas da parede torácica

Lesões de uma ou duas costelas não são tipicamente perigosas e pode ser manuseada sem internação; no entanto, em qualquer nível de fratura de costela, existe o risco de pneumotórax e contusão pulmonar. Mais de duas fraturas de costelas, o paciente tem risco significativo de complicações, conforme mostra a Figura 16.4. As fraturas de mais de duas costelas adjacentes, em dois locais diferentes, resultam em instabilidade do tórax com movimento paradoxal. Essa

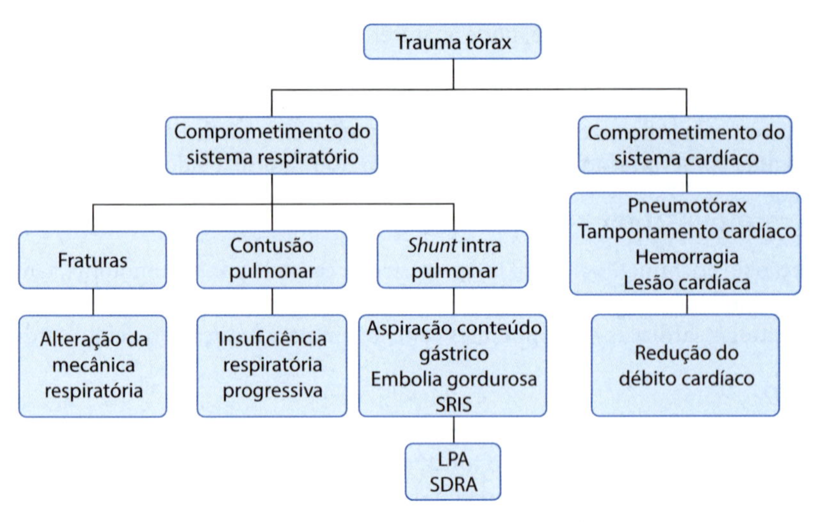

Figura 16.3 – Comprometimento dos sistemas cardíaco e respiratório. Fonte: elaborada pela autora Jamili Anbar Torquato.

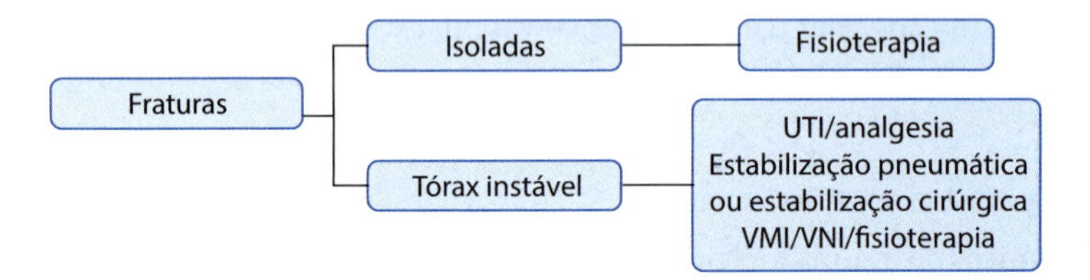

Figura 16.4 – Lesões ósseas da parede torácica. Fonte: elaborada pela autora Jamili Anbar Torquato.

condição de tórax instavel é a mais frequentemente acompanhada por uma lesão do parênquima pulmonar subjacente e pode ser fatal.

A cavidade pleural gera pressão negativa durante a inspiração e a parede torácica se desloca para fora durante a inspiração; o segmento de parede torácica flutuante e do tecido mole, paradoxalmente, mover-se-ão um sentido para dentro, o que resulta em elevado esforço respiratório, dispneia e hipoxemia.

Terapêutica

Para otimizar a ventilação do paciente, a dor precisa ser controlada com administração sistêmica de analgésicos, anestesia regional com bloqueios intercostais, cateteres pleurais e epidurais, bem como bloqueios paravertebrais que podem ser úteis.

A analgesia epidural é eficaz para função ventilatória desses pacientes e está associada a diminuição da taxa de pneumonia nosocomial e menor tempo de ventilação mecânica em pacientes após a fratura de costelas. A estabilização pneumática baseia-se no uso da pressão positiva intratorácica que pode ser fornecida por máscara pela ventilação com pressão positiva não invasiva (VNI); ou após a intubação, pela ventilação invasiva com pressão positiva (VMI).

Prevenir atelectasia e pneumonia requer fisioterapia respiratória adicional, com técnicas específicas para expansão pulmonar e higiene brônquica, como também mudança de decúbitos e mobilização precoce, evitando sinais de imobilismo por tempo prolongado no leito. Broncoscopia flexível normalmente fornece suficiente remoção de secreções e sangue dos pulmões. A estabilização cirúrgica tem sido associado com recuperação mais rápida da função pulmonar e um tempo mais curto de UTI em pacientes com tórax instável que necessitaram de suporte ventilatório prolongado. O decúbito lateral sobre o lado comprometido ou o enfaixamento do tórax imobilizam a região diminuindo a dor, mas pioram a mecânica ventilatória, sendo indicados apenas em pacientes sem evidência de insuficiência respiratória.

Pneumotórax

As lesões dos pulmões ou na parede torácica podem causar uma lesão pleural, resultando no recolhimento do ar no espaço pleural, associada com um colapso do pulmão, associando as lesões torácicas penetrantes e ferimentos mais contundentes com pneumotórax. A forma fechada, ou um pequeno pneumotórax, é na maior parte imperceptível, no entanto, o pneumotórax pode ocorrer quando a quantidade de ar no espaço pleural aumenta. Isso resulta em um deslocamento das estruturas do mediastino e dos pulmões e induz uma redução do fluxo venoso para o coração e redução do débito cardíaco.

Os sinais clínicos de pneumotórax são dispneia, sons pulmonares diminuídos ou ausentes no lado afetado, hiperressonância unilateral à percussão, dor pleural, desvio traqueal, hipotensão, pulso paradoxal, pressão venosa central elevada, síndrome da veia cava superior, aumento da pressão sobre ventilador, elevação do CO_2 e diminuição nos níveis de PaO_2 e SpO_2.

A radiografia de tórax ou TC deve ser o teste inicial para todos os pacientes de trauma torácico penetrante ou trauma torácico fechado. A ultrassonografia também é útil no diagnóstico de pneumotórax e hemotórax.

Terapêutica

Os pacientes sob ventilação mecânica devem ser tratados imediatamente com uma drenagem pleural para evitar o desenvolvimento de pneumotórax hipertensivo.

Drenagem do tórax é normalmente realizada para drenar ar e sangue e reduzir o vazamento de ar consequente a fístulas broncopulmonares. A aplicação de pressão negativa para o sistema de drenagem pode ser necessário para manter a expansão do pulmão. Alguns pacientes têm fluxos de fístula altamente variáveis, que podem ser influenciados pela posição do corpo. Esses pacientes devem escolher uma posição do corpo que produz o menor fluxo de gás (fístula) possível. Os doentes com os fluxos de alta fístula, em que a reexpansão dos pulmões não pode ser conseguida, podem requerer tratamento adicional cirúrgicao (ou seja, o fechamento da fístula ou lobectomia).

Se necessária a ventilação mecânica, os ajustes do ventilador devem auxiliar no fechamento da fístula com cuidado no limite das pressões (pico, platô e no final da expiração) e volume. Respiração espontânea precoce pode contribuir para o fechamento da fístula. A fisioterapia visa manter boa oxigenação por meio do suporte de oxigenioterapia com nebulização, venturi ou cateter de oxigênio e o posicionamento no leito após drenagem de tórax. A VMNI é uma boa opção para expansão pulmonar, uma vez, que as técnicas manuais, cinesioterapia respiratória e incentivadores a fluxo ou volume apresentam baixa evidência científica. A sedestaçao à beira do leito, mobilizaçao precoce e exercícios ativos assistidos axiliam na recuperaçao do paciente. (Figura 16.5)

Hemotórax ou Hemopneumotórax

A ruptura da aorta, a ruptura do miocárdio e lesões nas estruturas hilares podem levar a hemorragias maciças. A redução hemodinâmica do débito cardíaco pode atingir o nível de choque hemorrágico.

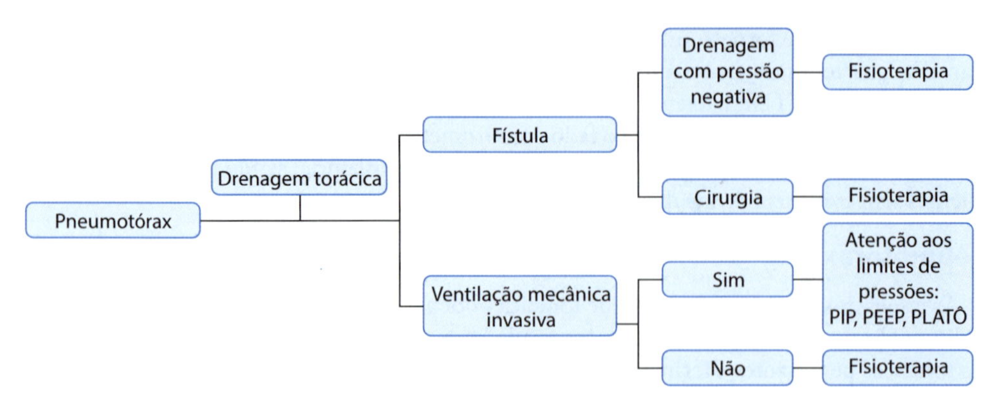

Figura 16.5 – Terapêutica no pneumotórax. Fonte: elaborada pela autora Jamili Anbar Torquato.

Terapêutica

A drenagem torácica é a terapia de escolha. A intenção da drenagem torácica é a drenagem e quantificação de sangue, remoção de possível pneumotórax e tamponamento da fonte de sangramento. Hemorragia arterial é uma ameaça à vida; portanto, a quantidade de perda de sangue deve ser acompanhada de perto.

Uma perda de sangue inicial em excesso de 1.500 mL (≥20 mL/kg) ou uma perda de sangue de cerca de 300 a 500 mL/hora devem ser levadas a uma toracotomia cirúrgica para estancar o sangramento.

A fisioterapia respiratória auxilia na recuperação das disfunções de ventilação, posicionamento e atenção com drenos, cirurgias e instabilidade do paciente.

Lesões Traqueais e Brônquicas

As lesões das vias aéreas superiores são geralmente causadas sem corte ou, em menor escala, por trauma penetrante de tórax (Figura 16.6). Cerca de 80% das rupturas traqueobrônquicas estão localizados ao redor da carina (cerca de um raio de 2 cm). O brônquio principal direito está envolvido com mais frequência do que o brônquio principal esquerdo. Essas lesões normalmente envolvem a membrana da traqueia; considerando que nos brônquios principais, as rupturas são transversais entre dois anéis condrais.

São manifestações clínicas da lesão brônquica a dispneia, hemoptise, enfisema, pneumotórax e pneumomediastino. O diagnóstico é obtido por broncoscopia e é, muitas vezes, difícil.

Terapêutica

A fisioterapia tem o cuidado com pressão de *cuff*, posicionamento e fixação da COT. Utiliza-se de técnicas de higiene brônquica, aspiração traqueal para remoção de secreção, expansão pulmonar, mudanças de decúbito e mobilização precoce; e monitora os parâmetros ventilatórios com baixos níveis de pressões para evitar escape aéreo.

Contusão Pulmonar

Contusão pulmonar é a lesão intratorácica mais frequentemente diagnosticada que resulta de trauma sem corte (Figura 16.7). Contusões pulmonares isolados são consideradas mais benignas.

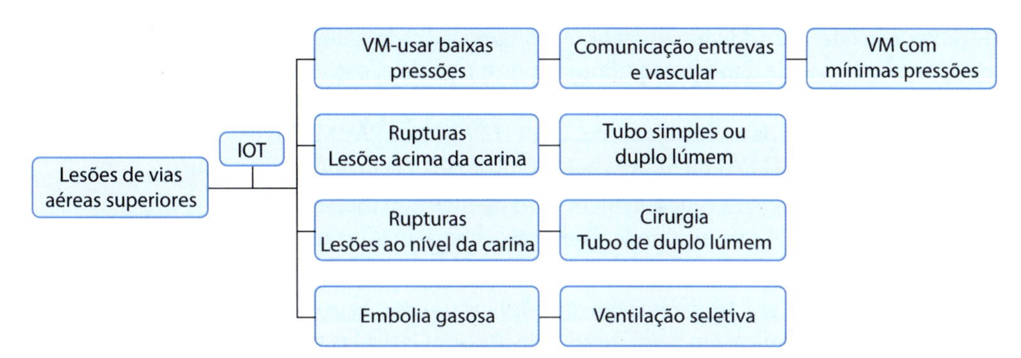

Figura 16.6 – Lesões de vias aéreas superiores. Fonte: elaborada pela autora Jamili Anbar Torquato.

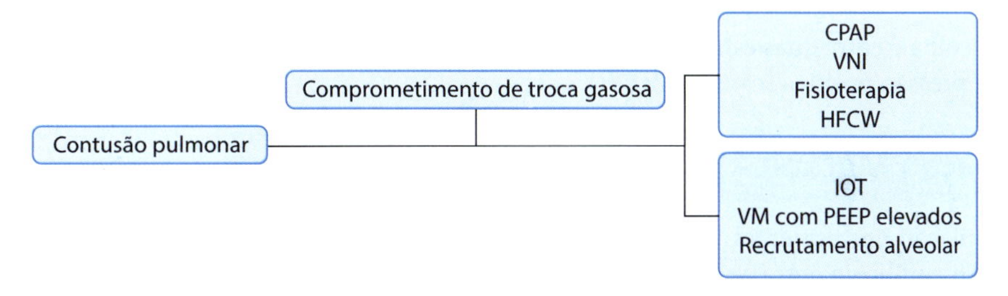

Figura 16.7 – Contusão pulmonar. Fonte: elaborada pela autora Jamili Anbar Torquato.

O risco de contusão pulmonar parece correlacionar-se com a gravidade das forças e da proximidade da zona do impacto para o paciente. Na fase inicial da lesão, a deficiência de oxigenação pode correlacionar-se com o tecido pulmonar envolvido. Clinicamente, o comprometimento da troca gasosa é óbvio. Radiografia de tórax com irregular opacificação lobular não fornece nenhuma indicação da gravidade da contusão e não pode levar a um prognóstico confiável. TC de tórax e gasometria arterial são os melhores indicadores do grau de contusão pulmonar.

Terapêutica

A melhora dos sintomas respiratórios pode ser alcançada por ventilação com pressão positiva contínua nas vias aéreas (CPAP), manejo da dor suficiente, fisioterapia e drenagem pulmonar para prevenir a pneumonia. Drenagem pulmonar pode ser suportada com sucesso por alta frequência de oscilação da parede torácica (HFCWO). Em casos graves, a necessidade de substituição do volume de sangue pode adicionar mais danos do parênquima pulmonar por extravasamento capilar. Em casos de troca gasosa prejudicada, a intubação e ventilação mecânica são necessários.

Outras lesões relacionadas após trauma torácico incluem ruptura diafragmática traumática rara, que exige reparo cirúrgico.

Estratégias de ventilação pulmonar mecânica

A presença de contusão pulmonar com ou sem tórax instável é geralmente associada a uma alta incidência de requisitos de suporte ventilatório; no entanto, muitas vezes não há correlação clara entre o volume de pulmão afetado e a gravidade e a duração da hipoxemia. O suporte respiratório pode evitar movimentos paradoxais e assincronias e pode alcançar a estabilização pneumática. A estratégia ventilatória nos pacientes após trauma torácico depende do diagnóstico e deve ser considerada individualmente. A compreensão da fisiopatologia dos pacientes, com seus tipos específicos de danos nos pulmões após o trauma e, consequentemente, a elaboração e implementação de estratégias de ventilação, podem apoiar o sistema respiratório e prevenir mais lesão pulmonar associada à ventilação mecânica (LPAVM). LPAVM tem o potencial para induzir lesão pulmonar aguda (LPA) ou SDRA, bem como a falência de múltiplos órgãos.

Os fatores de risco para o desenvolvimento de SDRA associada ao trauma incluem a lesão pulmonar direta, lesão direta na parede, aspiração, choque hemorrágico, transfusão maciça, idade avançada, doenças subjacentes, malignidade, traumatismo cranioencefálico grave e quadriplegia.

A equipe de saúde precisa estar ciente de que barotrauma, bem como lesão pulmonar induzida por ventilação mecânica, em geral, resulta de pressões elevadas pulmonares, grandes volumes correntes, distensão excessiva e um aumento da fração inspirada de oxigênio ($FiO_2 > 0,6$), limitando pressões platô das vias aéreas e reduzindo os volumes correntes para ajudar a minimizar o risco de LPAVM. O desafio é conseguir o equilíbrio entre ventilação, oxigenação e débito cardíaco adequado em pacientes com trauma de tórax.

A escolha é entre duas estratégias diferentes para aplicar ventilação mecânica: VNI e ventilação com pressão positiva invasiva (VPPI).

Ventilação Mecânica Invasiva com Pressão Positiva

Ventilação em pacientes após trauma torácico é um desafio por causa da dificuldade em alcançar o equilíbrio entre a ventilação suficiente e evitar mais danos aos pulmões. Coexistindo lesões neurológicas, ósseas e vasculares, pode ser exigida mais atenção por parte do médico de emergência do que o próprio trauma pulmonar. O objetivo da terapia clínica de primeira linha para pacientes com trauma torácico é alcançar um nível adequado de oxigenação e para proteger os pulmões de mais prejuízos usando reduzidos volumes correntes (6 mL/kg), um limite de pressão abaixo de 30 cm H_2O e baixo nível de FiO_2.

Desafios para ventilação mecânica invasiva e não invasiva

Os pacientes com contusão pulmonar significativa e baixa complacência pulmonar têm um risco aumentado de barotrauma e, nos pacientes com choque hemorrágico, os níveis de PEEP superior a 5 cm H_2O podem agravar a hipotensão. Portanto, esse tipo de paciente de trauma necessita de uma estratégia ventilatória que minimiza a pressão das vias aéreas e incorpora hipercapnia permissiva, o que significa que a estratégia de ventilação mecânica protetora deve ser aplicada, limitando pressão de pico e a distensão do pulmão e prevenindo o colapso final da expiração.

Pressão de platô < 30 cmH_2O

A pressão de platô < 28 cmH_2O, está associada à maior proteção pulmonar do que uma pressão de platô < 30 cmH_2O, em pacientes com um compartimento pulmonar por trauma. Pressões mais elevadas podem ser necessárias para melhorar a complacência de caixa torácica como no caso de pacientes com obesidade, inclusive com PEEP elevadas para ventilar adequadamente o pulmão.

FiO_2

Situações pouco claras iniciais em pacientes politraumatizados requerem altos valores de FiO_2. Essa opinião é corroborada por estudos que demonstraram menor mortalidade em animais com choque hemorrágico e com altos níveis de FiO_2, e um melhor prognóstico em pacientes com lesões na cabeça e no cérebro. Sob condições controladas de uma UTI, FiO_2 deve ser adaptada para obter uma PaO_2 de 60 a 80 mm Hg (ou saturação de oxigenação ≥ 90%).

PEEP

A pressão positiva expiratória final (PEEP) deve ser adicionada para otimizar a oxigenação e eliminação de CO_2 e pode ser ajustada até atingir níveis de 14 a 16 cmH_2O em pacientes com lesão pulmonar severa. Os resultados no tratamento de pacientes com lesão pulmonar aguda e SDRA mostram que após o tratamento com uma PEEP mais elevada (11 a 15 cmH_2O) comparada a valores inferiores de PEEP (8-9 cmH_2O), os níveis mais elevados de PEEP foram associados com melhora da sobrevida hospitalar apenas entre o subgrupo de pacientes com SDRA. No entanto, na presença de hipotensão grave e de uma redução substancial do débito cardíaco, valores elevados devem ser evitados.

Hipercapnia permissiva

A $PaCO_2$ acima dos níveis pode ser tolerada, desde que o pH seja maior do que 7.2, exceto em pacientes com pressão intracraniana elevada.

Modos Ventilatórios

Apesar dos vários modos de ventilação introduzidos na rotina clínica, não há nenhuma evidência de que a escolha entre um modo de controle de volume e um modo de controle de pressão influencie a mortalidade ou morbidade dos pacientes com lesão de tórax.

Ventilação Pulmonar Independente

O trauma de tórax pode levar a trauma pulmonar desproporcional ou unilateral. Em tais casos, o pulmão afetado pode não ser suficientemente ventilado sem comprometer o pulmão saudável com lesão pulmonar associada à ventilação mecânica (LPAVM). Métodos de ventilação convencionais podem falhar em tal condição dos pulmões. A ventilação pulmonar independente deve ser considerada para otimizar as situações respiratórias e hemodinâmicas. Ventilação independente não sincronizada pode ser usada para fornecer a ventilação seletiva de acordo com os diferentes estados dos pulmões afetados e não afetados. Dessa forma, após a intubação com tubo de duplo-lúmen, dois ventiladores que estão ligados de forma independente para os pulmões podem fornecer diferentes modos ventilatórios, fluxos, níveis de pressão, taxas, volumes e oxigênio inspirado. Ventilação pulmonar independente fornece a opção de combinar ventilação a jato de alta frequência para o lado afetado com a ventilação pulmonar protetora para o lado não afetado.

O uso de PEEP é outro fator importante para melhorar a troca gasosa em lesões do parênquima pulmonar unilateral após trauma. Em fístula broncopleural, a pressão positiva (PEEP/CPAP) e o volume inspirado devem ser limitados, e a relação invertida deve ser evitada no lado afetado. Outra limitação da pressão positiva pode ser obtida por redução da taxa de respiração de pressão positiva com o pulmão afetado. Em casos muito graves, o lado afetado pode ser deixado em aberto para a atmosfera ou conectado a uma fonte de gás rico em oxigênio, enquanto o lado não afetado é ventilado.

A magnitude, localização e o tipo da lesão torácica exigem uma terapia gradualmente adaptada às necessidades individuais do paciente e que inclui a VNI ou a VMI, com a modalidade de APRV; bem como a ventilação pulmonar independente em combinação com a *ventilação* oscilatória de alta frequência (VOAF). A oxigenação por membrana *extracorpórea* (ECMO) também deve ser considerada. A fisioterapia respiratória, drenagem brônquica, drenos de tórax e traqueostomias devem ser incorporados no manejo da ventilação em pacientes com trauma tórax.

Aspectos Relevantes da Fisioterapia no Trauma de Tórax

As complicações são causadas pela ineficiência na remoção das secreções brônquicas, por não manter volume pulmonar adequado e imobilidade no leito. O fisioterapeuta alterna técnicas terapêuticas no manejo do trabalho respiratório mantendo controlados os limites da sobrecarga e repouso dos músculos respiratórios.

Durante as manobras de higiene brônquica, pode ocorrer a elevação da $PaCO_2$, retornando após a terapia a valores menores, em virtude da remoção da secreção e melhora da ventilação pelo procedimento realizado.

A PaO_2 e a $SatO_2$ podem apresentar leve queda durante as manobras de fisioterapia, com retorno a valores maiores após a terapia. Alguns cuidados são recomendados, como pré-oxigenar o paciente antes da aspiração da COT e sistema fechado de aspiração; evitando despressurização da ventilação mecânica. É de fundamental importância manter elevação da cabeceira.

A hipoxemia é mais frequentemente causada pela alteração da relação ventilação/perfusão e *shunt* nos pacientes que não eliminam secreções durante a terapia.

Na embolia pulmonar, quando há indicação de realização da fisioterapia desobstrutiva brônquica para remoção de secreção que necessitem de manobras de higiene brônquica, a avaliação do risco e do benefício deve ser considerada, mesmo que a probabilidade do avanço do trombo seja muito remota durante a realização das técnicas de fisioterapia pulmonar.

No trauma torácico com contusão pulmonar, é comum a hemoptise. Para esses pacientes, a fisioterapia pulmonar respiratória é indicada e as técnicas de remoção de secreção como manobras de higiene brônquica, tosse e aspiração são benéficas.

Nas fraturas de arcos costais, algumas técnicas de fisioterapia torácica como vibrocompressão ou tapotagem sobre a fratura não são indicados. Deve-se ter sempre cuidado especial com as manobras de higiene brônquica quanto à intensidade da força para aplicação da técnica.

Nos pacientes com necessidade de drenos de tórax por pneumotórax, a terapia só é realizada após passagem de dreno e avaliação da radiografia. Em pneumotórax não drenado, estão contraindicadas técnicas fisioterapêuticas que incentivem o aumento da pressão intratorácica.

Após a toracocentese, passagem de cateter central, reposicionamento ou remoção de drenos torácicos, é recomendado aguardar a radiografia de tórax para realizar as técnicas fisioterapêuticas, para descartar a presença de pneumotórax.

Os riscos de broncoaspiração podem ser reduzidos com a realização da terapia antes da dieta, ou parar momentaneamente a dieta durante o atendimento, evitando refluxo gástrico. Não se deve realizar drenagem postural em decúbitos horizontal ou Trendelenburg, pois esses posicionamentos são contraindicados por aumentar os riscos de broncoaspiração.

A fisioterapia respiratória promove a efetividade do tratamento por meio da combinação de diferentes técnicas que dependerão das restrições clínicas, das necessidades do paciente e da habilidade do fisioterapeuta.

Os efeitos das técnicas fisioterapêuticas têm enfoque multifatorial de elevada complexidade, nos aspectos intrínsecos da mecânica do sistema toracoabdominal, ventilação pulmonar, função dos músculos respiratórios e todos músculos do corpo.

Essas técnicas respiratórias revertem a hipoxemia causada por obstrução pelo aumento da secreção, melhoram a oxigenação em pacientes com insuficiência respiratória, apresentam melhora radiológica, revertem atelectasia e melhoram a mecânica do sistema respiratório.

As técnicas de fisioterapia motora previnem os efeitos do repouso prolongado causados pelo imobilismo.

A tosse é fundamental para remoção eficaz de secreção pulmonar e envolve força de músculos como diafragma e abdominais. Alguns recursos podem ser utilizados para estimular a tosse, sendo eles manuais ou mecânicos. Entre os manuais, citam-se o HUFF, TEF, AFE, instilação de soro por meio das vias aéreas, estímulos diafragmáticos e músculos abdominais. Os recursos mecânicos podem aumentar o volume inspirado, CRF e fluxo expiratório; sendo utilizada a pressão positiva em todas as suas variáveis (PEEP-ZEEP, RPPI, AMBU, CPAP).

A drenagem postural, desde mudanças de decúbito até a utilização da posição sentado fora do leito, objetiva a drenagem de secreções brônquicas, a melhora das trocas gasosas com posturas que favoreçam a relação V'/Q', a otimização da função muscular, a resistência à excursão diafragmática e a diminuição da sensação de dispneia.

As técnicas de expansão pulmonar visam o aumento ou manutenção do volume pulmonar por meio da utilização de exercícios respiratórios ativos ou associados a equipamentos com pressão positiva, como CPAP, EPAP, RPPI.

Os exercícios respiratórios podem ser associados com CPAP, que causam aumento da resistência expiratória (EPAP) e variações no posicionamento, como mudanças de decúbito. O treinamento de músculos respiratórios tem sido proposto para utilização em pacientes de difícil desmame, cuja única causa de manutenção no ventilador mecânico seja fraqueza muscular.

Leitura Recomendada

1. Abernathy JH, Reeves ST. Airway catastrophes. Curr Opin Anaesthesiol. 2010;23:41-6. [PubMed: 19901829].
2. Al-Hassani A, Abdulrahman H, Afifi I, Almadani A, Al-Den A, Al-Kuwari A, et al. Rib fracture patterns predict thoracic chest wall and abdominal solid organ injury. Am Surg. 2010;76:888-91. [PubMed: 20726423].
3. American College of Surgeons. ACS. Comittee on Trauma. Advanced Trauma Life Support. Instructor manual. 7th ed, Chicago, 2004.
4. Anderson CA, Palmer CA, Ney AL, Becker B, Schaffel SD, Quickel RR. Evaluation of the safety of high-frequency chest wall oscillation (HFCWO) therapy in blunt thoracic trauma patients. J Trauma Manag Outcomes. 2008;2:8. [PMCID: PMC2569011] [PubMed: 18837992].
5. Balci AE, Eren N, Eren S, Ulkü R. Surgical treatment of post-traumatic tracheobronchial injuries: 14-year experience. Eur J Cardiothorac Surg. 2002;22:984-9. [PubMed: 12467824].
6. Ball CG, Kirkpatrick AW, Laupland KB, Fox DI, Nicolaou S, Anderson IB, et al. Incidence, risk factors, and outcomes for occult pneumothoraxes in victims of major trauma. J Trauma. 2005;59:917-24. [PubMed: 16374282].
7. Barrios C, Tran T, Malinoski D, Lekawa M, Dolich M, Lush S, et al. Successful management of occult pneumothorax without tube thoracostomy despite positive pressure ventilation. Am Surg. 2008;74:958-61. [PubMed: 18942622].
8. Briel M, Meade M, Mercat A, Brower RG, Talmor D, Walter SD, et al. Higher vs lower positive end-expiratory pressure in patients with acute lung injury and acute respiratory distress syndrome: systematic review and meta-analysis. JAMA. 2010;303:865-73. [PubMed: 20197533].
9. Brooks A, Davies B, Smethhurst M, Connolly J. Emergency ultrasound in the acute assessment of haemothorax. Emerg Med J. 2004;21:44-6. [PMCID: PMC1756377] [PubMed: 14734374].
10. Bulger EM, Edwards T, Klotz P, Jurkovich GJ. Epidural analgesia improves outcome after multiple rib fractures. Surgery. 2004;136:426-30. [PubMed: 15300210].
11. Carvalho CR, Paisani DM & Lunardi AC. Incentive spirometry in major surgeries: a systematic review. Brazilian Journal of Physical Therapy, 15(5), 343-350, 2011.
12. Cordell-Smith JA, Roberts N, Peek GJ, Firmin RK. Traumatic lung injury treated by extracorporeal membrane oxygenation (ECMO) Injury. 2006;37:29-32. [PubMed: 16243331].
13. Dureuil B, Cantineau JP, Desmonts JM. Effects of upper or lower abdominal surgery on diaphragmatic function. Br J Anaesth 59:1230-5, 1987.
14. Fitzgerald M, Mackenzie CF, Marasco S, Hoyle R, Kossmann T. Pleural decompression and drainage during trauma reception and resuscitation. Injury. 2008;39:9-20. [PubMed: 18164300].

15. Forgiarini Junior LA, Carvalho AT, Ferreira TS, Monteiro MB, Bosco AD, Gonçalves MP et al. Atendimento fisioterapêutico no pós-operatório imediato de pacientes submetidos à cirurgia abdominal. J Bras Pneumol (35) 5:445-59, 2009.
16. Gastaldi AC, Magalhães CMB, Baraúna MA, Silva EMC, Souza HCD. Benefícios da cinesioterapia respiratória no pós-operatório de colecistectomia laparoscópica. Rev Bras Fisioter, São Carlos, v. 12, n. 2, p. 100-6, mar/abr 2008.
17. Gonzalez RP, Han M, Turk B, Luterman A. Screening for abdominal injury prior to emergent extra-abdominal trauma surgery: a prospective study. J Trauma. 57(4):739-4, 2004.
18. Guimarães HP, Gazoni FM, Lopes RD, Schneider AP, Yung L, Leal PHR, et al. Efeitos da pressão positiva no final da expiração orientada pela análise da complacência estática do sistema respiratório sobre a pressão intra-abdominal. Rev Bras Clin Med 6:172-176, 2008.
19. Hall JC, Tarala RA, Hall JL, et al. A multivariate analysis of the risk of pulmonary complications after laparotomy. Chest 99:923-927, 1991.
20. Hernandez G, Fernandez R, Lopez-Reina P, Cuena R, Pedrosa A, Ortiz R, et al. Noninvasive ventilation reduces intubation in chest trauma-related hypoxemia: A randomized clinical trial. Chest. 2010;137:74-80. [PubMed: 19749006].
21. Ho ML, Gutierrez FR. Chest radiography in thoracic polytrauma. AJR Am J Roentgenol. 2009;192:599-612. [PubMed: 19234253].
22. Jaber S, Delay JM, Chanques G, Sebbane M, Jacquet E, Souche B, Eledjam JJ. Outcomes of patients with acute respiratory failure after abdominal surgery treated with noninvasive positive pressure ventilation. CHEST Journal 128(4), 2688-2695, 2005.
23. Johannigman JA, Branson R, Lecroy D, Beck G. Autonomous control of inspired oxygen concentration during mechanical ventilation of the critically injured trauma patient. J Trauma. 2009;66:386-92. [PubMed: 19204511].
24. Katsaragakis S, Stamou KM, Androulakis G. Independent lung ventilation for asymmetrical chest trauma: effect on ventilatory and haemodynamic parameters. Injury. 2005;36:501-4. [PubMed: 15755431].
25. Klein U, Laubinger R, Malich A, Hapich A, Gunkel W. Emergency treatment of thoracic trauma. Anaesthesist. 2006;55:1172-88. [PubMed: 17004064].
26. Laghi F, Tobin M. J. Disorders of the respiratory muscles – State of the Art. Am J Respir Crit Care Med Vol; 168:10-48, 2003.
27. Mark R. Hemmila MwL, Wahl, MD. Management of the Injured Patient. In: Marsha S.Loeb KD (ed.). Current Diagnosis & Treatment Surgery. 13 ed. The McGraw-Hill Companies; 177-209, 2010.
28. O'Connor JV, Kufera JA, Kerns TJ, Stein DM, Ho S, Dischinger PC, et al. Crash and occupant predictors of pulmonary contusion. J Trauma. 2009;66:1091-5. [PubMed: 19359919].
29. Paisani DM, Chiavegato LD, Ribeiro S. Fisioterapia em cirurgia abdominal alta. In: Fisioterapia em UTI. São Paulo: Atheneu, 2010.
30. Paisani DM, Júnior JFF, Lima VP. Uso da pressão positiva nos pacientes cirúrgicos: cirurgias abdominais e cardiotorácicas. In: Tratado de fisioterapia hospitalar: assistência integral ao paciente. São Paulo: Atheneu, 2012.
31. Papadakos PJ, Karcz M, Lachmann B. Mechanical ventilation in trauma. Curr Opin Anaesthesiol. 2010;23:228-32. [PubMed: 20071980].
32. Pelosi P, Gama de Abreu M, Rocco PR. New and conventional strategies for lung recruitment in acute respiratory distress syndrome. Crit Care. 2010;14:210. [PMCID: PMC2887103] [PubMed: 20236454].
33. Pelosi Paolo, et al. The effects of body mass on lung volumes, respiratory mechanics, and gas exchange during general anesthesia. Anesthesia e Analgesia; 87:654-60, 1998.
34. Pereira ED, Farensin SM & Fernandes AL. Morbidade respiratória nos pacientes com e sem síndrome pulmonar obstrutiva submetidos a cirurgia abdominal alta. Rev. Assoc. Med. Bras.1992, 46(1), 15-22, 2000.
35. Pereira Jr GA, Lovato WJ, De Carvalho JB, Horta MFV. Management of the abdominal trauma. Abordagem geral trauma abdominal. 40(4):518-30, 2007.
36. Pettiford BL, Luketich JD, Landreneau RJ. The management of flail chest. Thorac Surg Clin. 2007;17:25-33. [PubMed: 17650694].
37. Pinedo-Onofre JA, Guevara-Torres L, Sánchez-Aguilar JM. Trauma abdominal penetrante. Cir Cir. 74(6):431-42, 2006.Rafea A, Wagih K, Amin H, El-Sabagh R, Yousef S. Flow-oriented incentive spirometer versus volume-oriented spirometer training on pulmonary ventilation after upper abdominal surgery. Egyptian Journal of Bronchology 3(2):110-18, 2009.

38. Ragaller M, Richter T. Acute lung injury and acute respiratory distress syndrome. J Emerg Trauma Shock. 3:43-51. 2010. [PMCID: PMC2823143] [PubMed: 20165721].
39. Raghavendran K, Notter RH, Davidson BA, Helinski JD, Kunkel SL, Knight PR. Lung contusion: Inflammatory mechanisms and interaction with other injuries. Shock. 2009;32:122-30. [PMCID: PMC2711988] [PubMed: 19174738].
40. Rico FR, Cheng JD, Gestring ML, Piotrowski ES. Mechanical ventilation strategies in massive chest trauma. (xi).Crit Care Clin. 2007;23:299-315. [PubMed: 17368173].
41. Rodrigues CP, Costa NST, Alves LA, Gonçalves CG. Efeito do treinamento muscular respiratório em pacientes submetidos à colecistectomia. Semina: Ciências Biológicas e da Saúde, v. 31, n. 2, p. 137-142, 2010.
42. Rovina N, Bouros D, Tzanakis N, Velegrakis M, Kandilakis S, Vlasserou F, et al. Effects of laparoscopy cholecystectomy on global respiratory muscle strength. Am J Resp Care Med. 153:458-61, 1996.
43. Saadaad L, Zambon L. Variáveis clínicas de risco pré-operatório. Rev Ass Med Brasil, 47(2), 117-24, 2001.
44. Schivinski CIS, Brito JN, Von Saltié R, Paulin E, Assumpção MS. Evidências do uso de instrumentais fisioterapêuticos no manejo das cirurgias abdominais. Arq Catarin Med, 41(3), 26-31, 2012.
45. Schreiter D, Reske A, Stichert B, Seiwerts M, Bohm SH, Kloeppel R, et al. Alveolar recruitment in combination with sufficient positive end-expiratory pressure increases oxygenation and lung aeration in patients with severe chest trauma. Crit Care Med. 2004;32:968-75. [PubMed: 15071387].
46. Shafi S, Gentilello L. Pre-hospital endotracheal intubation and positive pressure ventilation is associated with hypotension and decreased survival in hypovolemic trauma patients: an analysis of the National Trauma Data Bank. J Trauma. 2005;59:1140-5. [PubMed: 16385292].
47. Siau C, Stewart TE. Current role of high frequency oscillatory ventilation and airway pressure release ventilation in acute lung injury and acute respiratory distress syndrome. (vi).Clin Chest Med. 2008;29:265-75. [PubMed: 18440436].
48. Silva FAD, Lopes TM, Duarte J, Medeiros RF. Tratamento fisioterapêutico no pós-operatório de laparotomia. J. Health Sci. Inst, 28(4), 341-344, 2010.
49. Simmoneau G, Vivien A, Sartene R, Kustlinger F, Samii K, Noviant Y, et al. Diaphragm dysfunction induced by upper abdominal surgery. Role of postoperative pain. Am Rev Respir Dis, 128:899-905, 1983.
50. Smith J, Caldwell E, D'Amours S, Jalaludin B, Sugrue M. Abdominal trauma: a disease in evolution. ANZ journal of surgery. 75(9):790-4, 2005.
51. Squadrone V, Coha M, Cerutti E, Schellino MM, Biolino P, Occella P, Ranieri VM. Continuous positive airway pressure for treatment of postoperative hypoxemia: a randomized controlled trial. Jama 293(5), 589-595, 2005.
52. Strickland, Shawna L, et al. AARC clinical practice guideline: effectiveness of nonpharmacologic airway clearance therapies in hospitalized patients. Respiratory care 58.12: 2187-2193, 2013.
53. Sussman AM, Boyd CR, Williams JS, et al. Effect of positive end-expiratory pressure on intra-abdominal pressure. South Med J, 84:697-700, 1991.
54. Szucs-Farkas Z, Kaelin I, Flach PM, Rosskopf A, Ruder TD, Triantafyllou M, et al. Detection of chest trauma with whole-body low-dose linear slit digital radiography: a multireader study. AJR Am J Roentgenol. 2010;194:W388-95. [PubMed: 20410383].
55. Tanaka H, Yukioka T, Yamaguti Y, Shimizu S, Goto H, Matsuda H, et al. Surgical stabilization of internal pneumatic stabilization? A prospective randomized study of management of severe flail chest patients. J Trauma. 2002;52:727-32. [PubMed: 11956391].
56. Tazima MFS, Yvone AMVAV, Takachi M. Laparotomia. Medicina (Ribeirão Preto) 44(1): 33-8, 2011.
57. Terragni PP, Rosboch G, Tealdi A, Corno E, Menaldo E, Davini O, et al. Tidal hyperinflation during low tidal volume ventilation in acute respiratory distress syndrome. Am J Respir Crit Care Med. 2007;175:160-6. [PubMed: 17038660].
58. Thomas JA, McIntosh JM. Are incentive spirometry, intermittent positive pressure breathing, and deep breathing exercises effective in the prevention ofpostoperative pulmonary complications after upper abdominal surgery? A systematic overview and meta-analysis. Physical Therapy; 74(1):3-10, 1994.
59. Warner DO. Preventing Postoperative Pulmonary Complication. Anesthesiology; 92:1467-72, 2000.
60. Werle RW, Piccoli A, Werlang AP, Gomes SP, Vieira FN. Aplicação da ventilação mecânica não-invasiva no pós-operatório de cirurgias torácicas e abdominais. ASSOBRAFIR Ciência, 4(1), 2.
61. Wustner A, Gehmacher O, Hammerle S, Schenkenbach C, Hafele H, Mathis G. Ultrasound diagnosis in blunt thoracic trauma. Ultraschall Med. 2005;26:285-90. [PubMed: 16123922].

Capítulo 17

Insuficiência Renal

Juliana Santi Sagin Pinto Bergamim
Laís Azevedo Sarmento
Luciana Dias Chiavegato

Introdução

A insuficiência renal aguda (IRA), atualmente chamada de injúria ou lesão renal aguda, é caracterizada pela perda rápida da função renal, com elevação de ureia e creatinina (azotemia). Essa situação resulta na inabilidade dos rins para exercer as funções de excreção e manutenção do equilíbrio hídrico e acidobásico do organismo. Uma função renal anormal nos últimos 3 meses ou a redução diária e progressiva da taxa de filtração glomerular (TFG) representam o caráter agudo da doença, podendo ser irreversível ou reversível, mesmo que parcialmente.

O diagnóstico da IRA é sindrômico e as etiologias são muitas e podem ocorrer em múltiplos contextos clínicos. As complicações da IRA em muito contribuem para a elevação das taxas de morbidade e mortalidade de pacientes críticos. Sua incidência é de 5% em pacientes hospitalizados, variando de 1 a 25% na unidade de terapia intensiva (UTI). Aproximadamente um quarto desses pacientes necessitará de suporte dialítico e, nesses casos, a mortalidade pode chegar a 90%. Os pacientes internados na UTI estão mais expostos a fatores de risco para o desenvolvimento da IRA, como choque, sepse, eventos isquêmicos, nefrotóxicos, infecciosos, além de insuficiências cardiovasculares, hepática e respiratória. Na UTI, são frequentes pacientes com disfunção de múltiplos órgãos, com necessidade de suporte dialítico e ventilatório.

A IRA é classificada de acordo com os critérios de *risk, injury, function, loss, end-stage disease* (RIFLE), sugeridos na conferência ADQI (Acute Dialyses Quality Initiative), que graduam a severidade da injúria renal. Outra classificação se baseia no local da injúria renal, utilizando os termos "pré-renal", "renal" e "pós-renal". A forma pré-renal ou funcional é desencadeada pela hipoperfusão renal, sem afetar a integridade do parênquima (55%); a forma renal ou intrínseca ocorre frente a um insulto agudo e grave ao parênquima (40%); e, por fim, a forma pós-renal ocorre pela obstrução do trato urinário (5%).

A insuficiência renal crônica (IRC) é a perda lenta, progressiva e irreversível das funções renais. Em 2002, a Kidney Disease Outcome Quality Initiative (KDOQI), patrocinada pela National Kidney Foundation, publicou uma diretriz sobre IRC, abordando avaliação, classificação, estratificação de risco e uma nova estrutura conceitual para o seu diagnóstico. A definição é baseada em:

- um componente anatômico ou estrutural (marcadores de dano renal);
- um componente funcional (baseado na TFG); e
- um componente temporal.

De acordo com essa definição, seria portador de IRC qualquer indivíduo que, independentemente da causa, apresentasse TFG < 60 mL/minuto/1,73m^2 ou a TFG > 60 mL/minuto/1,73m^2 associada a pelo menos um marcador de dano renal parenquimatoso (p. ex.: proteinúria) presente há pelo menos 3 meses.

Diversas doenças podem levar à IRC. No Brasil, tanto a hipertensão arterial como as glomerulonefrites constituem as principais causas, seguidas pelo diabetes melito.

Diagnóstico e Quadro Clínico

As manifestações clínicas da IRA são tardias, sendo assim, os exames laboratoriais (urina e sangue) são de grande importância para detectar o problema precocemente. Exames de imagem, como a ultrassonografia e, quando possível, a análise histopatológica por meio da biópsia renal, auxiliam no diagnóstico.

O diagnóstico da IRC se baseia em alterações na TFG e/ou presença de lesão parenquimatosa mantidas por pelo menos 3 meses. A TFG é a melhor medida geral da função renal e a mais facilmente compreendida pelos médicos e pacientes.

Embora os critérios para diagnóstico da IRC estejam agora bem mais claros, a ausência de sintomas nos pacientes que se encontram nos estágios iniciais da IRC exige que os médicos mantenham sempre um nível adequado de atenção. Ainda é inaceitável a proporção de pacientes com IRC em estágio avançado que são diagnosticados pela primeira vez por nefrologista imediatamente antes do início de tratamento dialítico.

A perda das funções renais, independentemente do mecanismo causador da injúria renal, resulta em manifestações nos diversos sistemas (Tabela 17.1).

As complicações pulmonares são comuns em pacientes com IRC estágio 5 (TFG < 15mL/minuto/1,73m^2), causadas tanto pela doença como pelo próprio tratamento (hemodiálise ou diálise peritoneal). A redução do débito cardíaco resultante do aumento da pressão torácica leva à ativação do sistema de regulação de volume, caracterizada pela retenção de sódio e água, bem como pela redução do fluxo sanguíneo renal. A retenção de fluidos resulta em edema intersticial, o que compromete a função pulmonar em virtude do aumento de líquido pulmonar extravascular.

As alterações presentes nas pressões vasculares predispõem à formação de infiltrados e edema pulmonar, entretanto o comprometimento pulmonar na IRC pode ocorrer por outros mecanismos além da sobrecarga de fluidos, como acidose, infecções respiratórias, fibrose pulmonar, calcificações e alterações na ventilação/perfusão de pacientes urêmicos.

Tabela 17.1 Manifestações clínicas da insuficiência renal

Neurológicas	Sonolência, tremores, agitação, torpor, convulsão, coma
Cardiorrespiratórias	Dispneia, edema, hipertensão arterial, insuficiência cardíaca, edema agudo de pulmão, arritmias, pericardite, pleurite
Digestivas	Inapetência, náuseas, vômitos incoercíveis, sangramento digestivo
Imunológicas	Depressão imunológica, tendência a infecções
Hematológicas	Sangramentos, anemia, distúrbios plaquetários
Nutricionais	Catabolismo aumentado, perda de massa muscular
Cutâneas	Prurido

Fonte: modificado de Yu L, 2007.

O comprometimento do sistema muscular é grave. Os pacientes com IRC são acometidos pela miopatia urêmica, que se manifesta pela atrofia muscular, predominantemente das fibras do tipo II, pela fraqueza muscular proximal, sobretudo dos membros inferiores, astenia, mioclonias, marcha alterada, câimbras e diminuição da capacidade aeróbica. A função física deteriorada na IRC está relacionada com a inatividade, inflamação, alteração no fluxo sanguíneo, anemia, desnutrição, além de diversos outros fatores causais.

Cuidados Gerais e Tratamento

Na atualidade, a terapia dialítica tem sido instituída cada vez mais precocemente, embora ainda não haja consenso sobre o momento certo para o seu início.

Segundo o Comitê de IRA da Sociedade Brasileira de Nefrologia (2007), as principais indicações dialíticas na IRA são:

- Hiperpotassemia: acima de 5,5 mEq/L com alterações ao eletrocardiograma (ECG) ou maior que 6,5 mEq/L;
- Hipervolemia: edema periférico, derrames pleural e pericárdico, ascite, hipertensão arterial e insuficiência cardíaca congestiva (ICC);
- Manifestações neurológicas, cardiorrespiratórias e digestivas relacionadas à uremia;
- Acidose metabólica grave;
- Outros: distúrbios relacionados a sódio, cálcio, ureia, magnésio, hemorragias secundárias a distúrbios plaquetários, ICC refratária, hipotermia e intoxicação exógena.

No que diz respeito à IRC, a melhor indicação para o início do tratamento dialítico é dada pela incapacidade do tratamento conservador em manter a qualidade de vida deste paciente, sem o agravamento dos prejuízos nutricionais ou das complicações urêmicas. A escolha do melhor método dialítico deve ser individualizada, contemplando as características clínicas, psíquicas e socioeconômicas de cada paciente.

Terapia de Substituição Renal – Diálise Peritoneal e Hemodiálise

A diálise consiste na remoção do excesso de fluidos e produtos tóxicos do metabolismo. É um processo no qual o sangue e o banho de diálise são separados por uma membrana semipermeável, influenciando-se mutuamente. A diálise peritoneal (DP) aproveita a membrana peritoneal que reveste toda a cavidade abdominal para filtrar o sangue. Já na hemodiálise, a membrana é artificial (filtro capilar) e extracorpórea.

No paciente crítico, a DP é reservada para pacientes neonatais, uma vez que, nos adultos, a membrana peritoneal tem poder de filtração variável entre indivíduos e, nos estados de choque, a hipoperfusão esplânica prejudica a irrigação sanguínea peritoneal, reduzindo a eficiência da DP. Esse fato torna a HD o método dialítico preferencial para os adultos e deve ser considerada pela alta eficiência dialítica para pacientes com alterações eletrolíticas emergenciais como a hiperpotassemia, para pacientes hipercatabólicos, em intoxicações exógenas por substâncias dialisáveis ou para os casos em que a DP tenha falhado.

Para a realização da DP é necessária a colocação de um cateter especial na cavidade abdominal, por onde é infundida uma solução hipertônica que não contém as toxinas urêmicas. Essas toxinas passam do sangue para o banho de diálise peritoneal, sangue que é retirado, em seguida, da cavidade abdominal pelo mesmo cateter de infusão.

Como já mencionado, a HD é um processo de circulação extracorpórea, no qual existe um filtro cujas paredes são feitas de membrana semipermeável, separando os compartimentos de sangue e de diálise. O sangue é obtido por um acesso vascular (cateteres, *shunts* ou fístulas arteriovenosas) e é colocado em contato com a solução de diálise por meio do filtro. Através da membrana semipermeável, as trocas ocorrem por difusão e convecção, além da possibilidade da ocorrência de filtração.

Intervenção fisioterapêutica

Diante do quadro clínico apresentado pelos pacientes com IRA e IRC, são muitos os motivos para que recebam atendimento fisioterapêutico. A fisioterapia atua nas disfunções osteomioarticulares, neurológicas e cardiorrespiratórias contribuindo de forma significativa na prevenção, no retardo da evolução e na melhoria de várias complicações apresentadas pelo paciente renal crônico.

A atuação fisioterapêutica no setor de urgência e emergência se concentra, principalmente, na assistência respiratória, embora haja possíveis diferenças entre unidades hospitalares. Nesse setor, com frequência, precisamos tomar medidas sem muitas informações sobre a história e exames do paciente, como a gasometria arterial e radiografia de tórax. Sendo assim, tonar-se necessária uma avaliação fisioterapêutica rápida e abrangente (Figura 17.1).

Já em ambiente de UTI, a partir de uma adequada avaliação e monitorização, o fisioterapeuta poderá atuar no momento certo, considerando as melhores técnicas e procedimentos fisioterapêuticos. Na UTI, a intervenção fisioterapêutica precoce é necessária a fim de prevenir disfunções nos sistemas respiratório e locomotor dos pacientes.

As complicações cardiorrespiratórias apresentadas pelos pacientes renais crônicos prejudicam a mecânica ventilatória e as trocas gasosas, favorecendo o desconforto respiratório. O sistema respiratório não consegue manter os valores adequados da pressão arterial de oxigênio e gás carbônico, podendo ser necessária a aplicação da ventilação mecânica não invasiva (VNI), que é, atualmente, a terapia de 1ª escolha no setor de urgência e emergência, enfermarias, unidades pediátricas e de cuidados paliativos e, ainda, fora do ambiente hospitalar.

Estudos têm demonstrado que a VNI melhora significativamente a insuficiência respiratória aguda, evitando as complicações associadas a intubação endotraqueal e a ventilação mecânica invasiva convencional (VMI). Quanto ao edema pulmonar cardiogênico, as evidências são fortes a favor da utilização da VNI e recomendam que o BIPAP (do inglês, b*ilevel positive pressure airway*)

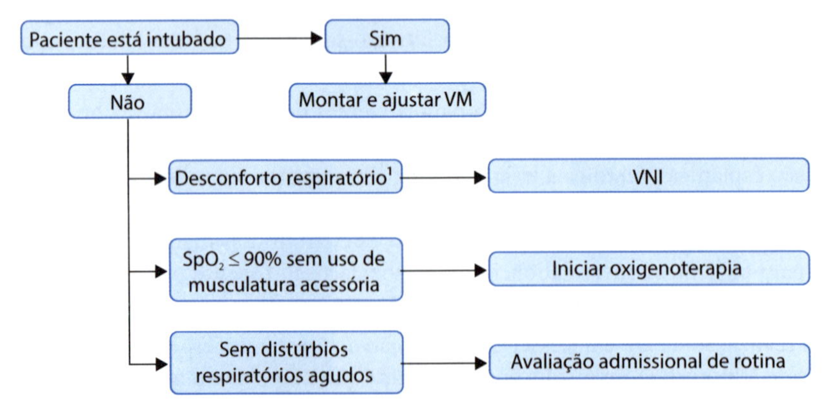

Figura 17.1 – Admissão na emergência. Taquipneia (FR > 25), uso de musculatura acessória, SpO2 ≤ 90% e dispneia ao repouso. Fonte: adaptada de Córdova Júnior e Chaves, 2014.

seja a 1ª opção de escolha para o suporte ventilatório desses pacientes, embora a *pressão* positiva *contínua* nas vias aéreas (CPAP, do inglês *continuous positive airway pressure*) seja tão eficaz quanto o BIPAP.

As interfaces utilizadas para aplicação da VNI são o que distinguem esse suporte ventilatório da VMI. São muitas as interfaces comercializadas atualmente com evidências de benefícios para pacientes com insuficiência respiratória aguda, no entanto, é sugerido que a interface de 1ª escolha deve ser a oronasal, seguida da máscara facial total, com o objetivo de menor vazamento e maior conforto do paciente (Figura 17.2).

No que respeita à utilização da VNI em pacientes dialíticos, especial atenção deve ser dada à colocação do fixador cefálico quando o paciente realizar hemodiálise por um cateter cervical. Há risco de oclusão do fluxo sanguíneo tanto no cateter como no vaso onde este está locado e, diante da dificuldade em obter um perfeito acoplamento da interface, a eficácia da VNI pode ser prejudicada.

Nos casos de insucesso na aplicação da VNI, recomendam-se a intubação orotraqueal e VMI imediatamente. No contexto da insuficiência renal, é importante lembrar que a VMI pode induzir a necrose tubular aguda, levando à IRA. Um dos mecanismos associados está relacionado com a alteração do débito cardíaco, frente às altas pressões intratorácicas. Os efeitos negativos da VMI são mais significantes quando comorbidades estão presentes, como a lesão pulmonar aguda. Sendo assim, as estratégias ventilatórias devem ser aplicadas de acordo com a necessidade do paciente crítico.

Algumas técnicas de fisioterapia respiratória sugeridas no manejo dos pacientes criticamente enfermos são abordadas a seguir.

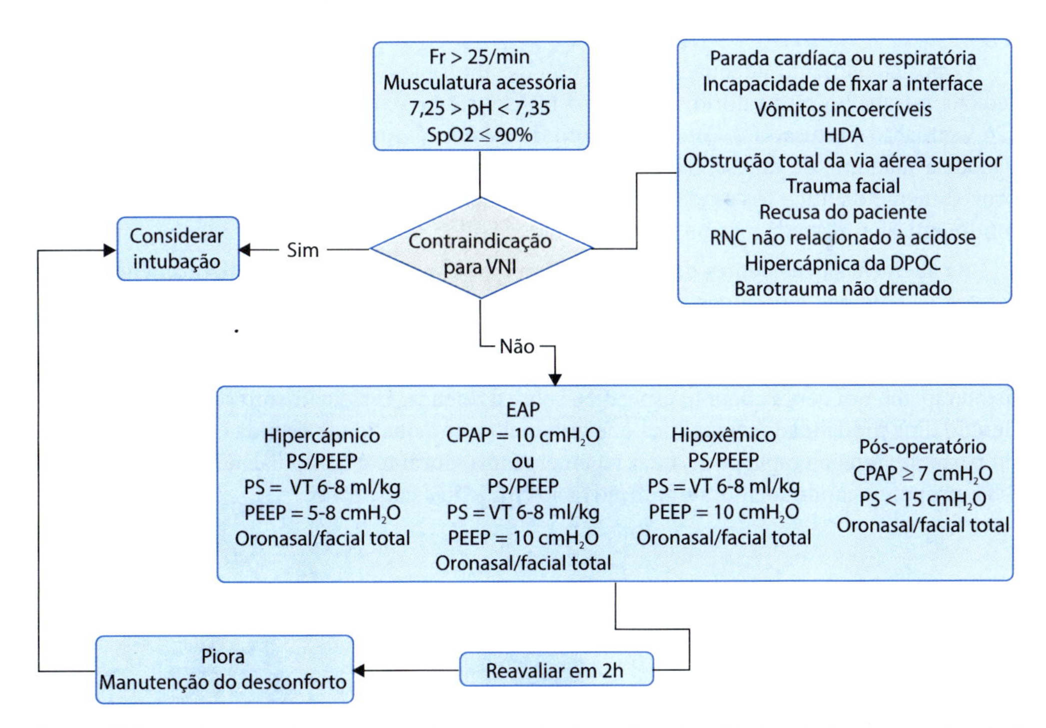

Figura 17.2 – Aplicação da VNI. HDA: hemorragia digestiva alta; RNC: rebaixamento do nível de consciência; PS: pressão de suporte; PEEP: pressão positiva ao final da expiração; VT: volume corrente; EAP: edema agudo de pulmão; CPAP: pressão positiva contínua nas vias aéreas. Fonte: Adaptado de Schettino, 2007.

Terapia de Reexpansão Pulmonar e Higiene Brônquica

A obstrução brônquica pode ser definida como estagnação no interior das vias aéreas de muco brônquico em quantidade e/ou qualidade normal ou patológica. A fisioterapia respiratória realiza as manobras de expansão pulmonar (Figura 17.3) e higiene brônquica (Figura 17.4 e 17.5), as quais já têm a eficácia comprovada, podendo alterar a mecânica pulmonar por meio da resistência do sistema respiratório e da complacência pulmonar dinâmica.

A hospitalização, seja por uma doença aguda, seja por uma doença crônica, impõe certo grau de imobilidade em qualquer paciente. O paciente crítico internado em UTI apresenta importantes restrições motoras, já que frequentemente é submetido a terapias que necessitam de repouso no leito, como a terapia de substituição renal (TSR) e o uso de drogas vasoativas.

Com o objetivo de reduzir os efeitos do imobilismo e do repouso, a fisioterapia motora pode ser empregada durante a TSR em pacientes agudos e crônicos. Os benefícios envolvem a manutenção da mobilidade articular, do comprimento do tecido muscular, bem como a diminuição do risco de tromboembolismo e a manutenção da força e função muscular. No entanto, há que se lembrar que os métodos dialíticos extracorpóreos, como é o caso da HD, podem provocar alterações hemodinâmicas e desequilíbrio osmótico e, nesses casos, a mobilização deve ser cautelosa. Assim também acontece com o membro portador da fístula arteriovenosa ou acesso vascular, o qual deve ser mobilizado apenas na extremidade.

A mobilização durante a DP deve ser realizada preferencialmente durante a drenagem do líquido. O fisioterapeuta deve estar atento aos sinais vitais do paciente, já que o aumento da pressão intra-abdominal pelo líquido peritoneal pode provocar arritmias, hipotensão e desconforto respiratório durante o atendimento.

O posicionamento adequado no leito tem como objetivo diminuir a sobrecarga cardíaca, reduzir o trabalho respiratório, otimizar o transporte de oxigênio mediante aumento da relação ventilação-perfusão (V/Q) e o aumento do *clearance* mucociliar. Entretanto, nos pacientes ligados à máquina de diálise, deve ser priorizado o melhor posicionamento para a eficácia do procedimento dialítico. As mudanças de decúbito devem ser evitadas diante de instabilidade hemodinâmica ou risco da mesma (Figura 17.6).

As alterações decorrentes da imobilidade a que é submetido o paciente hospitalizado acometem os sistemas musculoesquelético, gastrintestinal, urinário, cardiovascular, respiratório e cutâneo. A fisioterapia nos pacientes com insuficiência renal torna-se imprescindível tendo em vista as múltiplas alterações decorrentes da doença nos diversos sistemas orgânicos, exigindo do fisioterapeuta um conhecimento específico sobre a doença. O treinamento físico deve ser considerado uma modalidade terapêutica que visa melhorar a qualidade de vida e a capacidade física do paciente. A fisioterapia pode atuar na emergência, durante a hemodiálise, na enfermaria e na UTI, proporcionando melhora significativa aos pacientes nefropatas.

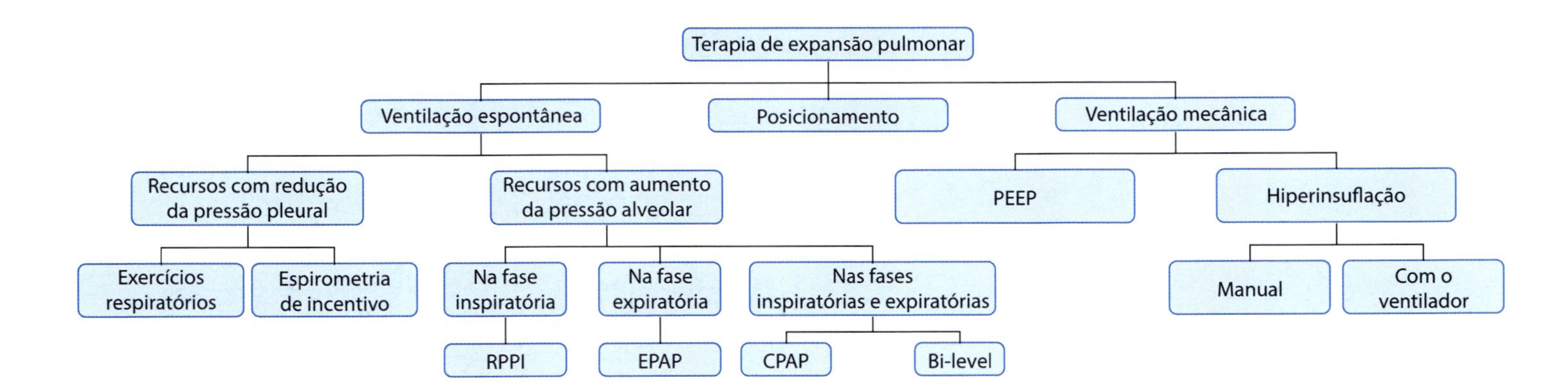

Figura 17.3 – Algoritmo para terapia de expansão pulmonar no paciente na UTI em ventilação espontânea e em ventilação mecânica. PEEP: pressão positiva ao final da expiração; RPPI: respiração por pressão positiva intermitente; EPAP: *expiratory positive airway pressure*; CPAP: pressão positiva contínua nas vias aéreas Fonte: França EET, Ferrari F, Fernandes P, Cavalcanti R, Duarte A, Martinez BP *et al.*, 2012.

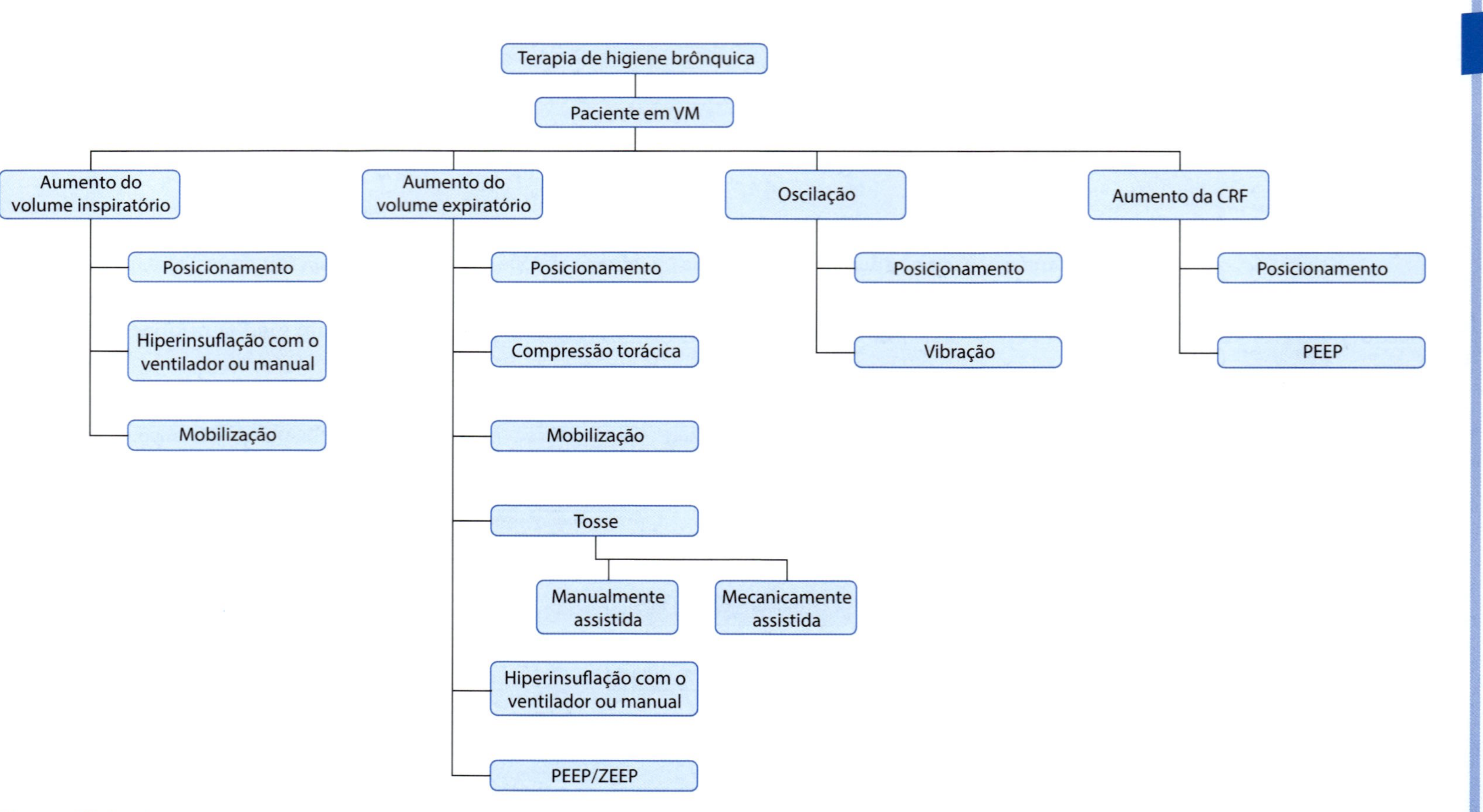

Figura 17.4 – Algoritmo para terapia de higiene brônquica de pacientes em unidade de terapia intensiva submetidos à ventilação mecânica. VM – ventilação mecânica; CRF - capacidade residual funcional; PEEP - *positive end-expiratory pressure*; ZEEP - *zero end-expiratory pressure*.

Fonte: França EET, Ferrari F, Fernandes P, Cavalcanti R, Duarte A, Martinez BP *et al*, 2012.

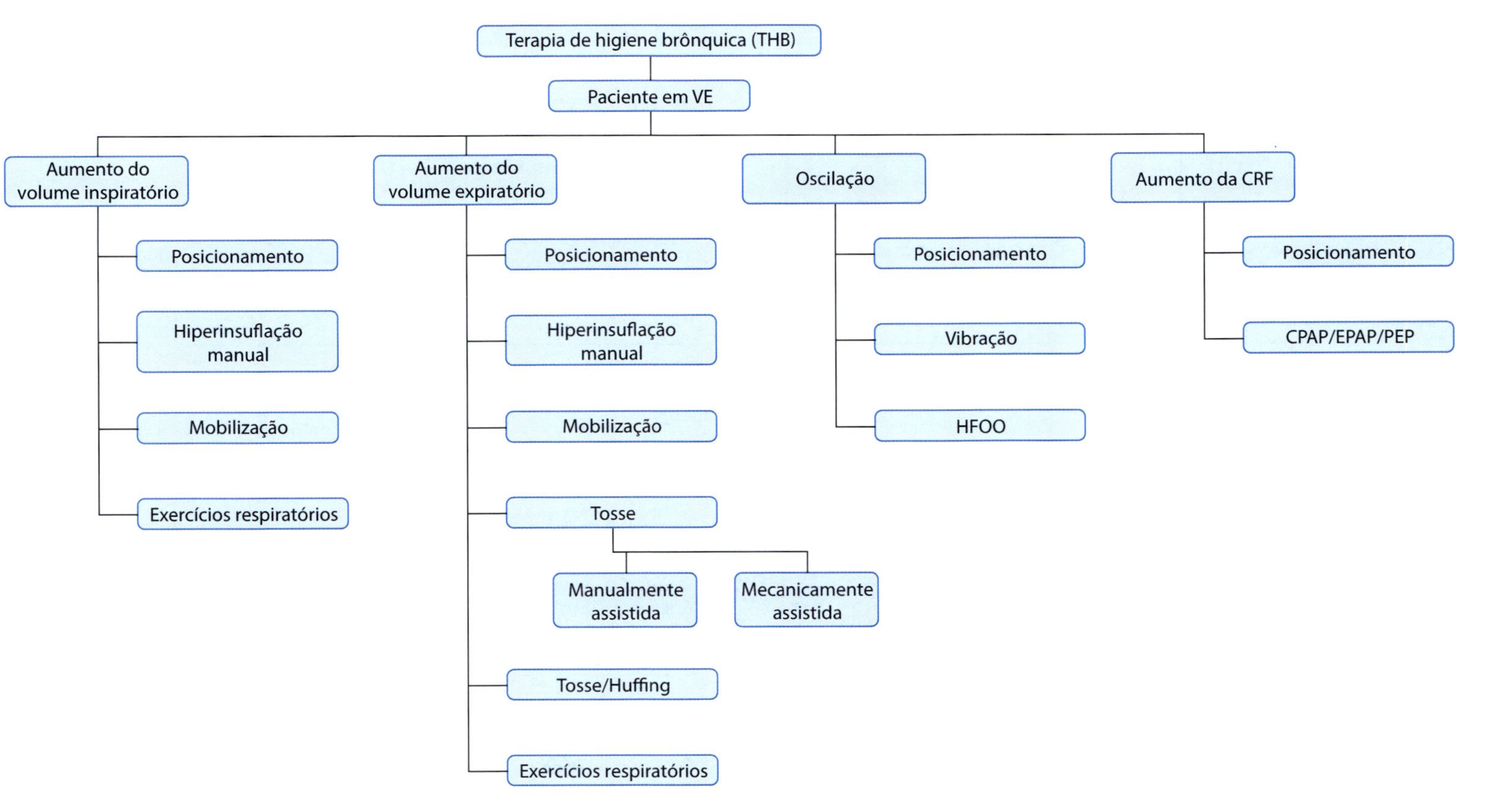

Figura 17.5 – Algoritmo para terapia de higiene brônquica de pacientes em unidade de terapia intensiva em ventilação espontânea. VE: ventilação espontânea; CRF: capacidade residual funcional; CPAP: continue positive airway pressure; EPAP: pressão positiva expiratória nas vias aéreas; PEP: pressão positiva expiratória; HFOO: oscilação oral de alta frequência. Fonte: França EET, Ferrari F, Fernandes P, Cavalcanti R, Duarte A, Martinez BP et al, 2012.

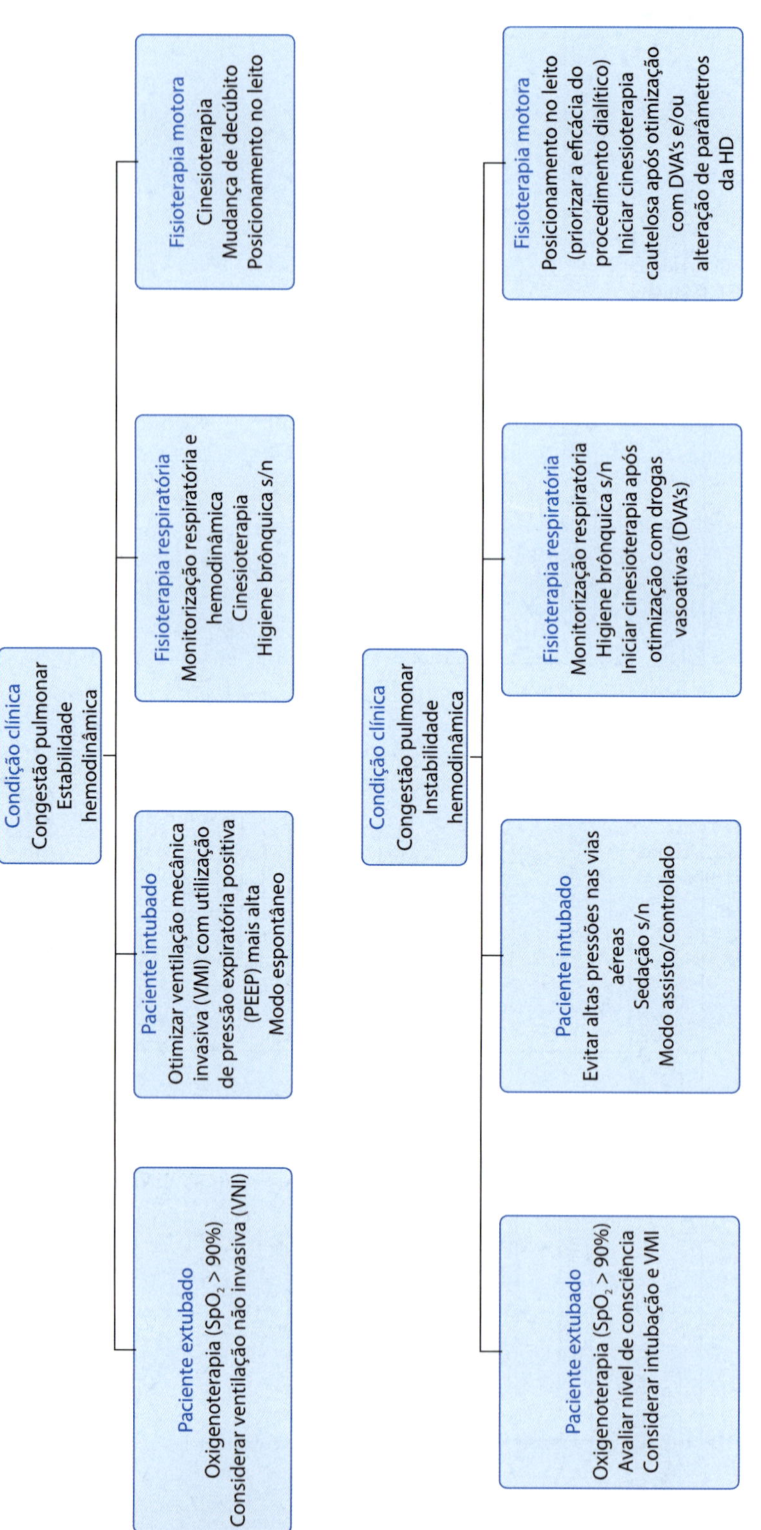

Figura 17.6 – Manejo fisioterapêutico do paciente sob terapia de substituição renal. Fonte: adaptada de Turquetto e Quirino, 2012.

Leitura Recomendada

1. Manfro RC, Thomé FS, Veronese FJV, et al. Insuficiência renal aguda.In: Barros E, Manfro RC, Thomé FS, Gonçalves, LSF. Nefrologia: rotinas, diagnóstico e tratamento. 3 ed. Porto Alegre; Artmed, 2006. p. 347-364.
2. Turquetto ALR, Quirino RM. O paciente dialítico: diálise peritoneal e hemodiálise em UTI. In: Vega JM, Luque A, Sarmento GJV, Moderno LF de O. Tratado de fisioterapia hospitalar: assistência integral ao paciente. São Paulo: Atheneu, 2012. p. 981-991.
3. Lopes FM, Ferreira JR, Gusmão-Flores D. Impact of renal replacement therapy on the respiratory function of patients under mechanical ventilation. Revista Brasileira de Terapia Intensiva. 25 (3): 251-257, 2013.
4. Rocha ER, Magalhaes SM, de Lima VP. Repercussion of physiotherapy intradialytic protocol for respiratory muscle function, grip strength and quality of life of patients with chronic renal diseases. Jornal Brasileiro de Nefrologia. 32(4): 355-366, 2010.
5. Foundation NK. K/DOQI clinical practice guidelines for chronic kidney disease: evaluation, classification, and stratification. American journal of kidney diseases: the official journal of the National Kidney Foundation. 39(2): S1-266, 2002.
6. Bastos MG, Kirsztajn GM. Chronic kidney disease: importance of early diagnosis, immediate referral and structured interdisciplinary approach to improve outcomes in patients not yet on dialysis. Jornal Brasileiro de Nefrologia 33: 93-108, 2011.
7. Soares KTA, Viesser MV, Rzniski TAB, Brum EP. Eficácia de um protocolo de exercícios físicos em pacientes com insuficiência renal crônica, durante o tratamento de hemodiálise, avaliada pelo SF-36. Fisioterapia em Movimento 24 (1): 133-140, 2011.
8. Bianchi PDA, Barreto SSM, Thomé FS, Klein AB. Repercussão da hemodiálise na função pulmonar de pacientes com doença renal crônica terminal. Jornal Brasileiro de Nefrologia 31(1): 25-31, 2009.
9. Ronco C, Ricci Z, DeBacker D, Kellum JA, Taccone FS, Joannidis M, et al. Renal replacement therapy in acute kidney injury: controversy and consensus. Critical Care 19:146, 2015.
10. Moreira PR, Barros E. Atualização em fisiologia e fisiopatologia renal: bases fisiopatológicas da miopatia na insuficiência renal crônica. Jornal Brasileiro de Nefrologia 22(1): 40-44, 2000.
11. Kosmadakis GC, Bevington A, Smith AC, Clapp EL, Viana JL, Bishop NC, et al. Physical exercise in patients with severe kidney disease. Nephron Clinical Practice 115(1): c7-c16, 2010.
12. Veronese FJV, Manfro RC, Thomé FS. Métodos dialíticos na insuficiência renal aguda. In: Barros E, Manfro RC, Thomé FS, Gonçalves LF. Nefrologia: rotinas, diagnóstico e tratamento. 3 ed. Porto Alegre: Artmed: 2006. p. 347-364.
13. Yu L, Santos BFC, Burdmann EA, Suassuna JHR, Batista PBP. Diretrizes da AMB. Insuficiência renal aguda. Comitê de Insuficiência Renal Aguda da Sociedade Brasileira de Nefrologia, 2007.
14. Yu L, Galvão PCA, Burdmann EA. Revisão/Atualização em insuficiência renal aguda: terapia contínua de substituição renal em insuficiência renal aguda definições, nomenclatura e indicações. Jornal Brasileiro de Nefrologia 18(1): 51-55, 1996.
15. Sakkas GK, Sargeant AJ, Mercer TH, Ball D, Koufaki P, Karatzaferi C, et al. Changes in muscle morphology in dialysis patients after six months o aerobic exercise training. Nephrology Dialysis Transplantation 18(9): 1854-1861, 2003.
16. Córdova Júnior VA, Chaves DMdeS. Admissão. In: Sandri P, Guimarães HP. Manual prático de fisioterapia no pronto socorro e UTI. São Paulo: Atheneu, 2014. p. 11-14.
17. Schettino GPP, Reis MAS, Galas F, Park M, Franca S, Okamoto V. Ventilação mecânica não invasiva com pressão positiva. Jornal Brasileiro de Pneumologia 33(2): 92-105, 2007.
18. Mas A, Masip J. Noninvasive ventilation in acute respiratory failure. International Journal of COPD 9: 837-852, 2014.
19. Hess DR. Noninvasive ventilation for acute respiratory failure. Respiratory Care 58(6): 950-969, 2013.
20. Kuiper JW, Johan Groeneveld AB, Slutsky AS, Plötz FB. Mechanical ventilation and acute renal failure. Critical Care Medicine 33(6): 1408-1415, 2005.
21. França EET, Ferrari F, Fernandes P, Cavalcanti R, Duarte A, Martinez BP et al. Fisioterapia em pacientes críticos adultos: recomendações do Departamento de Fisioterapia da Associação de Medicina Intensiva Brasileira. Revista Brasileira de Terapia Intensiva 24(1): 6-22, 2012.
22. Feltrim MI, Parreira V. Fisioterapia respiratória. Consenso de Lyon 1994 - 2000. São Paulo, 2001.
23. Silva APPd, Maynard K, Cruz MRd. Effects of motor physical therapy in critically ill patients: literature review. Revista Brasileira de Terapia Intensiva 22(1): 85-91, 2010.
24. Borges VM, Oliveira LRC, Peixoto E, Carvalho NAA. Fisioterapia motora em pacientes adultos em terapia intensiva. Revista Brasileira de Terapia Intensiva 21(4): 446-452, 2009.

Capítulo 18

Ortopédicos: Fêmur

Rodrigo Marques da Silva

Com o aumento da expectativa de vida no Brasil e a crescente dificuldade de mobilidade nos grandes centros urbanos, um problema de saúde pública está em evidência nas políticas de atenção à saúde: as fraturas decorrentes de quedas dos idosos e os acidentes de trânsito. Segundo o Instituto Brasileiro de Geografia e Estatística (IBGE), os idosos deverão representar 26,7% da população brasileira (58,4 milhões de idosos para uma população de 218 milhões de pessoas), em 2060.[1] A prevalência de quedas na população idosa é maior quando comparada ao restante da população e está ligada ao sexo feminino, baixa escolaridade e sedentarismo, dentre outros fatores.[2] Já os acidentes de trânsito causam milhares de mortes e lesões graves, principalmente entre os motociclistas. A baixa qualidade do transporte de massa e o baixo custo na aquisição provocam um aumento desenfreado de motos, o que, aliado à maior exposição corporal e à imprudência, transforma o motociclista traumatizado em um grande e atual problema de saúde pública.

Devido à variabilidade de pacientes ortopédicos atendidos em enfermaria, daremos ênfase aos idosos com fratura do fêmur proximal e as fraturas da diáfise do fêmur, comuns após acidentes no trânsito.

Abordagem Inicial ao Paciente com Fratura do Fêmur

A realização da cirurgia após fratura do fêmur proximal deve ocorrer nas primeiras 24 horas, devido a possibilidade de necrose avascular da cabeça do fêmur, porém ela depende de boa condição clínica do idoso, o que pode variar em decorrência do tempo em que eles ficam internados. A melhora ou a manutenção do estado geral do paciente está diretamente ligada ao trabalho do fisioterapeuta.

A avaliação inicial deve incluir todas as passagens comuns às outras avaliações, incluindo estado geral, posicionamento, força e amplitudes articulares. Contudo, alguns desses itens nem sempre podem ser avaliados no começo porque pacientes vítimas de trauma ou quedas da própria altura podem ter limitações e restrições a determinados movimentos.

O atendimento fisioterapêutico se inicia com a identificação do doente e suas características, além da possível presença de familiares ou responsáveis no quarto, o que vai facilitar a coleta mais detalhada da história da moléstia.

O Quadro 18.1 apresenta alguns dados importantes a serem informados durante a história do paciente com fratura do fêmur.

A coleta de informações sóciodemográficas demonstra com mais clareza quem é o paciente que está internado. Dados epidemiológicos do SUS, como a proporção de idosos internados

Quadro 18.1 – HMP e HMA de pacientes com fratura de fêmur internados em enfermaria	
Sociodemográficos	Estado civil
	Idade
	Sexo
	Com quem reside
	Hábitos (tabagismo/etilismo/usuário de drogas)
	Prática de atividade física
	Comorbidades
	Uso de medicamentos
Funcionalidade	Deambulação: interno, externo ou não deambulador
	Índice de Katz modificado

HMP: História da moléstia pregressa; HMA: História da moléstia atual

com diagnóstico principal de fratura de fêmur no Estado de São Paulo em 2008 foram levantados, mostrando que as mulheres são mais acometidas com 68,6% dos casos, e consequentemente 31,4% são do sexo masculino. Quanto a idade, os casos estão divididos em 60-69 anos (17,9%), 70-79 anos (33,4%) e acima de 80 anos (48,7%), sendo o desfecho morte/ano maior neste último grupo,[3] indicando grande necessidade de atenção da fisioterapia para a manutenção ou melhora do estado geral nos pacientes muito idosos durante a internação.

Informações sobre estado civil e com quem o paciente reside são importantes para programar como serão os cuidados após a alta hospitalar. Grande parte das famílias não tem condições de receber fisioterapeutas particulares em seu domicílio ou não conseguem levar o paciente para sessões em clínicas e hospitais com grande frequência.

Informações sobre possíveis maus hábitos de vida, como o tabagismo, são importantes, pois eles prejudicam a cicatrização de feridas pós-cirúrgicas e podem comprometer a reabilitação. Fumantes apresentaram 1,6 vezes mais chance de desenvolver problemas de cicatrização que os não fumantes, sendo que a interrupção do cigarro deve ser feita o quanto antes.[4] Quanto às doenças associadas nos idosos, um maior número de comorbidades clínicas e tempo de internação está ligado à uma maior taxa de mortalidade.[5] Doenças que causam diminuição da acuidade visual, vestibulopatias e uso de medicamentos que alteram o controle postural, podem aumentar o risco de novas quedas para aqueles que conseguem voltar a deambular.

A capacidade de deambulação, antes da fratura, também varia de acordo com o paciente. Existem aqueles que não precisavam de meios auxiliares da marcha, outros que faziam uso, e ainda aqueles que necessitavam de auxilio, porém não usavam, seja por falta de orientação ou treinamento. Os pacientes também podem ser divididos em: deambuladores internos ou domiciliares, deambuladores externos ou comunitários e os não deambuladores. A probabilidade do paciente voltar a ter condições de marcha após a reabilitação pós-cirúrgica é maior para aqueles que eram deambuladores externos ou comunitários antes da fratura.

Também recomenda-se a utilização da medida do desempenho funcional (Índice de Katz modificado – Quadro 18.2), que avalia seis atividades básicas de vida diárias dos idosos com objetivo de saber em que condições o paciente se encontrava antes da fratura. Sua classificação de zero a seis indica o número de funções com dependência.[6]

Quadro 18.2 – Índice de independência funcional em atividades diárias domiciliares de Katz (modificado)[6]	
Índice de AVDs (Katz)	**Tipo de classificação**
0	Independente nas seis funções (banhar-se, vestir-se, alimentação, ir ao banheiro, transferência e continência);
1	Independente em cinco funções e dependente em uma função;
2	Independente em quatro funções e dependente em duas funções;
3	Independente em três funções e dependente em três funções;
4	Independente em duas funções e dependente em quatro funções;
5	Independente em uma função e dependente em cinco funções;
6	Dependente em todas as funções.

AVDs: Atividades de vida diária

Exame Físico

A inspeção é o primeiro passo do exame físico e o paciente deve estar com o mínimo possível de roupa, respeitando sempre o pudor e o recato, principalmente quando as queixas incluem áreas normalmente cobertas[7]. Contudo, nem sempre será possível sentar no leito e a abordagem será feita nas posições permitidas, como o decúbito dorsal ou elevado no máximo 30°. A Figura 18.1 mostra os passos da inspeção feita pelo fisioterapeuta.

Após inspecionar o paciente acamado, o fisioterapeuta deve procurar regiões dolorosas por meio da palpação. Tanto a região do quadril quanto da coxa costumam ser dolorosas, porém a panturrilha também pode apresentar dor em casos de trombose venosa profunda (TVP) ou

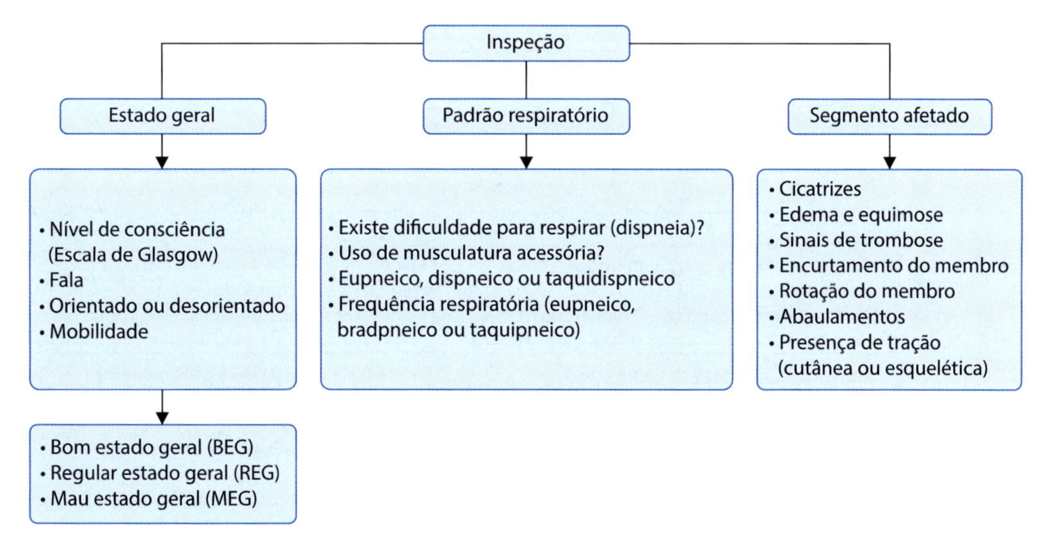

Figura 18.1 – Inspeção feita pelo fisioterapeuta em pacientes no pré-operatório das fraturas fechadas do fêmur.

Síndrome compartimental (SC), que pode estar associada a parestesias por compressão nervosa periférica. A mobilidade do paciente no leito deve ser avaliada com objetivo de identificar e minimizar possíveis dificuldades funcionais durante o período em que estará acamado (Figura 18.2).

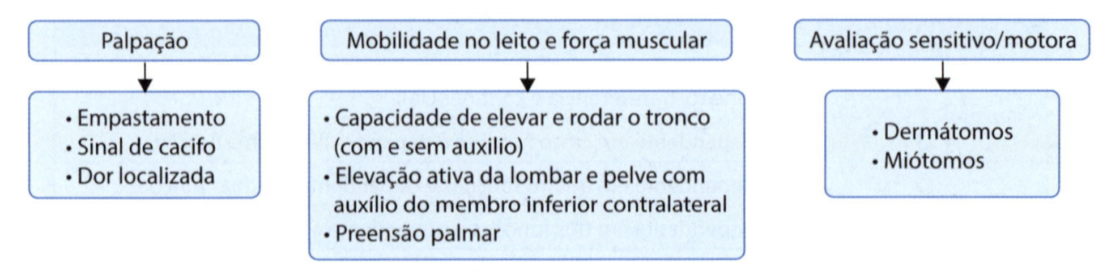

Figura 18.2 – Palpação, mobilidade no leito, força muscular e avaliação neurológica feita pelo fisioterapeuta em pacientes no pré-operatório das fraturas fechadas de fêmur.

Fisioterapia no Pré e Pós-cirúrgico

A quantidade de cirurgias do fêmur aumenta a cada ano e, paralelo a isso, as complicações pós-operatórias são fontes significativas de mortalidade e morbidade, havendo a necessidade de uma abordagem fisioterapêutica preventiva já no pré-operatório, enquanto o paciente se encontra acamado.

Conforme mostra a Figura 18.3, o paciente com fratura do fêmur pode estar com ou sem a tração esquelética. A tração esquelética, geralmente, é usada para as fraturas da diáfise do fêmur

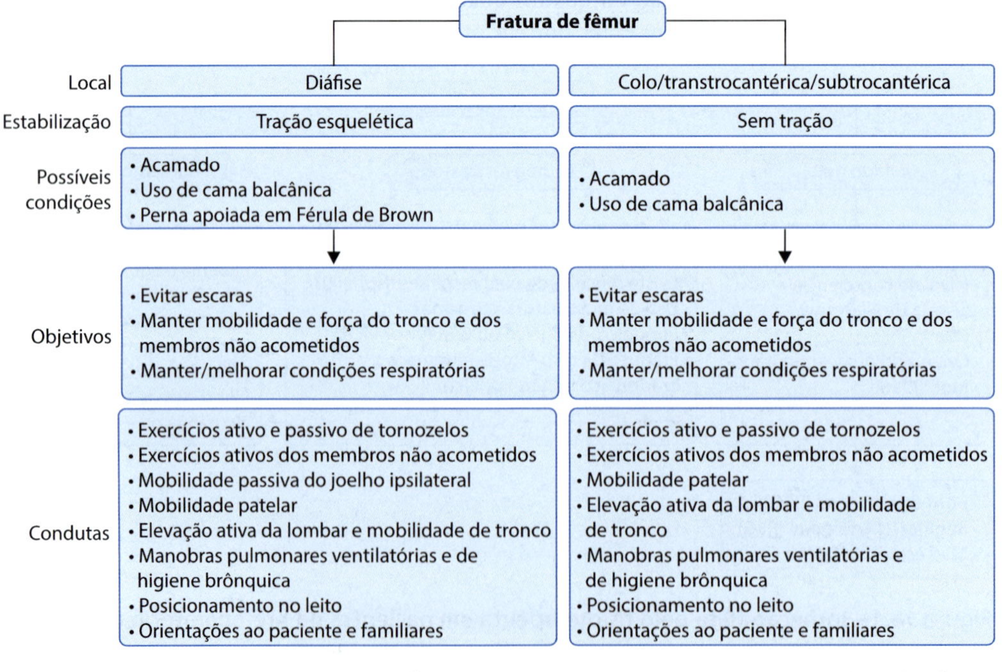

Figura 18.3 – Objetivos e consutas da fisioterapia em pacientes no pré-operatório das fraturas do fêmur.

ou em casos de tratamento conservador. Ela visa manter o comprimento e alinhamento do membro, além da estabilidade local.

A presença de tração esquelética não impede a realização de exercícios no leito e a mobilidade diária do tronco, região lombo pélvica e membros não acometidos, ajuda na manutenção da força muscular e na prevenção de escaras.

Durante a fisioterapia motora, deve se tomar todos os cuidados para que os exercícios não causem movimentos no local da fratura, sendo importante a troca de informações com o cirurgião ortopedista.

Quanto à fisioterapia respiratória, manobras de higiene brônquica, incentivadores respiratórios e exercícios de fortalecimento da musculatura respiratória fazem parte da abordagem pré-operatória, principalmente nos casos de prolongamento da permanência hospitalar.

Os pacientes com mais de 60 anos, mesmo sem histórico de doenças cardiovasculares, devem ser avaliados pelo cardiologista para identificação do risco cirúrgico e realizar exames de rotina. Procedimentos como as osteossínteses do fêmur são cirurgias grandes, que colocam em risco a vida de pacientes que não estejam em bom estado geral.

Todos os pacientes devem ser orientados sobre a cirurgia, os riscos inerentes a este procedimento, as possíveis complicações e de como será o pós-operatório imediato.

No caso dos idosos, após a cirurgia o paciente deve ser monitorado em terapia intensiva nas primeiras 24 horas ou até que esteja hemodinamicamente estável e a abordagem se inicia verificando sinais vitais, presença de possíveis sinais de trombose, radiografias que demonstrem qual o material de síntese que foi colocado e seu posicionamento, descrição cirúrgica em prontuário para saber se ocorreu alguma complicação intraoperatória, além de discutir o caso com equipe multidisciplinar. Os materiais mais frequentes utilizados na fixação são as hastes intramedulares e as placas com parafusos, que apresentam princípios de consolidação diferentes mas vão exigir do fisioterapeuta os mesmos cuidados durante a internação.

Abaixo, o protocolo da fisioterapia pós-operatória para pacientes jovens e adultos:

Primeiras 24 horas (após efeito da anestesia)
▸ Exercícios metabólicos de tornozelos; ▸ Isometria de quadríceps 2 × 10 repetições, três vezes no dia; ▸ Elevação 20° de todo o membro; ▸ Mobilização ativa dos segmentos não afetados.
Segundo dia
▸ Manter condutas anteriores; ▸ Início da flexão passiva e assistida do joelho; ▸ Sentar no leito para se alimentar; ▸ Liberar para banho em cadeira no chuveiro; ▸ Exercícios ativos livres e resistidos (segmentos não afetados); ▸ Incentivar treino de marcha com muletas sem descarga de peso até a alta hospitalar (após retirada do dreno, ver Figura 18.4).

O protocolo deve ser acompanhado pelo fisioterapeuta, porém deve-se respeitar a capacidade de cada paciente. Dependendo do tempo acamado antes da cirurgia, a retração da musculatura anterior da coxa pode provocar desconforto maior ou menor durante o ganho de amplitude articular do joelho. É fundamental identificar qual é o local exato do desconforto para que essa

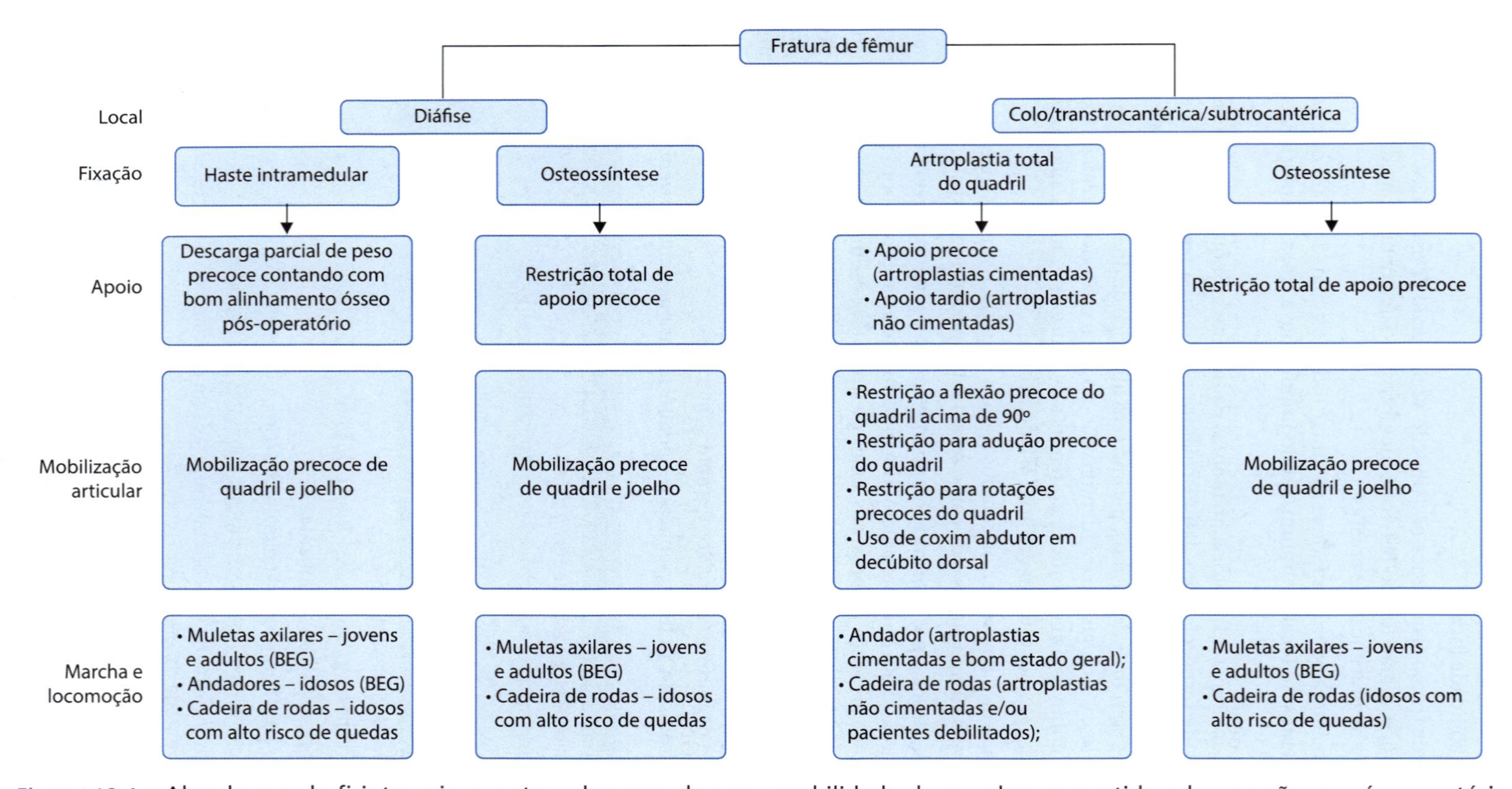

Figura 18.4 – Abordagem da fisioterapia quanto a descarga de peso, mobilidade do membro acometido e locomoção no pós-operatório imediato até a alta hospitalar

dor fibrótica dos tecidos moles adjacentes não seja confundida com algum possível risco de carga em excesso no local da cirurgia.

A flexão passiva do joelho deve ser encorajada, sempre protegendo o procedimento cirúrgico. Manter a coxa sempre apoiada, colocando a perna para fora do leito é uma forma de fletir o joelho sem precisar criar grandes alavancas com no fêmur.

Não recomenda-se o uso de andadores, muletas axilares ou bengalas para idosos com histórico de quedas ou que não tenham força suficiente em membros superiores no caso de restrição total de descarga de peso durante a internação pós-cirurgia. Deslocamentos devem ser feitos em cadeira de rodas ou de banho, sendo o treino de marcha, com auxílio de andador, encorajado somente no período de acompanhamento ambulatorial após liberação da descarga de peso parcial.

Complicações Pós-cirúrgicas durante a Internação

Todo paciente ortopédico internado com fratura de fêmur deve ser avaliado quanto ao risco de trombose venosa profunda (TVP), pois complicações vasculares pós-trauma em curto prazo não são raras, podendo levar à morte. A TVP pode ser considerada a deposição aguda de trombos em veias profundas, causada pela coagulação do sangue no interior desses vasos de forma inadequada, e está associada a diversos fatores predisponentes, como idade avançada, tabagismo, insuficiência cardíaca, obesidade, imobilização prolongada, cirurgias de médio e grande porte nos membros inferiores, infecção pós-operatória, histórico de TVP, doença respiratória grave, varizes, insuficiência arterial, dentre outros.[8]

Os sintomas mais comuns são: parestesia, dor intensa à palpação, edema da panturrilha (> 3 cm) em relação à perna normal, edema depressível (cacifo) maior na perna afetada.[9] No caso de suspeita ou diagnóstico de TVP, o fisioterapeuta deve suspender a realização dos exercícios, para evitar a soltura e deslocamento de um trombo causando embolia pulmonar.

Segundo o Grupo de Elaboração de Normas de Orientação Clínica em Trombose Venosa Profunda da Sociedade Brasileira de Angiologia e Cirurgia Vascular, para os casos de baixo risco para TVP em pacientes cirúrgicos, deve- se instituir mobilização precoce e deambulação ao paciente, sempre que o procedimento que foi realizado permita.[8] Sempre que possível, discutir entre a equipe multidisciplinar a indicação da meia elástica especial e a compressão pneumática intermitente, para os doentes com risco moderado e alto em associação com o uso de medicamentos prescritos pelo médico. A meia, para ser útil, deve ter compressão graduada (30 a 40 mmHg) e ser ajustada ao tamanho do membro inferior.[8,10,11] Outras complicações durante o período de internação também, citadas na literatura, são o encurtamento do membro, obstrução arterial aguda, úlcera de calcâneo, infecção e lesão de nervo periférico.[12,13]

Leitura Recomendada

1. Instituto Brasileiro de Geografia e Estatística IBGE 2013 [página da internet]. [Acesso em 20 de fevereiro de 2015]. Disponível em: http://www.ibge.gov.br.
2. Siqueira FV; Facchinil LA; Piccinil RX; Tomasil E; Thumel E; Silveirall DS; et al. Prevalência de quedas em idosos e fatores associados. Rev. Saúde Pública vol.41 no.5. São Paulo, Oct. 2007.
3. Bortolon PC, Andrade CLT, Andrade CAF. O perfil das internações do SUS para fratura osteoporótica de fêmur em idosos no Brasil: uma descrição do triênio 2006-2008. Cad. Saúde Pública, Rio de Janeiro, 27(4):733-742, 2011.
4. Chan LK, Withey S, Butler PE. Smoking and wound healing problems in reduction mammaplasty: is the introduction of urine nicotine testing justified? Ann Plast Surg.56(2):111-5, 2006.

5. Arliani GG; Astur DC; Linhares GK; Balbachevsky D; Reis FB; Fernandes HJA. Correlação entre tempo para o tratamento cirúrgico e mortalidade em pacientes idosos com fratura da extremidade proximal do fêmur. Rev Bras Ortop;46(2):189-94,2011.
6. Katz S; Akpon CA; A measure of primary sociobiological functions. Int J Health Serv.; 6(3): 493 – 508, 1976.
7. Volpor JB. Semiologia ortopédica. Medicina, Ribeirão Preto, 29: 67-79, jan./mar. 1996.
8. Maffei FHA, Caiafa JS, Ramacciotti E, Castro AA. Elaboração de Normas de Orientação Clínica em Trombose Venosa Profunda da SBACV. Salvador: J Vasc Br;4(Supl.3):S205-S220, 2005.
9. Rollo HA; Fortes VB; Junior ATF Yoshida W B; Lastoria S; Maffei FHA. Trombose venosa profunda dos membros inferiores. J Vasc Br, 4(1), 2005.
10. Agu O, Hamilton G, Baker D. Graduated compression stockings in the prevention of venous thromboembolism. Br J Surg1999;86(8):992-1004.
11. Wille-Jorgensen P. Prophylaxis of postoperative thromboembolism with a combination of heparin and graduated compression stockings. Inter Ang 1996;15(3 suppl 1):15-20.
12. Borger RA; Leite FA; Araújo RP; Pereira TFN; Queiroz RD. Avaliação prospectiva da evolução clínica, radiográfica e funcional do tratamento das fraturas trocantéricas instáveis do fêmur com haste cefalo medular. Rev Bras Ortop. 2011;46(4):380-89.
13. Silva AGP; Silva FBA; Santos ALG; Luzo CAM; Sasaki MH; Zumiotti AV. Infecção pós-estabilização intramedular das fraturas diafisárias dos membros inferiores: protocolo de tratamento. Acta Ortop Bras. vol.16 no.5 S Paulo, 2008.

Capítulo 19

Ortopédicos: Coluna Lombar, Ombro, Joelho e Quadril

Fabio Navarro Cyrillo
Pedro Luis Sampaio Miyashiro
Caio Ismania

Hérnia de Disco Lombar

Introdução

As situações de lesão da coluna vertebral são inúmeras considerando-se a importância desse segmento para a construção dos movimentos corporais. No entanto, algumas situações clínicas específicas são mais frequentes que outras no que concerne à região lombar.

As dores lombares, sendo estas causadas por trauma ou processos degenerativos, são bastante frequentes e facilmente encontradas no cotidiano clínico, exigindo prontamente uma conduta do profissional fisioterapeuta. Quando a abordagem conservadora não obtém sucesso, o tratamento cirúrgico pode ser eleito como proposta de tratamento. Diante desse procedimento, surgem novas demandas no processo terapêutico que precisam ser satisfeitas.

Este capítulo tem como objetivo direcionar a atuação terapêutica no pós-operatório de cirurgias da coluna lombar destinadas ao tratamento da hérnia de disco.

Anatomia e Biomecânica

A coluna vertebral é uma complexa estrutura cujas funções são a proteção da medula espinhal e a transferência de cargas da cabeça e do tronco à pélvis. As 24 vértebras móveis se articulam entre si permitindo os movimentos tridimensionais ao mesmo tempo em que os ligamentos, discos intervertebrais e músculos profundos garantem a estabilidade intrínseca, enquanto os demais músculos constroem a estabilidade extrínseca.

As vértebras são constituídas pelo corpo vertebral, arco posterior, lâminas e pedículos, processos transverso e espinhoso e demais facetas articulares. Os corpos vertebrais destinam-se à sustentação de cargas compressivas e são progressivamente mais largos na direção caudal. Na região lombar, são maiores e mais largos em comparação às regiões cervical e torácica. Entre os corpos vertebrais, são encontrados os discos intervertebrais, responsáveis pela sustentação, distribuição de cargas e restrição de movimentos excessivos. Essa dupla função se dá em decorrência de sua característica anatômica. Sua porção interna, o núcleo pulposo, é uma massa gelatinosa rica em glicosaminoglicanos hidrofílicos no adulto jovem e situada centralmente no disco(Figura 19.1).O núcleo, por sua vez, é envolvido por uma estrutura externa, o anel fibroso, composto de fibrocartilagem. O arranjo em xadrez desses grosseiros feixes dentro da fibrocartilagem permite

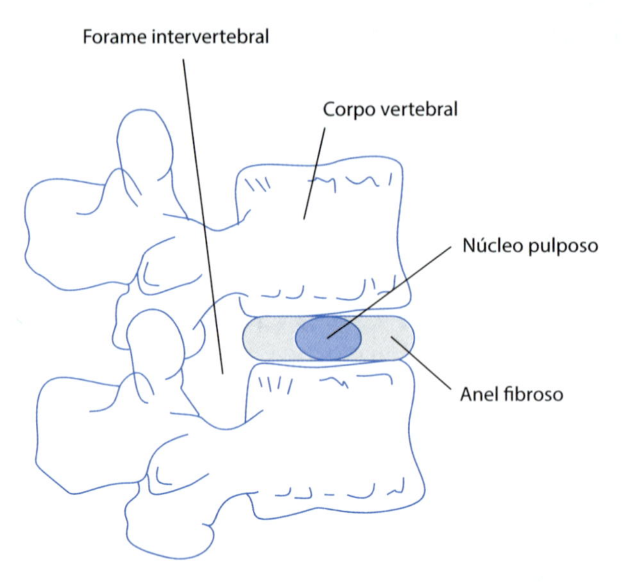

Figura 19.1 – Anatomia da coluna lombar. Fonte: Francisco Navarro Cyrillo.

ao anel fibroso suportar altas cargas torcionais e tangenciais. Durante as atividades diárias, o disco é carregado de maneira complexa, sujeito a combinações de compressão, inclinação e torção.

As estruturas ligamentares são responsáveis pela estabilidade intrínseca e passiva do segmento vertebral. São eles o ligamento longitudinal anterior e posterior, o ligamento amarelo, os ligamentos intertransversários e interespinhosos. Podem-se citar ainda os ligamentos capsulares, presentes nas articulações apofisárias.

Hérnia de disco

Uma das alterações que podem acometer a coluna, a hérnia de discoocorre quando o núcleo pulposo extravasapor entre as fibras do anel fibroso. Embora existam alguns mecanismos traumáticos, a degeneração por sobrecarga é um dos fatores que altera a conformidade das fibras do anel fibroso (Figura 19.2) e, em determinado movimento de flexão do tronco associado com levantamento de carga com extensão do tronco, o núcleo pulposo se desloca posteriormente desencadeando a hérnia de disco. Existem quatro diferentes tipos principais de hérnia de disco ilustrados na Figura 19.3.

Procedimentos para reabilitação pós-cirúrgica de hérnia de disco lombar

A eleição de uma cirurgia é sempre a última opção, quando o tratamento conservador não obteve o sucesso esperado. As intervenções cirúrgicas mais comuns com vias ao tratamento da hérnia de disco são a laminectomia e a laminotomia com ou sem discectomia. Seja a técnica qual for, terá sempre o objetivo de descomprimir a raiz nervosa, eliminando a dor e os sinais de perda sensorial e motora, caso estejam presentes. Observa-se sucesso em 60 a 90% dos casos. No entanto, entre 10 e 40% dos pacientes não obtêm resultado satisfatório, gerando algum grau de dor, perda de sensibilidade ou perda de movimento.

Ao abordar um paciente que acabou de ser submetido a uma cirurgia, o terapeuta deve ter em mente que cada paciente possui suas peculiaridades, muito embora os procedimentos devem ser orientados pelas evidências encontradas.

A avaliação terapêutica deve ser objetiva, procurando vislumbrar as condições gerais do paciente e suas expectativas, levando-se em consideração o tipo de cirurgia empregada. A palpação

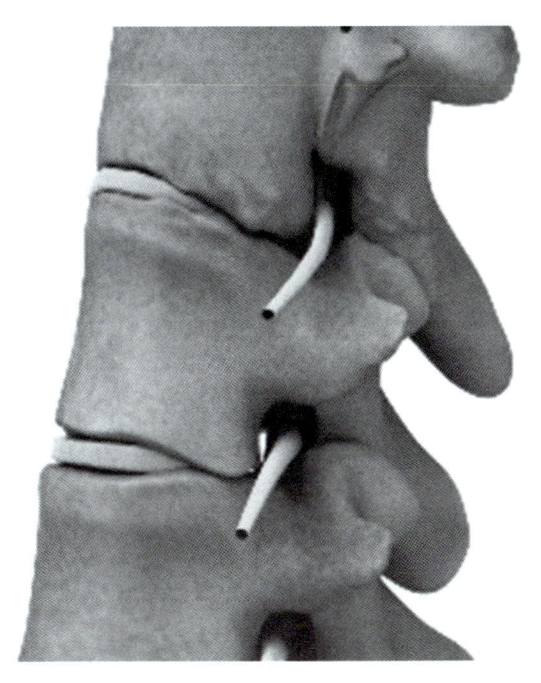

Figura 19.2 – Degeneração e deformidade do anel fibroso (perfil). Fonte: Francisco Navarro Cyrillo.

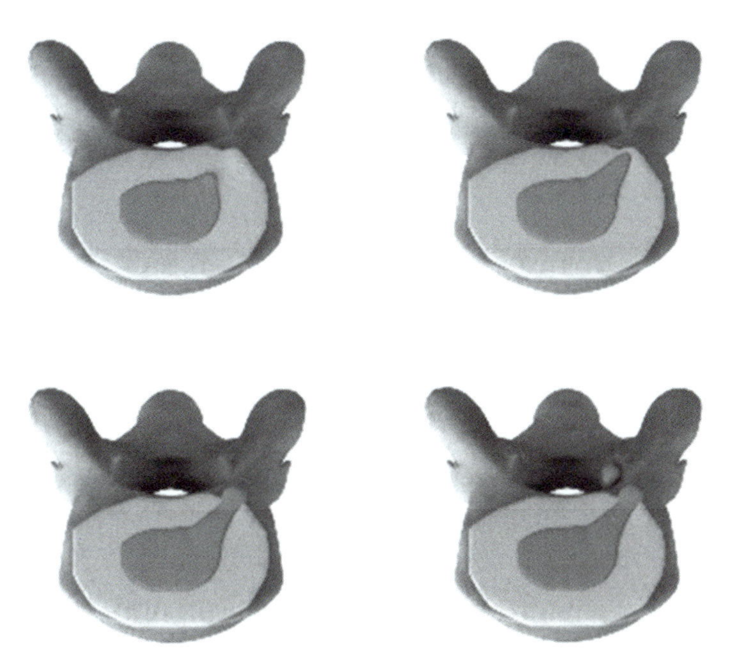

Figura 19.3 – Tipos de hérnia de disco. Fonte: Francisco Navarro Cyrillo.

dos tecidos periadjacentes à incisão cirúrgica deve ser realizada para averiguar as condições de mobilidade da pele e o grau de irritabilidade após a cirurgia. Uma breve avaliação postural do paciente no leito deve também ser preconizada, orientando-o com relação à maneira mais adequada de posicionar-se no leito e o modo de movimentar-se, protegendo a coluna e evitado movimentos bruscos do tronco.

A utilização de questionários validados é altamente indicada como uma ferramenta para comparação entre os momentos pré e pós a realização dos procedimentos terapêuticos. Instrumentos como The Owestry Disability Index (ODI), The Roland Morris Disability Questionnaire (RMDQ) e Fear Avoidance Beliefs Questionnaire (FABQ) podem ser utilizados com esta finalidade. O ODI tem sido largamente utilizado para a avaliação funcional após discectomias lombares e apresenta confiabilidade e reprodutibilidade em relação à incapacidade causada por dores lombares. O mesmo pode ser dito sobreo RMDQ. O instrumento FABQ busca quantificar o medo e o quanto o paciente procura evitar o movimento. Tal mensuração é muito útil para direcionar o terapeuta quanto aos cuidados e modo de abordar o paciente, visando respeitar o paciente e perceber como ele entende a realização dos movimentos.

Entre os principais objetivos da avaliação, pode-se listar o estabelecimento do diagnóstico, prognóstico e objetivos, direcionar as indicações e contraindicações aos procedimentos terapêuticos indicando os limites articulares para o movimento, considerando o parecer médico. É importante avaliar também o grau de controle motor apresentado pelo paciente após a cirurgia.

Levando-se em consideração o tipo de cirurgia empregado, o primeiro objetivo do terapeuta, é prover educação ao paciente com vias a diminuir o medo de sentir dor e de realizar movimento. A utilização de modelos biomecânicos e anatômicos para explicar ao paciente o que de fato ocorreu não parece ser um bom meio de educação, considerando os resultados avaliados pelo FABQ. Atualmente, tem-se feito uso de um modelo "neurocientífico" de educação do paciente, utilizando-se os fenômenos neurofisiológicos envolvidos na geração da dor e desmistificando a ideia de que a dor se relaciona diretamente com a magnitude da lesão. Tal estratégia parece ser mais eficaz ao diminuir o medo e o comportamento de evitar o movimento, muitas vezes apresentado pelo paciente. Observam-se aumento dos limiares de dor frente aos exercícios e mudanças de atitude frente ao processo de reabilitação de forma mais imediata. Pode-se, ainda, explicar o que foi realizado na cirurgia, sempre buscando tranquilizar o paciente submetido à discectomia. O medo após a cirurgia é apontado como uma das principais causas para a permanência da dor.

Com relação ao processo educacional, pode ser empregado o seguinte roteiro: explicar o diagnóstico, o prognóstico, quais cuidados são necessários e o que a reabilitação tem a oferecer.

Juntamente ao processo de educar o paciente, o terapeuta deve primariamente se preocupar com a diminuição da dor e o posicionamento adequado do paciente no leito. A termoterapia, a eletroanalgesia e as órteses para o posicionamento podem ser empregadas.

Em termoterapia, o emprego da crioterapia local com técnica de compressão durante as primeiras 48 horas pode auxiliar na diminuição da dor e edema pós-cirúrgicos. Depois da fase aguda e do controle do processo inflamatório, o calor superficial favorece melhores resultados no relaxamento e dessensibilização teciduais. Laserterapia infravermelha, com baixa dosagem e o ultrassom pulsado estão indicados para direcionar o aumento das trocas metabólicas teciduais e acelerando o processo de reparo pós-inflamatório. É preciso considerar, todavia, as contraindicações à utilização de calor profundo, principalmente na presença de implantes metálicos. A estimulação elétrica de baixa frequência (TENS, Corrente Interferencial) são bem aceitas pelo paciente e promovem conforto logo nos primeiros momentos após a cirurgia, quando a medicação anestésica utilizada já não tem mais ação. Trata-se de um bom adjuvante junto aos medicamentos no controle da dor e, por conseguinte, evita os espasmos musculares protetores, acelerando o processo de retorno aos movimentos controlados.

O aumento da tensão muscular é quase sempre um achado comum, por isso, quando possível, procedimentos manuais suaves como a mobilização suave da pele e a liberação miofascial são ferramentas seguras e promovem o relaxamento das estruturas cutâneas e musculares. A avaliação das contraindicações tem aqui papel importante.

Em decorrência da dor e do aumento da tensão muscular, uma avaliação contínua do paciente deve ser realizada, com base nesses dois critérios para direcionar a modificação da conduta do terapeuta. A cada procedimento empregado, o profissional precisa explicar ao paciente o seu objetivo e a resposta esperada, para tranquilizá-lo com relação ao que ocorrerá.

Programa de exercícios

Assim que possível, a mobilização precoce em leito e implementação de movimentos devem ser instituídas, sempre de modo cuidadoso e orientado. As revisões de literatura que utilizaram estudos randomizados apontam que a realização de exercícios é um excelente meio de tratamento após intervenções cirúrgicas da coluna lombar. Os exercícios, por sua vez, devem ser divididos conforme sua finalidade e hierarquizados a partir do conceito de carga empregada ao tecido, provocação de sintomas desconfortáveis e funcionalidade.

Os primeiros exercícios devem ter como principal objetivo a adequação dos músculos respiratórios e estabilização precoce do segmento lombar. Tal conduta está centrada no apropriado retreinamento para a ativação do músculo transverso do abdome (TrA) e dos músculos multífidos (MF) lombares (Figuras 19.4 e 19.5), favorecendo o tensionamento da fáscia toracolombar. Está indicado o uso de dispositivo de *biofeedback* eletromiográfico ou de pressão para monitoramento do grau de ativação muscular.

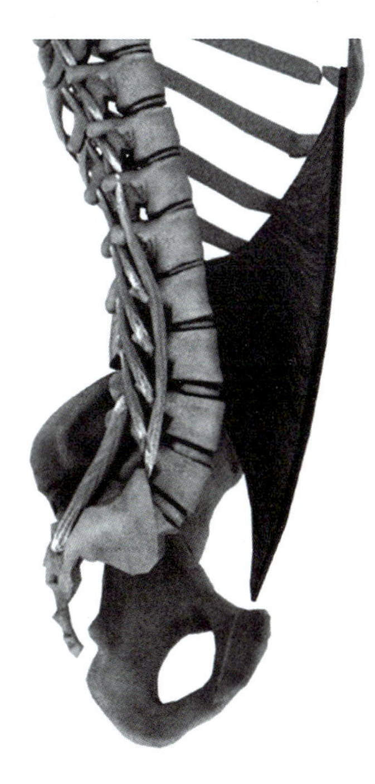

Figura 19.4 – Músculo transverso do abdômen e músculo multífido. Fonte: Francisco Navarro Cyrillo.

Figura 19.5 – Corte transversal dos músculos transverso do abdômen e multífido. Fonte: Francisco Navarro Cyrillo.

Essa medida parece ser mais efetiva do que um programa constituído apenas por movimentos com vias ao fortalecimento, já que tais exercícios priorizam o controle da manutenção de contração para o TrA e MF, resultando em maior tensão da fáscia toracolombar e estabilização vertebral. Trata-se, portanto, de um exercício de controle muscular, uma vez que, na presença de dor, o TrA apresenta um tempo de reação afetado (mais lento) e assemelha-se aos demais músculos abdominais, que têm uma função estritamente relacionada à movimentação direcional da coluna. A dor também determina uma menor ativação e maior fadiga do MF durante a contração concêntrica da região lombar, diminuindo a proteção em segmentos hipermóveis. Para controlar o grau de contração do transverso do abdômen e a concorrente sinergia dos multífidos lombares, pode-se utilizar uma unidade de biofeedback pressórico. Por meio dela, o paciente poderá avaliar o progresso da contração, bem como lançar mão de estratégias específicas para cumprir a tarefa de manter uma cocontração dos músculos abdominais. A ativação precoce controlada dos músculos do quadríceps também deve ser preconizada.

Geralmente, o paciente apresenta déficit de propriocepção para a realização da contração do TrA e MF, já que o retorno da função normal dessa musculatura específica não é espontâneo em condições de supressão da dor, concorrendo para a realização de padrões estereotipados de contração, com abaulamento do abdômen e elevação das costelas. O terapeuta deve dedicar especial atenção ao ensino de como se deve realizar o recondicionamento do controle motor. Deve ficar claro ao paciente que esse tipo de ação muscular necessita estar presente previamente a qualquer movimentação que for realizar, de modo a proteger a estrutura vertebral e automatizar esse ajuste.

Estudos demonstram que o receio de sentir dor é capaz de alterar o comportamento motor. Por isso, pacientes submetidos a cirurgias lombares apresentam altos índices de ansiedade e medo, afetando diretamente a capacidade de controlar o movimento vertebral. Aqui o processo de educação, atrelado aos exercícios de estabilização, apresenta resultados bastante satisfatórios.

A manutenção da flexibilidade e mobilidade da coluna, assim como a movimentação metabólica ativa dos tornozelos devem ser também colocadas como um objetivo, levando-se em conta que o paciente frequentemente apresenta perda de movimento articular adjacente ao nível da cirurgia. Recomenda-se que tais exercícios sejam realizados em decúbito dorsal, diminuindo as cargas discais, e devem ser orientados aos outros segmentos da coluna vertebral.

Tais manobras e procedimentos buscam restabelecer a flexibilidade, além de promover relaxamento muscular e maior mobilidade articular. Contudo, exercícios de alongamento devem ser evitados em regiões nas quais se sabe que houve estiramento neural, como nos casos de irradiação. Nesses casos, a mobilização neural é mais indicada por se tratar de uma técnica que apresenta maior controle sobre as cargas em tensão aplicadas ao tecido neural.

As manobras de terapia manual destinadas ao aumento da mobilidade intervertebral precisam ser realizadas com muito cuidado e devem ser empregadas principalmente em segmentos vertebrais adjacentes, evitando a mobilização no nível em que se deu a cirurgia. Os benefícios da mobilização articular vertebral, tais como o aumento da nutrição da cartilagem articular e mobilidade capsular podem ajudar a diminuir a tensão local, além de favorecer a mobilidade, diminuindo o medo por parte do paciente.

Exercícios direcionais com vias a recrutar a musculatura extensora são interessantes para devolver a condição de mobilidade vertebral no sentido posterior, sendo esta importante para garantir a ação antigravitária da coluna vertebral (Figura 19.6)

Figura 19.6 – Série de recrutamento dos músculos extensores do tronco. Fonte: Francisco Navarro Cyrillo.

Cuidadosamente, outros exercícios poderão ser acrescidos ao programa, tais como algumas propostas do método Pilates como uso da bola podem ser utilizados quando o paciente está liberado para posição sentada. Certos exercícios promovem o controle da postura do tronco, favorecendo a estabilização durante movimentos cotidianos.

Alguns estudos recomendam que o treinamento seja feito com a progressão de exercícios de posições supinadas e pronadas e de estabilização localizada (p. ex.: elevação de quadril) para exercícios de estabilização localizada com propriocepção (p. ex.: estabilização unipodal), chegando, por fim, aos exercícios com maior atividade de eretores da espinha e de estabilização global.

Uma das atividades mais importantes é a reaquisição da marcha. Além de prevenir alterações vasculares deletérias, mantendo a perfusão adequada dos membros inferiores, o movimento pode aumentar a drenagem de substâncias inflamatórias, responsáveis pela dor e edema. A ativação da musculatura profunda da coluna vertebral ocorre em meio à realização da marcha em diferentes velocidades. Tal prática pode aumentar a mobilidade e, desse modo, favorecer a nutrição dos discos intervertebrais. O início da deambulação deve ser discutido com a equipe médica para que a descarga de peso não prejudique o processo de cicatrização cirúrgica.

A caminhada precede o início da fase de condicionamento físico e o retorno às atividades cotidianas e profissionais. Nessa fase, o ganho de força para os membros inferiores determina maior condição de proteção às estruturas da coluna, além de promover maior estabilidade lombopélvica e segurança ao paciente para, gradativamente, retornar à condição natural. Nesse momento, o paciente caminha para a alta hospitalar e deve obrigatoriamente continuar o processo de reabilitação em uma clínica especializada.

A seguir, um fluxograma orienta o raciocínio clínico para a progressão do trabalho de reabilitação, conforme os objetivos (Figura 19.7).

Lesões do Ombro

A articulação do ombro é uma das maiores e mais complexas articulações do corpo humano, permitindo amplitude de movimento em graus que nenhuma outra articulação pode alcançar, bem como sua funcionalidade junto a outras articulações do complexo do ombro (esternoclavicular, acromioclavicular e escápulotorácica).

Além dessas características supracitadas, o ombro é uma articulação que apresenta uma pequena estabilidade estática, fornecida por sua cápsula articular e seus ligamentos (Figura 19.8). Sendo assim, depende intimamente de sua estabilidade dinâmicagerada sobretudo pelo manguito rotador, cabeça longa do bíceps braquial e o músculo deltoide.

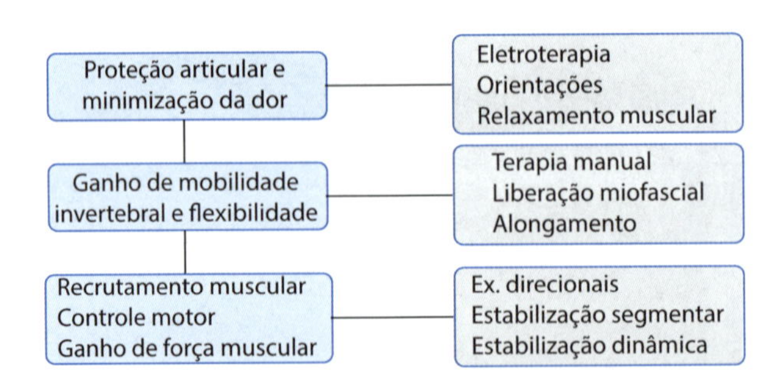

Figura 19.7 – Fluxograma do esquema do programa de reabilitação. Fonte: Francisco Navarro Cyrillo.

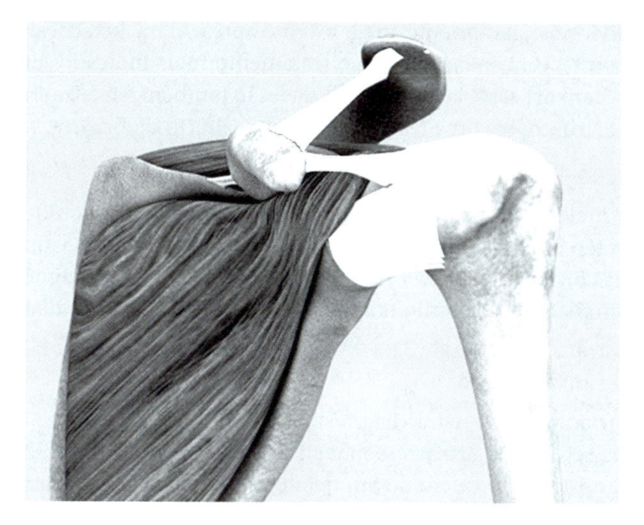

Figura 19.8 – Estruturas ligamentares do ombro. Fonte: Francisco Navarro Cyrillo.

No complexo do ombro, as estruturas principalmente dinâmicas devem estar íntegras e trabalhando de forma harmônica para diminuir a predisposição a instabilidades e a outros tipos de lesões.

A forma mais comum de instabilidade são as subluxações anteriores, tendo entre suas principais causas o trauma, a frouxidão ligamentar ou ,na maioria dos casos, as recidivas.

O mecanismo clássico da subluxação anterior ocorre por trauma indireto com o braço em abdução e rotação externa, gerando um vetor de translação anterior da cabeça umeral. Tal movimento excessivo e repetitivo do úmero pode causar um impacto na glenoide, com consequente lesão do labrum anteroinferior (Bankart) ou fraturas compressivas da cabeça umeral (Hill Sachs).

Hill Sachs

A fratura por compressão da cabeça umeral, conhecida como "lesão ou fratura de HillSachs", geralmente está relacionada às instabilidades anteriores de ombro. Essa lesão pode tornar a articulação instável, porém, muitas vezes, a alteração na cabeça umeral é pequena, sendo assim negligenciada. Além disso, o aumento do número de luxações anteriores pode influenciar tanto na gravidade como na incidência da Hill-Sachs. Se o ombro continua a luxar, a lesão tende a progredir e torna-se, assim, uma íntima causa de instabilidade.

Essas fraturas por compressão podem ser classificadas a partir da porcentagem de comprometimento da cabeça umeral: < 20% (defeito mínimo), entre 20 e 45% (defeito moderado) e> 45% (defeito grave).

Alguns autores determinam que um acometimento maior do que 30% da superfície articular umeral pode gerar mal acoplamento articular durante os movimentos de abdução e rotação externa, favorecendo, assim, recidivas de subluxações, sendo, dessa forma, passíveis de tratamento cruento.

Bankart

Lesão definida como um destacamento do labrum glenoidal anteroinferior. Alguns estudos demonstram altas taxas de lesões de Bankart em casos de luxação de ombro primárias, demonstrando, assim, relação íntima da instabilidade glenoumeral com esta patologia.

Quando os indivíduos, geralmente mais jovens, apresentam luxações recorrentes da articulação do ombro, a intervenção cirúrgica é o tratamento mais indicado. Em casos nos quais o paciente apresenta a Bankart associada, o reparo da lesão também é realizado com a utilização de técnicas como a via artroscópica ou a técnica em campo aberto de Bristow.

Diagnóstico

Antigamente, a incidência das lesões associadas à instabilidade, como a de Bankart e a de Hill-Sachs não eram tão comuns, uma vez que eram subdiagnosticadas. Contudo, com o avanço do uso da tomografia computadorizada (TC) e da ressonância nuclear magnética (RNM), o diagnóstico ficou mais simples, aumentando também, por conseguinte, a incidência dessas lesões.

Estudos demonstram uma taxa de 31 a 93% de incidência da lesão de Hill-Sachs em pacientes com luxação anterior do ombro.

Sendo assim, o padrão-ouro para diagnóstico das lesões associadas à instabilidade como Bankart e Hill-Sachs se dá pela artrorressonância magnética. Já as instabilidades, por sua vez, são passíveis de diagnosticar por meio de um detalhado exame físico e anamnese, determinado, assim,o tratamento mais adequado.

Tratamento

De forma a evitar o surgimento de outras condições patológicas associadas ou não às instabilidades, o foco principal do tratamento, cirúrgico ou não, é promover maior estabilidade articular reduzindo, assim, os riscos de novos episódios de subluxações ou luxações.

▸ Conservador

Considerando todo o complexo do ombro e a importância de suas estruturas dinâmicas na estabilidade dessa articulação, o tratamento conversador se baseará,majoritariamente, no fortalecimento muscular dos músculos do manguito rotador, além da musculatura escapulotorácica. Associado a essas práticas, deve-se realizar treino sensório motor, exercícios pliométricos e fortalecimento de toda a musculatura adjacente, com evolução progressiva a partir de reavaliação fisioterápica frequente.

▸ Cirúrgico

A correção cirúrgica está indicada nos casos de luxação anterior do ombro, sendo a capsuloplastia a técnica frequentemente utilizada. Os pacientes com esse problema geralmente são incapazes de participar de atividades com movimentos acima da cabeça, pois cada luxação inflige certo dano à superfície articular. Nesses casos, o tratamento conservador não é eficaz em prevenir a instabilidade contínua.

Reabilitação

Existem inúmeros protocolos pós-cirúrgicos, na literatura, de estabilização do ombro; porém,vale salientar que nenhum deles substituirá a decisão clínica baseada na individualidade de cada paciente.

A seguir, será descrito um programa de reabilitação pós-capsuloplastia, enfatizando que reavaliações clínicas diárias devem estar presentes na prática do fisioterapeuta.

A reabilitação já se inicia no pré-operatório, sendo o paciente orientado a realizar exercícios no período de internação hospitalar, prevenindo possíveis complicações, além de orientá-lo sobre o processo de reabilitação que participará.

PO imediato – 4 semanas

Neste período, o paciente apresenta-se com dor e quadro inflamatório agudo. A orientação quanto ao uso da crioterapia é indispensável, bem como a utilização de recursos analgésicos e anti-inflamatórios como o TENS ou CIV, ultrassom e laser.

Além disso, a cinesioterapia, nessa fase, baseia-se na liberação miofascial de toda musculatura ao redor, mobilização cervical, massagem cicatricial e os exercícios pendulares de Codman.

A mobilização do ombro em rotação lateral até a posição neutra já pode ser iniciadanessa fase, respeitando o limite álgico do paciente.

Importante ressaltar os cuidados em relação ao posicionamento do membro e os exercícios a serem realizados, pós alta hospitalar, visando prevenir possíveis perdas funcionais e respeitando sempre o período de cicatrização tecidual.

4 semanas – alta reabilitação

A partir desse período, os exercícios vão evoluindo, podendo incluiros ativos de elevação e rotação de ombro, propriocepção sem impacto com impacto, melhora da ADM, entre outros. Lembrando que a progressão deve ser realizada após avaliações fisioterápicas junto às considerações médicas.

Considerações

Os pacientes submetidos a cirurgias da articulação do ombro devem entender que as técnicas utilizadas no intraoperatório são delicadas e o cuidado de que necessitam são de suma importância. Cabe ao médico e ao fisioterapeuta orientá-los quanto às atividades apropriadas, enfatizando o risco de movimentos inadequados do braço sobre a cirurgia.

O período de reabilitação tanto no hospital como depois da alta hospitalar deve respeitar as individualidades dos pacientes, compreendendo que nem todos os indivíduos evoluirão da mesma forma. Compete ao fisioterapeuta ter a sensibilidade de compreender cada paciente, seus déficits físicos e limites fisiológicos de cicatrização.

Lesões do Joelho

O joelho tem dois compartimentos, o medial e o lateral,compondo a articulação tibiofemoral (gínglimo) e a patelofemoral (troclear), tendo fundamental importância na sustentação e absorção de carga do corpo humano. Ele apresenta uma complexa constituição anatômica, que envolve tanto a sua arquitetura óssea como os seus tecidos moles, o que o torna uma das principais articulações do nosso corpo, com um papel importante na função diária dos indivíduos (Figura 19.9).

Ao mesmo tempo, o joelho é uma estrutura bastante vulnerável a diversas lesões, principalmente na atualidade, em que a prática de atividades físicas tem papel de destaque na rotina dos indivíduos. Sendo assim, faz-se necessário o conhecimento das inúmeras técnicas cirúrgicas, do tempo de reabilitação variável de cada lesão e dos cuidados pós-operatórios nos pacientes submetidos aos tratamentos cruentos do joelho.

Reconstrução do ligamento cruzado anterior (LCA)

Existem várias técnicas descritas na literatura para a reconstrução do LCA, bem como formas de fixação do enxerto no túnel tibial e femoral. Uma delas é a técnica transtibial, realizada de forma que o túnel tibial siga diretamente para o túnel femoral, posicionando o enxerto de forma mais verticalizada. Porém, é uma forma de reconstrução um pouco limitada pelo fato de que a cirurgia não reconstrói de forma anatômica o LCA, principalmente sua banda posterolateral (limitação rotacional), gerando, assim, possíveis lassidões no pós-operatório. Existem também técnicas anatômicas de túneis independentes como a *outside in* e a *inside out*, que reconstroem o ligamento de maneira menos verticalizada, gerando estabilidade tanto anteroposterior quanto rotacional.

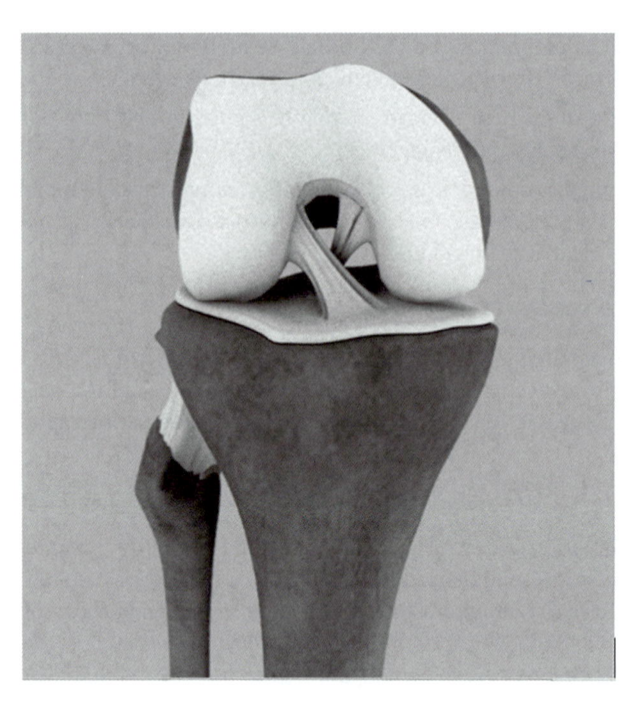

Figura 19.9 – Anatomia do joelho. Fonte: Francisco Navarro Cyrillo.

Outro importante fator é a região do qual foi retirado o enxerto, podendo ser ele do tendão patelar (osso-tendão-osso) e a mais utilizada nos dias de hoje, do tendão dos flexores. Trabalho realizado por Corry e colaboradores mostrou que indivíduos submetidos à reconstrução com o tendão dos flexores apresentaram menor atrofia da coxa em 1 ano e menor morbidade comparado aos que foram submetidos à reconstrução com tendão patelar, porém funcionalmente os grupos apresentaram resultados semelhantes a longo prazo.

Reabilitação

Com o avanço das técnicas e das formas de fixação do enxerto, o tratamento fisioterapêutico pós-operatório (PO) torna-se fundamental para a reabilitação apropriada do paciente. Um dos objetivos no PO imediato é o controle da hemartrose e do processo inflamatório geral, sendo conduta necessária o uso da crioterapia associado à compressão e elevação do membro.

O treino de marcha precoce pode ser iniciado com o uso de muletas, iniciando com carga parcial. O quadro álgico do paciente, por sua vez, é um fator que deve ser levado em consideração. Já a utilização do *brace* não é necessária, ao menos que outras lesões ligamentares associadas estejam presentes.

A utilização da eletroestimulação neuromuscular (EENM) deve ser realizada assim que possível, auxiliando no "despertar" da musculatura anterior de coxa. O exercício pode ser realizado com o paciente em DD ou sedestação, com o MMII estendido, solicitando ativação do quadríceps.

Deve haver alguns cuidados no local de posicionamento de apoio durante os exercícios, pois se for colocado sob o joelho pode favorecer um vetor de anteriorização da tíbia, aumentando, assim, a tensão no enxerto. Por essa razão, o uso do apoio sob o calcanhar é a forma mais segura de realização do exercício.

A mobilização passiva de flexoextensão do joelho deve iniciar-se imediatamente, com enfoque principal na extensão total do joelho. Dessa forma, evitamos que ocorra déficits funcionais futuros, além de facilitar o recrutamento do quadríceps.

Outro recurso iniciado precocemente para auxiliar o ganho de ADM é a mobilização patelar, tanto mediolateral quanto inferossuperior, principalmente nos casos de enxerto retirado do tendão patelar.

Exercícios metabólicos auxiliam na prevenção da trombose venosa profunda (TVP) e no retorno venoso, logodevem ser realizados diariamente e de forma adequada.

Meninsectomia

Os meniscos medial e lateral são estruturas fibrocartilaginosas intra-articulares que apresentam um formato de meia-lua. Meniscos são responsáveis por promover o aumento da congruência articular entre a tíbia e o fêmur, favorecendo um apoio raso para os côndilos femorais grandes e convexos.

A principal função dessas estruturas é reduzir as forças compressivas na articulação do joelho. Com os meniscos íntegros, a área de contato tibiofemoral quase triplica, ocorrendo, assim, uma redução da pressão articular.

Já o suprimento sanguíneo meniscalvaria de acordo com a sua região; a zona mais central (zona branca) é praticamente avascular, enquanto a zona mais periférica (zona vermelha) é mais vascularizada.

Rupturas meniscais são umas das lesões mais frequentes da articulação do joelho, sendo o mecanismo clássico de dano dessas estruturas a carga axial combinada com movimento torcional.O menisco medial geralmente é o mais lesado por ser mais fixo ao planalto tibial e responder de forma menos flexível às cargas recebidas.

A meninsectomia parcial ou total é uma técnica cirúrgica simples, realizada por via artroscópica, na qual o médico cirurgião retirará a parte lesionada da estrutura e, nos casos de uma lesão mais extensa, todo o menisco.

Com o avanço das técnicas cirúrgicas e a menor agressão aos tecidos adjacentes, o processo de reabilitação dos pacientes submetidos à meninsectomia tem sido cada vez mais efetivo e com ínfimos riscos de complicações, recebendo o paciente alta geralmente no dia seguinte ao da cirurgia.

A reabilitação pós-meniscectomia parcial pode progredir conforme quadro álgico do paciente, sem contraindicações ou limitações substanciais. Logo na primeira semana, o tratamento baseia-se no controle da dor e do processo inflamatório, com o uso da crioterapia de 20 a 30 minutos. Além disso, a descarga de peso total no membro operado e o treino de marcha sem muletas(sem órteses) já deve ser encorajado precocemente.

A utilização da EENM para desinibição, principalmente do músculo quadríceps, é de fundamental importância no PO imediato para que ocorra a evolução do tratamento do paciente de forma eficaz e objetiva.

O ganho de ADM de flexoextensão de joelho deve ser rotina obrigatória do fisioterapeuta no tratamento dos pacientes submetidos à meninsectomia, sem restrições para evolução da amplitude. Orientar o paciente a se sentar no leito e solicitar a ele que flexione o joelho, lembrando que tal procedimento deve ser realizado no limite da dor do indivíduo.

Sutura meniscal

Já na sutura meniscal (Figura 19.10), os cuidados são maiores e a reabilitação deve ser realizada de forma mais cautelosa. Os cuidados iniciais com o controle da inflamação e dor seguem os mesmos princípios.

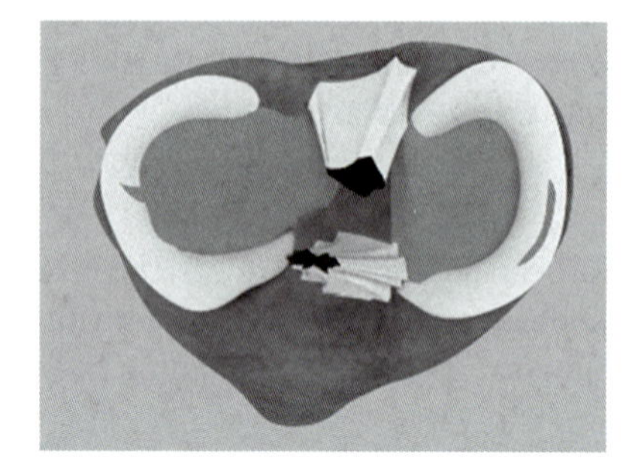
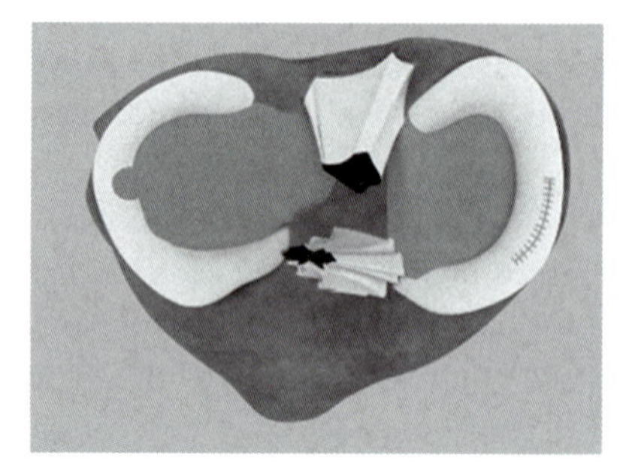

Figura 19.10 –Sutura meniscal. Fonte: Francisco Navarro Cyrillo.

PO imediato – 4ª semana

Nessa fase, o uso do *brace* em 0° de extensão se faz necessário, inclusive na hora de dormir, e a carga deve ser apenas proprioceptiva com o auxílio de muletas bilaterais.

A mobilização passiva do membro para flexão pode ser realizada atingindo os 90° de movimento na 1ªsemana e progredindo 10° por semana, até alcançar o 1°mês de cirurgia, podendo, a partir daí; evoluir totalmente. Concomitantemente, a extensão deve atingir seu total movimento nesse período.

Exercícios ativos de quadril em cadeia cinética aberta como os SLR já são iniciados, assim como ativação de quadríceps, com o membro em extensão. Lembrando que o uso da EENM é uma importante ferramenta na ativação muscular nesse primeiro instante.

Apesar de a sutura meniscal ser um procedimento cirúrgico pouco complexo comparado a outras técnicas, a reabilitação dos pacientes operados deve ser feita com cautela, principalmente quanto ao ganho de ADM e à descarga de peso nas primeiras semanas. Sendo assim, no leito hospitalar, o objetivo fisioterápico será a desinibição muscular, ganho de amplitude como já mencionado e orientações pós-operatórias para prevenção de complicações.

Artroplastia de joelho

A artroplastia de joelho é o tratamento padrão-ouro para os estágios finais da osteoartrose de joelho e sua incidência mundial vem crescendo de forma constante por apresentar bons resultados quanto ao alívio da dor e à recuperação funcional da articulação.

As próteses de joelho podem ser divididas em unicompartimental, bicompartimental ou total. Todas substituirão a cartilagem lesada do joelho por um material sintético, sendo que a primeira substitui o compartimento medial e/ou lateral, a segunda substitui ambos os compartimentos e, por fim, no total, ambos compartimentos mais a patela.

As artroplastias de joelho podem gerar complicações pós-operatórias, como episódios tromboembólicos, infecções, fratura periprotética, lesões nervosas e vasculares, entre outros. Sendo assim, a reabilitação inicial desse paciente deve ser realizada com muita cautela, evitando maximizar o quadro álgico e as possíveis complicações supracitadas.

Reabilitação

No leito hospitalar, os objetivos fisioterápicos principais são o ganho de ADM, o treino de marcha do indivíduo e o controle da dor e da inflamação.

Nas primeiras 24 horas pós cirurgia, já se inicia o ganho de ADM de flexoextensão, pedindo para o paciente ficar sentado e deixar o joelho passivamente fletir, respeitando seu quadro álgico. Além disso, os exercícios de ativação de quadríceps e isquiotibiais devem ser realizados precocemente na enfermaria, evitando a hipotrofia muscular.

O início do treino de marcha em superfície estável só poderá ser realizado quando o paciente apresentar boa força muscular, sendo capaz de realizar a sustentação do corpo. Vale ressaltar que o andador é peça fundamental nas primeiras semanas no treino de marcha.

A utilização da eletroestimulação muscular tem o objetivo de auxiliar o despertar do músculo associado aos exercícios ativos e resistido, desde o período hospitalar até o momento de alta, englobando, assim, todo o processo da reabilitação. Estudos mostram melhora significativa na força de quadríceps, *Time up and G* e teste de caminhada de 6 minutos (TC6M) dos indivíduos que utilizaram a estimulação comparado ao grupo controle.

A evolução dos exercícios de força, treino de marcha e ganho de amplitude de movimento no período pós-alta hospitalar será feita com avaliação semanal do fisioterapeuta, respeitando também as considerações médicas.

Considerações

Conforme visto neste capítulo, a reabilitação precoce no pós-operatório de lesões do joelho apresenta grande relevância no retorno dos indivíduos às suas atividades funcionais. Logo, o fisioterapeuta deve ter o correto entendimento da técnica cirúrgica realizada, bem como de suas restrições para a reabilitação. O contato com o médico cirurgião também é fundamental para esclarecimentos e possíveis restrições que o paciente apresentará.

Os pacientes, depois da alta hospitalar, devem seguir a reabilitação ambulatorial, com progressão das condutas previamente realizadas e respeitando as restrições cirúrgicas, tempo de cicatrização dos tecidos lesados e orientações médicas e fisioterápicas.

Quadril

O quadril consiste na articulação entre a cabeça esférica do fêmur e o profundo acetábulo. Em virtude de sua localização anatômica, o quadril apresenta um importante papel no nosso corpo, servindo de base para os membros inferiores.

Por sua característica anatômica, o quadril é uma articulação bastante estável. A cabeça femoral articula-se com o soquete profundo que o acetábulo proporciona, permitindo estabilidade durante atividades funcionais como a marcha e a corrida. Além do seu desenho ósseo, o quadril apresenta fortes ligamentos e potentes músculos que são necessários para poder otimizar a estabilidade e impulsionar o corpo para frente e para cima ou também para desacelerá-lo. Quando esses importantes estabilizadores dinâmicos se apresentam fracos, a mobilidade e a estabilidade ficam prejudicadas, favorecendo, assim, o aparecimento das lesões degenerativas do quadril.

Artroplastia de quadril (AQ)

A artroplastia de quadril, bem como as artroplastias de joelho tem indicações semelhantes no que se diz respeito à gravidade das osteoartroses. Inicialmente, sua indicação estava restrita a pacientes mais idosos e com demanda funcional menor; no entanto, o aperfeiçoamento da técnica cirúrgica, a evolução dos implantes e das superfícies de atrito, proporcionando menor desgaste, fizeram ampliar o universo dos pacientes que puderam se beneficiar com esse procedimento. Porém, pacientes mais idosos, apresentando graus avançados de artrose (Figura 19.11), fraturas graves de fêmur proximal, má qualidade óssea e idade fisiológica são fatores que geralmente determinam a eletividade da intervenção cirúrgica.

As próteses do quadril (Figura 19.12) podem ser divididas em parciais ou totais. Na primeira ocorre substituição apenas do componente femoral, indicado em casos no qual o acetábulo apresenta boa qualidade óssea e articular. Já nas próteses totais, a substituição do componente femoral e acetabular estão indicados em pacientes mais debilitados e que apresentam má qualidade acetabular.

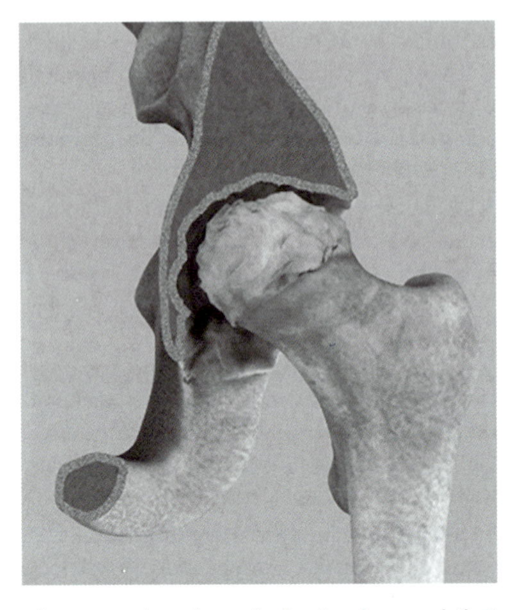

Figura 19.11 – Processo degenerativo da articulação do quadril. Fonte: Francisco Navarro Cyrillo.

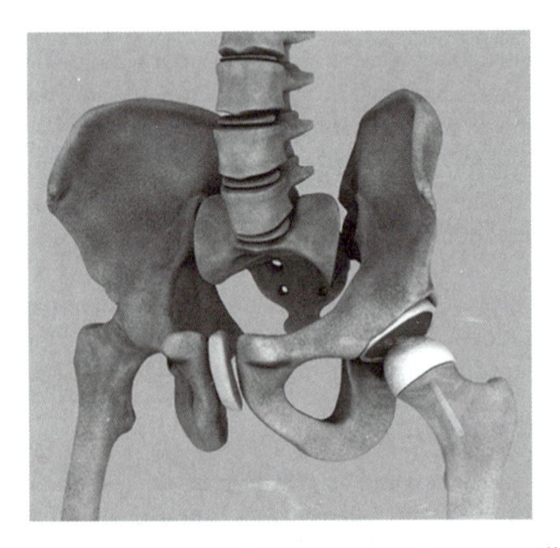

Figura 19.12 – Prótese total de quadril. Fonte: Francisco Navarro Cyrillo.

Outra importante variável é a forma de fixação das próteses de quadril. Estas podem ser cimentadas, fixando-se com cimento o componente acetabular e femoral; não cimentada, sem utilização do cimento em nenhum dos componentes da prótese; e as híbridas, utilizando-se o cimento apenas no componente femoral. Essas informações são importantes no processo de reabilitação, pois as próteses não cimentadas e híbridas não podem receber descarga de peso imediata, diferentemente das próteses cimentadas (Figura 19.13).

A via de acesso de escolha depende da opção do cirurgião, sendo que cada uma apresenta sua peculiaridade, interferindo na reabilitação pós-operatória:

- anterolateral: parte do músculo glúteo médio é desinserido com luxação anterior; sendo um acesso de difícil visualização para o cirurgião;
- lateral: desinserção total do glúteo médio e mínimo;
- posterolateral: os músculos rotadores laterais são desinseridos e os abdutores são preservados. Há maior risco de luxação posterior.

Reabilitação

No momento em que o paciente se encontra em ambiente hospitalar, a reabilitação fisioterápica deve ser realizada de forma eficiente e cuidadosa, prevenindo as complicações pós-operatórias e retardo da evolução no período pós alta hospitalar.

O fisioterapeuta tem que ter em mente objetivos principais nesse período pós-cirúrgico em que o paciente se apresenta no leito. Treino de marcha e atividades funcionais, mobilização ativa e orientações quanto aos cuidados pós-operatórios.

Descarga de peso

Tratando-se de prótese cimentada, a descarga de peso pode ser realizada precocemente conforme tolerância do paciente, com auxílio de dispositivos auxiliares. Já nas próteses não cimentadas, deve-se esperar de 4 a 6 semanas ou aguardar liberação da equipe médica para início progressivo de carga no membro operado.

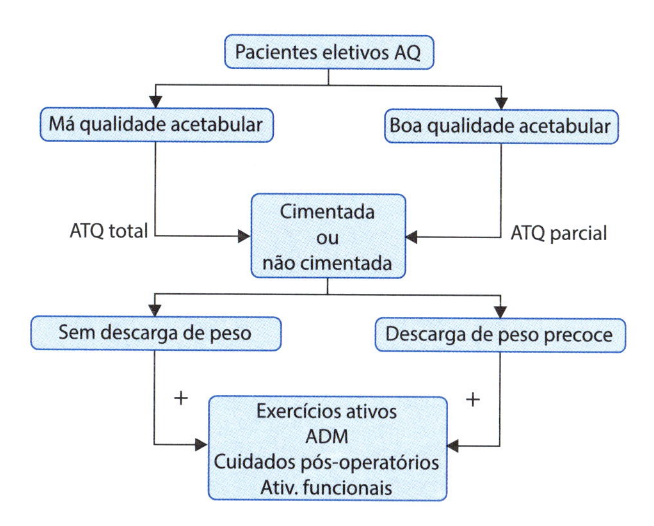

Figura 19.13 – Condutas médicas e fisioterápicas nos pacientes eletivos para a artroplastia de quadril. Fonte: Francisco Navarro Cyrillo.

▸ Exercícios

Assim que o quadro álgico do paciente, advindo do ato cirúrgico, tiver abrandado, exercícios isométricos serão iniciados já no leito hospitalar, podendo estes estar associados à EENM.

O fisioterapeuta deve conhecer a via de acesso utilizada pelo cirurgião a fim deevitar exercícios ativos de abdução na via de acesso lateral, devido à incisão realizada nos músculos abdutores; enquanto na via posterolateral, os exercícios de rotação lateral de quadril deverão ser evitados por causa da desinserção dos rotadores laterais.

▸ Treino funcional

A partir do momento em que o pacienteestiver em bom estado geral, o quadro álgico controlado e sem outras complicações, os treinos de atividades diárias são fundamentais nesse início de reabilitação.

O paciente deve ser orientado nas trocas posturais no leito, realizando a passagem de decúbito dorsal para sedestação, iniciando o movimento para o lado da cirurgia, evitando, assim, a adução além da linha média do membro operado. Além disso, a colocação de um travesseiro entre as pernas também é uma estratégia que previne tal risco.

Utilizar ou adaptar cadeiras e assentos sanitários mais altos, para reduzir a flexão excessiva do membro e, consequentemente, o risco de luxação da prótese.

▸ Orientações gerais

- Flexão de quadril >90º, extremos de rotação e adução além da linha média não deve ser realizados, pois são movimentos que predispõe à luxação da endoprótese.
- Entender e reconhecer a via de acesso utilizada pelo cirurgião, pois esta determinará quais exercícios podem ou não ser realizados pelo fisioterapeuta.
- Orientar o paciente quanto às atividades funcionais realizadas com os devidos cuidados, bem como os exercícios ativos e metabólicos, prevenindo TVP e outras complicações vasculares.

Considerações

A reabilitação fisioterápica precoce nos pacientes submetidos à artroplastia de quadril tem importância ímpar na qualidade de vida e regresso à funcionalidade desses indivíduos.

Como citado anteriormente, o conhecimento da forma de fixação da prótese e a via de acesso utilizado pelo médico é de fundamental importância no processo de reabilitação no ambiente hospitalar do paciente. A orientação e o treino funcional, mesmo na enfermaria, devem ser realizados para que o indivíduo esteja apto o quanto antes para a realização dessas atividades em seu domicílio e, posteriormente, para a continuidade do tratamento em âmbito ambulatorial.

Leitura Recomendada

1. Andrews JR, Harrelson GL, Wilk KE. Reabilitação física do atleta. 3ª ed. Rio de Janeiro: Elsevier, 2005.
2. Brotzman SB, Manske RC. Clinical orthopaedic rehabilitation. Elsevier Mosby. 2011.
3. Brox JI, Storheim K, Grotle M, et al. Systematic review of back schools, brief education, and fear avoidance training for cronic low back pain. Spine J. 8:948-951. 2008.
4. Cameron MH. Physical agents in rehabilitation. From Research to practice. Saunders. 2013.
5. Cetik O, Uslu M, Ozsar BK. The relationship between Hill-Sachs lesion and recurrent anterior shoulder dislocation. Acta Orthop Belg. 2007; 73(2): 175-178.
6. Colado JC, Pablos C, Chulvi-medrano I, Garcia-masso X, Flandez J, Behm DG. The progression of paraspinal muscle recruitment intensity in localized and global strength training exercises is not based on instability alone. Arch Phys Med Rehabil. 2011 Nov; 92(11):1875-83.

7. Comfort P, Pearson SJ, Mather D. An electromyographical comparison of trunk muscle activity during isometric trunk and dynamic strengthening exercises. J Strength Cond Res. 2011 Jan; 25(1):149-54.
8. Corry IS, Webb JM, Clingeleffer AJ, Pinczewski LA. Arthroscopic reconstruction of the anterior cruciate ligament. A comparison of patellar tendon autograft and four-strand hamstring tendon autograft.Am J Sports Med.1999; 27(4): 444-454.
9. Engers A, Jellema P, Wensing M, et al. Individual education for low back pain. Cochrane Database Syst Rev CD004057. 2008.
10. Englund M, Guermazi A, Roemer FW, et al. Meniscal tear in knees without surgery and the development of radiographic osteoarthritis among middle-aged and elderly persons: the multicenter osteoarthritis study. Arthritis Rheum 60(3): 831-839, 2009.
11. Gibson JN, Wadell G. Surgical interventions for lumbar disc prolapse: update Cochrane review. Spine 32:1735-1747. 2007
12. Gross AR, Aker PD, Goldsmith CH, et al. Patient education for mechanical neck disorders. Cochrane Database Syst Rev CD000962. 2000.
13. Ito H,Takayama A, Shirai Y. Radiographic evaluation of the Hill-Sachs lesion in patients with recurrent anterior shoulder instability. J Shoulder Elbow Surg 2000; 9(6): 495-497.
14. Izzo R, Guarnieri G, Guglielmi G, Muto M. Biomechanics of the spine. Part I: Spinal Stability. European Journal of Radiology. 2013 Jan;82(1):118-26.
15. Kisner C, Colby LA. Exercícios terapêuticos. Fundamentos e técnicas. São Paulo: Manole, 2009.
16. Kjellby-wendt G, Styf J. Early active training after lumbar discectomy. A prospective, randomized, and controlled study. Spine 23:2345-2351. 1998.
17. Neer CS, Foster CR. Inferior capsular shift for involuntary inferior and multidirectional instability of the shoulder: a preliminary report.J Bone Joint Surg Am. 2001; 83-A(10):1586.
18. Neumann DA. Cinesiologia do aparelho musculoesquelético: fundamentos para a reabilitação física.2 ed. Rio de Janeiro: Guanabara Koogan; 2006.
19. Nordin M, Frankel VH. Basic biomechanics of the musculoskeletal system. Lippincott Willians & Wilkins, 2001.
20. Norlin R. Intraarticular pathology in acute, first-time anterior shoulder dislocation: an arthroscopic study. Arthroscopy. 1993; 9(5): 546-549.
21. Labraca NS, et al. Benefits of starting rehabilitation within 24 hours of primary total knee arthroplasty: randomized clinical trial. Clinical Rehabilitation. 2011; 25(6): 557-566.
22. Ostelo RW, Costa LO, Maher CG, et al. Rehabilitation after lumbar disc surgery. Cochrane Databse Syst Rev CD 003007.2008.
23. Petterson SC, Mizner RL, Stevens JE, et al. Improved function from progressive strengthening interventions after total knee arthroplasty: a randomized clinical trial with an imbedded prospective cohort. Arthritis Rheum. 2009; 61(2):174-83.
24. Posadzki P, Lizis P, Hagner-derengowska M. Pilates for low back pain: a systematic review. Complement Ther Clin Pract. 2011 May;17(2):85-9.
25. Pozzi FL, Snyder-mackler L, Zeni J. Physical exercise after knee arthroplasty: a systematic review of controlled trials. Eur J Phys Rehabil Med. 2013; 49(6): 877-892.
26. Rabello BT, Cabral FP, Freitas E, Penedo J, Cury MB, Rinaldi ER, Peixoto L. Artroplastia total do quadril não cimentada em pacientes com artrite reumatoide. Rev Bras Ortop. 2008; 43(8): 336-42.
27. Richardson C, Hodges P, Hides J. Therapeutic exercise for lumbopelvic stabilization. 2 ed. London. 2004. Churchill Livingstone.
28. Sarmento G, Raimundo RD, Freitas A. Fisioterapia hospitalar: pré e pós-operatórios. São Paulo: Manole, 2009.
29. Sizínio H, Tarcísio EP, Xavier R, Pardini AG. Ortopedia e traumatologia: princípios e prática. 4 ed. São Paulo: Artmed, 2009.
30. Sofu H, Gürsu S, Koçkara N, Öner A, Issın A, Çamurcu Y. Recurrent anterior shoulder instability: Review of the literature and current concepts. World Journal of Clinical Cases. 2014; 2(11): 676-682.
31. Standring S. Gray's anatomy: the anatomical basis of clinical practice. 40 ed. St Louis: Elsevier, 2009.
32. Taylor DC, Arciero RA. Pathologic changes associated with shoulder dislocations. Arthroscopic and physical examination findings in first-time, traumatic anterior dislocations. Am J Sports Med. 1997; 25(3): 306–311.
33. Valência MR, Beni MF, Facci LM. Protocolos de Reabilitação após Cirurgia de Capsuloplastia de Ombro: Revisão da Literatura. Saúde e Pesquisa. 2010; 3(2): 247-253.

Capítulo 20

Mobilização Precoce e Prescrição

Monique Buttignol
Thaís Borgheti de Figueiredo
Ruy de Camargo Pires Neto

Introdução

Os efeitos deletérios do tempo prolongado de hospitalização e principalmente do repouso no leito durante a fase de tratamento em unidade de terapia intensiva (UTI) têm sido cada vez mais evidentes. Estudos reportam que esses efeitos afetam negativamente o paciente não somente durante a internação, mas até 5 anos após a alta hospitalar com o aparecimento de atrofia e/ou fraqueza muscular. Contudo, a evolução das técnicas terapêuticas no cuidado de pacientes criticamente doentes tem contribuído para aumento da sua sobrevida e melhora funcional desses pacientes. Neste contexto, vários estudos têm reportado que a mobilização precoce de pacientes críticos durante o seu período na UTI diminui o tempo de repouso em leito, amenizando os efeitos prejudiciais de uma internação prolongada.

A mobilização precoce pode ser definida como a aplicação precoce e intensa da fisioterapia em pacientes críticos dentro dos primeiros dias de doença grave (2 a 5 dias).Inclui a realização de exercícios em pacientes com assistência ventilatória invasiva, com auxílio ou não de dispositivos como o cicloergômetro e eletroestimulação muscular. O principal objetivo da mobilização precoce em terapia intensiva é manter ou restabelecer a capacidade funcional do paciente por meio da manutenção ou ganho de força muscular, entre outros.

Nos últimos anos, vários estudos têm evidenciado que a intervenção da fisioterapia centrada na mobilização precoce de pacientes críticos é viável e segura, além de resultar em significativos benefícios funcionais, tendo como principal desfecho um menor tempo de internação hospitalar e na UTI.

A ideia de que um paciente está muito doente para sair do leito vem sendo substituída pela ideia de que o paciente se encontra muito doente para permitir-se ficar no leito. Desse modo, mesmo os pacientes em uso de ventilação mecânica invasiva (VMI) podem ser mobilizados precocemente.

Apesar dos benefícios descritos associados à mobilização precoce dos pacientes, o repouso no leito ainda é uma condição muito frequente no ambiente de terapia intensiva. Nesse sentido, Allen e colaboradores realizaram uma metanálise com 29 estudos randomizados que avaliaram o repouso no leito em 15 condições diferentes, comprovando que o repouso não é benéfico, podendo estar relacionado a danos para o paciente. Sabe-se hoje que a imobilidade prolongada no leito está associada a diversas complicações como úlceras de pressão, atelectasias, desmineralização óssea, fraqueza muscular entre outros.

Com o repouso no leito, a ativação da musculatura esquelética acontece em uma menor frequência, por curtos períodos de tempos e com menores cargas quando comparado a situações normais prévias, levando o paciente a desenvolver uma fraqueza muscular generalizada. Além disso, na UTI o paciente está exposto a fatores como sepse, falência de múltiplos órgãos, ventilação mecânica prolongada, uso de bloqueadores neuromusculares e corticosteróides que, associados ao repouso prolongado, culminam no desenvolvimento de uma doença/síndrome denominada fraqueza muscular adquirida na UTI (Figura 20.1).

Essa fraqueza apresenta-se bilateral e simetricamente nos membros. Sua apresentação mais típica é a tetraparesia flácida com hiporreflexia ou arreflexia. Essa deficiência adquirida está associada à fraqueza muscular respiratória, à dificuldade de desmame da VM e ao aumento no tempo de internação hospitalar. Os critérios diagnósticos para fraqueza adquirida na UTI estão descritos na Tabela 20.1.

A mobilização precoce, neste contexto, intervém de forma a atenuar essa fraqueza e/ou encurtar a duração da recuperação, melhorar a qualidade de vida podendo ainda reduzir os custos. Apesar de as evidencias atuais mostrarem os significativos benefícios da mobilização precoce, a execução dessa intervenção esbarra em questões que envolvem a segurança do paciente, sedação, presença de muitos acessos e até mesmo disponibilidade da equipe.

Barreiras

Já está bem descrito na literatura que a mobilização precoce dos pacientes críticos é possível e segura, mas, ainda assim, ela é pouco realizada no ambiente de terapia intensiva. Vários fatores têm sido descritos como barreiras para a realização da mobilização precoce e podem ser agrupadas em duas categorias principais: barreiras culturais; e falta de recursos (Tabela 20.2).

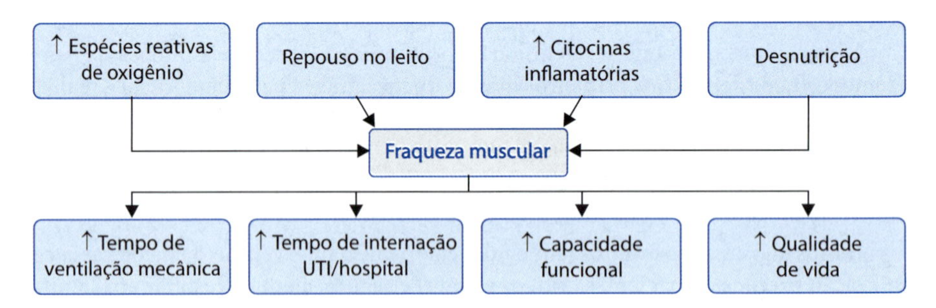

Figura 20.1 – Fatores de risco e consequências da fraqueza muscular adquirida na UTI. Fonte: Truong et al., 2009.

Tabela 20.1 Critérios diagnósticos para fraqueza adquirida na UTI
Fraqueza associada à doença critica
Fraqueza bilateral, flácida e envolvendo musculatura proximal e distal
MRC menor que 48
Ventilação mecânica prolongada
Exclusão de outras causas de fraqueza

Fonte: Hodgson CL et al., 2013.

Tabela 20.2 Barreiras para realizar a mobilização precoce	
Culturais	Falta de recursos
Cânula endotraqueal	Pessoal
Sedação	Equipamentos
Acessos	Treinamento
Baixa prioridade	Sobrecarga de trabalho

Fonte: Barber et al., 2014.

As barreiras culturais são aquelas relacionadas principalmente à mobilização de pacientes graves que comumente apresentam tubos endotraqueais, sedação e cateteres. Nesses pacientes, existe a preocupação de instabilização hemodinâmica ou a possibilidade de remoção dos cateteres, drenos e/ou tubos. Entretanto, vários estudos já demonstram o contrário, ou seja, que é possível e seguro mobilizar pacientes com tubos e cateteres não sendo estes um problema para as equipes. Embora sejam dificultadores, não impedem a realização de exercícios. O importante é atentar ao posicionamento e funcionamento desses dispositivos e haveralguém responsável por esse cuidado durante a terapia.

Uma das principais barreiras ainda é o uso excessivo de sedação em pacientes sob VM. Entretanto, a falta de estratégias de manejo da sedação pelas equipes eleva o tempo de VM, o de permanência na UTI e o tempo para o paciente despertar. Entretanto, o uso de estratégias de descontinuação da sedação e protocolos de despertar diário estão associados a menor tempo de ventilação e permanência na UTI, a menores taxas de estresse pós-traumático, depressão, ansiedade e delírio, além de facilitar a colaboração do paciente durante os exercícios.

Para que mudanças ocorram e quebrem-se essas barreiras culturais, é necessário que haja mais interação na equipe multidisciplinar e que o foco seja sempre o paciente. Além disso, o planejamento e organização das diferentes equipes associados a essa cultura de interação elevam o nível de mobilização ofertado, beneficiando o paciente.

Com relação às barreiras relacionadas à falta de recursos, um ponto a ser considerado é a carência de recursos humanos, principalmente daqueles treinados e qualificados para atender a demanda. No Brasil, para cada 10 pacientes de UTI, deve haver um fisioterapeuta. Entretanto, culturalmente, o papel do fisioterapeuta na UTI ainda está intensamente relacionado com a função respiratória e o manejo da ventilação mecânica. Esses fatores, associados ainda com o aumento da burocracia, diminuem o tempo hábil de reabilitação motora por parte do terapeuta, sobrecarregando o profissional.

A falta de equipamentos também pode ser considerada uma barreira. Muitos hospitais não têm aparelhos que facilitam a mobilização dos pacientes como os cicloergômetros, aparelhos para eletroestimulação, a prancha ortostática, entre outros. Além disso, vários hospitais não têm os equipamentos necessários para facilitar a transferência dos pacientes (pranchas, elevadores etc.), podendo prejudicar, inclusive, o próprio terapeuta. Em alguns casos, o ambiente não apresenta a mobília adequada para que o paciente receba o atendimento completo, isto é, existe carência de poltronas e leitos com regulagem de altura, prejudicando o treino de sedestação à beira leito e o ortostatismo. Novamente, os pontos apresentados diminuem o tempo hábil de atendimento, sobrecarregando o profissional na assistência e as demais equipes.

A aquisição de materiais, equipamentos e mobílias é extremamente importante. O sucesso da mobilização precoce e melhora do atendimento ao paciente estão relacionados não só com a capacidade de interação entre as equipes, mas também com a liberação de recursos para melhor equipá-las. Embora a falta de recursos não deva ser considerada um motivo para o não atendimento do paciente, é inquestionável que um serviço que tem maior número de funcionários, equipamentos especializados e mobílias adequadas oferte melhor atendimento ao paciente.

Finalmente, alguns trabalhos, como o de Leditschke e colaboradores, descrevem como barreiras a presença de instabilidade hemodinâmica, respiratória e/ou neurológica, procedimentos médicos e de enfermagem, recomendações médicas e nível de consciência do paciente (coma ou agitação). É claro que algumas barreiras à mobilização do paciente crítico não são modificáveis e exigem atenção do profissional e da equipe envolvidos de forma que sempre priorizem a vida e a segurança do paciente (ver tópico avaliação). O importante é observar se a barreira que o impede de realizar a terapia não é modificável no momento, mas que, com planejamento e organização da equipe, isso possa ser superado. Apesar das barreiras, a mobilização precoce é factível e segura e deve receber mais atenção durante o atendimento fisioterapêutico para a melhora do estado funcional dos pacientes.

Benefícios descritos

O primeiro estudo prospectivo e randomizado comparando a reabilitação precoce com um tratamento fisioterapêutico padrão em pacientes sob ventilação mecânica foi publicado em 2008. Nele, pacientes que participaram da reabilitação precoce permaneceram menos tempo na UTI e no hospital em comparação ao grupo-controle (sem mobilização). Essa reabilitação incluía a realização de exercícios ativos e passivos com os membros, treinos de posicionamento, transferência, deambulação e exercícios simulando as atividades de vida diária de acordo com a capacidade do paciente e estabilidade hemodinâmica, estando o paciente em assistência ventilatória ou não.

Em outro estudo publicado em 2009, verificou-se que os pacientes submetidos a um protocolo de reabilitação precoce apresentaram maior taxa de retorno à independência funcional na alta hospitalar, menor tempo de ventilação mecânica, menos dias com delirium e maior distância de caminhada na alta da UTI quando comparados aos pacientes do grupo controle.

Nestes estudos, os eventos adversos reportados relacionados ao atendimento foram raros e, quando presentes, não acarretaram alterações importantes no padrão hemodinâmico do paciente, quedas ou perda de acessos venosos centrais.

Além dos benefícios descritos nesses dois estudos pioneiros, outros estudos já demonstraram que a realização precoce de exercícios em pacientes críticos aumenta a força muscular, está relacionada à melhora da qualidade de vida (bem-estar autorrelatado), diminui o número de infecções na UTI, diminui custos hospitalares e a necessidade de encaminhamento para clínicas de reabilitação ou hospitais de retaguarda.

Avaliação e Acompanhamento

Alguns fatores devem ser considerados antes de se realizar qualquer atividade com o paciente internado na UTI: o histórico e o quadro funcional do paciente previamente ao período de internação; o uso de medicações tais como sedativos e betabloqueadores, pois alteram a colaboração do paciente e a resposta do sistema cardiovascular ao exercício. Além disso, os seguintes pontos devem ser analisados.

Reserva cardiovascular

- Frequência cardíaca (FC) de repouso inferior a 50% da FC máxima de acordo com a idade ou entre 60 e 130 bpm;

- Pressão arterial (PA) com alteração inferior a 20% na última hora ou pressão arterial média (PAM) entre 60 e 110 mmHg;
- Eletrocardiograma sem evidência de infarto agudo ou arritmias importantes.

Reserva respiratória

- Saturação periférica de oxigênio (SpO_2) acima de 90%;
- Relação entre a pressão parcial e a fração inspirada de oxigênio acima de 200 ou em melhora;
- Padrão respiratório confortável ainda que taquipneico.

Outros fatores

- Hemoglobina superior a 7 g/dL;
- Plaquetas superiores a 20.000/mm^3;
- Trombose venosa profunda ou embolia pulmonar ausentes ou corrigidas/estabilizadas;
- Ausência de sangramento ativo ou queda de hemoglobina;
- Ausência de febre (39 a 40°C).

Os fatores e valores descritos indicam que é seguro mobilizar o paciente que se apresente nessas condições. Entretanto, de acordo com a experiência da equipe e do tipo de paciente, alguns desses pontos podem ser modificados. Nesses casos, a discussão e interação entre as equipes são de extrema importância.

Em cada período de atendimento, após verificar se o paciente apresenta condições favoráveis ao atendimento, deve-se verificar sua força muscular global e avaliar qual a atividade mais adequada para se realizar (Nível 1 – 4; Figura 20.2).

A força muscular global pode ser adquirida utilizando-se o Medical Research Council Scale – Sum Score (MRCS).O MRCS consiste em avaliar a força muscular do grupo de músculos referentes às seguintes articulações (bilateralmente): abdução do braço; flexão do cotovelo; extensão do punho; flexão do quadril; extensão do joelho; e flexão plantar. Para cada articulação avaliada (bilateralmente), é dada a seguinte pontuação de acordo com a força:

- Ausência de movimento → 0
- Traço de movimento visível → 1
- Movimento presente com ausência da gravidade → 2
- Movimento presente e vence a força da gravidade → 3
- Movimento presente e vence resistência leve → 4
- Movimento presente e vence resistência normal → 5

Após a mensuração da força de cada grupo muscular, deve-se somar os valores para verificar a pontuação total do paciente naquele instante (podendo variar de 0 – 60). Como regra geral, pacientes que apresentam MRCS ≥48 pontos, conseguem ficar de pé (pelo menos com apoio/assistência). Quanto maior a pontuação, melhor a força do paciente.

O aumento ou diminuição do MRCS e os níveis de atividade realizados com o paciente podem ser úteis para verificar se o paciente está evoluindo positiva ou negativamente a cada dia ou se existe alguma barreira que limitou ou impediu o atendimento fisioterapêutico em determinado dia.

Finalmente, além de verificar qual nível de atividade (1 – 4) será ofertado ao paciente e de acordo com a disponibilidade de equipamentos em cada instituição, deve-se considerar o uso de equipamentos que auxiliam na mobilização tais como halteres, faixas elásticas, cicloergômetros (passivo, ativo ou resistido), pranchas ortostáticas, aparelhos de eletroestimulação muscular entre outros. O uso desses equipamentos pode ser iniciado de acordo com o nível em que o paciente se encontra auxiliando na manutenção/recuperação funcional dos pacientes.

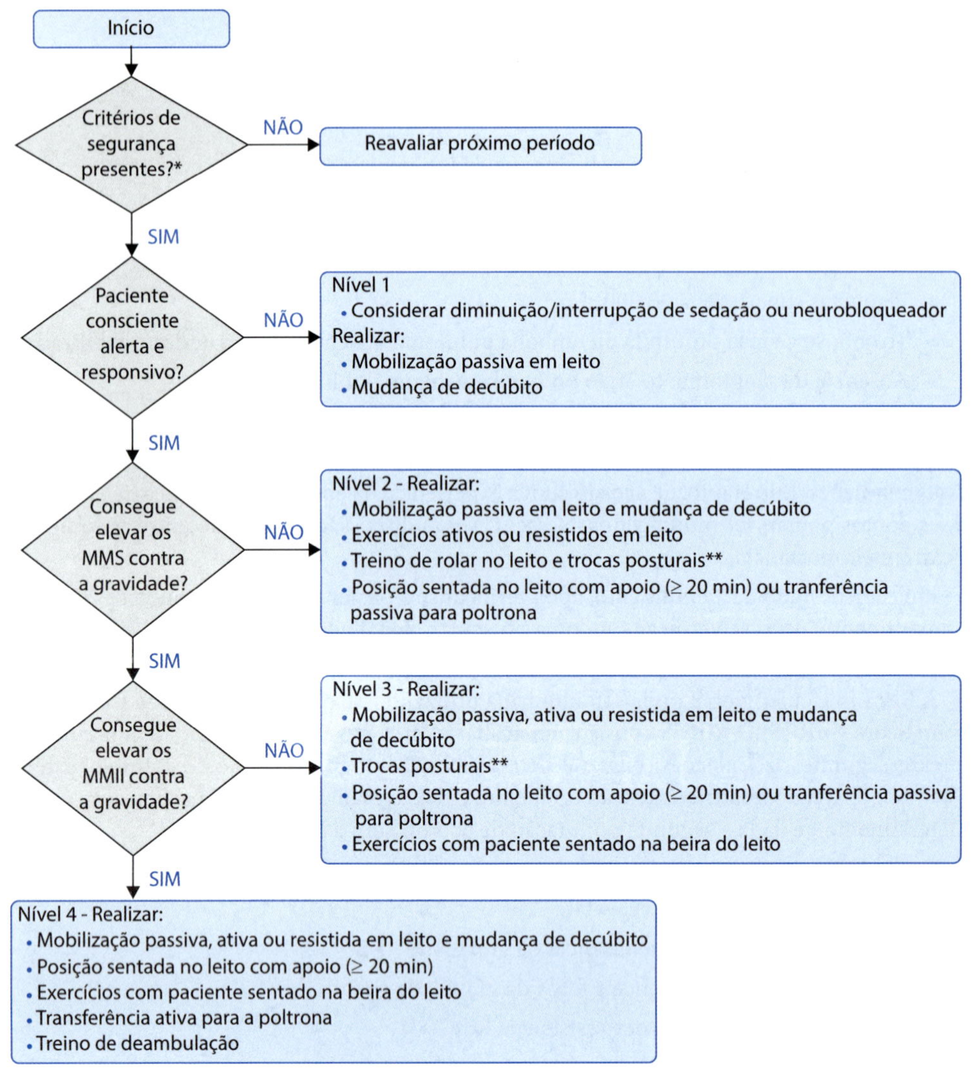

Figura 20.2 – Fluxograma de avaliação para a mobilização de pacientes criticamente enfermos.* - paciente apresenta quadro clínico e reservas cardiorrespiratórias mínimas para a mobilização?; ** - trocas posturais referem-se a treinos funcionais de troca de posição. Nesse caso, deitado para sentado e sentado para deitado. Fonte: adaptada de Morris et al.,2008.

Leitura Recomendada

1. Allen CP, Glasziou C, Del Mar. Bed rest: a potentially harmful treatment needing more careful evaluation. Lancet, 1999. 354(9186): p. 1229-33.
2. Bailey P, et al.Early activity is feasible and safe in respiratory failure patients. Crit Care Med, 2007. 35(1): p. 139-45.
3. Barber EA, et al. Barriers and facilitators to early mobilisation in Intensive Care: A qualitative study. Aust Crit Care, 2014.
4. Camargo Pires-Neto R, et al. Very early passive cycling exercise in mechanically ventilated critically ill patients: physiological and safety aspects – a case series. PLoS One, 2013. 8(9): p. e74182.
5. Hodgson CL, et al. Clinical review: early patient mobilization in the ICU. Crit Care, 2013. 17(1): p. 207.
6. Kress JP. Sedation and mobility: changing the paradigm. Crit Care Clin, 2013. 29(1): p. 67-75.
7. Leditschke IA, et al.What are the barriers to mobilizing intensive care patients?Cardiopulm Phys Ther J, 2012. 23(1): p. 26-9.
8. Morris PE. Moving our critically ill patients: mobility barriers and benefits.Crit Care Clin, 2007. 23(1): p. 1-20.
9. Morris PE, et al. Early intensive care unit mobility therapy in the treatment of acute respiratory failure. Crit Care Med, 2008. 36(8): p. 2238-43.
10. Needham DM, et al.Early physical medicine and rehabilitation for patients with acute respiratory failure: a quality improvement project.Arch Phys Med Rehabil, 2010. 91(4): p. 536-42.
11. Schweickert WD, et al.Early physical and occupational therapy in mechanically ventilated, critically ill patients: a randomised controlled trial.Lancet, 2009. 373(9678): p. 1874-82.
12. Stiller K. Safety issues that should be considered when mobilizing critically ill patients. Crit Care Clin, 2007. 23(1): p. 35-53.
13. Stiller K. Physiotherapy in intensive care: an updated systematic review. Chest, 2013. 144(3): p. 825-47.
14. Truong AD, et al. Bench-to-bedside review mobilizingpatients in the intensive care unit--from pathophysiology to clinical trials. Crit Care. 2009;13(4):216.

Capítulo 21

Prancha Ortostática

Vinicius Tassoni Civile

Introdução

A abordagem atual em pacientes críticos internados em unidades de terapia intensiva (UTI) envolve técnicas de mobilização precoce que vêm sendo discutidas nos últimos anos. Esse fato se deve à elevada incidência de complicações motoras e respiratórias e ao aumento da mortalidade e de custos em pacientes com internação prolongada.

A redução funcional das atividades motoras em pacientes sob repouso prolongado no leito gera a síndrome do imobilismo, com impacto negativo em diversos sistemas do organismo como o cardiovascular, o respiratório, o urinário e o digestório. O acometimento sistêmico aumenta significativamente o tempo de internação em hospital.

O repouso prolongado no leito gera prejuízos funcionais nos primeiros 4 a 7 dias de internação em UTI, conforme descrito por diversas pesquisas pelo mundo. A redução de força muscular entre 10 e 20% pode ser observada a cada semana de imobilidade no leito e, desse modo, é constantemente notada uma redução superior a 30% na aptidão física em menos de 1 mês de internação hospitalar.

Uma das principais consequências da síndrome do imobilismo é o desenvolvimento da polineuropatia do paciente crítico, uma doença caracterizada por fraqueza muscular generalizada e acometimento dos nervos periféricos com diminuição dos impulsos elétricos.

A polineuropatia do paciente crítico acomete um perfil populacional específico que frequentemente apresenta alguns destes fatores: necessidade de ventilação mecânica invasiva por uma semana; sepse; uso de medicamentos (sedativos, bloqueadores neuromusculares, antibióticos e corticosteroides); desnutrição; e síndrome do imobilismo. A associação dessas causas com a polineuropatia do doente crítico pode contribuir para um prejuízo no desmame ventilatório e aumento no tempo de internação em UTI.

A incidência dessa doença pode variar entre 25 e 75% dos pacientes internados em UTI, e em mais da metade deles, os principais fatores etiológicos são a ventilação mecânica invasiva (VMI) prolongada e choque séptico.

Riscos e Benefícios do Ortostatismo Assistido com Prancha

A atuação fisioterapêutica na UTI para pacientes em repouso prolongado deve englobar um processo de reabilitação tanto respiratório como motor. Um grande desafio para a recuperação funcional motora é a inabilidade de alguns pacientes realizarem exercícios físicos de maneira ativa. Um dos recursos tecnológicos para esse problema pode ser a utilização da prancha ortostática.

A indução do orstostatismo assistido com a prancha pode minimizar as complicações provocadas pelo imobilismo, independentemente do nível de consciência ou comprometimento motor.

A posição ortostática é vantajosa em relação à posição supina na mecânica respiratória e troca gasosa, favorecendo o funcionamento do sistema respiratório.

No sistema nervoso, a aquisição de posturas verticalizadas pode estimular o controle vestibular e o estado de alerta, principalmente em pacientes que foram internados por causa de desordens neurológicas agudas. A manutenção ou estimulação do nível de consciência pode provocar um impacto positivo sobre a ação muscular postural.

Apesar desses efeitos positivos esperados pela adoção da postura ortostática, alguns cuidados devem ser tomados para que a aplicação dessa técnica seja segura. A transferência da posição supina para a posição ortostática pode provocar uma redução do retorno venoso, com consequente redução da pressão arterial. Esse processo pode induzir uma resposta simpática excessiva e inibição vagal para compensação do débito cardíaco.

Em pacientes com diagnóstico de síncope neurocardiogênica (vasovagal), o inverso pode ocorrer. A inibição simpática e a estimulação vagal geram bradicardia com hipotensão arterial e, desse modo, ocasionando uma síncope. Nesses casos, o retorno à posição supina na prancha deve ser feito imediatamente para a recuperação da consciência.

No entanto, a grande maioria dos pacientes internados em UTI por tempo prolongado desenvolve a taquicardia ortostática postural caracterizada pela taquicardia excessiva com hipotensão arterial. Esse fato decorre da insuficiência do mecanismo vascular periférico gerado pela fraqueza muscular e dificilmente resultará em uma síncope. Nesses pacientes, portanto, a indução frequente da posição ortostática auxilia no mecanismo de regulação dessa síndrome.

Nos últimos anos, apesar de a utilização da prancha ortostática como dispositivo auxiliar na mobilização precoce em UTI ser descrita em alguns estudos, a sua utilização ainda é pouca explorada no ambiente hospitalar. A aplicação desse dispositivo, portanto, tem sido em caráter ambulatorial ou para diagnóstico e tratamento de síncope neurocardiogênica.

Pesquisas recentes que adotam as mobilizações precoces que envolvem posturas verticalizadas apresentam resultados satisfatórios na prevenção e tratamento de complicações neuromusculares durante o repouso prolongado no leito. A tolerância ao exercício físico tende a aumentar com o treinamento regular, mesmo nos casos em que a imobilidade já tenha sido adquirida.

Assim, o treinamento ortostático com a prancha pode ser utilizado como um método eficaz de reabilitação física, para pacientes que não apresentem a capacidade de realizar o ortostatismo de forma ativa por comprometimento motor generalizado.

Indicações, Contraindicações e Protocolo de Prancha Ortostática

A prancha ortostática deve ser empregada após a estabilidade do quadro clínico (principalmente hemodinâmico) para que o sistema cardiovascular possa se beneficiar com aumento da capacidade aeróbia.

A estabilidade hemodinâmica deve ser monitorada por cerca de 10 minutos após a transferência da cama para a prancha. A elevação da prancha deve ser feita de forma ininterrupta até 75 graus e mantida entre 30 e 40 minutos. Durante esse período em ortostatismo, o fisioterapeuta deve monitorar os sinais vitais do paciente e, caso não seja tolerada a posição, o retorno à posição supina deve ser imediato visando a estabilização.

O tempo de treinamento deve continuar sendo contabilizado mesmo que o paciente não complete todo o tempo na posição ortostática. Assim que o paciente estabilize seu quadro, a prancha deve ser novamente elevada até que o tempo se complete. Nas primeiras sessões, os retornos à posição supina durante o treinamento devem ser utilizados até a completa readaptação aeróbia do paciente.

Após a execução do treinamento, o paciente deve ser retornado à posição supina e mantido por cerca de 10 minutos para recuperação, e somente após a estabilização a transferência de volta ao leito deve ser feita. Uma sugestão para o método de utilização da prancha, baseado em algumas pesquisas, está descrita na Figura 21.1.

O ortostatismo assistido com a utilização da prancha em pacientes críticos pode auxiliar no processo de recuperação precoce em UTI, aumentando a independência funcional e minimizando os efeitos deletérios do imobilismo.

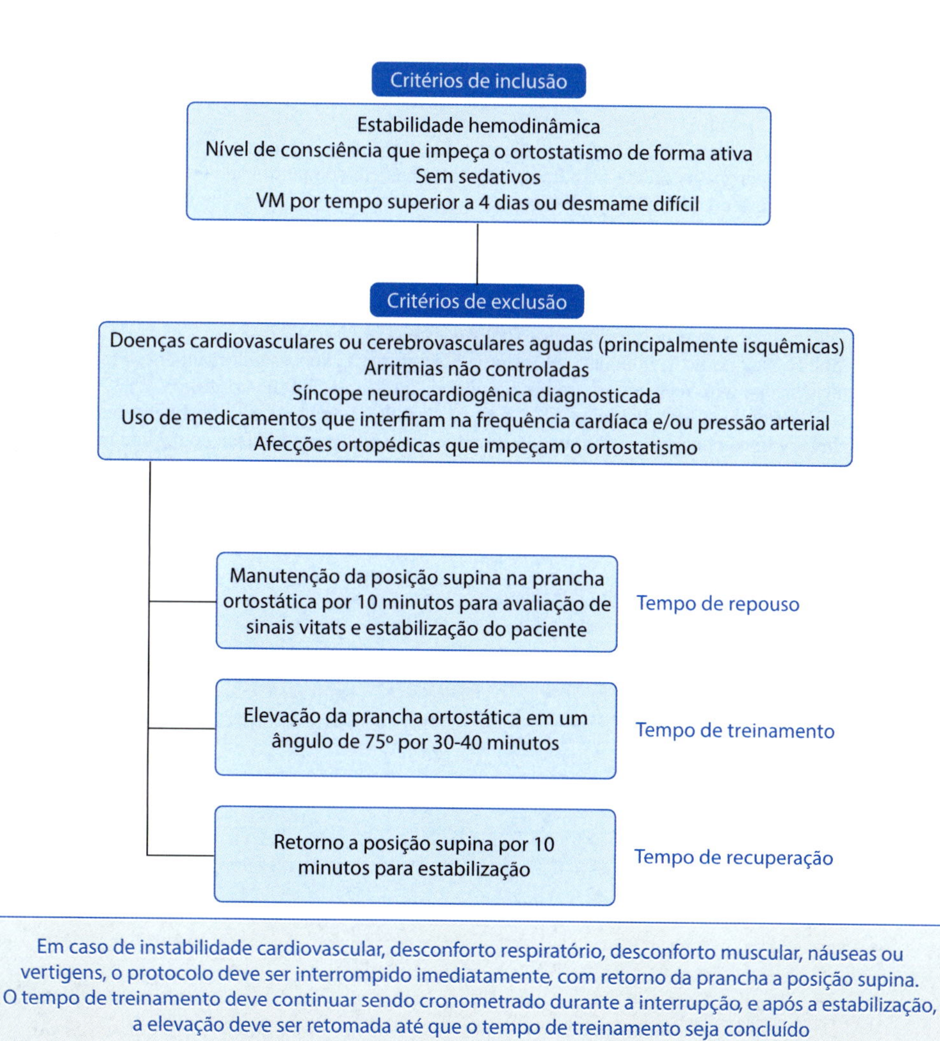

Figura 21.1 – Protocolo de utilização da prancha ortostática em UTI. Fonte: Vinicius Tassoni Civile.

Leitura Recomendada

1. Adam S, Forrest S. ABC of intensive care: other supportive care. BMJ. 1999 Jul 17;319(7203):175-8.
2. Bailey P, Thomsen GE, Spuhler VJ, Blair R, Jewkes J, Bezdjian L, et al. Early activity is feasible and safe in respiratory failure patients. Crit Care Med. 2007;35(1):139-45.
3. Bourdin G, Barbier J, Burle JF, Durante G, Passant S, Vincent B, et al. The feasibility of early physical activity in intensive care unit patients: a prospective observational one-center study. Respir Care. 2010 Apr;55(4):400-7.
4. Chang AT, Boots R, Brown MG, Paratz JD, Hodges PW. Ventilatory changes following head-up tilt and standing in healthy subjects. Eur J Appl Physiol. 2005;95(5-6):409-17.
5. Chang AT, Boots R, Hodges PW, Paratz J. Standing with assistance of a tilt table in intensive care: A survey of Australian physiotherapy practice. Aust J Physiother. 2004;50(1):51-4.
6. Chang AT, Boots R, Hodges PW, Thomas PJ, Paratz JD. Standing with the assistance of a tilt table improves minute ventilation in chronic critically ill patients. Arch Phys Med Rehabil. 2004;85(12):1972-6.
7. Cirio S, Piaggi GC, De Mattia E, Nava S. Muscle retraining in ICU patients. Monaldi Arch Chest Dis. 2003;59(4):300-3.
8. De Castro CL, de Nóbrega AC, de Araújo CG. [Autonomic cardiovascular tests. A critical review. I]. Arq Bras Cardiol. 1992;59(1):75-85.
9. Frutos-Vivar F, Esteban A. Critical illness polyneuropathy: a new (or old?) reason for weaning failure. Crit Care Med. 2005;33(2):452-3.
10. Garnacho-Montero J, Amaya-Villar R, García-Garmendía JL, Madrazo-Osuna J, Ortiz-Leyba C. Effect of critical illness polyneuropathy on the withdrawal from mechanical ventilation and the length of stay in septic patients. Crit Care Med. 2005;33(2):349-54.
11. Gisolf J, Akkerman EM, Schreurs AW, Strackee J, Stok WJ, Karemaker JM. Tilt table design for rapid and sinusoidal posture change with minimal vestibular stimulation. Aviat Space Environ Med. 2004;75(12):1086-91.
12. Hund E, Genzwürker H, Böhrer H, Jakob H, Thiele R, Hacke W. Predominant involvement of motor fibres in patients with critical illness polyneuropathy. Br J Anaesth. 1997;78(3):274-8.
13. Numata T, Abe H, Nagatomo T, Sonoda S, Kohshi K, Nakashima Y. Successful treatment of malignant neurocardiogenic syncope with repeated tilt training program. Jpn Circ J. 2000;64(5):406-9.
14. Schweickert WD, Pohlman MC, Pohlman AS, Nigos C, Pawlik AJ, Esbrook CL. Early physical and occupational therapy in mechanically ventilated, critically ill patients: a randomised controlled trial. Lancet. 2009;373(9678):1874-82.
15. Yoshizaki H, Yoshida A, Hayashi F, Fukuda Y. Effect of posture change on control of ventilation. Jpn J Physiol. 1998;48(4):267-73.

Capítulo 22

Cicloergômetro

Yurika Maria Fogaça Kawaguchi
Ruy de Camargo Pires Neto
Raquel Annoni

Introdução

Longos períodos de internação estão associados a terapêuticas comuns nas unidades de tratamento intensivo (UTI) como a intubação e a necessidade de ventilação mecânica, além do uso de sedativos e bloqueadores neuromusculares. Além disso, a presença de quadros sépticos, comum em ambiente de terapia intensiva, pode desencadear alterações neuromusculares, aumento na taxa e duração de *delirium* e, consequentemente, no tempo de ventilação mecânica.

Na tentativa de prevenir os efeitos deletérios da internação hospitalar prolongada, diversos hospitais têm se preocupado em instituir protocolos ou diretrizes para minimizar esses efeitos, tais como os protocolos de despertar diário que estão associados com a descontinuação racional e progressiva da sedação e os protocolos de mobilização precoce.

Atualmente, sabe-se que a mobilização precoce está associada a inúmeros benefícios tais como a diminuição do tempo de ventilação mecânica, internação hospitalar e UTI, diminuição da taxa de *delirium* e de infecções hospitalares, além da diminuição de custos, entre outros.

Apesar dos benefícios reportados, o paciente de terapia intensiva ainda é frequentemente visto como "muito doente" para tolerar atividades de mobilização no período inicial de sua doença. Essa avaliação associada à sedação profunda ou ao *delirium* acarreta imobilização, restrição ao leito e atraso para iniciar a terapia.

Desse modo, existe um aumento no interesse do uso de tecnologias assistivas na mobilização precoce sem a necessidade de participação efetiva do paciente. Além disso, na medida em que o paciente recupera o nível de consciência e a colaboração com a terapia, esses dispositivos contribuem para a progressão das atividades propostas por meio do ganho de força, endurance, equilíbrio e treino de propriocepção auxiliando na recuperação funcional do paciente.

Um dos dispositivos que têm se destacado no momento é o cicloergômetro. Existem disponíveis no mercado diversos tipos, motorizados com velocidade fixa ou variável, com suporte para posicionar no leito hospitalar ou sem suporte, sendo este colocado no chão ou em mesas, dependendo do membro em que se deseja realizar a atividade aeróbica (superiores ou inferiores). Comparando-se o uso do cicloergômetro na reabilitação de pacientes pneumopatas na fase ambulatorial, o seu uso no ambiente de terapia intensiva ainda é pequeno, porém promissor.

Principais Estudos

O maior estudo de caracterização e segurança do uso do cicloergômetro em UTI até o momento (Kho M e colaboradores, 2015) incluiu 181 pacientes totalizando 541 sessões com o dispositivo (um a quatro sessões por paciente). O tempo médio de internação na UTI para iniciar a fisioterapia e as sessões de cicloergômetro foi, respectivamente, 2 e 4 dias. O tempo médio de atividade registrado com o cicloergômetro foi de 25 minutos. Em 94% das sessões, o paciente participou ativamente (exercício ativo) em pelo menos um período da sessão. Em 9% das sessões os pacientes realizaram atividades resistidas. Em 80% dos casos, os pacientes eram dependentes de ventilação mecânica (cânula orotraqueal ou traqueostomia). A necessidade de vasopressores e terapia dialítica esteve presente em 17 e 11%, respectivamente. Das 541 sessões realizadas com o cicloergômetro, houve apenas um registro de evento adverso (deslocamento de acesso em artéria radial).

Outros seis estudos em UTI reportaram o uso do cicloergômetro para membros inferiores (MMII) em UTI, totalizando 173 pacientes com mais de 600 sessões. Esses estudos avaliaram o resultado de uma única sessão com o cicloergômetro (três estudos), uso do cicloergômetro associado a um protocolo de intervenção de fisioterapia (dois estudos) e associado à eletroestimulação (um estudo). O tempo de terapia com o cicloerômetro variou de 5 a 30 minutos na presença ou ausência de ventilação mecânica ou vasopressores dependendo do estudo.

Embora atualmente os exercícios com o cicloergômetro priorizem os MMII, o primeiro estudo a utilizar o cicloergômetro na UTI utilizou o "ciclo" para melhorar a resistência dos membros superiores (MMSS). Os pacientes (tempo de internação hospitalar antes da inclusão no estudo de 25 dias e tempo de desmame em torno de 5,5 dias) foram divididos em dois grupos. Em um grupo, foi realizada a fisioterapia-padrão (exercícios para o controle de tronco, deambulação e exercícios para a melhora da tosse), com tempo de atendimento em torno de 45 minutos.

Ao outro grupo de pacientes, acrescentaram-se exercícios de resistência e força para os MMSS com auxílio de um cicloergômetro. A intensidade do exercício era aumentada diariamente em uma taxa de 2,5 W por dia de acordo com o grau de dispneia ou fadiga muscular do paciente. O tempo de terapia era de 20 minutos e não era permitido mais do que 2 minutos de descanso durante a terapia.

Houve melhora da sensação de dispneia, da fadiga muscular, da pressão inspiratória máxima (PImax) e da força e resistência muscular nos dois grupos, porém a resposta no grupo de exercícios com os MMSS foi melhor em todos os parâmetros descritos, com diferença estatística para força e resistência muscular quando comparado ao grupo de fisioterapia padrão.

O estudo que reporta a utilização mais precoce até o momento é de Pires-Neto e colaboradores, em que são descritas as alterações hemodinâmicas frente ao uso passivo do cicloergômetro em 19 pacientes críticos com menos de 72 horas de assistência ventilatória mecânica invasiva. Os pacientes realizavam exercícios por20 minutos (30 ciclos/minuto) com registros hemodinâmicos a cada minuto. Nesse estudo, o uso passivo do cicloergômetro por 20 minutos não alterou nenhum parâmetro hemodinâmico (débito cardíaco, resistência vascular sistêmica, saturação venosa central de oxigênio [$ScvO_2$], frequência cardíaca ou pressão arterial média). Esse comportamento foi observado mesmo nos pacientes mais graves, que utilizavam norepinefrina(> 0,2µg/kg/minuto) e apresentavam índice de oxigenação (razão entre a pressão parcial de oxigênio no sangue e a fração inspirada de oxigênio – PaO_2/FiO_2) < 150 e $ScvO_2$< 70%. Não houve, ainda, registro de nenhum evento adverso. Entretanto, destacamos que embora esse seja o estudo com utilização mais precoce do cicloergômetro até o momento, sua utilização limitou-se à modalidade passiva e seus benefícios clínicos ainda precisam ser elucidados.

Burtin e colaboradores realizaram um estudo em que após o 5º dia de internação na UTI, além da fisioterapia motora de rotina, os pacientes que apresentavam estabilidade hemodinâmica eram adaptados a um cicloergômetro para MMII e realizavam movimentos passivos e ativos por 20 minutos, uma vez ao dia durante a estadia na UTI. Na medida em que os pacientes começavam a colaborar com a terapia, o cicloergômetro passava do modo passivo para o assistido ou resistido (com até seis níveis de resistência ajustadas no aparelho). Os critérios de interrupção da atividade utilizados nesse estudo foram: frequência cardíaca > 70% do máximo predito para o paciente, > 20% de aumento na frequência cardíaca, pressão arterial sistólica > 180 mmHg, > 20% de diminuição na pressão arterial sistólica ou diastólica, saturação periférica de oxigênio<90%.

Outro grupo de pacientes realizava apenas a fisioterapia motora padrão sem o uso do cicloergômetro. Após a alta da UTI, na enfermaria, os cuidados aos pacientes eram semelhantes nos dois grupos. Na alta hospitalar, os pacientes que realizaram o cicloergômetro apresentaram melhores resultados no teste de caminhada de 6 minutos, na força do músculo quadríceps e na sensação de bem-estar (um dos itens do questionário de qualidade de vida) quando comparados ao grupo controle.

Dantas e colaboradores também utilizaram o cicloergômetrocomo parte da terapia para a reabilitação dos pacientes em UTI. No grupo fisioterapia convencional, eram realizados exercícios passivos e ativos, ao passo que no grupo intervenção (mobilização precoce) eram preconizados exercícios mais funcionais com treinos em ortostatismo. A partir do estágio 3 no grupo intervenção (paciente consciente com força > III para MMSS), o paciente realizava de 3 a 10 minutos de cicloergômetro com os MMII, a fim de manter uma escala de Borg de 12-13. Os autores verificaram que a realização de mobilização precoce com o uso do cicloergômetro como parte da terapia auxiliou no ganho de força muscular inspiratória e periférica na população estudada.

Finalmente, Parry e colaboradores, em um estudo piloto, verificaram a utilização do cicloergômetro associada à eletroestimulação (functional electrical stimulation– FES). Associado aos cuidados de rotina da fisioterapia, um grupo de pacientes realizava 20 a 60 minutos de cicloergômetro/FES para MMII, uma vez ao dia, cinco vezes por semana. Os parâmetros utilizados no FES eram onda retangular monofásica alternada, largura de pulso de 300 a 400 microsegundos, frequência de 30 a 50 Hz e intensidade aumentada continuamente até um máximo de 140 mA. A intensidade era aumentada até que a contração muscular fosse perceptível. A musculatura estimulada compreendia o quadríceps, os isquiotibiais, glúteos e a musculatura da panturrilha.

Quando o paciente colaborava com a terapia e/ou recuperava o nível de consciência, era encorajado a participar ativamente da terapia e o cicloergômetro passava a trabalhar em modo resistido. Os resultados desse estudo piloto sugerem que o uso desses dispositivos (ciclo/FES), em associação com a fisioterapia motora realizada de rotina, facilita e acelera a recuperação funcional dos pacientes e reduz a incidência e o tempo de *delirium*.

Limitações

Os estudos apresentados evidenciam que o uso do cicloergômetro em pacientes críticos é seguro e viável. Entretanto, ao contrário do que ocorre atualmente na reabilitação pulmonar de pacientes pneumopatas, em que os critérios para a utilização, o ajuste da carga e tempo de sessão já estão bem estabelecidos, a melhor forma de graduar ou titular o exercício com o cicloergômetro em pacientes críticos ainda é desconhecida. Além disso, nem todos os dispositivos presentes no mercado nacional apresentam a opção para a realização de exercícios resistidos com o ajuste de carga. Finalmente, os estudos relatam que o tempo para ajustar e posicionar o "ciclo" ao leito do paciente pode variar de 5 a 30 minutos (contando higienização após o uso) o que pode dificultar a rotina de alguns profissionais em determinados hospitais devido à alta demanda de pacientes.

Considerações Finais

O uso de tecnologias assistivas pode facilitar e auxiliar na mobilização dos pacientes críticos. O cicloergômetro é, até o presente momento, o dispositivo mais estudado e sabe-se que a sua utilização, incorporada à rotina de atendimento de fisioterapia motora nos pacientes críticos está associada a vários benefícios.

Sabendo-se que existem diversos tipos de cicloergômetro disponíveis no mercado com diferentes preços, os profissionais podem verificar a melhor opção que se adapta à sua rotina de atendimento e infraestrutura de trabalho.

Leitura Recomendada

1. Bailey P, et al. Early activity is feasible and safe in respiratory failure patients. Crit Care Med, 2007. 35(1): p. 139-45.
2. Burtin C, et al. Early exercise in critically ill patients enhances short-term functional recovery. Crit Care Med, 2009. 37(9): p. 2499-505.
3. Camargo Pires-Neto R, et al. Very early passive cycling exercise in mechanically ventilated critically ill patients: physiological and safety aspects--a case series.PLoS One, 2013. 8(9): p. e74182.
4. Dantas CM, et al. Influência da mobilização precoce na força muscular periférica e respiratória em pacientes críticos.Rev Bras Ter Intensiva, 2012. 24(2): p. 173-178.
5. Hickmann CE, et al. Energy expenditure in the critically ill performing early physical therapy. Intensive Care Med, 2014. 40(4): p. 548-55.
6. Kho ME, et al. Feasibility and safety of in-bed cycling for physical rehabilitation in the intensive care unit. J Crit Care, 2015. 30(6): p. 1419 e1-5.
7. Morris PE. Moving our critically ill patients: mobility barriers and benefits. Crit Care Clin, 2007. 23(1): p. 1-20.
8. Morris PE, et al. Early intensive care unit mobility therapy in the treatment of acute respiratory failure. Crit Care Med, 2008. 36(8): p. 2238-43.
9. Parry SM, et al. Functional electrical stimulation with cycling in the critically ill: a pilot case-matched control study.J Crit Care, 2014.
10. Pires-Neto RDC, et al. Caracterização do uso do cicloergômetro para auxiliar no atendimento fisioterapêutico em pacientes críticos.Rev Bras Ter Intensiva, 2013. 25(1): p. 39-43.
11. Schweickert WD, et al. Early physical and occupational therapy in mechanically ventilated, critically ill patients: a randomised controlled trial. Lancet, 2009. 373(9678): p. 1874-82.

Capítulo

23

Estimulação Elétrica Neuromuscular no Ambiente Hospitalar

Joaquim Minuzzo Vega
Vinicius Zacarias Maldaner da Silva
João Luiz Quaquilotti Durigan
Paulo Eugênio Silva

Introdução

Os pacientes admitidos no ambiente hospitalar estão expostos a diversos fatores que contribuem para o desenvolvimento de uma fraqueza muscular progressiva como distúrbios eletrolíticos, hiperglicemia, resistência anabólica, inflamação sistêmica, efeitos colaterais medicamentosos, inatividade física e repouso prolongado no leito. Em razão desses fatores, principalmente os pacientes críticos em ventilação mecânica, podem cursar com o agravamento de seu quadro clínico inicial e evoluírem para uma condição denominada polineuropatia do paciente crítico. Desde a última década, uma série de estudos vem demonstrando que a intervenção precoce de mobilizar os pacientes no leito tem proporcionado melhora da função do sistema respiratório e cardiovascular, diminuição dos danos orgânicos produzidos pelo imobilismo, melhora da funcionalidade física, melhora do nível de consciência e diminuição do tempo de internação.

A mobilização precoce parece ser uma alternativa real na prevenção da síndrome da imobilidade prolongada adquirida por conta do tempo de internação. No propósito de mobilizar precocemente os pacientes graves, o fisioterapeuta tem utilizado protocolos de atuação que podem incorporar diversos recursos terapêuticos, desde a cinesioterapia passiva e ativa até equipamentos auxiliares para isso (prancha ortostática, guincho hospitalar, cicloergômetro etc.). A estimulação elétrica neuromuscular (EENM) é mais um recurso que vem sendo comumente aplicado pelo fisioterapeuta para prevenção/reversão dessa situação clínica, podendo ser uma ferramenta terapêutica eficiente no âmbito hospitalar. Neste capítulo, buscaremos abordar a aplicabilidade da EENM no ambiente hospitalar, principalmente centrada no tratamento de pacientes críticos.

Conceitos Básicos da Estimulação Elétrica Neuromuscular

Desde a antiguidade existem relatos da utilização da eletricidade como recurso terapêutico, em que as primeiras experiências com a estimulação elétrica datam de 46 d.C., utilizavam o peixe elétrico, que pode gerar de 100 a 150 volts, para o alívio da dor. Mas foi a partir do século XVIII, em razão da criação da máquina eletrostática movida a manivela, pelo cientista prussiano Otto Von Guericke, que experimentos com descargas elétricas em tecidos biológicos puderam ser realizados, iniciando-se, assim, por meio de cientistas como o fisiologista suíço Albrecht Von Haller e os anatomistas bolonheses Marco Antonio Caldani e Tommasseo Laghi, a formação da base de conhecimento para a eletroterapia atual.

A eletroterapia refere-se à utilização de equipamentos que geram corrente elétrica, empregando a eletricidade como forma de tratamento em doenças e pode produzir efeitos como:

- Efeitos analgésicos (estimulação elétrica nervosa transcutânea [TENS] e correntes interferenciais vetoriais [CIV]);
- Efeitos anti-inflamatórios e antiedematosos (correntes diadinâmicas de Bernard [CDB], microcorrentes e corrente galvânica);
- Fortalecimento muscular para melhora da função (corrente farádica, estimulação elétrica funcional [FES] e corrente russa).

A estimulação elétrica neuromuscular (EENM) refere-se à utilização de equipamentos que geram corrente elétrica para estimulação no nível motor, ou seja, geram contração muscular. Sendo assim, o estímulo elétrico tende a passar pelo limiar sensitivo, atuando basicamente no limiar motor, o qual exige uma corrente elétrica com pulsos de maior duração (Figura 23.1).

Os equipamentos de estimulação elétrica neuromuscular (EENM) geram uma corrente elétrica que, ao entrar em contato com o corpo, provocam despolarizações do motoneurônio inferior, promovendo uma contração de músculos com inervação motora íntegra. Essa despolarização ocorre principalmente por troca iônica de sódio e potássio na membrana neuronal, desencadeando um potencial de ação da fibra nervosa (Figura 23.2). Esse processo ocasionará uma liberação de acetilcolina na fenda sináptica, maior ação integrada de cálcio no retículo sarcoplasmático, culminando em ativação dos filamentos de actina e miosina.

Os eletrodos para aplicação da EENM devem ser posicionados em pontos motores, em que a máxima contração muscular é alcançada, pois esse é o local de menor impedância do grupo muscular a ser estimulado. Esse ponto está perto do daquele em que o tronco nervo motor se infiltra no músculo. A corrente elétrica aplicada nesse ponto poderá estimular maior número de

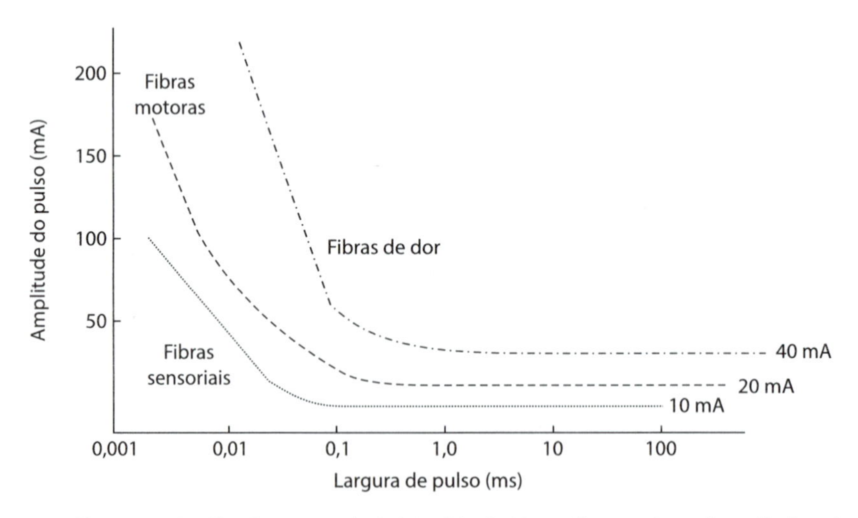

Figura 23.1 – Representação da curva de intensidade/duração mostrando o limiar de excitação sensorial, motor e doloroso. Fonte: Modificado de Low & Reed, 1995.

fibras nervosas próximas entre si. A corrente elétrica aplicada estimulará o nervo motor e, por consequência, levará impulsos nervosos que estimularão as fibras musculares (Figura 23.3).

O grande enfoque quando se planeja fazer uso de correntes excitomotoras na área de reabilitação é o fortalecimento muscular ou o treinamento sensório-motor, principalmente em pacientes com inatividade funcional motora. Clinicamente, os dois aparelhos mais comuns utilizados no Brasil são o de estimulação elétrica funcional (FES) e o da "corrente russa".

O FES gera uma corrente elétrica de baixa frequência (1 a 100 Hz), alternada ou bifásica, pulsada, simétrica com pulsos na forma retangular, sendo considerada, portanto, despolarizada (Figura 23.4A). Por ser uma corrente de baixa frequência, produz uma alta resistência tecidual e uma pequena profundidade de aplicação. Já a "corrente russa", é caracterizada por gerar uma

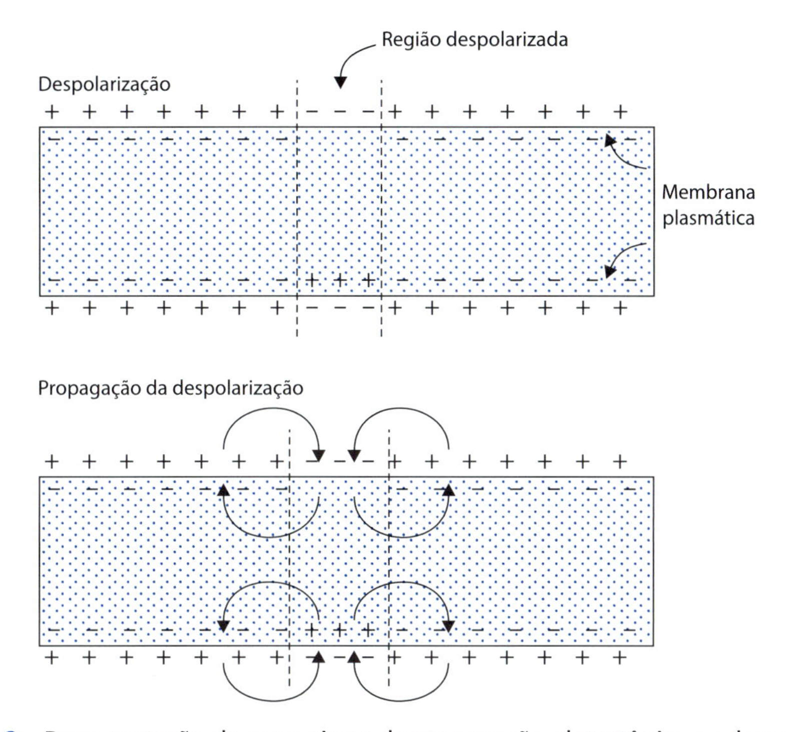

Figura 23.2 – Representação do mecanismo de propagação eletrotônica na despolarização. Fonte: Modificado de Berne, 1993.

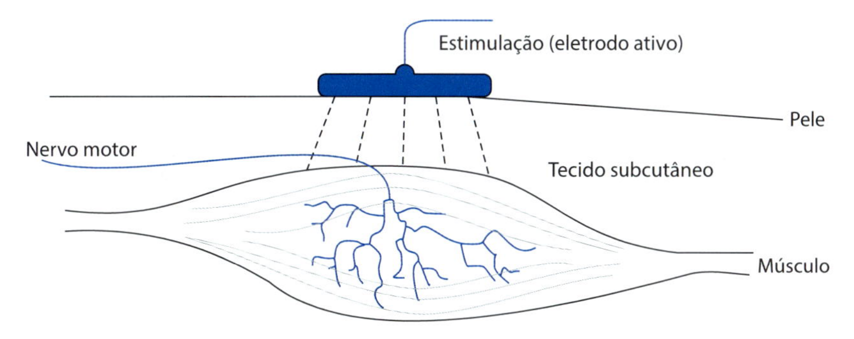

Figura 23.3 – Esquema de um eletrodo estimulando um ponto motor. Fonte: Modificado de Low & Reed, 1995.

corrente elétrica de média frequência (2.500 Hz), alternada ou bifásica, simétrica e pulsos retangulares ou sinusoidais (Figura 23.4B). Portanto, por apresentar uma frequência mais alta, produz menor resistência tecidual e, consequentemente, uma maior profundidade de aplicação.

Um dos parâmetros a serem ajustados durante a aplicação da EENM é a frequência de pulso. Essa frequência tende a ser ajustada entre 30 e 50 Hz, quando o objetivo é a seleção de fibras musculares vermelhas ou tônicas do tipo I; e entre 50 e 80 Hz, quando se pretende estimular as fibras brancas ou fásicas do tipo IIb. O último parâmetro a ser determinado é a intensidade, ao serem colocados os eletrodos, a intensidade deve ser ajustada de maneira gradativa, até perceber a ocorrência da contração muscular, considerando o máximo de contração sem atingir o limiar doloroso.

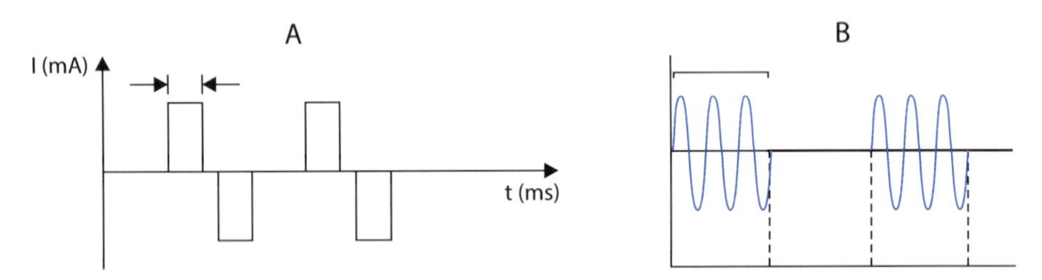

Figura 23.4 – Gráficos representativos de correntes elétricas: (A) Pulso bifásico simétrico com forma retangular caracterizando a estimulação elétrica funcional (FES); (B) Corrente bifásica com *burst*, representando uma corrente russa. Fonte: Robertson V. et al, 2006.

Riscos e benefícios da eletroestimulação

Os riscos

O recrutamento de unidades motoras durante a aplicação de eletroestimulação apresenta um comportamento diferente em comparação ao recrutamento durante contrações voluntárias. As fibras de contração rápida (tipo I) apresentam axônios motores de maior diâmetro do que as fibras de contração lenta (tipo II), sendo, assim, mais facilmente excitáveis. Somando-se a essa peculiaridade, a estimulação elétrica é superficial, atua em um espaço fixo e incompleto. Isso implica que o recrutamento de unidades motoras é não seletivo: ou seja, as unidades motoras são ativadas sem uma sequência lógica (recrutamento desordenado).

Esse recrutamento espacial fixo gerado pela eletroestimulação significa que as mesmas unidades motoras são repetidamente ativadas pela mesma quantidade de corrente imposta, podendo ocasionar um aparecimento precoce da fadiga muscular. Essa fadiga precoce representa uma das grandes limitações da eletroestimulação e pode favorecer o aparecimento da lesão muscular induzida pela eletroestimulação (LMI-EENM), além de aumento da demanda metabólica e, consequentemente, ao sistema cardiovascular e respiratório.

Alguns estudos evidenciaram que as características peculiares da eletroestimulação induzindo a fadiga muscular precoce podem impor maior estresse mecânico para as fibras musculares e a matriz extracelular. Isso diminuiria a disponibilidade de ATP intramuscular, o que resulta no aumento dos íons de cálcio intracelular que, por sua vez, poderia ativar as fosfolipases e proteases, além de reduzir a capacidade da mitocôndria em produzir novos ATP. O estresse mecânico sobre a membrana plasmática ou sobre o retículo sarcoplasmático pode induzir maior incremento de Ca^{++}, provocando necrose da fibra muscular, grandes aumentos na atividade da creatinaquinase (CK), muito relacionadas ao surgimento de respostas inflamatórias e à dor muscular tardia.

Muitos pacientes durante sua internação em terapia intensiva desenvolvem alterações no trofismo e excitabilidade muscular, levando a possíveis alterações na resposta ao tratamento da eletroestimulação. Maior carga elétrica será necessária para estimular as fibras musculares, com maiores larguras de pulso e tempo de subida. Esses ajustes podem provocar no paciente maior sensação de desconforto e maior chance de queimaduras em virtude da também maior densidade elétrica imposta pelo tratamento.

O edema é uma situação clínica comumente encontrada em pacientes críticos, sobretudo nos mais graves. O edema pode ser um importante fator limitador e de lesão para aplicação de correntes elétricas, por aumentar a impedância para a passagem da corrente elétrica e dificultar a visualização da contração muscular induzida. Isso pode fazer o aplicador da corrente aumentar a intensidade de corrente elétrica, elevando o risco de queimaduras e de LMI-EENM.

Benefícios

A eletroestimulação pode ser utilizada para a preservação e/ou recuperação da massa e função muscular durante períodos longos de desuso e/ou imobilização, além de melhorar a função muscular em diversas populações, como os pacientes com doenças cardiopulmonares crônicas (DPOC e ICC), vasculares e oncológicas.

Um dos efeitos mais desejados com a utilização da eletroestimulação é o aumento da força avaliada pela contração voluntária máxima (CVM) com apenas três a quatro sessões e, muitas vezes, sem aumento da hipertrofia muscular. Esse ganho parece estar mais associado à adaptação neural do que a mudanças estruturais musculares.

A eletroestimulação leva a importante adaptação neural, mesmo quando comparada à contração voluntária. Durante a eletroestimulação, há um aumento na CVM resultante de inputs aferentes para áreas motoras corticais, que implica ativação de vias descendentes motoras. A eletroestimulação também induz correntes elétricas dentro do músculo estimulado, causando a despolarização direta do sarcolema e maior contração muscular. Já a contração voluntária provoca menos inputs ascendentes, apesar de produzir valores similares de ganho da MVC pelo mesmo período de treinamento. Portanto, há forte evidência de que a aplicação aguda da eletroestimulação pode ativar áreas sensoriais, sensório-motoras e áreas motoras.

Angelopoulos e colaboradores realizaram um estudo em pacientes críticos, demonstrando que a aplicação da eletroestimulação foi capaz de induzir efeitos sistêmicos avaliados por meio da espectroscopia por infravermelho ou NIRS. A aplicação da corrente foi no ponto motor do quadríceps, mas o sensor do NIRS estava no polegar da mão direita, o que demonstrou aumento da relação hemoglobina desoxigenada/oxi-hemoglobina, evidenciando maior extração periférica de oxigênio nessa região. Esse efeito provavelmente está relacionado à liberação de mediadores inflamatórios na corrente sanguínea que favorecem a vasodilatação periférica e, consequentemente, a maior perfusão periférica mesmo em músculos distantes do local de aplicação da corrente elétrica.

Outra hipótese para o efeito vascular da eletroestimulação seria a fricção entre o sangue e vaso ocasionado pelo maior fluxo sanguíneo, que pode favorecer a liberação de óxido nítrico, potente vasodilatador e estimulador de novos vasos sanguíneos e capilares. Essa formação de novos vasos e capilares pode favorecer a atividade enzimática oxidativa da mitocôndria, facilitando, assim, a produção de ATP e, consequentemente, energia ao músculo periférico.

Jabbour e colaboradores realizaram um estudo em pacientes com diabetes tipo II e demonstraram que a aplicação de corrente elétrica de baixa frequência aumentou a transcrição de GLUT4 no interior das células musculares, sendo este um importante transportador de glicose para dentro da célula. Isso implicaria diretamente a redução da hiperglicemia e a resistência à insulina, fatores estes, muitas vezes, presentes nos pacientes com doenças cronicodegenerativas.

A seguir, o Quadro 23.1 descreve os principais riscos e benefícios da EENM.

Quadro 23.1 Riscos e benefícios da eletroestimulação

Riscos	Benefícios
Queimaduras	Prevenção da hipotrofia/atrofia muscular
Recrutamento não seletivo de fibras musculares	Aumento da força e massa muscular
Aumento da demanda metabólica	Aumenta a capacidade oxidativa do músculo
Aumento na creatinaquinase	Aumenta a vascularização (angiogênese) muscular Aumento do GLUT4
Aumento do cálcio intracelular	Redução de edema e inflamação Aumento do input sensorial ao córtex motor
Menor ATP intramuscular	

Evidências da Estimulação Elétrica Neuromuscular (EENM) Aplicada no Ambiente Hospitalar

Recente revisão sistemática conduzida por Wageck e colaboradores investigou as aplicações e os efeitos da EENM em pacientes críticos. Nove ensaios clínicos randomizados foram selecionados, dos quais apenas dois foram selecionados para a metanálise. A qualidade metodológica desses estudos (avaliada pela escala PEDro) foi, em sua maioria, de moderada a baixa qualidade (apenas dois estudos apresentaram uma nota na escala PEDro acima de 6). A meta análise demonstrou que a EENM aumentou a força muscular periférica (avaliada pela escala MRC) de forma significativa quando comparada ao grupo controle (Figura 23.5), mas ainda há uma carência na literatura de ensaios clínicos com maior rigor metodológico para discutir esses desfechos clínicos e funcionais.

Os dois estudos com maior rigor metodológico (nota escala PEDro acima de 6) foram aqueles conduzidos por Rodriguez e colaboradores e Poulsen e colaboradores.

Rodriguez e colaboradores realizaram um estudo duplo cego aplicando a EENM em pacientes sépticos sob ventilação mecânica, estimulando músculos de membro superior (bíceps braquial) e membro inferior (quadríceps), aplicando a EENM duas vezes ao dia, iniciando o protocolo nas primeiras 24 horas de admissão na VM e interrompido quando o paciente tinha

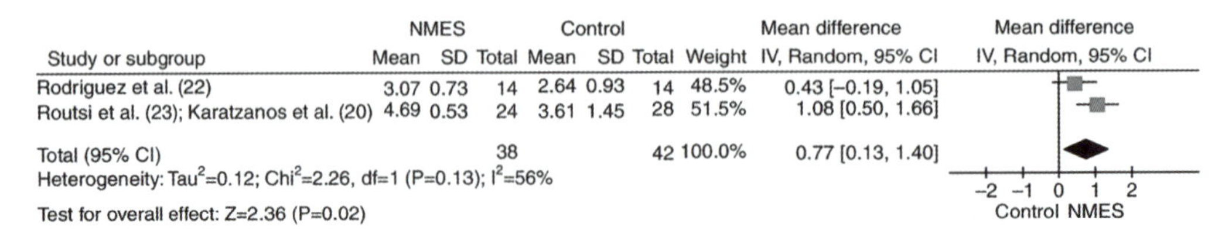

Figura 23.5 – Comparação para força muscular avaliada pela escala MRC entre grupo eletroestimulação (NMES) e controle (Control) para pacientes críticos. Fonte: Wageck et al., 2014.

72 horas de autonomia ventilatória (desmame da VM). Como resultado, a EENM não atenuou a perda de massa muscular, porém a força muscular foi maior nos músculos treinados com EENM.

Já Poulsen e colaboradores realizaram sessões diárias de EENM uma vez ao dia em pacientes com choque séptico, iniciando o treinamento no momento da confirmação do diagnóstico. Ele identificou que a EENM também não modificou a hipotrofia muscular, mas, nesse estudo, não foi avaliada a força muscular entre os grupos, o que impede a comparação com os achados de Rodriguez.

Um ensaio clínico recente com bom rigor metodológico (PEDro acima de 6) conduzido por Fischer e colaboradores, em pacientes pós-operatório de cirúrgicas cardíacas e torácicas, encontrou resultado semelhante. A EENM não atenua a perda de massa muscular, mas aumentou a força muscular dos pacientes submetidos à EENM (Figura 23.6). Esse achado confirma evidências já demonstradas que a melhora da força precede o ganho de massa muscular em resposta à EENM.

Parâmetros para o Treinamento Muscular com Estimulação Elétrica Neuromuscular

Comparando ao treino de força com contração voluntária, a contração evocada máxima durante protocolo de EENM é regulada conforme os parâmetros de estimulação, os quais dependem da condição individual de cada sistema muscular e da percepção individual da dor. O estímulo elétrico pode ser mais intenso que o estímulo voluntário ao músculo. Com isso, diversos parâmetros são utilizados para influenciar a intensidade do treinamento com EENM. São eles:

- Forma de pulso;
- Largura de pulso;
- Frequência de pulso;
- Intensidade de corrente;

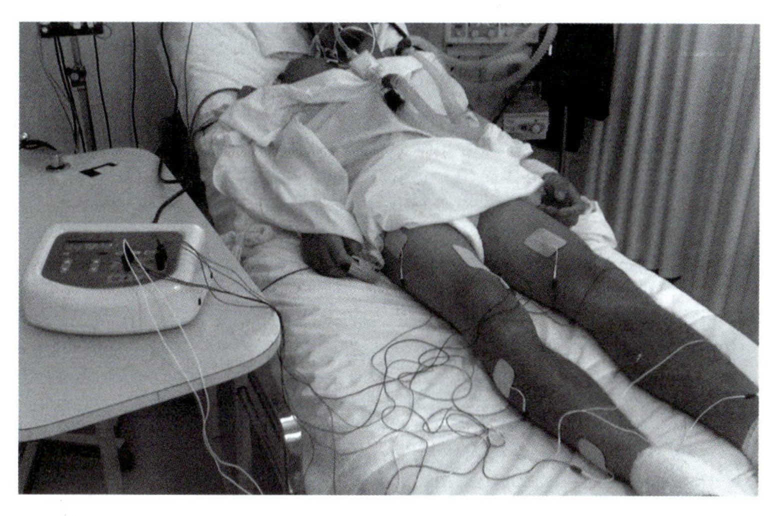

Figura 23.6 – Aplicação da EENM em um paciente crítico em ventilação mecânica na UTI. Fonte: Arquivo dos autores.

- Número de contrações (tempo on, tempo off);
- Duração do período de treinamento (número de sessões/semana).

Forma de pulso

Os estudos com treinamento em EENM utilizam basicamente duas formas de impulso: bifásica retangular ou triangular; e polifásica sinusoidal ou alternada. Recente metanálise demonstrou que a forma de impulso não é um determinante para o ganho de força e desconforto percebido, assim, a escolha dessa variável dependerá da disponibilidade de equipamento e da competência do profissional com essa forma.

Largura de pulso

A maioria dos estudos utiliza a largura entre 300 e 400 μs. Em alguns pacientes com musculatura desnervada ou polineuropatia do paciente crítico, essa largura de pulso pode ultrapassar os 500 μs para excitar adequadamente esse músculo. Lembrando que o aumento da largura de pulso está associado à maior percepção subjetiva de desconforto durante a aplicação da corrente.

Frequência de pulso

A frequência regulada na maioria dos protocolos de treinamento varia entre 25 e 2500 Hz, sendo que frequências acima de 1000 Hz estão ligadas às correntes sinusoidais alternadas (russa e Aussie).

Intensidade de corrente

Para a regulação da máxima intensidade de corrente, o valor geralmente foi definido como a máxima amperagem tolerada pelo paciente ou a máxima amperagem que mantém o paciente confortável durante o treinamento. Esse valor varia de 10 a 200 mA.

Número de contrações (tempo *on* tempo *off*)

A regulação do tempo *on* e tempo *off* durante protocolos de EENM determina o número de contrações que ocorrerão durante esse protocolo. Em estudo experimental com ratos, Cow e colaboradores demonstraram que 200 contrações diárias induzidas por EENM seriam suficientes para manutenção da massa muscular. Portanto, para alcançarmos esse objetivo, podemos trabalhar essa variável juntamente com o tempo total de sessão. Um exemplo prático: se ajustado um tempo *on* de 6 segundos e tempo *off* de 14 segundos, haverá três contrações por minuto da sessão de EENM (60 segundos dividido por 20, que seria a soma de tempo *on* e *off*). Portanto, para alcançar o número de 200 contrações aproximadamente, o tempo total de sessão deveria ser de 60 minutos (pois 60 minutos × 3 contrações por minuto = 180 contrações).

Duração do período de treinamento (número de sessões/semana)

Recente revisão sistemática conduzida por Filipovic e colaboradores revelou que períodos de treinamento abaixo de 4 semanas não foram eficazes para o aumento da força muscular, potências e habilidades esportivas (como o salto vertical). Entretanto, no paciente internado em unidades críticas, o desuso e o imobilismo acabam influenciando nessa variável.

Em outra metanálise conduzida por Wadeck e colaboradores, estudando os efeitos da EENM em pacientes críticos, o início precoce da EENM era mais importante do que o número total de sessões, além de sugerir que essa estratégia de treinamento deveria ser utilizada até o momento do paciente conseguir realizar contrações musculares voluntárias eficientes para a manutenção da sua força e volume muscular. Portanto, ainda não há um consenso sobre essa importante variável de treinamento em pacientes críticos.

Com relação ao número de sessões por semana, trêz vezes são o mínimo recomendado para aplicação da EENM , podendo se estender até cinco vezes por semana respeitando-se os limites do paciente e um período de regeneração muscular.

Com a apresentação dessas variáveis do treinamento com EENM, o Quadro 23.2 traz uma sugestão de protocolo para pacientes críticos.

Quadro 23.2 Sugestão de protocolo de eletroestimulação em pacientes críticos

Variável	Aplicação
Forma de impulso	Bifásica triangular ou retangular (disponibilidade de equipamento)
Largura de pulso	200 a 400 μs
Frequência de pulso	20 a 100 Hz
Intensidade de corrente	Máxima tolerada pelo paciente
Tempo on e off	4-6 segundos ON//12-18 segundos *off*
Tempo total de sessão	45-60 minutos
Número de sessões por semana	Mínimo de 3 vezes

Leitura Recomendada

1. Aldayel A, et al. Comparison between alternating and pulsed current electrical muscle stimulation for muscle and systemic acute responses. J Appl Physiol, v.109, n.3, p.735-44, 2010.
2. Berne RM, Levy MN. Fisiologia. 3 ed. Rio de Janeiro: Guanabara Koogan,1996.
3. Brasileiro JS, Castro CES, Parizotto NA. Parâmetros manipuláveis clinicamente na estimulação elétrica neuromuscular (NMES). Revista Fisioterapia Brasil, v. 3, n. 1, jan/fev, 2002.
4. Delitto A. Russian electrical stimulation. Putting this perspective into perspective. Physical Therapy, v. 82, n.10, p. 1017-1018, out, 2002.
5. Evangelista AR, et al. Adaptação da característica fisiológica da fibra muscular por meio de eletroestimulação. Revista Fisioterapia Brasil, v. 4, n.5, set/out, 2003.
6. Filipovic A, et al. Electromyostimulation – a systematic review of the influence of training regimens and stimulation parameters on effectiveness in electromyostimulation training of selected strength parameters. J Strength Cond Res, v. 25, n. 11, p. 3218-38, Nov 2011.
7. Gondin J, Cozzone PJ, Bendahan D. Is high-frequency neuromuscular electrical stimulation a suitable tool for muscle performance improvement in both healthy humans and athletes? Eur J Appl Physiol, v.111, n.10, p.2473-87, 2011.
8. Guyton AC. Fisiologia humana. 6 ed. Rio de Janeiro: Guanabara Koogan, 1988.
9. Poulsen JB, Møller K, Jensen CV, Weisdorf S; Kehlet H, Perner A. Effect of transcutaneous electrical muscle stimulation on muscle volume in patients with septic shock. Critical Care Medicine, v.39, p.456-461, 2011.
10. Kitchen S, Bazin S. Eletroterapia de Clayton. São Paulo: Manole, 1998.
11. Lacomis D. Neuromuscular disorders in critically ill patients: review and update. J Clin Neuromuscul Dis, v. 12, n. 4, p. 197-218, 2011.
12. Low J, Reed A. Eletrotherapy explained: principles and practice. 2 ed. EUA: Butterworth-Heinemann Medical, 1995.
13. Machado A, Haertel LM. Neuroanatomia funcional. 3 ed. Rio de Janeiro: Atheneu, 2014.
14. Maffiuletti NA, et al. Electrical stimulation for neuromuscular testing and training: state-of-the art and unresolved issues. Eur J Appl Physiol, v.111, n.10, p. 2391-7, 2011.

15. Parker MG, et al. Electrically induced contraction levels of the quadriceps femoris muscles in healthy men: the effects of three patterns of burst-modulated alternating current and volitional muscle fatigue. Am J Phys Med Rehabil, v.90, n.12, p. 999-1011, 2011.
16. Roberto AE. Eletroestimulação: o exercício do futuro. São Paulo: , 2006.
17. Robertson V, Ward A, Low J, Reed A. Electrotherapy explained: principles and practice. Edinburgh, Scotland: Elsevier, 2006.
18. Scott W, Stevens L, Binder-Maccleod AS. Human skelectal muscle fiber type classifications. Physical Therapy. v.8, n.11, p.1810-1816, 2001.
19. Ubeau M, et al. Late neural adaptations to electrostimulation resistance training of the plantar flexor muscles. Eur J Appl Physiol, v.98, n.2, p.202-11, 2006.
20. Vega JM, Luque A, Sarmento GJVO, Moderno LFO. Tratado de fisioterapia hospitalar: assistência integral ao paciente. São Paulo: Atheneu, 2012.
21. Wageck B, Nunes GS, Silva FDMDNM. Application and effects of neuromuscular electrical stimulation in critically ill patients: systematic review. Medicina Intensiva, v.38, n.7, p.444-54, 2014.

Capítulo 24

Marcha – Deambulação

Vinicius Tassoni Civile

Introdução

Em pacientes que foram submetidos ao procedimento de intubação traqueal e ventilados artificialmente, muitas unidades de terapia intensiva (UTI), em vários países, têm iniciado programas de mobilização ativa retirando esses pacientes do repouso prolongado no leito. Tais programas variam em determinados países, mas incluem atividades físicas diversas, sedestação em poltronas (com treino de transferência a partir do leito), ortostatismo com ou sem auxílio de dispositivos especiais e deambulação.

Os pacientes elegíveis para o programa de reabilitação precoce são selecionados após a avaliação fisioterapêutica em países como o Brasil, ou por uma equipe interdisciplinar segundo descrito em estudos realizados em países como os Estados Unidos.

Indicações para Marcha em Pacientes Críticos

O momento exato do início da mobilização precoce envolvendo deambulação em pacientes internados em UTI e ventilados artificialmente varia muito nas pesquisas realizadas nos últimos 10 anos em relação a idade, diagnóstico, tempo de intubação e treinamento da equipe interdisciplinar. De forma geral, os pacientes aptos ao programa de reabilitação precoce são iniciados nesse contexto entre os primeiros 2 e 7 dias de intubação, após a estabilização do quadro clínico.

Riscos

Eventos adversos como diminuição do tônus muscular, hipoxemia, extubação não programada e hipotensão arterial ortostática são raramente esperados durante a execução de exercícios, mesmo durante a transferência de posturas horizontalizadas para as verticalizadas. Esses eventos são notificados em diversas pesquisas, correspondendo a menos de 3% dos casos.

Contraindicações

No entanto, alguns perfis populacionais não se enquadram no programa precoce de mobilização, contraindicando a técnica até a estabilização completa do quadro. As principais situações de contraindicação devem ser nos casos de uso de sedativos, estados de choque, suporte renal, insuficiência respiratória persistente, transferências frequentes da UTI para outros setores para a realização de procedimentos específicos, dificuldade de colaboração por parte do paciente, agitação psicomotora ou confusão mental.

A equipe atuante na reabilitação precoce de pacientes críticos deve se preocupar principalmente com os casos que necessitam (ou necessitaram) do uso de sedativos, suporte por drogas vasoativas e/ou suporte renal terapêutico, pois tais eventos, além de contraindicarem as técnicas até a estabilização, podem causar efeitos deletérios prolongados que prejudicam a evolução dos exercícios.

De todo modo, após o controle do quadro clínico agudo que motivou a instalação de vias aéreas artificiais e da ventilação mecânica, os eventos adversos tendem a ser raros como demonstram vários estudos, fato este que torna a mobilização precoce uma técnica segura e viável desde que a equipe tenha um treinamento especializado e utilize formas de monitoração adequadas.

Caracterização do Perfil de Pacientes Submetidos à Marcha em UTI

A experiência de mobilização em pacientes acamados que atinge exercícios fora do leito tem demonstrado um processo de recuperação funcional precoce extremamente correlacionado à manutenção de força e resistência muscular, além da preservação da amplitude de movimento articular.

A recuperação muscular sistêmica pode interferir positivamente na performance do sistema respiratório e inibe a deterioração do condicionamento aeróbio que impacta diretamente as respostas compensatórias do sistema cardiovascular.

Durante muitos anos, a perda de massa muscular causada pelo repouso prolongado foi negligenciada em pacientes críticos, principalmente pela intensa preocupação com os órgãos vitais durante a estadia em UTI. No entanto, a musculatura comprometida predispõe à maior incidência de infecções respiratórias por causa da constante permanência em posturas horizontalizadas.

Estratégias para diagnóstico dessa perda de massa muscular durante a internação têm sido pouco adotadas, mas alguns estudos demonstram por meio de ressonância nuclear magnética (RNM) e ultrassonografia que a diminuição de massa muscular do músculo quadríceps femoral, apresenta uma correlação com um aumento no tempo de internação em UTI. Esse fato justifica a intensa necessidade de recuperação muscular precoce nesse perfil populacional.

Barreiras contra a Implementação de um Programa de Deambulação

A decisão de iniciar a mobilização precoce em pacientes críticos deve ser baseada em uma mudança cultural da equipe de UTI, pois todos os profissionais devem estar cientes de seus papéis na recuperação desses pacientes. Em países como os Estados Unidos, os pacientes que são avaliados e apresentam critérios de inclusão para essa fase da reabilitação, são transferidos para unidades específicas de mobilização precoce, e essa conduta aumenta significativamente a capacidade de deambulação e reaquisição da marcha.

Estudos realizados nos últimos 10 anos demonstram que exercícios precoces em pacientes de UTI, que evoluem até o treinamento de marcha, podem resultar em um aumento na capacidade funcional de deambulação atingindo até 200 passos durante as sessões.

O aumento nessa capacidade funcional demonstra que muitos pacientes permanecem acamados de maneira desnecessária, pela subestimação das suas reais capacidades em virtude de internação em UTI e utilização de ventilação mecânica. Esse fato inicia um ciclo vicioso baseadoem uma desnecessária manutenção do repouso no leito em pacientes que apresentam estabilidade de seu quadro clínico.

Outro fato importante que deve ser levado em consideração é que muitos pacientes que recebem alta da UTI, muitas vezes, são transferidos para a enfermaria sem a capacidade de realizar sedestação, ortostatismo ou deambulação, implicando em um atraso na recuperação funcional. A não realização de exercícios precoces diretamente na UTI pode provocar sequelas motoras que acompanham alguns pacientes mesmo após a alta hospitalar, impactando até mesmo nas atividades de vida diária.

A implementação de um programa de deambulação em ambiente hospitalar pode enfrentar algumas barreiras que devem ser transpostas para atingir o sucesso desejado. São identificados obstáculos como falta de treinamento por parte da equipe de reabilitação, falta de equipamentos adequados, preocupação com a segurança e estabilidade clínica do paciente, utilização de dispositivos invasivos que atrapalham a locomoção e ausência de avaliações de custo-efetividade para a técnica.

Os hospitais que têm uma equipe interdisciplinar treinada adequadamente para a mobilização precoce e dispositivos para deambulação e monitoração adequados demonstram uma maior capacidade de transposição dessas barreiras, sendo a segurança do paciente sempre o primeiro grande motivo para a desistência de utilização da mobilização precoce.

Além dessas barreiras descritas nos estudos que prejudicam a utilização da deambulação precoce, alguns fatores devem ser observados, avaliados e transmitidos para a equipe de enfermaria, para que o quadro clínico do paciente apresente uma evolução satisfatória.

Entre eles, destacam-se a fadiga desenvolvida pelo repouso prolongado em UTI, a recusa do paciente para a realização das mobilizações e a adequada transmissão do quadro clínico do paciente entre os profissionais da UTI e os da enfermaria no momento da transferência.

O protocolo que se inicia na UTI deve ter uma continuação adequada na enfermaria para que, dessemodo, a independência funcional precoce e até mesmo a redução no tempo de internação possam ser atingidos (estudos recentes demonstram a possibilidade de sucesso nesse segundo desfecho, porém ainda avaliado de forma secundária).

Protocolo de utilização da deambulação precoce

De forma geral, o programa de reabilitação precoce com deambulação se inicia com exercícios ativo assistidos, progredindo para exercícios ativos com o paciente ainda no leito e respeitando a tolerância ao procedimento. Esses exercícios envolvem principalmente os membros inferiores e superiores.

A sequência do protocolo deve se basear em atividades de transferência no leito, iniciando pela troca do decúbito dorsal para o lateral, até o treinamento de transferência do decúbito lateral para a sedestação a beira do leito. A aquisição da postura em sedestação deve ser acompanhada inicialmente pelo auxílio do fisioterapeuta, até que a posição possa ser realizada de maneira totalmente ativa.

O objetivo seguinte deve ser a aquisição da postura ortostática que precisa ser treinada com repetição de transferências da postura sentada para a postura ortostática e, posteriormente, com treino de transferência do leito para uma poltrona.

Depois, os exercícios devem evoluir para treinamento de marcha estacionária com evolução para a marcha com auxílio de dispositivos ou do fisioterapeuta.

Essa sequência de exercícios é bastante descrita pela maioria dos ensaios clínicos realizados nos últimos anos e que relataram uma melhora significativa principalmente no que se refere à independência funcional. A evolução dos exercícios deve sempre respeitar a estabilidade clínica do paciente e a tolerância ao exercício.

Durante todo o procedimento de mobilização precoce (de exercícios no leito até a reaquisição da marcha), a monitoração e avaliação do quadro clínico do paciente são essenciais.

Alguns fatores devem ser acompanhados durante as sessões terapêuticas e mantidos estáveis para que sejam atingidos tanto os efeitos esperados, quanto a segurança do paciente.

Os exercícios, portanto, devem ser executados respeitando uma pressão arterial média entre 65 e 110 mmHg ou pressão arterial sistólica entre 90 e 180 mmHg, frequência cardíaca ente 60 e 130 bpm, frequência respiratória entre 10 e 30 cpm e saturação periférica de oxigênio maior ou igual a 90%. Deve ser avaliada também a presença de sinais de desconforto respiratório ou muscular ou, ainda, a solicitação de interrupção do treinamento pelo paciente por intolerância.

A execução das sessões de mobilização precoce em fases mais avançadas de independência funcional, como no treino de marcha por exemplo, necessita da presença de dois a quatro profissionais para acompanhamento do paciente, aumentando, dessemodo, a segurança do procedimento.

Dispositivos auxiliares podem ser necessários para a realização do treino de marcha, mas a presença dos profissionais é sempre indispensável ao lado do paciente, principalmente quando este está sob o uso de vias aéreas artificiais, ventilação mecânica, sondas e cateteres.

Uma sugestão de protocolo de atendimento com mobilização precoce com evolução para marcha está representada no algoritmo da Figura 24.1, conforme a descrição de diversos estudos. A adaptação desse protocolo deve obedecer a necessidade específica de cada perfil de UTI e de seus pacientes, além das características da equipe de atendimento.

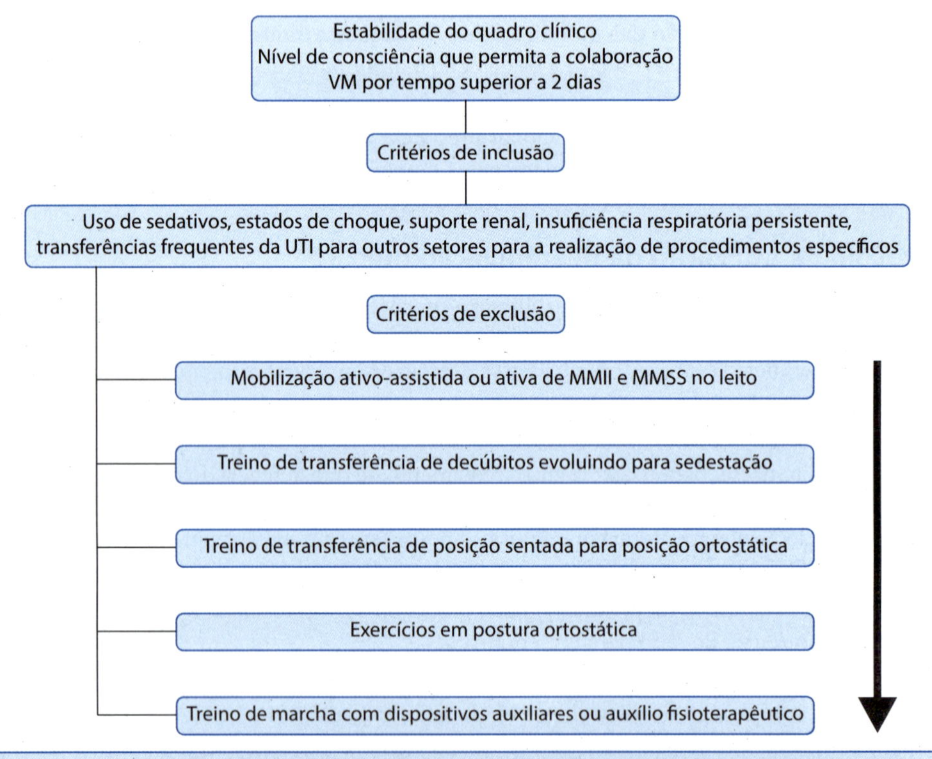

Figura 24.1 – Protocolo para aquisição de marcha em pacientes críticos. Fonte: Vinicius Tassoni Civile.

Leitura Recomendada

1. Bailey P, Thomsen GE, Spuhler VJ, Blair R, Jewkes J, Bezdjian L, et al. Early activity is feasible and safe in respiratory failure patients. Crit Care Med. 2007;35(1):139-45.
2. Cameron S, Ball I, Cepinskas G, Choong K, Doherty TJ, Ellis CG, et al. Early mobilization in the critical care unit: A review of adult and pediatric literature. J Crit Care. 2015;30(4):664-72.
3. Choong K, Koo KK, Clark H, Chu R, Thabane L, Burns KE, et al. Early mobilization in critically ill children: a survey of Canadian practice. Crit Care Med. 2013;41(7):1745-53.
4. Clini E, Ambrosino N. Early physiotherapy in the respiratory intensive care unit. Respir Med. 2005;99(9):1096-104.
5. Gosselink R, Bott J, Johnson M, Dean E, Nava S, Norrenberg M, et al. Physiotherapy for adult patients with critical illness: recommendations of the European Respiratory Society and European Society of Intensive Care Medicine Task Force on Physiotherapy for Critically Ill Patients. Intensive Care Med. 2008;34(7):1188-99.
6. Gruther W, Benesch T, Zorn C, Paternostro-Sluga T, Quittan M, Fialka-Moser V, et al. Muscle wasting in intensive care patients: ultrasound observation of the M. quadriceps femoris muscle layer. J Rehabil Med. 2008;40(3):185-9.
7. Hodgin KE, Nordon-Craft A, McFann KK, Mealer ML, Moss M. Physical therapy utilization in intensive care units: results from a national survey. Crit Care Med; 2009;37(2):561-6.
8. Hodgson CL, Berney S, Harrold M, Saxena M, Bellomo R. Clinical review: early patient mobilization in the ICU. Crit Care. 2013;17(1):207.
9. Hopkins RO, Miller RR, Rodriguez L, Spuhler V, Thomsen GE. Physical therapy on the wards after early physical activity and mobility in the intensive care unit. Phys Ther. 2012;92(12):1518-23.
10. Jolley SE, Regan-Baggs J, Dickson RP, Hough CL. Medical intensive care unit clinician attitudes and perceived barriers towards early mobilization of critically ill patients: a cross-sectional survey study. BMC Anesthesiol. 2014;14:84.
11. Needham DM. Mobilizing patients in the intensive care unit: improving neuromuscular weakness and physical function. JAMA. 2008;300(14):1685-90.
12. Needham DM, Truong AD, Fan E. Technology to enhance physical rehabilitation of critically ill patients. Crit Care Med. 2009;37(10 Suppl):S436-41.
13. Needham DM, Korupolu R, Zanni JM, Pradhan P, Colantuoni E, Palmer JB, et al. Early physical medicine and rehabilitation for patients with acute respiratory failure: a quality improvement project. Arch Phys Med Rehabil. 2010;91(4):536-42.
14. Pashikanti L, Von Ah D. Impact of early mobilization protocol on the medical-surgical inpatient population: an integrated review of literature. Clin Nurse Spec. 2012;26(2):87-94.
15. Schweickert WD, Pohlman MC, Pohlman AS, Nigos C, Pawlik AJ, Esbrook CL. Early physical and occupational therapy in mechanically ventilated, critically ill patients: a randomised controlled trial. Lancet. 2009;373(9678):1874-82.
16. Sottile PD, Nordon-Craft A, Malone D, Luby DM, Schenkman M, Moss M. Physical therapist treatment of patients in the neurological intensive care unit: description of practice. Phys Ther. 2015;95(7):1006-14.
17. Thomsen GE, Snow GL, Rodriguez L, Hopkins RO. Patients with respiratory failure increase ambulation after transfer to an intensive care unit where early activity is a priority. Crit Care Med. 2008;36(4):1119-24.
18. Titsworth WL, Hester J, Correia T, Reed R, Guin P, Archibald L. The effect of increased mobility on morbidity in the neurointensive care unit. J Neurosurg. 2012;116(6):1379-88.
19. Zafiropoulos B, Alison JA, McCarren B. Physiological responses to the early mobilisation of the intubated, ventilated abdominal surgery patient. Aust J Physiother. 2004;50(2):95-100.
20. Zanni JM, Korupolu R, Fan E, Pradhan P, Janjua K, Palmer JB, et al. Rehabilitation therapy and outcomes in acute respiratory failure: an observational pilot project. J Crit Care. 2010;25(2):254-62.

Capítulo 25

Transferência e Posicionamento

Thiago Wetzel Pinto de Mello
Mariana Sacchi Mendonça

Introdução

Discorrer sobre transferências e posicionamentos exige cuidado, pois envolve uma série de situações e possibilidades relacionadas à complexidade e gravidade dos pacientes, aos tipos de equipamentos e materiais disponíveis e aos possíveis protocolos de cada instituição. Não há consenso sobre a forma de realização dessas condutas; entretanto, buscam-se maneiras que gerem menor sobrecarga mecânica para aequipe multiprofissional e aos pacientes.

Até meados do século XX, o repouso no leito era preconizado como tratamento-padrão para os indivíduos doentes. Ainda hoje existem situações clínicas onde essa recomendação é pertinente, como em casos de instabilidade hemodinâmica e pacientes diagnosticados com acidente vascular encefálico (AVE) isquêmico por estenose crítica de carótida, entre outros.

Avanços em pesquisas científicas têm indicado que quanto mais precoce for a estimulação, melhores serão as chances de uma boa recuperação, com evidências de menor incidência de complicações, menor tempo de internação e redução de custos.

Em contrapartida, o aumento na manipulação do doente por toda a equipe multidisciplinar o expõe ao risco de eventos adversos, que compreendem todos os danos causados pelo cuidado à saúde e não pela doença de base, prolongando o tempo de internação ou gerando uma nova incapacidade, impedindo a sua alta.

Assim, em 2004, a Organização Mundial da Saúde (OMS) criou o programa World Alliance for PatientSafety, com o intuito de criar definições a respeito da segurança do paciente e diminuir a ocorrência dos eventos adversos no mundo inteiro. Já no Brasil, o Ministério da Saúde instituiu, em 2013, o Programa Nacional de Segurança do Paciente, com o objetivo geral de contribuir para a qualificação do cuidado em saúde. Dessa maneira, os profissionais da saúde e os gestores em Saúde têm buscado e proposto uma série de medidas e mudanças na atuação da equipe multiprofissional, com o intuito de zelar pela segurança do paciente.

Transferir e posicionar um paciente não são tarefas exclusivas de apenas um componente da equipe multiprofissional. Técnicos em enfermagem, enfermeiros e fisioterapeutas são os profissionais que mais manipulam os pacientes no diaadia. Dessa maneira, este capítulo visa trazer, de maneira clara e objetiva, ao leitor possibilidades de transferência e posicionamento dos pacientes dentro do ambiente hospitalar.

Transferências

As transferências de pacientes dentro do ambiente hospitalar são, em sua maioria, realizadas pela equipe multiprofissional, seja em enfermarias, seja em unidades de terapia intensiva (UTI). É importante que todos os procedimentos que envolvem a movimentação do paciente sejam estruturados e ensinados a toda à equipe. Portanto, planejamento e avaliação do local e a forma da transferência fazem-se fundamentais. Devemos levar em consideração que esses procedimentos sejam feitos de maneira segura para proteção e prevenção de eventos adversos tanto a pacientes como aos próprios profissionais que os realizem.

Além disso, a avaliação do paciente e conhecimento de seu quadro motor, associada à organização do espaço, deve servir como estratégia para facilitar e nortear a melhor transferência a ser realizada.

Considerando os aspectos supracitados, as transferências foram divididas em segmentos.

Decúbito dorsal para decúbito lateral

Na passagem de decúbito dorsal (DD) para decúbito lateral (DL).é importante levar em consideração os seguintes aspectos: se o paciente for independente, deve-se explorar sua participação ativa por meio de comandos e segmentando os movimentos. O terapeuta solicita ao paciente que realize a flexão do membro inferior (MI) contralateral ou de ambos os membros inferiores; apoiando o MI na cama, podemos solicitar ao paciente que a empurre com o(s) pé(s), dissociando a cintura pélvica e, posteriormente, a cintura escapular e a cabeça (Figura 25.1).Pode-se solicitar ao paciente que segure as grades da cama para facilitar o movimento (Figura 25.2)

Caso o paciente seja semi dependente, apresentando um quadro de hemiparesia ou paraparesia, por exemplo, o terapeuta auxilia na mudança de decúbito, utilizando a mesma ordem citada anteriormente, podendo auxiliar com pontos-chaves durante a transferência (Figura 25.3). Outra forma, especialmente em casos de paraparesia, é transferir o paciente por meio do tronco superior e membro superior. O fisioterapeuta pode cruzar um MI sobre o outro e pedir que o paciente segure com a mão a grade da cama, tracionando o seu corpo para o DL.

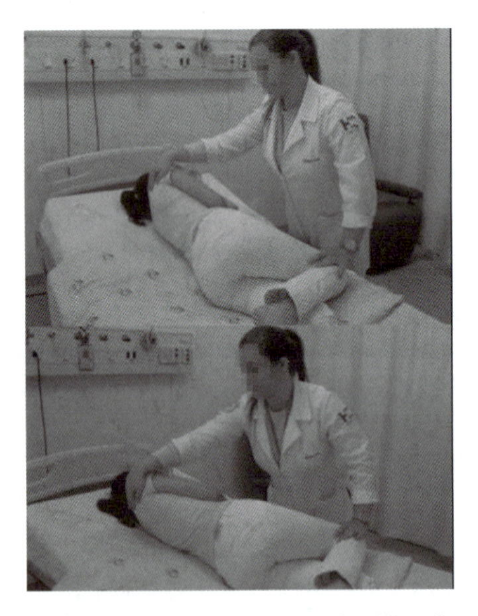

Figura 25.1 – Transferência de decúbito dorsal para o decúbito lateral.

Outra possibilidade é realizar a transferência com auxílio de um lençol dobrado em formato retangular, posicionado em região dorsal do paciente. O terapeuta posiciona-se em região da cabeceira da cama e realiza a rotação do tronco do paciente e consequente passagem para DL com apoio no lençol. Essa forma pode ser utilizada, por exemplo, em casos de tetraparesia ou plegia (Figura 25.4).

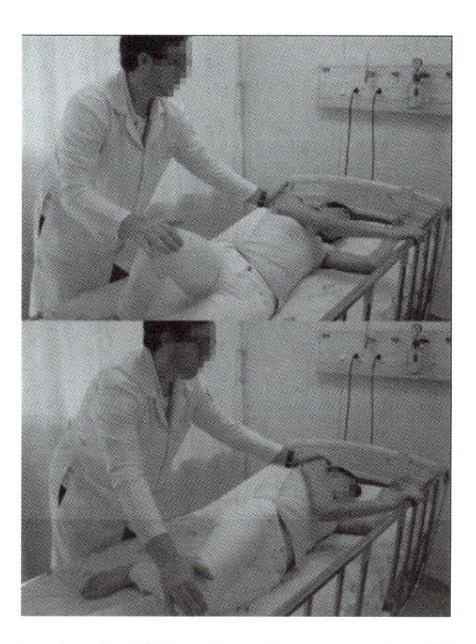

Figura 25.2 – Transferência de decúbito dorsal para o decúbito lateral com auxílio do paciente.

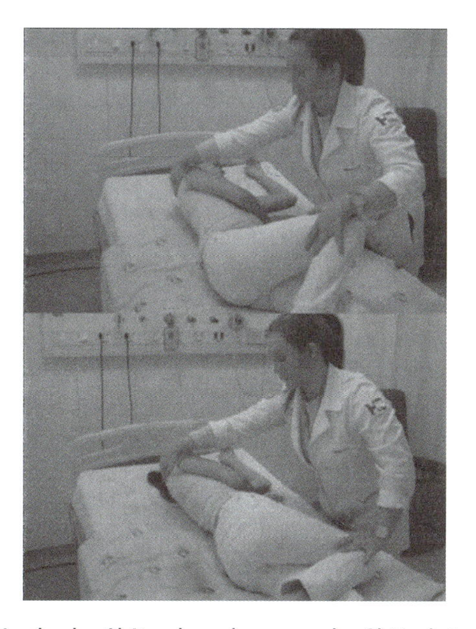

Figura 25.3 – Transferência de decúbito dorsal para o decúbito lateral estimulando dissociação de cinturas.

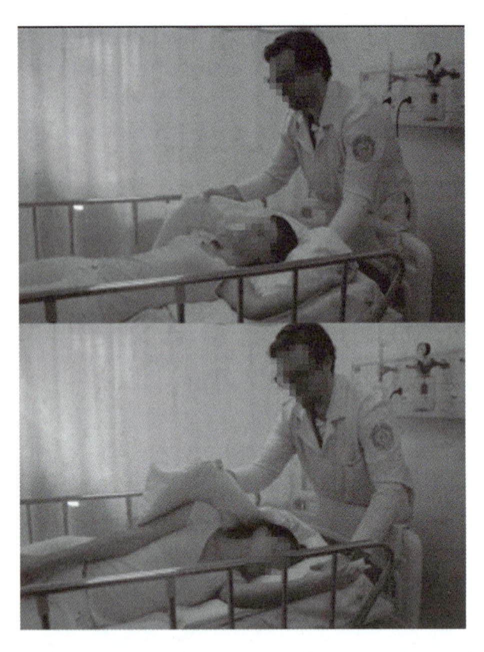

Figura 25.4 – Transferência de decúbito dorsal para decúbito lateral com utilização de lençol.

Em situações em que o paciente se apresenta totalmente dependente ou em estado de coma, não podendo responder e/ou realizar comando, deve-se realizar a transferência de maneira passiva com o auxílio de um ou de dois profissionais.

Em DD, com a ajuda de um lençol, comumente chamado de travessa, colocado embaixo do paciente, os profissionais posicionam-se um de cada lado da cama, tracionam o paciente para a borda contralateral ao qual será transferido e rolam o paciente com o auxílio desse lençol. Outra maneira é transferir o paciente por meio de pontos-chaves, como joelho e cintura escapular.

Naqueles casos em que o paciente tem uma fraqueza importante de MS, especialmente em cintura escapular e ombros, deve-se atentar para o posicionamento adequado dos segmentos antes de transferir o paciente. Do contrário, pode-se induzir o surgimento de lesões musculoesqueléticas.

É importante segmentar a transferência a fim de promover a dissociação de cinturas pélvica e escapular, estimulando a transferência de forma ativa do paciente sempre que possível. Porém, faz-se necessário enfatizar que, em algumas situações, como pacientes em pós-operatório de algumas cirurgias de coluna ou em qualquer segmento desta, é necessária a transferência em bloco por restrição ao movimento (Figura 25.5).

Para retornar ao DD, repete-se o mesmo processo, iniciando-se com dissociação das cinturas pélvica e escapular e posterior rotação de cervical.

Decúbito lateral para sedestação à beira do leito

Uma vez posicionado em DL, a passagem para sedestação à beira do leito pode ser feita de algumas maneiras. Caso o paciente seja totalmente independente, o terapeuta solicita que o mesmo posicione os membros inferiores para fora do leito, realize o apoio sinergístico do membro superior em contato com a cama, que envolve a estabilização da cintura escapular associadaà extensão do cotovelo, e inclinação do tronco de forma ativa até adotar a postura.

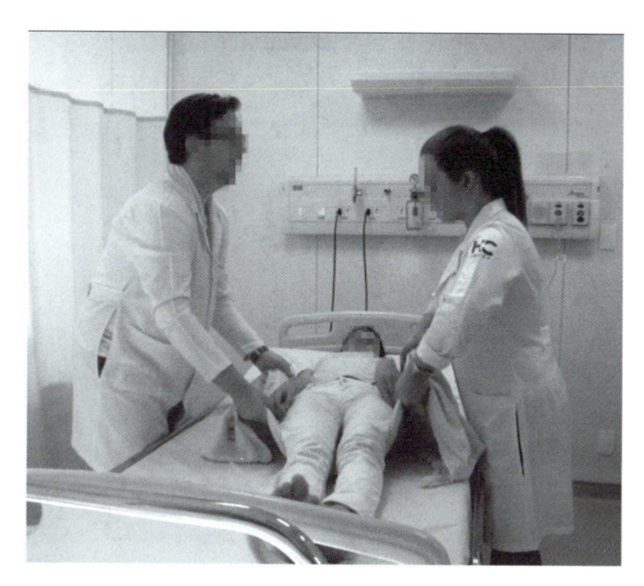

Figura 25.5 – Posicionamento do paciente com auxílio de travessa antes da passagem do decúbito dorsal para o decúbito lateral.

Quando o paciente é semidependente, é necessário avaliá-lo para estabelecer a melhor maneira de transferi-lo, pois deve-se estimulá-lo da forma mais ativa. Há algumas possibilidades: fornecer apoio em região cervical e em quadril, tracionando o paciente para a sedestação; outra maneira é estabilizar manualmente a articulação do ombro e pedir que o paciente empurre a cama com a mão, estendendo o cotovelo e, consequentemente, erguendo o tronco; também podemos é viável, a partir do DL, elevar a cabeceira entre 30 e 45° para facilitar uma transferência mais ativa do paciente.

Em situações especiais, como em casos de paraplegia, deve-se estimular o paciente a adotar a sedestação por meio do DD, o que é mais funcional para esse perfil clínico. Para tal, pede-se ao paciente que segure firmemente as grades da cama e tracione o tronco para o alto; outra forma é posicionar um apoio fixo logo acima da cabeça e pedir que o paciente puxe o corpo; alternativamente, quando o paciente apresenta força muscular satisfatória em membrossuperiores e, em tronco, estimula-se a passagem para a sedestação a partir da associação de força da musculatura abdominal com a dos membros superiores, principalmente dos músculos que compõem a cintura escapular, deltoide e tríceps braquial.

Pacientes que sejam totalmente dependentes devem ser transferidos com a utilização de pontos-chaves ou com manobras de facilitação, como a elevação prévia da cabeceira. Outra possibilidade é por meio de alguns equipamentos, do qual destaca-se o guindaste.

Ao adotar a sedestação à beira do leito, é importante certificar-se que o paciente apresente apoio de ambos os membros inferiores ao solo e uma flexão aproximada de 90 graus de coxas e joelhos na postura (Figuras 25.6 e 25.7).

Para retornar para o DL, solicitamos ao paciente independente que incline o tronco devagar e traga os MMII fletidos de volta para a cama.

Sedestação à beira do leito para ortostase

Para pacientes independentes, uma vez posicionados em sedestação à beira do leiro com membros inferiores totalmente apoiados no solo formando um ângulo de 90 graus de flexão de

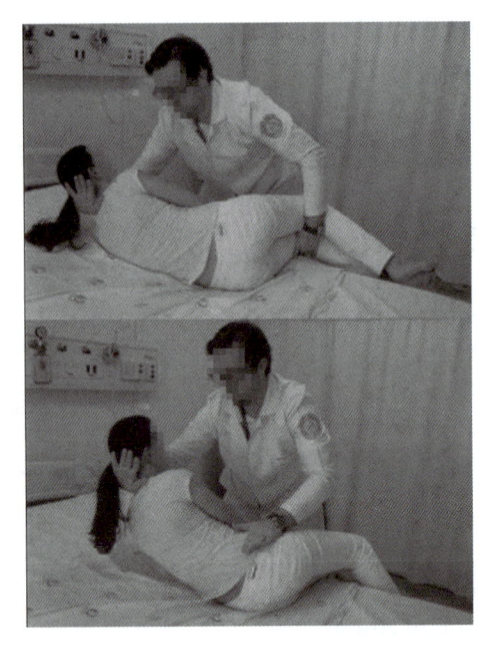

Figura 25.6 – Transferência do decúbito lateral para a sedestação.

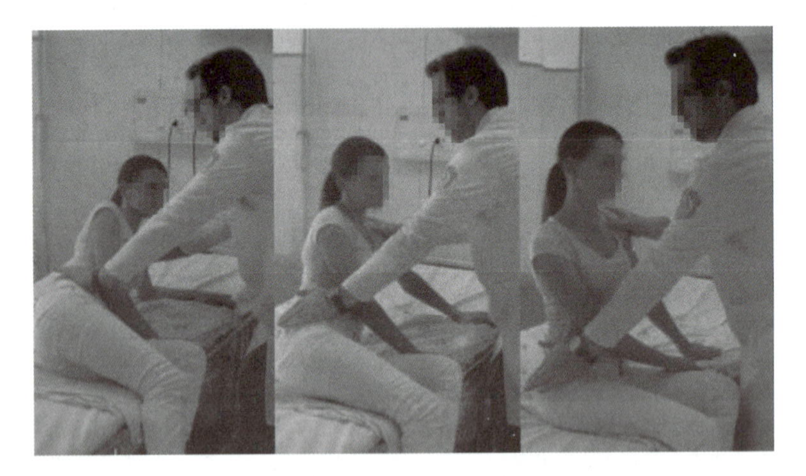

Figura 25.7 – Transferência para a sedestação com auxílio de pontos-chaves.

coxas e joelhos, solicita-se que realizem ativamente a flexão e, posteriormente,extensão de tronco e membros inferiores para adotar a postura.

Caso sejam semi dependentes ou apresentem risco de quedas, solicita-se que realizem flexão de ombros e apoiem os membros superiores em região escapular do terapeuta. Este se posiciona na diagonal do paciente, realiza apoio em região de cíngulo escapular e solicita ao paciente que realize uma flexão de tronco, estabilizando seus membros inferiores em região de joelhos, assegurando que não há risco de queda (Figura 25.8).

Pode-se utilizar ainda um lençol posicionado em região dorsal do paciente, segurado pelo terapeuta. Pode-se ainda utilizar dispositivos auxiliares, como o andador (Figura 25.9). Pede-se ao paciente que segure firmemente o andador e, após o comando do terapeuta, que faça força

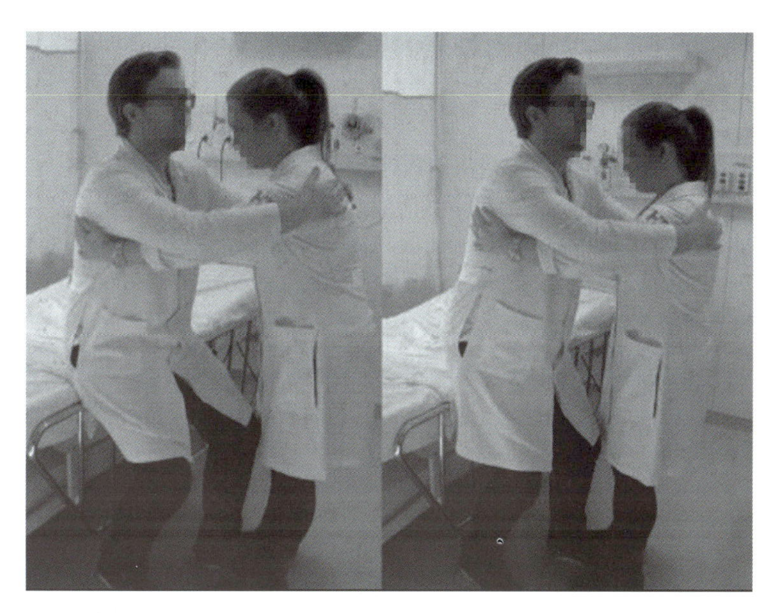

Figura 25.8 – Transferência de sedestação à beira do leito para ortostase.

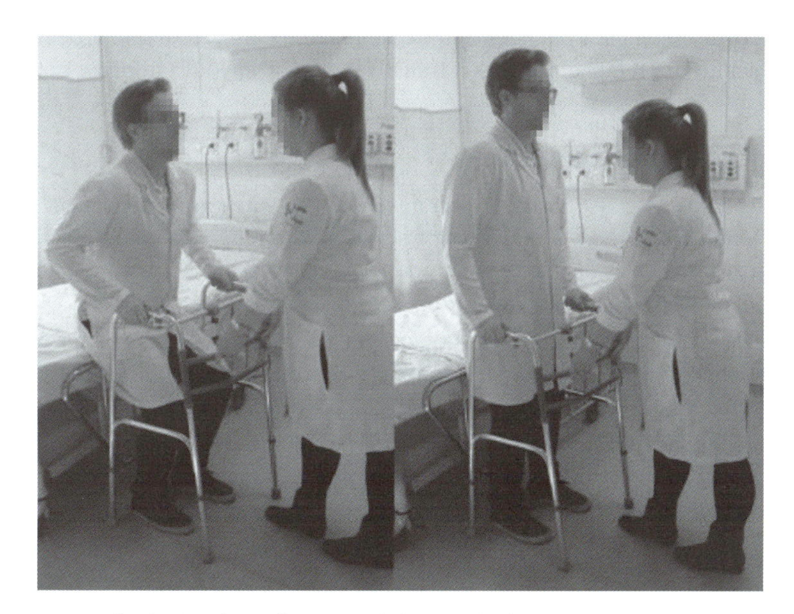

Figura 25.9 – Transferência de sedestação à beira do leito para ortostase com auxílio de andador.

para ficar em pé; como forma de facilitar a transferência, pode-se aumentar levemente a base de apoio do paciente, bem como podemos transferi-lo com a elevação do assento; o fisioterapeuta pode ainda dar apoio em região de cervical, para aumentar o tônus extensor, o qual facilita a transferência, ou utilizar ponto-chave.

Pacientes que não conseguem fixar adequadamente seus pés no chão em decorrência de alterações de sensibilidade, força ou até mesmo coordenação, podem se beneficiar de meias com antiderrapantes ou tapetinhos com antiderrapantes.

Pacientes totalmente dependentes apresentam grandes chances de eventos adversos quando transferidos para a ortostase. A alternativa é a utilização de prancha ortostática que dá maior segurança ao paciente e permite a estimulação e vivência na postura.

Sedestação à beira do leito para poltrona

Uma vez em sedestação, posiciona-se a poltrona preferencialmente na diagonal ao lado da cama do paciente. Ajusta-se a altura da cama à mesma do assento da poltrona para facilitar a transferência.

É importante explicar ao paciente o passoapasso da sequência de movimentos a fim de facilitar a transferência.

Caso o paciente seja semi dependente, estabilizam-se os membros inferiores do paciente, com o auxílio dos membros inferiores do terapeuta lateralmente ao do paciente. O fisioterapeuta pode realizar a transferência com sua base de apoio aumentada para assegurar maior estabilidade além de usar a alavanca do corpo como facilitador da transferência. Solicita-se que o paciente traga o tronco para região anterior a fim de adotar o ortostatismo. Com auxílio dos membros superiores, solicita-se que o paciente realize apoio em região escapular do terapeuta. Este realiza apoio em região do quadril posterior ao paciente, para assumirem ortostase. Uma vez posicionados, o terapeuta permanece à frente do paciente e faz um movimento em pivô, mantendo a estabilidade do membro inferior com os membros inferiores do próprio terapeuta até posicioná-lo em sedestação.

Caso o paciente seja dependente e não tenhacondições de assumir o ostostatismo, a possibilidade para transferência é posicionar o paciente, ainda em sedestação à beira do leito, em diagonal, enquanto um terapeuta realiza a transferência por meio do tronco e outro com apoio em membros inferiores.

Decúbito dorsal para a poltrona

Em alguns casos, torna-se mais viável transferir o paciente para a poltrona a partir do DD. Mesmo não sendo trivial para a maioria dos serviços de saúde, tais como hospitais e centros de reabilitação, alguns deles dispõem de guindastes, que auxiliam na transferência de pacientes, principalmente daqueles com obesidade.

Para realizar a transferência, pode-se utilizar um lençol como suporte para a passagem até a poltrona. Dois terapeutas ficam localizados próximo ao tronco superior do paciente e outros dois em membros inferiores.

Outra possibilidade é transferir o paciente sem o auxílio de lençol e a ajuda de dois terapeutas. Um deles abraça o tronco do paciente e o outro, os membros inferiores para realizar a transferência (Figura 25.10).

É possíveltambém, antes da transferência, reclinar a poltrona para facilitar a alavanca do terapeuta.

Para retornar ao leito, repete-se o mesmo processo, por meio do tronco e membro inferior, não se esquecendo de ajustar a altura da cama. O fisioterapeuta deve também utilizar a alavanca do corpo para facilitar a transferência.

Transferência para cadeira de rodas e cadeira de banho

A transferência para a cadeira de rodas pode estar relacionada ao encaminhamento de pacientes para exames, para passeio e treino de locomoção. Já a cadeira de banho está diretamente relacionada ao processo de higienização.

Existem muitas maneiras de transferirmos os pacientes, mas, como regra, deve-se zelar pela segurança destes. Geralmente, posiciona-se a cadeira ao lado da cama do paciente e ajusta-se a

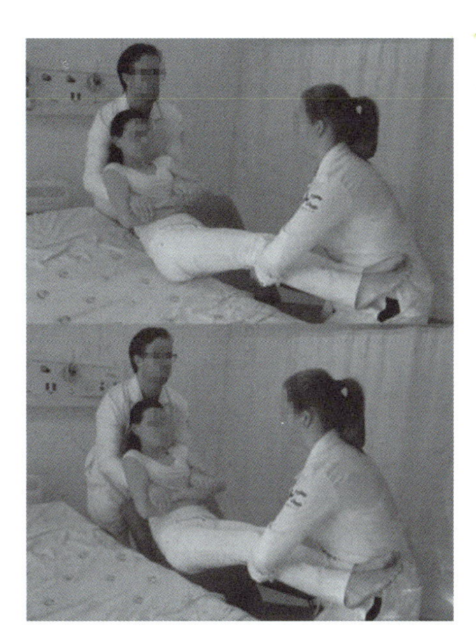

Figura 25.10 – Transferência de decúbito dorsal para a poltrona.

altura do leito à da cadeira. Nunca se deve esquecer de travar as rodas e remover os braços e o apoio para pés das cadeiras para facilitar a transferência e prevenir acidentes.

Uma das formas de transferir o paciente é por meio da sequência sedestação à beira do leito – ortostase – sedestação em cadeira.

Para garantir a segurança do paciente, pede-se a ele que apoie um ou os dois membros superiores sobre os ombros do fisioterapeuta, o qual apoiará a coluna dorsal do paciente, com as mãos apoiadas nas escápulas. O fisioterapeuta manterá um pé à frente do outro e, fazendo do próprio corpo uma alavanca, transferirá o paciente para a ortostase; com um movimento em pivô, girará o paciente e o posicionará em sedestação na cadeira (Figuras 25.11).

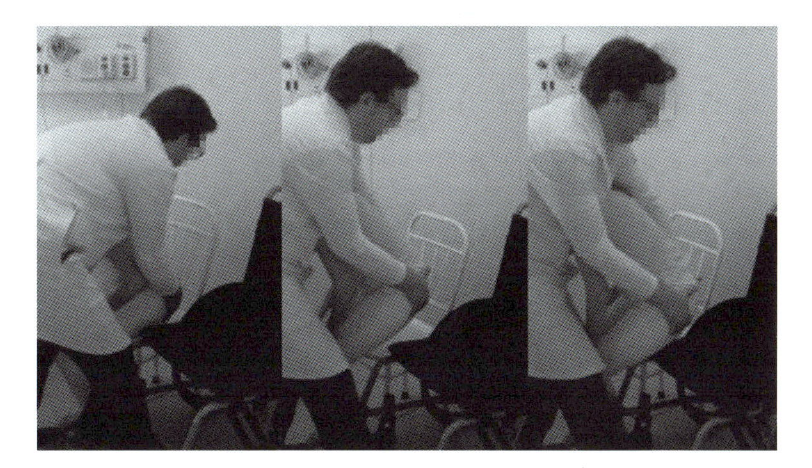

Figura 25.11 – Transferência para cadeira de rodas a partir de sedestação em cadeira com auxílio do terapeuta.

Quando o paciente apresenta controle de tronco e força em membros superiores, mas não é capaz de assumir, mesmo com auxílio, a ortostase, pode-se transferi-lo a partir da sedestação à beira do leito. Para isso, pede-se ao paciente que utilize o *push-up* de membros superiores e realize a passagem para a cadeira; se a força dos membros superiores for insuficiente para a ação anterior, pode-se utilizar, quando disponível, prancha de transferência. (Figuras 25.12)

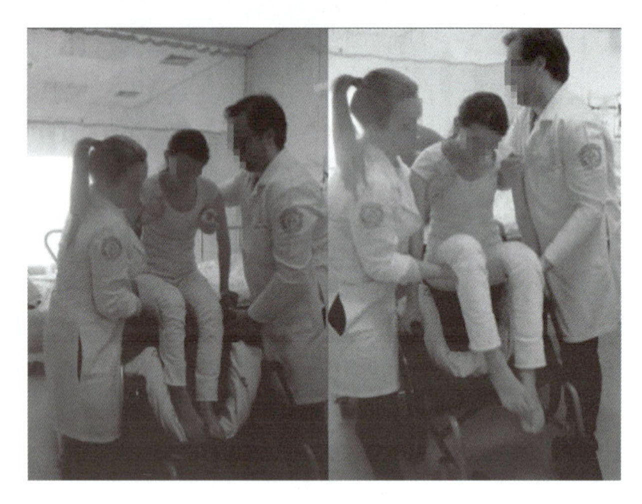

Figura 25.12 – Transferência para cadeira de rodas a partir da sedestação à beira do leito.

Ainda em sedestação à beira do leito, pode-se realizar essa transferência com dois profissionais. Pede-se ao paciente que cruze os braços na frente do corpo; um fisioterapeuta se posicionará atrás do paciente, dando suporte para o tronco e realizando travamento dos membros superiores do paciente com as suas mãos; o outro fisioterapeuta se posicionará de frente para o paciente e segurará os seus membros inferiores em fossas poplíteas. Com a transferência de peso entre os seus membros inferiores e utilizando-se de alavanca corporal, faz-se a transferência do paciente. (Figura 25.13)

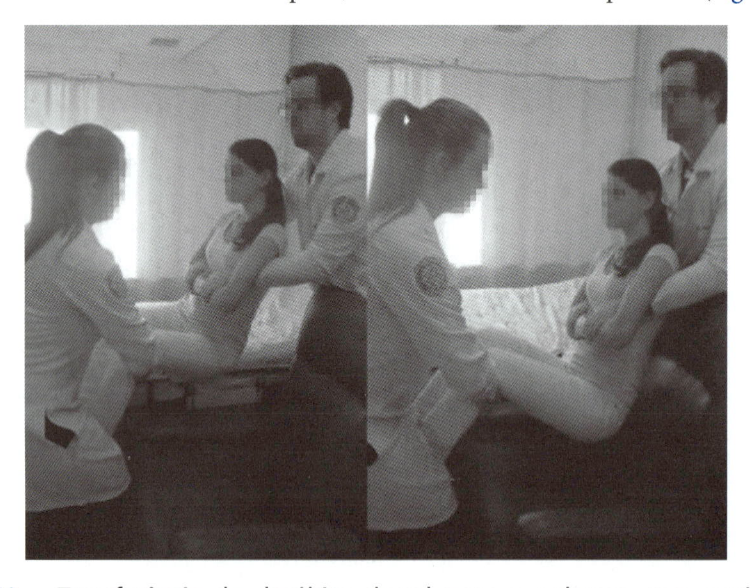

Figura 25.13 – Transferência de decúbito dorsal para a poltrona com auxílio de dois terapeutas.

Outra alternativa é colocar a cadeira de rodas perpendicular ao eixo da cama. O paciente em sedestação é auxiliado a posicionar os seus membros inferiores no assento da cadeira. Um rolo é colocado sobre os braços da cadeira. O paciente segura os pegadores da cadeira e desliza a pelve para a frente até sentar na borda superior do encosto da cadeira. Em seguida, trocará a posição de suas mãos e segurará os braços da cadeira, deslizando o seu corpo para baixo até sentar sobre o rolo. Em seguida, o rolo será retirado e o paciente finalizará a transferência. Durante essa transferência, o fisioterapeuta poderá dar apoio em membros inferiores para controlar a descida do corpo. Em algumas situações pode ser necessária a ajuda de outros profissionais para dar apoio ao tronco do paciente (Figura 25.14).

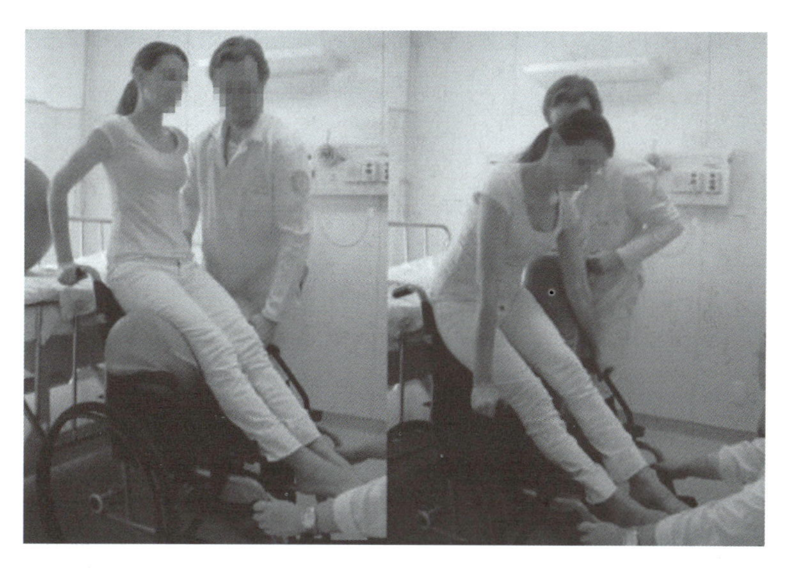

Figura 25.14 – Transferência para a cadeira de rodas com auxílio de dois terapeutas.

Transferências em condições especiais

Decúbito dorsal para maca de transporte

Em situações em que o paciente é encaminhado para algum exame fora do leito, faz-se a transferência do mesmo para uma maca. Para isso, é utilizada uma prancha, comumente chamada de *transfer*, auxiliando o procedimento. Posiciona-se o paciente em decúbito zero grau e ajusta-se a altura da cama hospitalar à altura da maca. Com auxílio de um ou dois membros da equipe de cada lado da cama, coloca-se a maca com as grades abaixadas ao lado da cama do paciente. Posiciona-se o paciente em DL com a ajuda de um lençol para a colocação da prancha de transferência sob o paciente.

Posteriormente, com apoios no mesmo lençol, próximos ao tronco e membros inferiores do paciente, dois profissionais realizam a passagem do paciente do leito para maca e outros dois profissionais se posicionam do lado contralateral da cama. Após a passagem, posiciona-se o paciente novamente em DL, desta vez na maca, e faz-se a retirada da prancha de transferência (Figura 25.15).

Uma vez posicionado na maca, elevam-se suas grades para segurança do paciente. Para retornar ao leito, repete-se o mesmo processo com o auxílio da prancha de transferência.

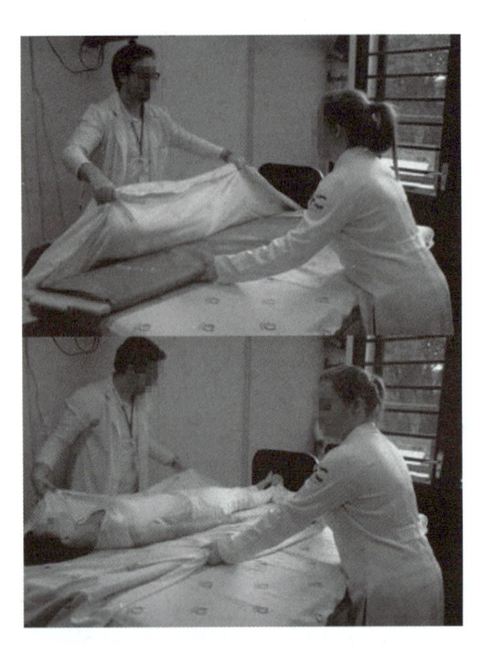

Figura 25.15 – Transferência para maca de transporte.

Decúbito dorsal para prancha ortostática

Em muitos hospitais, tanto em enfermarias quanto unidades de terapia intensiva (UTI), visando a mobilização precoce e retirada do paciente do leito, a utilização da prancha ortostática tem sido muito enfatizada.

Realiza-se a transferência da cama para a prancha, ajustando-se a altura de ambas por meio de dois ou mais terapeutas. Como auxílio, podem ser utilizados a prancha de transferência (*transfer*) ou o lençol. Uma vez na prancha ortostática, as faixas de velcro localizadas lateralmente à prancha devem ser colocadas no paciente para garantir sua estabilidade.

A prancha ortostática é um recurso bastante utilizado, principalmente para pacientes com quadro motor de tetraparesia ou tetraplegia. Alguns estudos mostram que sua utilização pode trazer benefícios, tais como auxiliar na descarga de peso, na mecânica respiratória e no combate aos efeitos deletérios do imobilismo, melhorar a hemodinâmica e da evolução de pacientes internados, melhorar o esquema corporal, funções fisiológicas, capacidade respiratória, além de facilitar a adoção da ortostase.

Uma vez que o paciente esteja posicionado, o terapeuta, por meio de um controle, consegue regular o ângulo de inclinação. É necessário certificar-se de que as faixas de velcro estejam bem fixas no tronco do paciente para garantir sua segurança (Figura 25.16).

Posicionamento

Posicionar um paciente no leito e/ou fora dele não é uma tarefa fácil, pois, muitas vezes, envolve a ação conjunta de vários atores, além de possíveis obstáculos para a sua execução, como escassez de equipamentos e profissionais, a presença de ventilador mecânico e outras invasões, como sondas, drenos, cateteres e acessos.

O posicionamento adequado pode estar relacionado a várias circunstâncias; podemos posicionar um paciente para iniciar um atendimento, como parte de um programa de assistência

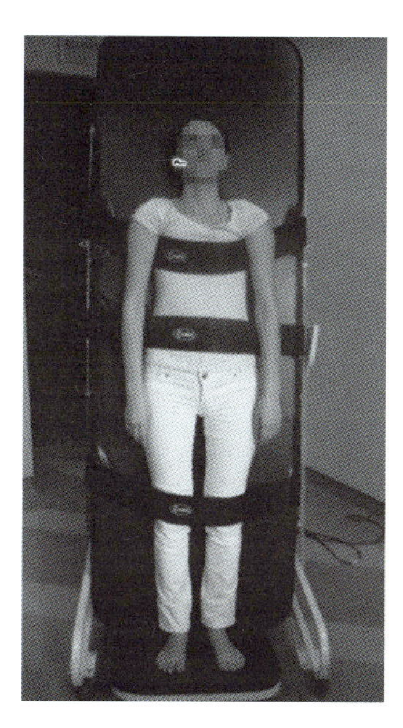

Figura 25.16 – Paciente em prancha ortostática.

fisioterapêutica, para facilitar uma transferência, para a execução de uma atividade ou simplesmente para conforto.

Encontraremos pacientes com os mais diferentes perfis e necessidades e, embora se deva estimulá-los ativamente, muitos estarão inconscientes ou serão incapazes de se movimentar e se posicionar sem auxílio, visto que, apesar da mudança da relação hospital/doente, a qual se manifesta por meio de um aumento na manipulação e estimulação dos pacientes, estudos mostram que, na maior parte do tempo que estão internados, os pacientes permanecem inativos e sozinhos.

Uma das principais complicações dessa inatividade é a síndrome do imobilismo, a qual, de maneira avassaladora, gera uma série de respostas negativas ao indivíduo, repercutindo em aumento do tempo de internação, aumento da taxa de mortalidade, aumento de comorbidades e pior prognóstico.

Como principais complicações da síndrome do imobilismo, podemos citar:instalação e/ou piora do déficit de força; alteração de volumes e capacidades pulmonares; atelectasias; broncoaspiração; alteração da função cardíaca; descondicionamento físico; trombose venosa profunda; presença da úlcera de pressão,esta com maior prevalência e considerada um dos eventos adversos relacionados aos cuidados em saúde. Em decorrência desse evento, os pacientes devem ser estimulados e/ou mudados de posição a cada 2 ou no máximo 3 horas.

Há estudos que mostram que aproximadamente 51% das mortes de pacientes com AVE nos primeiros 30 dias estão associadas a complicações da síndrome do imobilismo.

Um dos objetivos do posicionamento é evitar a compressão de determinadas estruturas, como as proeminências ósseas, que podem culminar com o surgimento das úlceras de pressão. Além disso, o posicionamento adequado pode ter implicações terapêuticas. Por exemplo,para pacientes com hipertensão intracraniana, recomenda-se manter a cabeceira elevada para melhorar o retorno venoso e diminuir a pressão intracraniana; pacientes com derivação lombar externa (DLE) por fístula liquórica podem ter recomendação médica de permanecer em decúbito lateral.

Pensando no aspecto fisioterapêutico, o posicionamento adequado pode estar relacionado a estimulação sensorial, carga de peso, facilitador de uma determinada função, vivência de outras posturas, melhora da expansibilidade de caixa torácica e drenagem de secreções.

Dessemodo, serão mostradas nos próximos subitens sugestões de posicionamento em diferentes posturas.

Decúbito dorsal

No ambiente hospitalar, o DD é uma dasposições mais prevalentes, podendo o indivíduo permanecer em decúbito horizontal (0°) ou elevado (30 a 60°), dependendo da recomendação ou situação clínica.

Pacientes com diagnóstico de AVE isquêmico, por exemplo, podem ter recomendação de DD horizontal durante a fase aguda; já pacientes com hipertensão intracraniana (HIC) devem ficar em DD elevado para favorecer o retorno venoso e auxiliar no controle da HIC.

Sabe-se também que o DD elevado entre 30 e 45° diminui a incidência de pneumonia associada à ventilação mecânica, pois, entre outros, diminui o risco de broncoaspiração (Figura 25.17). Contudo, evidências científicas sugerem que o DD elevado, especialmente entre 45 e 60°, aumenta a incidência de úlceras de pressão, principalmente em região sacral.

Para pacientes neurológicos em fase aguda, pode haver a contraindicação para o DD porque, nessa posição, pode ocorrer o aumento do tônusextensor e, consequentemente, maior ativação da musculatura antigravitacional, o que reforçaria o padrão flexor do membro superior e o padrão extensor do membro inferior durante a fase de liberação piramidal.

No DD, a maior carga de peso incide sobre a base do crânio, as espinhas das escápulas, a região sacral, as tuberosidades isquiáticas e os calcâneos, as quais ficam suscetíveis ao surgimento de úlceras de pressão. Assim, devemos aliviar a pressão sobre essas áreas, gerando menor compressão.

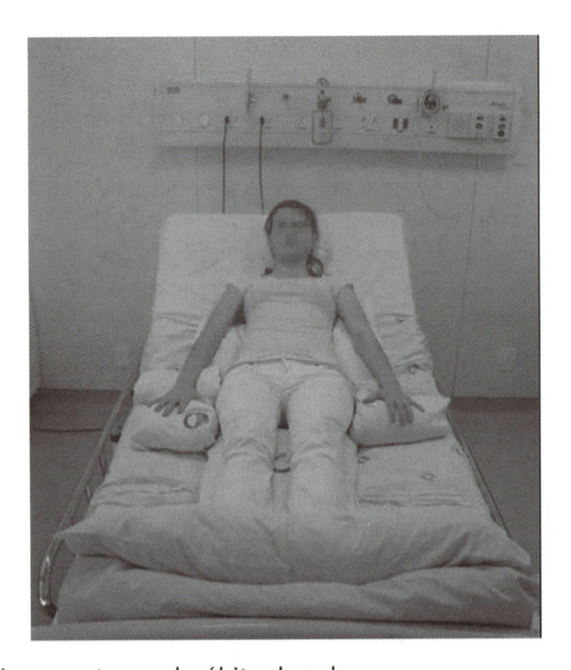

Figura 25.17 – Posicionamento em decúbito dorsal.

A cabeça deve permanecer em posição neutra e pode-se utilizar um rolinho, conhecido como "ninho de passarinho", para apoiar a cabeça; o tronco deve permanecer alinhado. Contudo, o DD por longos períodos pode prejudicar a expansibilidade anteroposterior da caixa torácica, interferindo na mecânica ventilatória e, assim, prejudicando a ação do diafragma, o que pode alterar os volumes e capacidades pulmonares, além de aumentar as chances de atelectasia; em pacientes inconscientes ou com pouca mobilidade ou até mesmo na fase aguda de algumas doenças neurológicas,é possível colocar um rolinho feito com toalha de rosto ou fronha de travesseiro na borda medial da escápula, tracionando-a para a abdução (Figura 25.18).

Dessemodo, evita-se a retração da escápula, o que pode prejudicar o ritmo escapuloumeral durante o processo de recuperação; debaixo da pelve colocamos um travesseiro que se estende da região lombar até a tuberosidade isquiática, diminuindo a compressão sobre a região sacral e auxiliando no controle da rotação externa de coxa; os membros superiores ficam ao longo do corpo, com antebraços em pronação, mantendo os cotovelos apoiados sobre um coxim; os punhos podem ser posicionados em posição neutra ou extensão, com as articulações metacarpofalangeanas em semiflexão e o polegar em abdução. Para tal, utiliza-se um rolinho feito de toalha de rosto ou fronha de travesseiro.

Em algumas situações, a terapia ocupacional é indicada para a confecção de órteses de punho e mão; os membros inferiores devem permanecer em extensão e em posição neutra; em algumas situações,é possível colocar dois coxins nas laterais das coxas para evitar a rotação externa excessiva; pode-se colocar um travesseiro que se estende do terço inferior das coxas até o terço médio das pernas para evitar a hiperextensão dos joelhos, ou simplesmente um pequeno rolinho debaixo da fossa poplítea.

É preciso ter cuidado, pois a manutenção dos joelhos em semiflexão por períodos prolongados pode levar ao encurtamento da cadeia muscular posterior, prejudicando futuramente as atividades funcionais que envolvem os membros inferiores; os calcanhares devem permanecer livres, pois a compressão do calcâneo pode gerar úlcera de pressão; entretanto, deve-se posicionar os pés em posição neutra para evitar o pé equino. Usam-se travesseiros, coxins e até rolos. Quando se observa a redução da amplitude de movimento dos tornozelos pode haver a indicação de órteses suropodálicas.

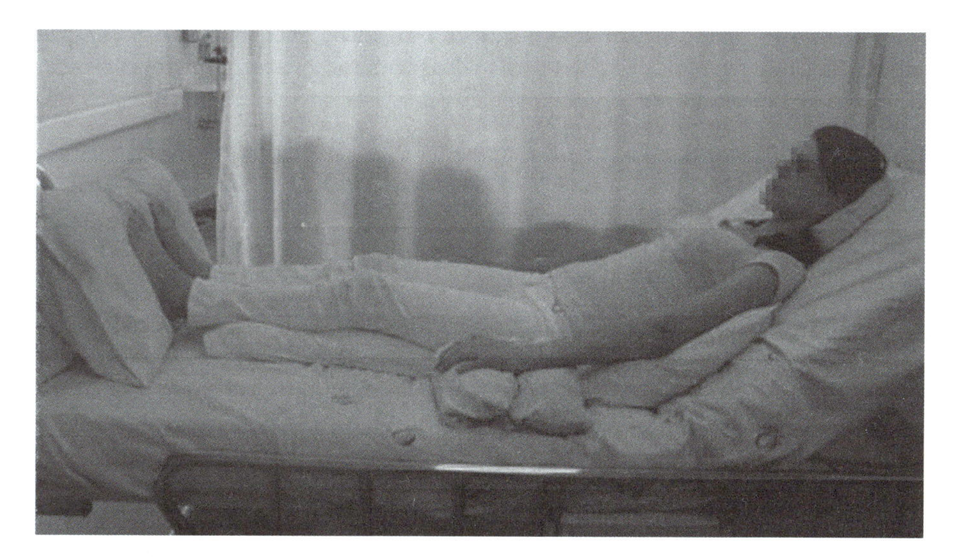

Figura 25.18 – Posicionamento em decúbito dorsal elevado.

Algumas instituições podem utilizar alguns equipamentos que minimizem a compressão sobre o corpo do paciente, como o colchão "caixa de ovo" e o colchão de ar dinâmico.

Decúbito lateral

O DL é outra posição muito utilizada no ambiente hospitalar. O seu manejo nem sempre é fácil, mas permite ao paciente vivenciar outra postura além do DD. Do ponto de vista neurológico, permite maior descarga de peso em todo o hemicorpo, servindo como forma de estimulação sensorial; do ponto de vista musculoesquelético, deve-se ter o cuidado em posicionar o paciente em uma posição ótima, pois, do contrário,é possível levar ao encurtamento muscular, prejudicando a recuperação do paciente durante a reabilitação; o sistema respiratório também é beneficiado, pois no DL a caixa torácica pode expandir em outro sentido. Além disso, favorece a drenagem de secreções e diminui o risco de broncoaspiração, fato importantíssimo para aqueles pacientes que não conseguem proteger suas vias aéreas e/ou que têm tosse ineficaz. No DL, os principais pontos de compressão são acrômio, epicôndilo lateral, trocânter maior, cabeça da fíbula e maléolo lateral (Figura 25.19).

Cabeça, tronco e pelve ficam alinhados; deve-se evitar a inclinação da cervical colocando-se um travesseiro baixo ou um rolinho; em pacientes neurológicos, especialmente naqueles com AVE isquêmico, o posicionamento adequado da cervical evita a redução do fluxo sanguíneo cerebral. Com relação ao tronco, um travesseiro pode ser posicionado na lateral do tronco inferior, para manter o alinhamento da coluna vertebral; para aqueles pacientes que não conseguem sustentar o tronco em DL, é possível fazer um rolo que se estende da região cervical até a lombar; já em relação aos membros superiores, traciona-se a escápula que está em contato com o colchão e fazendo-se o paciente deitar sobre ela. Do contrário, pode-se induzir a subluxação do ombro, bem como uma compressão sobre a cabeça do úmero, alterando o fluxo sanguíneo para a articulação glenoumeral.

É possível posicionar o membro superior em duas posições: na primeira, o ombro permanece em abdução e rotação externa, com o antebraço em supinação e punho em posição neutra; em outra possibilidade, o ombro permanece em abdução, podendo alternar a posição do antebraço entre pronação e supinação; punhos em posição neutra ou extensão e dedos em semiflexão, mantendo polegar em abdução; os membros inferiores devem ficar em uma posição alternada entre flexão e extensão.

Geralmente, o membro inferior em contato com o colchão fica em extensão, enquanto o outro em flexão. Dessa maneira, evita-se a fixação dos membros inferiores em uma única posição

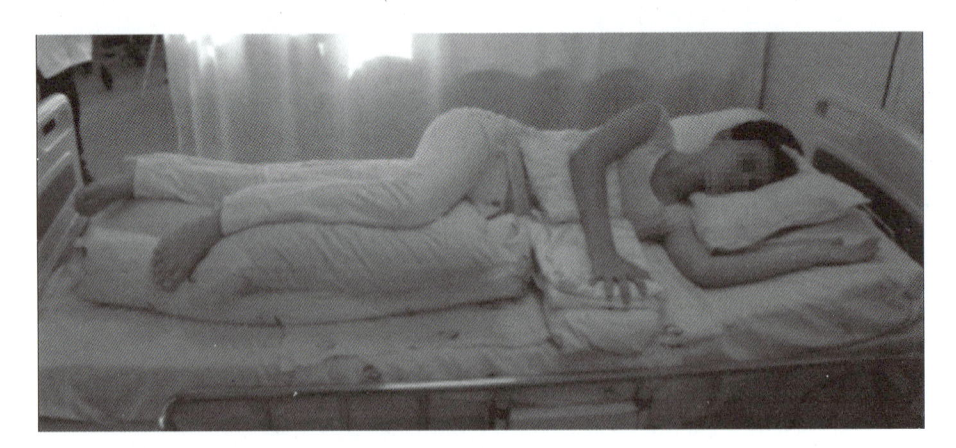

Figura 25.19 – Posicionamento em decúbito lateral.

e permite-se ao paciente vivenciar as duas possibilidades. Travesseiros são colocados debaixo do trocânter maior e por toda a extensão da perna que está em contato com o colchão, preservando a cabeça da fíbula e o maléolo lateral. O membro inferior que permanece em flexão fica apoiado sobre travesseiros ou coxins; é necessário manter o alinhamento da articulação do quadril e joelho do membro inferior que está em cima, pois, do contrário, haverá uma adução, gerando uma sobrecarga na articulação coxofemural; os tornozelos e os pés ficam livres ou em posição neutra, apoiados sobre coxins ou superfície rígida, evitando o pé equino (Figura 25.20).

Sedestação

A sedestação pode ocorrer em diversas situações: à beira do leito; em poltrona (Figura 25.21); cadeira de rodas; e cadeira de banho. Nessa postura, a maior carga de peso acontece sobre a pelve. Sentar é extremamente benéfico para os pacientes, pois estimula a verticalidade,

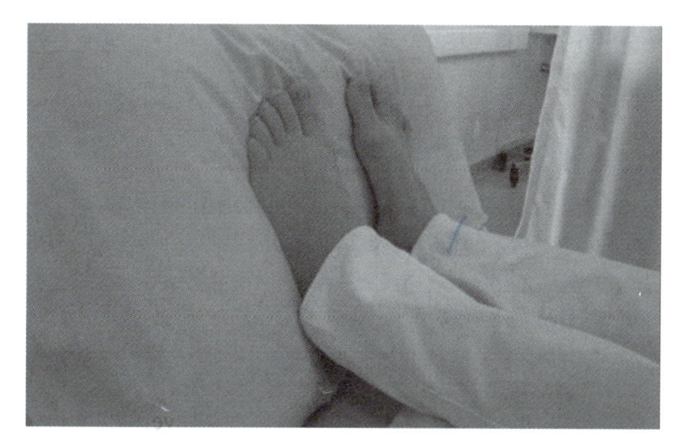

Figura 25.20 – Posicionamento de membros inferiores em decúbito lateral.

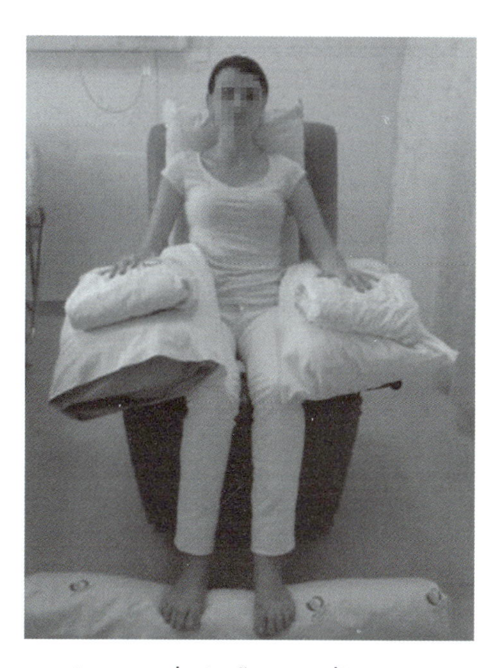

Figura 25.21 – Posiocionamento em sedestação na poltrona.

a qual está relacionada à maioria das atividades que desempenhamos no diaadia. Além disso, possibilita e facilita, quando em condições clínicas, a execução de atividades básicas, como higiene e alimentação. O sistema respiratório também é beneficiado porque há melhora da expansibilidade da caixa torácica, facilitando a ventilação, bem como o mecanismo de tosse e a eliminação de secreções.

Embora alterações do controle de tronco dificultem a manutenção da sedestação, isso não é um impeditivo absoluto para que o paciente seja auxiliado a assumir essa postura.

O ideal é que o paciente fique sentado sobre as tuberosidades isquiáticas. Dessemodo, diminui-se a sobrecarga mecânica sobre a pelve e a coluna lombossacral, favorecendo a melhor distribuição de carga e alinhamento do tronco.

Quando o paciente não tem controle de cervical, pode-se utilizar no período que estiver sentado um colar cervical; em cadeira de rodas, o ideal é que seja adaptada e tenha apoio para a cabeça. Se o controle de tronco for deficitário, é necessário dar um suporte para o seu sustento; à beira do leito, pode-se interpor entre o tronco do paciente e a grade da cama vários travesseiros ou uma bola terapêutica; já na poltrona ou na cadeira de rodas, haverá o encosto para o tronco; porém, em quadros de agitação ou tendência à anteriorização do tronco, é possível colocar um colete de proteção que restringe o tronco, ficando preso ao equipamento; naqueles locais sem esse tipo de material, sugere-se como alternativa a utilização de um lençol, em forma de travessa, que passa pela caixa torácica e é amarrado ao equipamento. Os membros superiores ficam ao longo do corpo, com antebraços levemente flexionados.

Coxins são posicionados por todo o antebraço. Punhos ficam em posição neutra ou extensão, com dedos das mãos em semiflexão e polegar em abdução; para tal, utiliza-se um rolinho feito com toalha de rosto ou fronha de travesseiro. Em casos de importante fraqueza muscular e/ou hipotonia de cintura escapular e ombro, o uso de tipoias e de órteses de úmero pode ser indicado para prevenir a subluxação de ombro. Os membros inferiores devem ficar com aproximadamente 90° de flexão de coxas e joelhos, e tornozelos e pés em posição neutra. Debaixo da pelve,é possível colocar uma almofada com gel ou espuma em caixa de ovo para diminuir a compressão sobre as estruturas ósseas.

Deve-se atentar também para profundidade do assento, o qual não deve comprimir as fossas poplíteas. Algumas poltronas têm os seus assentos inclinados, conduzindo a pelve para uma retroversão, o que dificulta, por exemplo, a aquisição da ortostase. Conjuntamente, alguns assentos são muito baixos, dificultando a manipulação do paciente. Novamente, a utilização de almofadas, além de aliviar a pressão, ajuda a elevar a altura e nivelar o assento. Com relação às cadeiras de rodas, deve-se atentar para a altura do encosto; se o paciente tem bom controle de cervical e mobilidade nos membros superiores, o ideal é que a altura do encosto coincida com o ângulo inferior da escápula; assim, permite-se mobilidade aos membros superiores.

Ortostase

O posicionamento em ortostase deve ser feito com cautela e segurança. Devem-se evitar compensações que sobrecarreguem as articulações do paciente e que gerem riscos de lesões ao profissional. A posição ortostática é extremamente vantajosa, pois estimula o tônus postural, o equilíbrio, a verticalidade, além de ser uma etapa prévia à marcha. Para tal, o paciente poderá fazer uso de dispositivos auxiliares, como bengala, andador e muleta, assim como calçados com antiderrapantes e até órteses de membros inferiores se necessário.

Pacientes que ainda são incapazes de adquirir a ortostase ou que apresentem disautonomia podem se beneficiar da utilização de prancha ortostática.

Leitura Recomendada

1. Ada L, et al. Thirty minutes of positioning reduces the development of shoulder external rotation contracture after stroke: a randomized controlled trial. ArchPhysMedRehabil 2005; 86: 230-34.
2. Alexandre NMC,Rogante MM. Movimentação e transferência de pacientes: aspectos posturais e ergonômicos. Rev Esc Enf USP 2000; 34(2): 165-73.
3. Allen R, et al. Transferring people safely with manual handling equipment. Clinical Rehabilitation. 2002; 16: 329-337.
4. Bamford J, et al. The frequency, causes and timing of death within 30 days of a first stroke: the Oxfordshirecommunity stroke project. Journal of Neurology, Neurosurgery, and Psychiatry 1990; 53:824-829.
5. Bernhardt J, et al. Inactive and alone: physical activity within the first 14 days of acute stroke unit care. Stroke 2004; 35: 1005-1009.
6. Borisova Y, Bohannon RW. Positioning to prevent or reduce shoulder range of motion impairments after stroke: a meta-analysis. Clinical Rehabilitation 2009; 23: 681-686.
7. Burk RS,Grap MJ. Backrest position in prevention of pressure ulcers and ventilator-associated pneumonia: conflicting recommendations. Heart &Lung 2012; 41: 536-545.
8. Davies PM. Passos a seguir: um manual para o tratamento da hemiplegia no adulto. São Paulo: Manole, 1996.
9. Dong Z, et al. Effect of early rehabilitation therapy on patients with mechanical ventilation. World J Emerg Med 2014; 5(1):48-52.
10. Fragala G,Fragala M. Improving the safety of patient turning and repositioning tasks for caregivers. Workplace Health & Safety 2014; 62(7): 268-73.
11. Groah SL, et al.Prevention of pressure ulcers among people with spinal cord injury: a systematic review. PM R XXX 2015; 1-24.
12. Jones A, et al. Positioning of stroke patients: evaluation of a teaching interventions with nurses. Stroke 1998; 29: 1612-1617.
13. Jong LD, et al. Contracture preventive positioningof the hemiplegic arm in subacute stroke patients:a pilot randomized controlled trial. Clinical Rahabilitation. 2006; 20: 656-667.
14. Klein K, et al. Clinical and psychological effects of early mobilization in patients treated in a neurologic ICU: a comparative study. Neurologic Critical Care 2015; 43(4): 865-73.
15. Pickenbrock H, et al. Conventional versus neutral positioning in central neurological disease: a multicenter randomized controlled trial. DtschArzteblInt 2015; 112: 35-42.
16. Pinheiro A,Christofoletti G. Fisioterapia motora em paciente internados na unidade de terapia intensiva: uma revisão sistemática. Rev Bras Ter Intensiva. 2012; 24(2):188-196.
17. Rossi CR, Rocha RM, Alexandre NMC. Aspectos ergonômicos na transferência de pacientes: um estudo realizado com trabalhadores de uma central de transportes de um hospital universitário. Rev Esc Enf USP 2001; 35(3): 249-56.
18. Schweickert WD, et al. Early Physical and occupational therapy in mechanically ventilated, critically ill patients: a randomised controlled trial. Lancet 2009; 373: 1874-82.
19. Shahin SM, et al. Pressure ulcer prevention in intensive care patients: guidelines and practice. Journal of Evaluation in Clinical Practice 2009; 15: 370-74.
20. Teasell R, Dittmer DK. Complications of immobilization – part 1: musculoskeletal and cardiovascular complications. Canadian Family Physician 1993; 39: 1428-1437.
21. Teasell R, Dittmer DK. Complications of immobilization and bed rest – part 2: other complications. Canadian Family Physician 1993; 39: 1440-1446.
22. Vega JM, et al. Tratado de fisioterapia hospitalar: assistência integral ao paciente. São Paulo: Atheneu, 2012.
23. Wieser M, et al. Cardiovascular control and stabilization via inclination and mobilization during bed rest. Med BiolEngComput (2014) 52:53-64.

Seção II

Cuidados Paliativos

Capítulo 26

Definição e Conceitos

Daniel Antunes Alveno
Bianca Orestes Antunes

Definição e Conceitos

Atualmente, a população mundial está em processo de envelhecimento e, frente a esse fato, depara-se, com frequência cada vez maior, com processos de morte. Sendo esta uma certeza, o profissional da saúde que é ensinado e treinado para "salvar vidas" tende a se sentir impotente diante de situações em que a cura já não é uma possibilidade e se faz necessária uma mudança de paradigmas para que nesse momento sejam priorizados alívio de sintomas e dignidade do indivíduo.

Doenças frequentes no cotidiano hospitalar que não apresentam possibilidade de cura crescem progressivamente, 50 a 75% da população mundial morre por uma enfermidade crônica, associada a esse quadro, o avanço tecnológico alcançado na segunda metade do século XX sugere a mudança desse contexto de doenças mortais para doenças crônicas com maior longevidade, o que modifica o processo de morte. Daí, a importância do enfrentamento desse desafio e conscientização dos profissionais para a melhora do cuidado, minimizando a possibilidade do abandono que estes pacientes possam vir a sofrer.

O cuidado paliativo traz como objetivo a melhor qualidade de vida para pacientes com doenças avançadas, auxiliando-os no controle de sintomas, reabilitação e apoio para esse processo. A abordagem desse cuidado, a partir do conhecimento de uma doença incurável, é precoce e, por isso, é necessário intensificar o conhecimento para que esse processo aconteça de uma maneira sólida com bases científicas e práticas (Figura 26.1).

Histórico do cuidados paliativos

O relato mais antigo sobre o início destes cuidados data do século V, quando Fabíola, discípula de São Jerônimo, cuidava de viajantes vindos da Ásia e África, em um *hospice*, que nada mais era do que abrigos destinados a receber e cuidar de peregrinos.

No século XVII, várias instituições abrigavam esse tipo de hóspedes e, no século XIX, tinham a denominação de hospitais e, a partir disso, foram surgindo mais *hospices*.

Em 1947, a inglesa Dame Cicely Saunders, médica humanista, enfermeira e assistente social, introduziu o movimento do *hospice moderno*, apresentando como ponto de partida o compromisso com uma nova forma de cuidar. Um dos pacientes mais emblemáticos que Cicely acompanhou foi um homem por quem se apaixonou, o judeu David Tasma, que tinha diagnóstico de carcinoma retal inoperável e que foi acompanhado até a morte por ela. Ao falecer, deixou uma herança em dinheiro dizendo a seguinte frase: "Eu serei uma janela na sua Casa". Em 1967, Cecely

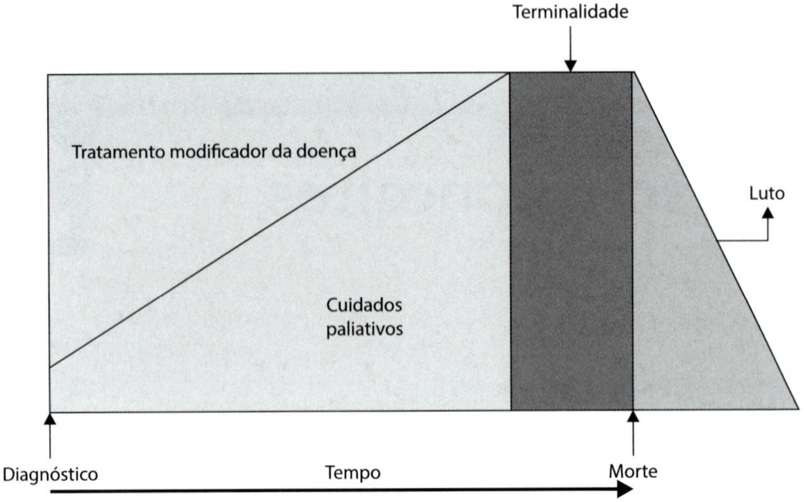

Figura 26.1 – Modelo representativo do conceito "cuidados paliativos". Fonte: OMS, 2002.

fundou o St. Christopher's Hospice em cuja entrada observa-se a janela de David Tasma e, até hoje, lá se encontra a placa com os dizeres proferidos antes de sua partida.

A disseminação desse cuidado ensejou, em 1990, a primeira definição pela Organização Mundial de Saúde (OMS) e revisada em 2002:

> "Cuidado paliativo é uma abordagem que promove a qualidade de vida de pacientes e seus familiares, que enfrentam doenças que ameacem a continuidade da vida, por meio da prevenção e alívio do sofrimento. Requer a identificação precoce, avaliação e tratamento da dor e outros problemas de natureza física, psicossocial e espiritual."

O cuidado paliativo no Brasil teve início na década de 1980 e cresceu significativamente em 2000 e ainda apresenta muitas falhas, necessitando de muitos artifícios e mudança de atitudes para implantação mais adequada.

Fundamentos e princípios

A ética médica é um fundamento de extrema importância para esse cuidado. Em 1960 os códigos de ética profissional passaram a reconhecer o paciente portador de qualquer doença como agente autônomo, com base nos princípios éticos, como a autonomia por meio de um consentimento informado, para que o paciente tome suas próprias decisões de acordo com o princípio da beneficência e não maleficência, priorizando qualidade de vida e dignidade humana. Resoluções do CFM (nº 1805/2006) e o código de ética médica afirmam que é "permitido ao médico limitar ou suspender procedimentos que prolonguem a vida do doente, em fase terminal, de enfermidade incurável, respeitada a vontade da pessoa ou de seu representante legal". Além disso, o código de ética médica indica cuidados paliativos para esse contexto e proibiu a prática da distanásia e legitimou a ortotanásia como a protagonista nesses casos.

Em 1986, a OMS publicou princípios que guiam a atuação da equipe multiprofissional em cuidados paliativos, reafirmados em 2002 conforme podemos observar na Figura 26.2.

É necessário entender que o cuidado não é realizado apenas em um plano unidimensional, mas dentro de um conjunto de necessidades como representado na Figura 26.3, no qual os sistemas de tratamento e de cuidado precisam estar integrados e o trabalho em equipe torna-se fundamental para que todos os aspectos, físicos, psicossociais e espirituais estejam controlados.

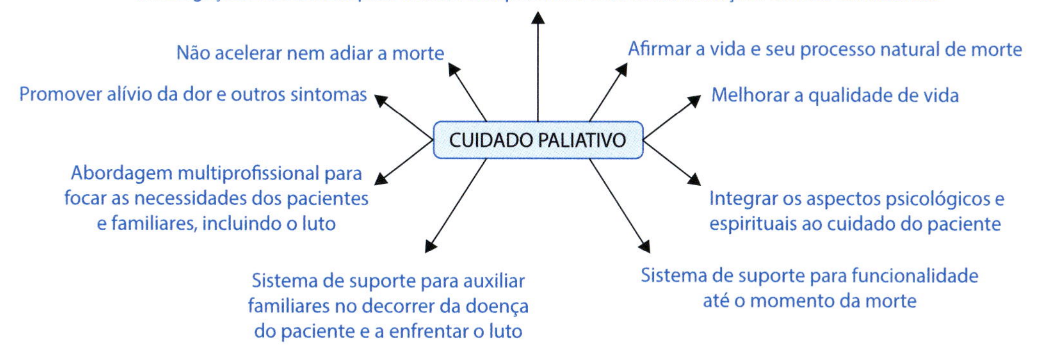

Figura 26.2 – Princípios que regem a atuação multiprofissional de cuidados paliativos. Fonte: Carvalho e Parsons, 2012.

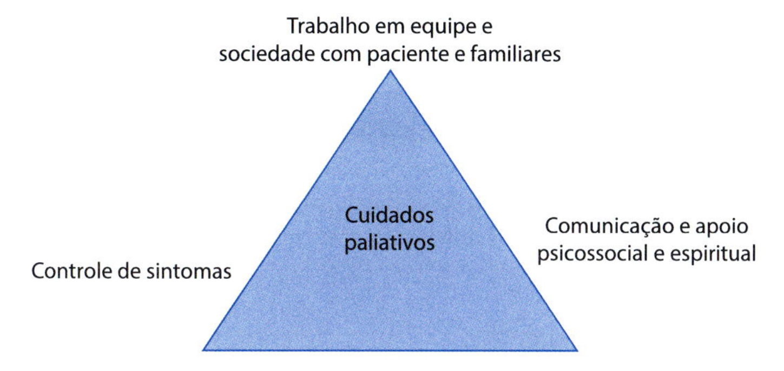

Figura 26.3 – Tríade dos cuidados paliativos. Fonte: Watson et al., 2009.

Com a progressão para esse cuidado multidimensional, há uma percepção de que o paciente se torna o centro de uma abordagem multiprofissional, conforme a Figura 26.4, incluindo seus familiares, que são extremamente importantes no processo, sobretudo para cuidado o paliativo que modifica os caminhos dos profissionais da saúde. Uma das grandes estratégias para o sucesso desse cuidado é o envolvimento de todos os participantes, paciente, equipe, familiares respeitando todos os princípios e fundamentos dos cuidados paliativos.

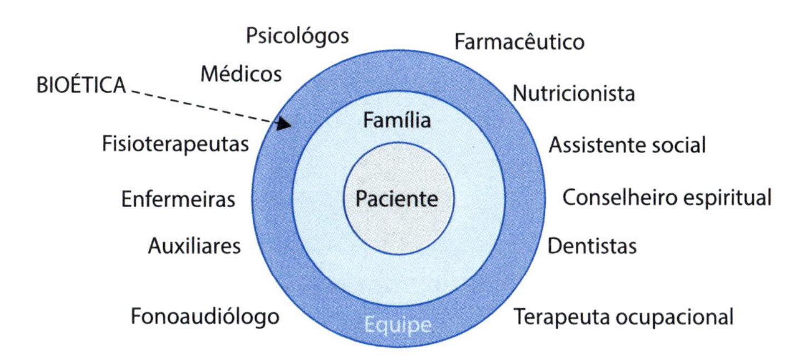

Figura 26.4 – Modelo da atenção paliativa com abordagem multidimensional. Fonte: acervo do autor.

Metas

O cuidado paliativo visa o cuidado e o cuidar geral de todos envolvidos. Há metas definidas como melhora do controle da dor, melhor controle da ansiedade, maior satisfação do paciente, menor tempo de internação hospitalar, alívio do sofrimento, funcionalidade, cuidados com o psicossocial e espiritual, melhor controle de outros sintomas e, principalmente, qualidade de vida para paciente e familiar.

Qualidade de vida

Trata-se de uma satisfação subjetiva vivenciada ou expressa por um indivíduo, ou seja, uma percepção individual e que é prioridade uma vez expressa. Para todas as metas, o alvo é a qualidade de vida para um cuidado mais objetivo e que chegará o mais próximo do esperado para o paciente que necessita desses cuidados.

Para que os procedimentos e tomadas de decisões sejam adequados, a equipe de saúde envolvida deve aproximar a realidade da condição em que o paciente se encontra da esperança do mesmo, que muitas vezes estão distantes. Quando esse objetivo é alcançado, é possível priorizar o aumento da qualidade de vida, minimizando frustrações geradas por expectativas distantes da realizadade, como representado na Figura 26.5.

Para que todas as metas sejam alcançadas, a decisão compartilhada tem papel essencial no estabelecimento das condutas em todas as fases da atenção paliativa, levando em consideração as necessidades e problemas potencias, além de colocar em prática o saber cotidiano e o científico e, consequentemente, minimizando erros levando à maior qualidade para o alcance dos objetivos traçados (Figura 26.6).

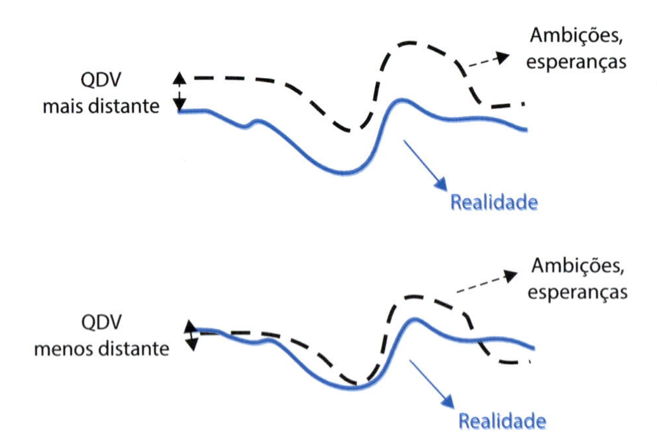

Figura 26.5 – Progressão da qualidade de vida relacionada a relações pessoais. Fonte: Pallium, 2013.

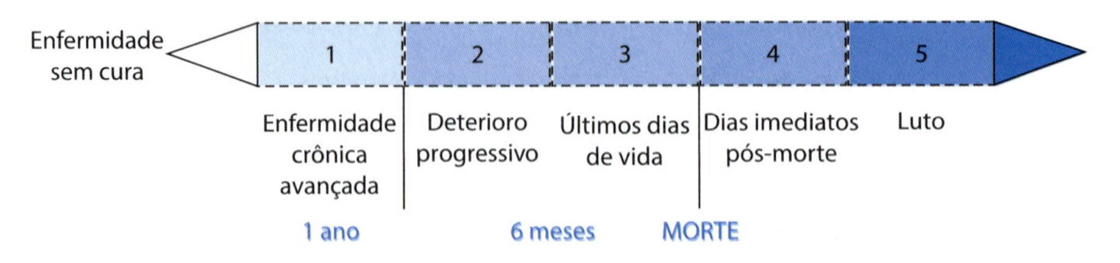

Figura 26.6 – Modelo de atenção paliativa. Fonte: Pallium, 2013.

Funcionalidade

O objetivo de alcançar a qualidade de vida está diretamente relacionado à funcionalidade e autonomia, pois estas apresentam declínio durante todo o processo de doença. É importante que esses objetivos sejam estabelecidos a curto prazo levando em consideração a realidade em que o paciente se encontra, enfatizando mesmo os pequenos resultados para restauração de dignidade, melhora da autoestima e reinserção na sociedade por meio da independência funcional. Conforme representado na Figura 26.7, a função de um indivíduo está associada a diversos fatores que devem estar alinhados, entretanto, nem sempre isso é possível devido o avanço da doença, sendo assim, é necessário adequar o processo de reabilitação constantemente.

A abordagem da funcionalidade pela equipe é indispensável, sendo primordial para essa meta a elaboração de planos e estratégias de intervenção. A fisioterapia, especificamente, necessita elencar pontos principais como prevenir dor com abordagens não farmacológicas; prevenir outros sintomas estressantes durante o processo; maximizar a independência funcional com cautela, minimizando esforços e priorizando a segurança; resgatar a vida cotidiana, porém com objetividade realística e orientações domiciliares para favorecer o alívio da dor e reduzir custos pessoais e hospitalares; além de indicar condutas que atendam aos objetivos e expectativas do

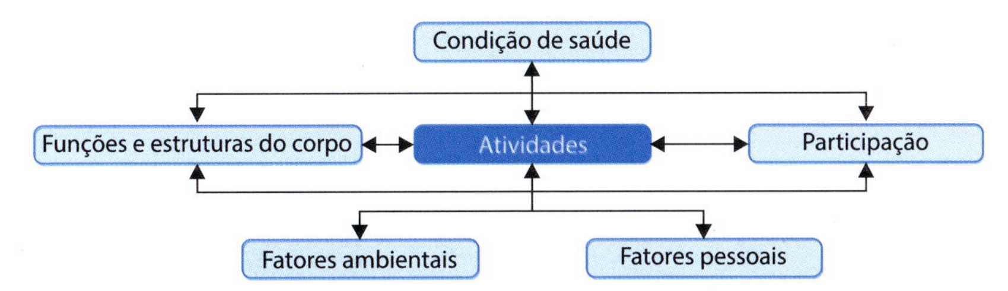

Figura 26.7 – Modelo conceitual da Classificação Internacional de Funcionalidade (CIF). Fonte: OMS, 2003.

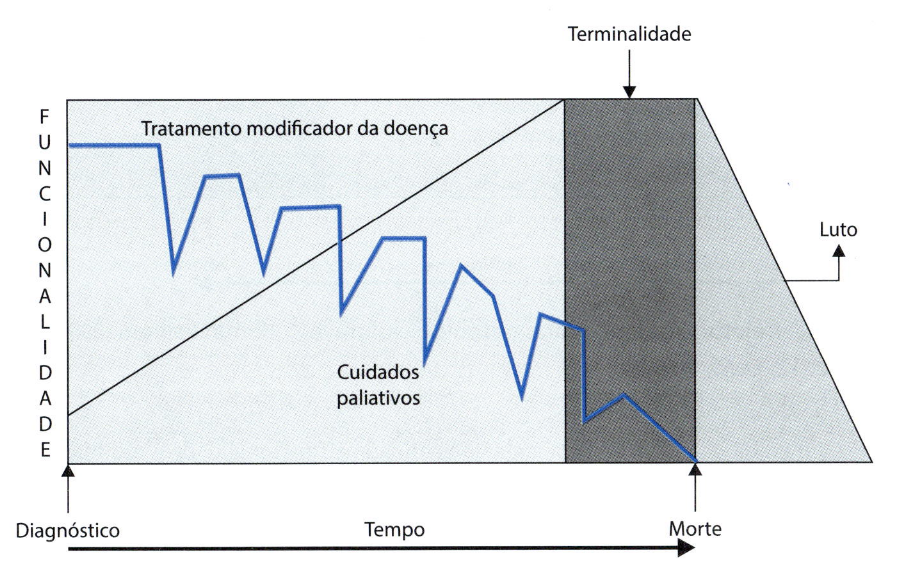

Figura 26.8 – Trajetória das "falências orgânicas". Fonte: Classificação Internacional de Funcionalidade. Fonte: OMS, 2003.

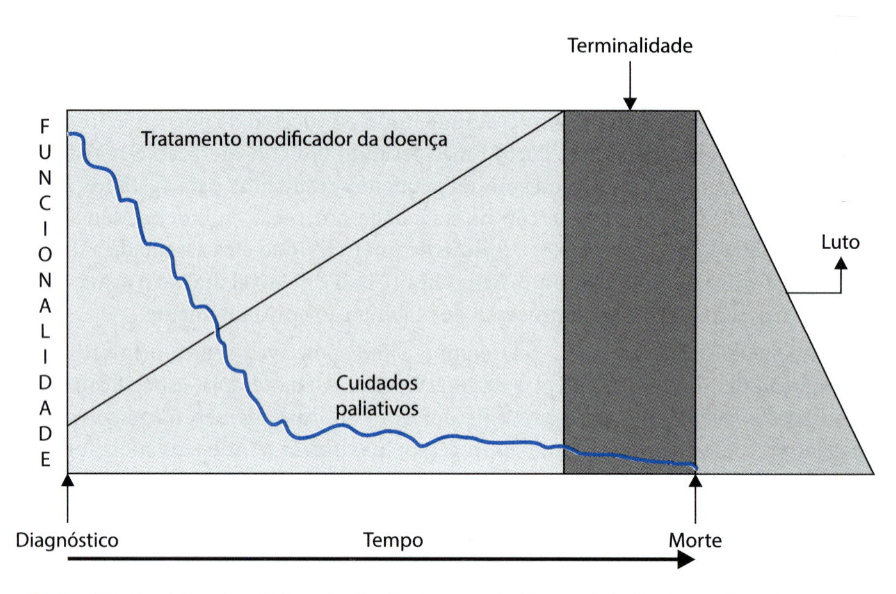

Figura 26.9 – Trajetória das "demências". Fonte: Pallium, 2013; Carvalho e Parsons, 2012; OMS, 2002.

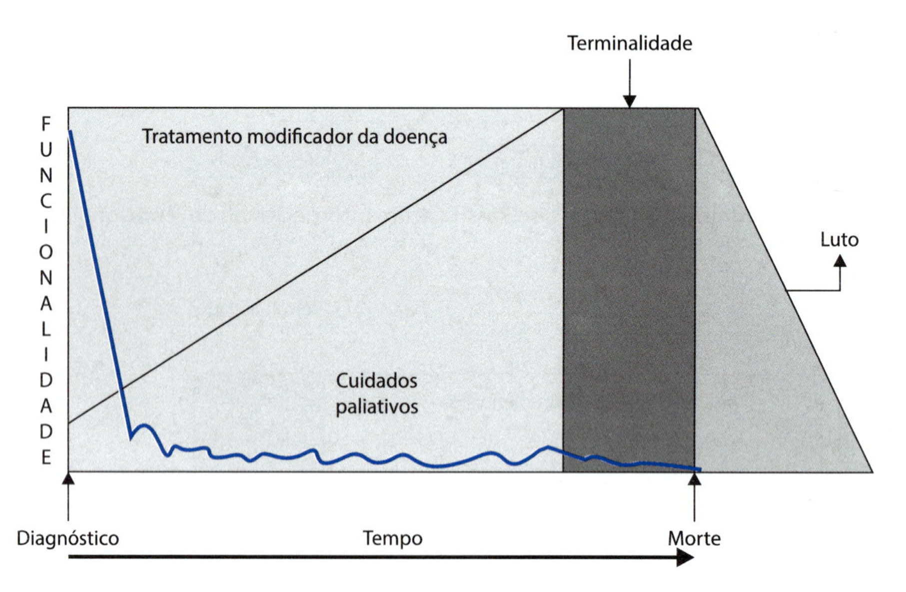

Figura 26.10 – Trajetória das "sequelas neurológicas graves". Fonte: Pallium, 2013; Carvalho e Parsons, 2012; OMS, 2002.

paciente, na medida do possível. Para cada enfermidade a funcionalidade é modificada, pois as demandas e o processo são diferentes (Figuras 26.8-26.10).

A avaliação do perfil funcional é essencial para que se trace um plano terapêutico factível para atingir a máxima qualidade de vida do paciente em cuidado paliativo, de seus familiares e dos cuidadores. A reabilitação, mesmo que adaptada de acordo com a realidade do caso, deve ter como meta a maior independência funcional e autonomia possível para conforto e dignidade do indivíduo.

Leitura Recomendada

1. Carvalho RT, Parsons HÁ. Manual de cuidados paliativos. 2 ed. ampl. e atual. São Paulo: ANCP, 2012.
2. Batiste XG, Caja C, Espinosa J, Bullich I, Muñoz MM, Sales JP, et al. The catalonia World Health Organization demonstration project for palliative care implementation: quantitative and qualitative results at 20 years. V. 43, Issue 4, p. 783-794, 2012.
3. Saporetti LA. Espiritualidade em cuidados paliativos. Cuidado paliativo. São Paulo: CREMESP, 2008.
4. Finlay IG, Higginson IIJ, Goodwin DM, Cook AM, Edwards AGK, Hood K, et al. Palliative care in hospital, hospice, at home: results from a systematic review. Ann Oncol. 2002;13 Suppl 4:257-64.
5. Twicross R. Medicina paliativa. Filosofia e considerações éticas. Acta bioética, ano VI, nº 12.000.
6. Cortes CC. Historia y desarrollo de los cuidados paliativos. In: Marcos GS (ed.). Cuidados pailativos e intervención psicossocial em enfermos com câncer. Las Palmas, 1988.
7. Saunders DC. Introduction Sykes N, Edmonds P, Wiles J. Management of advanced disease. 2004, p 3-8.
8. Pessini L. Distanásia: até quando investir sem agredir? Bioética 4, p.31-43, 1996.
9. Marrucci FCI. O papel da fisioterapia nos cuidados paliativos a pacientes com câncer. Revista Brasileira de Cancerologia 2005; 51(1): 67-77.
10. Elfred A, Sykes N, Edmonds P, Wiles J. Rehabilitation in with cancer management of advanced disease. Great Britain: Arnold, 2004. P. 549-559.
11. Eyigor S, Akdeniz S. Is exercise ignored in palliative care patients? World J Clin Oncol; 5(3): 554-559, 2014.
12. Watson M, Lucas C, Hoy A, Wells J. Oxford Handbook of Palliative Care. 2 Oxford University Press, 2009.
13. Echeverri TA. El cuidado paliativo em casa al paciente terminal. MedUNAB; 4(10);p.1-11, 2001.
14. Maaike L, Kathleen L, Susanne JJ, Cohen J, Roeline W P, Deliens L, Francke AL. Quality indicators for palliative care: update of a systematic review. Journal of Pain and Symptom Management Vol. 46 No. 4 October 2013.
15. Brandyn D, Aslakson RA, Wilson RF, Fawole AO, Apostol CC, Martinez KA, et al. Methods for Improving the quality of palliative care delivery: a systematic review. American Journal of Hospice & Palliative Medicine. V. 31(2) 202-210, 2014.
16. Catania G, Beccaro M, Costantini M, Ugolini D, Silvestri AD, Bagnasco A, et.al. Effectiveness of complex interventions focused on quality-of-life assessment to improve palliative care patients' outcomes: a systematic review. Palliative Medicine, 2014.
17. Organização Mundial da Saúde. CIF: Classificação Internacional de Funcionalidade, Incapacidade e Saúde. Trad. do Centro Colaborador da Organização Mundial da Saúde para a Família de Classificações Internacionais. São Paulo: EDUSP; 2003.

Capítulo

Sintomas e Avaliação

27

Daniel Antunes Alveno
Bianca Orestes Antunes

Introdução

A avaliação, imprescindível na atuação dos cuidados paliativos, é referente aos sintomas definidos como percepção de qualquer alteração que uma pessoa tem de seu próprio corpo, do seu metabolismo, de suas sensações, podendo ou não se consistir em um indício de doença. O sintoma é subjetivo e está relacionado também a fatores externos como a cultura do paciente e a valorização que a sociedade demonstra para o quadro. A anamnese é essencial para que todos os sintomas sejam identificados (Figura 27.1).

Como descreveu o Instituto Pallium Latinoamérica, em 2014, "o controle dos sintomas constitui geralmente a demanda inicial para os Cuidados Paliativos, e seu apropriado alívio facilita ao paciente e à sua família o conforto e a possibilidade de ocupar-se de outras dimensões de suas vidas". Existem formas de seguir uma avaliação para essa demanda sem que informações importantes sejam perdidas e que as considerações diante destas levem a um caminho de tratamento com o melhor resultado de alívio e melhora da qualidade de vida (Figura 27.2).

Além disso, é necessária a percepção de tudo o que o sintoma traz de experiência durante o convívio com o paciente, para que não só o físico seja aliviado, mas levando-se em consideração todas suas características (Figura 27.3).

Nos cuidados paliativos, os sintomas mais intensos que causam sofrimento e necessitam de alívio estão presentes com maior evidência na fase final de vida e não apenas na terminalidade, lembrando que o cuidado paliativo precisa ser iniciado precocemente para doenças incuráveis e

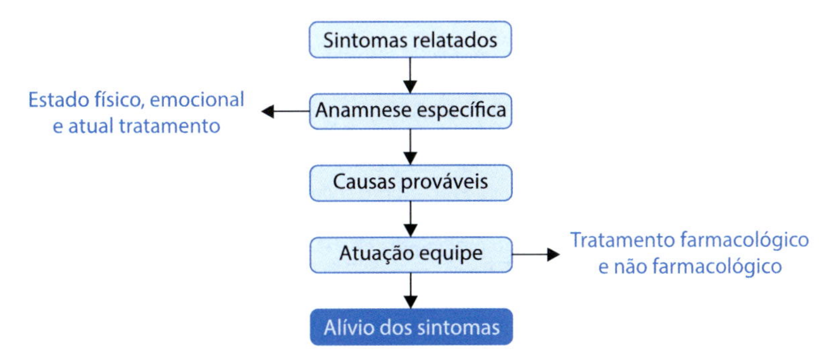

Figura 27.1 – Avaliação inicial. Fonte: Acervo do autor.

Figura 27.2 – Como avaliar o paciente. Fonte: Pallium, 2013.

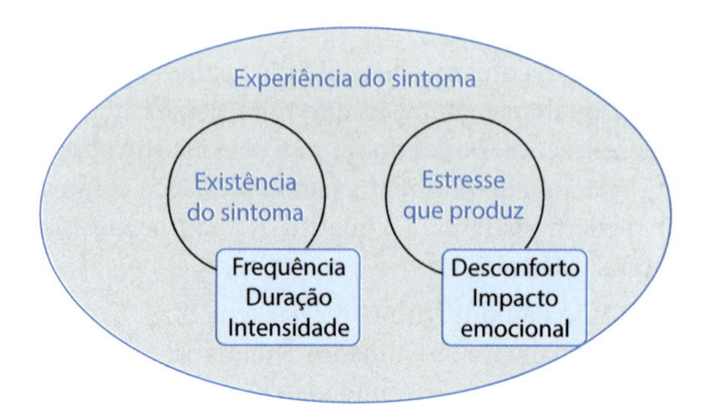

Figura 27.3 – Experiência do sintoma. Fonte: Rhodes, McDaniel e Matthews, 1998.

é importante demonstrar indicadores aos quais o cuidado paliativo se adapta, considerando-se a diminuição de qualidade de vida, restrição às atividades de vida diária, entre outros (Figura 27.4 - Quadros 27.1 e 27.2).

Ao se constatarem possíveis indicações, é importante destacar os principais sintomas e possíveis causas, afinal as condutas traçadas devem ter como objetivo minimizá-los (Quadro 27.3). Ressalte-se que a progressão da doença e os efeitos colaterais das medicações (p. ex.: dos opioides) são frequentemente causadores desses sintomas. Assim, o controle dos sintomas é prioridade nos cuidados paliativos e é fundamental o tratamento dos pacientes para melhorar a qualidade de vida e dignidade.

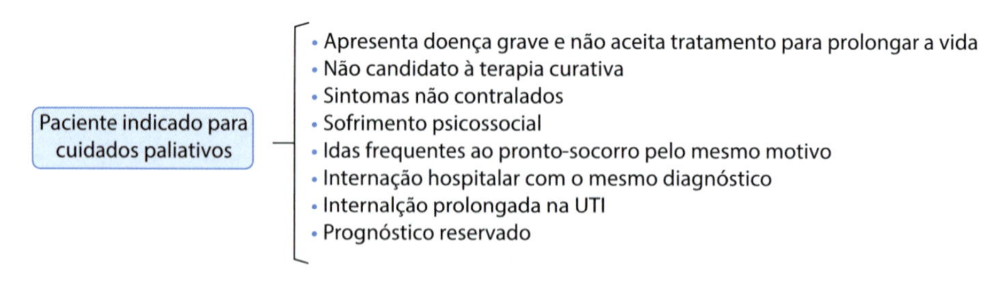

Figura 27.4 – Indicação de cuidados paliativos. Fonte: Manual de Cuidados Paliativos, ANCP, 2012.

Quadro 27.1 Quadro de indicações de cuidados paliativos para doenças específicas

Doenças	Indicação
Acidente vascular encefálico (AVE)	Escala de performance paliativa (PPS) – mostrada neste capítulo < ou igual a 40% Perda de peso > 7,5% nos últimos 3 meses
Câncer	Falha terapêutica (inoperável e sem melhora com tratamentos) e metástases
Cardíacas	Insuficiência cardíaca que comprometa atividades de vida diária e repouso Recorrentes hospitalizações e idas ao pronto-socorro por exacerbações Sintomas refratários no repouso (falta de ar, fadiga) Ataque cardíaco, síncope e AVE
Demências	Incapacidade para deambular, falar e incontinência Frequentes idas ao pronto-socorro
Esclerose lateral amiotrófica	Capacidade respiratória diminuída, dispneia no repouso e oxigênio suplementar, pneumonia aspirativa recorrente; Diminuição da deglutição, aumento da sialorreia, declínio da consistência da dieta; Dependência para a maioria das atividades de vida diária, úlceras de pressão estágio III e IV
HIV/AIDS	CD$ +, 25 células/mcL Carga viral persistente > 100.000 cópias/mL Estes fatores associados Linfoma do sistema nervoso central, perda de 33% da massa ponderal magra, leucoencefalopatia progressiva multifocal, insuficiência renal não elegível para diálise, infecções, Karnofsky < 50% (escala neste capítulo).
Neurológica crônica, coma e estado vegetativo	Pneumonia por aspiração Infecção do trato urinário superior Septicemia Úlceras de decúbito estágios III e IV, febre recorrentes após antibióticos Alteração do estado nutricional
Pulmonares	Dispneia durante o repouso, episódios agudos frequentes e raros períodos de estabilidade Hospitalizações e idas frequentes ao pronto-socorro Sinais ou sintomas de insuficiência cardíaca direita Saturação de O_2 < 88 %, PO_2 < ou igual 55 mmHg, PCO_2 > 50 mmHg e oxigenoterapia contínua Perda de peso não intencional
Renais	Não candidato à diálise Creatinina séria > 6 e depuração da creatinina < 15 mL/minuto
Síndrome da fragilidade	Albumina < 2,5 Idas frequentes ao pronto-socorro Perda de peso não intencional Úlceras de decúbito Dependentes para todas as atividades (confinado ao leito)

Fonte: Kinzbrunner, 2001.

Quadro 27.2 Critérios de indicações de cuidados paliativos nas unidades de terapia intensiva
Câncer metastásico
Admissão de um paciente institucionalizado portador de condições crônicas limitantes (uma ou mais)
Duas ou mais admissões na UTI na mesma internação
Falha no desmame ventilatório
Paciente candidato à retirada do suporte ventilatório que possa vir a óbito após o procedimento
Encefalopatia anóxica
Sofrimentos familiares que modifiquem a tomada de decisões

Fonte: Nelson e Meier, 2001.

Avaliação da Dor

A dor é conceituada pela Associação Internacional para o Estudo da Dor (IASP) como "uma experiência sensitiva e emocional desagradável, associada a dano real ou potencial dos tecidos". Assim, a dor é uma experiência única e individual, modificada pelo conhecimento prévio de um dano que pode ser existente ou presumido, ou seja, em qualquer situação a dor é o que o paciente refere e descreve e sua intensidade é variável de acordo com fatores como sexo, idade, etnia, entre outros, e nem sempre é determinada pelos estímulos nociceptivos.

A dor pode ser considerada o sintoma mais prevalente em pacientes sob cuidados paliativos, devendo, portanto, ser avaliada e controlada diariamente e, em situações mais graves, mais de uma vez ao dia. Assim, assume-se que o tratamento da dor é de responsabilidade de toda a equipe multiprofissional envolvida e não deve ser encarado como ato de compaixão.

É importante avaliar todas as características da dor (tipo, intensidade, frequência, duração, fatores desencadeantes ou atenuantes). Uma avaliação simples e de grande valia que pode ser realizada por qualquer membro da equipe é a escala visual numérica (EVN), com escala de 0 a 10, em que zero traduz ausência de dor e 10, dor extrema.

Entretanto, muitas vezes, torna-se essencial entender a origem da dor de acordo com suas características específicas. Para isso, contamos com diversos tipos de avaliações, entre elas uma bastante utilizada é a de Mcgill (1996), classificando a dor como de origem somática (em pontada ou agulhada, contínua ou latejante); visceral (profunda, contínua, em aperto ou opressão); ou neuropática (em queimação, pontada ou choque; contínua ou intermitente), por exemplo.

Atenção especial deve ser dada aos pacientes incapazes de informar tais características da dor por apresentarem demências ou com rebaixamento do nível de consciência, fato extremamente comum em pacientes sob cuidados paliativos principalmente em situações de fim de vida. Nesses casos, é possível atentar a expressões não verbais de dor (Quadro 27.4).

Dor total

Na década de 1960, Cicely Saunders acrescenta o conceito de dor total que leva em consideração os aspectos sociais, emocionais, econômicos e espirituais, além da dor física com a proximidade do fim da vida (Figura 27.5). Portanto, uma abordagem multiprofissional deve ser realizada para se identificarem todas as variáveis entre estes cinco domínios para que, então, o paciente receba um tratamento de maneira integral e eficaz.

Quadro 27.3 Principais sintomas nos cuidados paliativos

Sintomas	Causas prováveis
Anorexia-caquexia	Progressão da doença, vômitos, inapetência, dor intensa, dispneia, angústia, depressão
Confusão mental	Encefalopatias, metástases cerebrais, desidratação, efeito de medicamentos (morfina)
Constipação	Debilidade do sistema digestório, inatividade, menos ingestão de alimentos, obstrução intestinal, hipercalcemia, depressão e efeitos colaterais de medicações
Delírio	Alteração do nível de consciência, encefalopatia, distúrbios eletrolíticos, depressão, efeito medicamentoso
Depressão	Sofrimento contínuo, sintomas não controlados, existência inútil, progressão da doença
Diarreia	Abstinência de opioides, gastroparesia, excesso de medicamentos laxativos
Dispneia	Causas multifatoriais – doença de base, metástase pulmonar, ansiedade, infecção pulmonar e outros
Dor nociceptiva	Somática – metástase óssea, osteoartrose, osteoartrite, artralgias em geral Visceral – obstruções, metástases abdominais, mucosite
Dor neuropática	Central – deaferentação e disfunção autonômica Periférica – neuropatia diabética, lesão plexo braquial, neuralgias
Dor total	Dor física associada a alterações emocionais, psicológicas, espirituais e sociais
Fadiga	Dor inadequada, depressão, infecções recorrentes ou crônicas, progressão da doença, absorção
Hipersecreção	Incapacidade de tossir ou de deglutir a secreção, doença de base, depressão, ansiedade
Mioclonias	Efeitos colaterais de medicações, abstinência, hipóxia SNC
Náuseas e vômitos	Obstrução intestinal, debilidade gástrica, efeito colateral de medicações, uremia, hipercalcemia, hiponatremia, infecção
Ronco da morte (sororoca)	Secreção acumulada na garganta por não conseguir deglutir e debilidade das vias aéreas superiores e musculatura da região cervical (ocorre na maioria das vezes no momento em que o paciente já está inconsciente)
Tosse	Multifatoriais – efeito colaterais de medicações, broncoespasmo, doenças de base entre outros
Xerostomia	Efeitos da medicação, desidratação, vômitos, ansiedade, depressão

Fonte: Saporetti, 2008; Manual de Cuidados Paliativos, ANCP,2012, Pallium, 2013.

Além da dor, alguns sintomas como astenia, dispneia, náusea, depressão, ansiedade, sonolência, entre outros, são muito frequentes e merecem a mesma atenção e avaliação objetiva realizada no mínimo uma vez ao dia, podendo ser aplicada com menor intervalo, caso seja observada a falta de controle sintomático. Um bom instrumento e de fácil aplicação para essa avaliação é a escala de avaliação de sintomas de Edmonton (ESAS) (Quadro 27.5) que utiliza o sistema numérico para graduar a intensidade de cada sintoma.

Quadro 27.4 Avaliação de dor no paciente confuso não comunicativo
Dor aguda
Expressão facial;
Vocalização;
Aumento da tensão muscular;
Reações neurovegetativas – Alterações de PA, FR.
Dor crônica
Comportamento deprimido;
Piora no estado mental.
Critérios sugestivos da presença de dor em paciente confuso não comunicativo
Situação clínica
Câncer metastático;
Doenças articulares com deformidades;
Pós-operatório de cirurgias torácicas, abdominais e ortopédicas;
Queimados;
Procedimentos dolorosos (incluem banho, troca, mudança de decúbito e curativos);
Presença de drenos.
Comportamento do paciente
Adoção de postura antálgica (resistência a certos movimentos durante os cuidados);
Movimento de retirada do estímulo doloroso;
Agitação persistente, mesmo após adoção de medidas não farmacológicas de conforto;
Diminuição do nível de atividade;
Vocalização – gemência, choro;
Alteração do padrão de sono;
Diminuição do apetite.

Fonte: Saporetti, 2008.

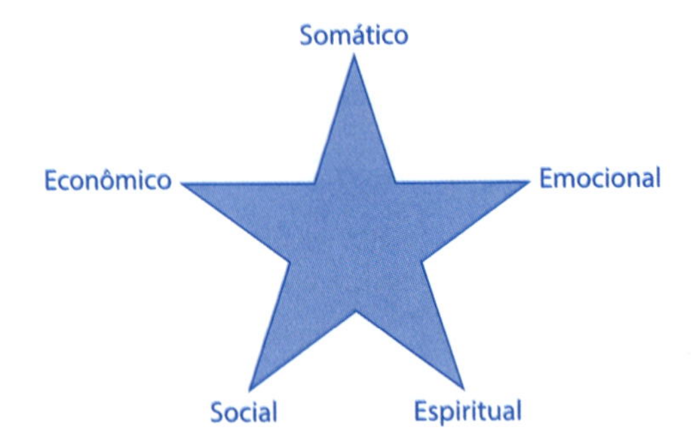

Figura 27.5 – Aspectos da dor total. Fonte: Cicely Saunders.

Quadro 27.5 Escala de sintomas de Edmonton

Sem dor	1 – 2 – 3 – 4 – 5 – 6 – 7 – 8 – 9 - 10	Pior dor possível
Sem cansaço	1 – 2 – 3 – 4 – 5 – 6 – 7 – 8 – 9 – 10	Pior cansaço possível
Sem sonolência	1 – 2 – 3 – 4 – 5 – 6 – 7 – 8 – 9 – 10	Pior sonolência possível
Sem náusea	1 – 2 – 3 – 4 – 5 – 6 – 7 – 8 – 9 – 10	Pior náusea possível
Com apetite	1 – 2 – 3 – 4 – 5 – 6 – 7 – 8 – 9 – 10	Pior falta de apetite possível
Sem falta de ar	1 – 2 – 3 – 4 – 5 – 6 – 7 – 8 – 9 – 10	Pior falta de ar possível
Sem depressão	1 – 2 – 3 – 4 – 5 – 6 – 7 – 8 – 9 – 10	Pior depressão possível
Sem Ansiedade	1 – 2 – 3 – 4 – 5 – 6 – 7 – 8 – 9 – 10	Pior ansiedade possível
Com bem estar	1 – 2 – 3 – 4 – 5 – 6 – 7 – 8 – 9 – 10	Pior mal-estar possível
Sem outro problema Por ex.: constipação	1 – 2 – 3 – 4 – 5 – 6 – 7 – 8 – 9 – 10	Pior _________ possível

Fonte: Bruera et al., 1991.

Avaliação Funcional

Além do controle sintomático, o fisioterapeuta deve reparar no estado funcional do paciente sob cuidados paliativos no momento da internação, obviamente que, além de conhecer o *status* atual do paciente, é essencial também que seja questionado ao paciente, a um familiar ou responsável pelo paciente sobre sua condição funcional prévia deste para programar melhor os objetivos e terapias. De maneira geral, pode ser usada em ambientes hospitalares para avaliação da funcionalidade a medida de independência funcional (MIF), uma escala dividida em 18 domínios, com 13 motores e 5 cognitivos, e cada domínio pode ser avaliado com pontuações entre 1 (totalmente dependente) e 7 (totalmente independente) de acordo com a capacidade do paciente em realizar a tarefa avaliada. Em cuidados paliativos, duas escalas funcionais são mais frequentemente utilizadas sendo elas: performance palliative scale (PPS) (Quadro 27.6) e Karnofsky palliative scale (KPS) (Quadro 27.7). Existe ainda um escore, o Palliative Prognostic Index (PPI) (Quadro 27.8), criado para estimar expectativa de vida em pacientes sob cuidados paliativos que foi validado para pacientes oncológicos, porém, na prática clínica, tem sido observado que é possível extrapolar para outros pacientes como em casos de doenças neuromusculares e idosos demenciados. Essa escala leva em consideração a pontuação do KPS e outros fatores como edema, *delirium*, ingesta oral e dispneia em repouso estimando em dias o prognóstico do paciente. Essa escala é fundamental para que o fisioterapeuta possa programar juntamente com a equipe multiprofissional e o próprio paciente seus objetivos terapêuticos em curto ou médio prazo, inclusive considerando a realização de desejos que podem ser simples como ficar em pé ou até mesmo uma programação de alta domiciliar.

Quadro 27.6 Palliative Performance Scale (PPS)

%	Deambulação	Atividade e evidência da doença	Auto-cuidado	Ingesta	Nível de consciência
100	Completa	Atividade normal e trabalha sem evidência de doença	Completo	Normal	Completa
90	Completa	Atividade normal e trabalha com alguma evidência de doença	Completo	Normal	Completa
80	Completa	Atividade normal com esforço; alguma evidência de doença	Completo	Normal ou reduzida	Completa
70	Reduzida	Incapaz para o trabalho; doença significativa	Completo	Normal ou reduzida	Completa
60	Reduzida	Incapaz para hobbies e trabalho doméstico; doença significativa	Assistência ocasional	Normal ou reduzida	Completa ou períodos de confusão
50	Maior parte do tempo sentado ou deitado	Incapacitado para qualquer trabalho. Doença extensa	Assistência considerável	Normal ou reduzida	Completa ou períodos de confusão
40	Maior parte do tempo acamado	Incapacitado para a maioria das atividades. Doença extensa	Assistência quase completa	Normal ou reduzida	Completa ou períodos de confusão +/- sonolência
30	Totalmente acamado	Incapacitado para qualquer atividade. Doença extensa	Dependência completa	Normal ou reduzida	Completa ou períodos de confusão +/– sonolência
20	Totalmente acamado	Incapacitado para qualquer atividade. Doença extensa	Dependência completa	Mínima a pequenos goles	Completa ou períodos de confusão +/– sonolência
10	Totalmente acamado	Incapacitado para qualquer atividade. Doença extensa	Dependência completa	Cuidados com a boca	Sonolência ou coma +/- Confusão
0	Morte				

Fonte: Anderson et al., 1996.

Quadro 27.7 Escala Karnofsky Palliative Scale (KPS)	
Gradação (%)	**Significado**
100	Normal, ausência de queixas, sem evidência de doença
90	Capaz de realizar atividades normais, sinais e sintomas mínimos de doença
80	Atividade normal com esforço, alguns sinais e sintomas de doença. Incapacidade para grande esforço físico, porém consegue deambular
70	Não requer assistência para cuidados pessoais, mas é incapaz de realizar atividades normais como tarefas caseiras e trabalhos ativos
60	Requer assistência ocasional, mas consegue realizar a maioria dos cuidados pessoais
50	Requer considerável assistência e frequentes cuidados médicos
40	Incapacitado, requer cuidados pessoais e assistência, autocuidado limitado. Permanece mais de 50% do tempo vigil, sentado ou deitado.
30	Severamente incapacitado, necessidade de tratamento de suporte permanente, embora a morte não seja iminente.
20	Paciente muito doente, completamente incapaz, necessidade de tratamento de suporte permanente, confinado ao leito.
10	Moribundo, processo de morte progredindo rapidamente

Fonte: Mor et al., 1984.

Quadro 27.8 Escala Palliative Prognostic Index (PPI)	
Item	**Pontuação parcial**
PPS%	
10 a 20	4
30 a 50	2,5
> 60	0
Ingesta oral	
Muito reduzida	2,5
Reduzida	1
Normal	0
Edema	
Presente	1
Ausente	0
Dispneia em repouso	
Presente	3,5
Ausente	0
Delirium	
Presente	4
Ausente	0
Escore total	**Sobrevida média em dias**
0-2	90
2,1-4	60
> 4	12

Fonte: Morita et al., 1999.

Leitura Recomendada

1. Kinzbrunner BM. Predicting prognosis: how to decide when end-of-life care is needed. Chapter 1 in: Kinzbrunner BM, Weinreb NJ, Policzer J: 20 Common problems in end-of-life care. New York, McGraw Hill, 2001.
2. Rhodes VA, McDaniel RW, Matthews CA. Hospice patients' and nurses' perceptions of self-care deficits based on symptom experience. Cancer Nurse 1998;21(5):312–319.
3. Nelson JE, Meier DE. Palliative care in the intensive care unit: where are we now? Critical Care Med, 2001.
4. Pasero C, Mccaffery M. Neurophysiology survey of cancer pain characteristics ABD syndromes. MOSBY Elsevier, 1999.
5. Bruera E, Higginson IJ, Ripamonti C, Von Gutten C. In: Textbook of palliative medicine. CRC Press,2006.
6. INCA. Cuidados paliativos Oncológicos-controle de sintomas. Disponível em: <http://www.inca.gov.br/rbc/n_48/v02/pdf/condutas3.pdf>.
7. Doyle D, Hanks G, Cherny YN, Calman K. In: Oxford Textbook of Palliative Medicine. 3 ed. Oxford University Press, 2005.
8. Puntillo K, Nelson JE, Weissman D, Curtis R, Weiss S, Frontera J, et al. Palliative care in the ICU: relief of pain, dyspnea, and thirst – a report from the IPAL-ICU Advisory Board. Intensive Care Med (2014) 40:235–248.
9. Naib T, Lahewala S, Arora S, Gidwani U. Palliative care in the cardiac intensive care unit. Am J Cardiol 2015;115:687e690.
10. Morita T, Tsunoda J, Inoue S, et al. The palliative prognostic index: a scoring system for survival prediction of terminally ill cancer patients. Support Care Cancer. 1999; 7(3):128–133.
11. Saporetti LA. Espiritualidade em cuidados paliativos. Cuidado paliativo. CREMESP, 2008.
12. Anderson F, Downing GM. Palliative performance scale (PPS): a new tool. Journal of Palliative Care 1996, 12(1): 5-11.
13. Mor V, Laliberte L, Morris JN, Wiemann M. The Karnofsky performance status scale. An examination of its reliability and validity in a research setting. Cancer. 1984 May 1;53(9):2002-7.

Capítulo

28

Atendimento Multiprofissional

Carolina de Oliveira Cruz
Luciana Geocze
Maria Beatriz de Souza Batista
Daniel Antunes Alveno
Patrícia Stanich
Bianca Orestes Antunes
Henry Porta Hirschfeld

Introdução

Os cuidados paliativos são uma abordagem que combina ciência com humanismo, visando prevenir e tratar o sofrimento físico, psicossocial e espiritual, respeitando a autonomia do paciente para garantir a melhor qualidade de vida possível. Devem estar presentes desde o início do diagnóstico de uma doença crônica potencialmente grave, ser mantidos concomitantemente ao tratamento curativo e ter sua relevância aumentada conforme a doença progride e se aproxima da fase final de vida, completando seu objetivo com os cuidados aos familiares após o óbito. A abordagem paliativa tem o foco de priorizar a qualidade de vida do paciente, com o objetivo de acrescentar vida aos dias quando não se pode acrescentar dias à vida. Para exercer esse cuidado de maneira global e holística, é necessária uma abordagem multiprofissional com enfoque interdisciplinar composta por médicos, enfermeiros, fisioterapeutas, nutricionistas, assistentes sociais, psicólogos, cuidadores, representantes religiosos e quaisquer outros profissionais necessários para identificar e intervir nas necessidades dos pacientes e familiares. É fundamental um trabalho em equipe articulado para atender o paciente de forma integral e individualizada, promovendo seu conforto, bem-estar e qualidade de vida.

Enfermagem/Nutrição

Enfermagem em cuidados paliativos é valorizar o humano em todos os aspectos, sejam físicos, espirituais, emocionais ou sociais, trazendo conforto e alívio do sofrimento, dando a oportunidade aos pacientes fora de possibilidade de cura para que vivam com dignidade o tempo que lhes resta. A enfermagem é uma profissão que traz em sua essência a arte do cuidar, um cuidar científico, mas, acima de tudo, humanizado. Tornamo-nos humanizados à medida que somos moldados pelos desafios vividos, o que envolve a influência da nossa família, da cultura, das nossas crenças, da sociedade e da educação, sendo um processo de construção do sujeito em sua realidade. É preciso haver uma consciência de nossos próprios valores, motivações, atitudes e crenças para que possamos entender os pacientes e famílias que passam pelo sofrimento e morte e, assim, planejar ações de cuidado que assegurem o respeito, a autonomia e a tomada de decisão dos pacientes, adotando uma postura profissional comprometida com a ética.

Para que possamos atender de forma integral os pacientes em cuidados paliativos, é necessário um trabalho multiprofissional, em que a comunicação entre a equipe, o paciente e seus familiares seja clara, coerente, cordial, respeitosa e empática, formando um relacionamento de confiança, obtendo sua participação e de seus familiares nas tomadas de decisões sobre a terapêutica, garantindo uma melhor qualidade e efetividade nos cuidados. A falta de preparo dos profissionais envolvidos em cuidados paliativos e a falta de consenso relativo às tomadas de decisões é um fator gerador de conflitos.

Devemos acolher os pacientes, receber, ter consideração, amparar e, assim, encontrar meios para tornar o cuidado mais efetivo, procurando sempre obter maior interação com todos os profissionais na área hospitalar, para maior resolutividade em relação às demandas do cuidado, sendo de extrema importância a aproximação dos gestores para o reconhecimento dos aspectos envolvidos em cuidados paliativos, tanto no provimento de recursos humanos quanto de materiais e equipamentos necessários, na elaboração de projetos de uma unidade de cuidados. Nessa unidade deve haver um ambiente favorável que garanta a privacidade dos pacientes e de seus familiares, com poltronas confortáveis e sala de reunião para profissionais e familiares refletirem e discutirem o processo de morte e de morrer, para planejamento de atividades de apoio psicológico e alívio do estresse dos profissionais de saúde e aprimoramento por meio do serviço de educação permanente. Diante das cobranças, das limitações e do despreparo para lidar com a morte, a equipe se desgasta, o que, além de refletir nos cuidados prestados, também gera sofrimento ao trabalhador, prejudicando sua saúde.

Para facilitar o entendimento do processo de enfermagem em cuidados paliativos, foi elaborado um fluxograma com os principais diagnósticos de enfermagem e intervenções práticas com o objetivo de alcançar resultados que possam trazer conforto e melhora na qualidade de vida desses pacientes.

Ansiedade

Muitos pacientes em cuidados paliativos apresentam uma ansiedade que acarreta grande sofrimento, principalmente pelas expectativas ruins e irreversíveis que surgem com o avançar da doença. Por vezes a dor, a falta de ar, o cansaço, as náuseas e vômitos frequentes, podem ser exacerbados por esse sintoma e somente uma abordagem eficaz pode trazer alívio desse sofrimento. Deve-se usar a comunicação terapêutica para abordar e identificar as preocupações dos pacientes, essa não é uma tarefa fácil e requer empenho do profissional no seu cumprimento. A comunicação não verbal pode favorecer uma comunicação positiva e o uso da nossa fala e das nossas expressões também integra os cuidados de enfermagem que devem ser planejados e usados para trazer alívio, segurança e apoio. A comunicação não verbal do profissional é o fator determinante para o estabelecimento do vínculo de confiança do qual depende o cuidado. Ouvir o paciente com empatia, dando a oportunidade para ele expressar seus temores, suas perdas e suas dores, dar apoio emocional e espiritual, orienta-lo antecipadamente sobre os procedimentos de enfermagem, administrar medicamentos que venham diminuir a ansiedade, proporcionar musicoterapia ou até mesmo terapia com animais, estimular a imaginação e recordações significativas são ações de enfermagem que podem favorecer o autocontrole.

Baixa Autoestima

A dificuldade em realizar tarefas da vida diária faz com que os pacientes tenham sentimentos negativos sobre suas próprias capacidades, levando à diminuição da autoestima. Identificar o paciente e chamá-lo pelo nome, promover a esperança e o bom humor, facilitar o sistema de apoio familiar, melhorar a imagem corporal por meio da assistência à higiene corporal, cabelos, barba, unhas, troca de roupas de cama e vestimenta, podem levar à melhor aceitação na mudança do estado de saúde e aprimorar seu julgamento pessoal e controle do estresse.

Controle de Regime Terapêutico Familiar Ineficaz

Quando os processos familiares se apresentam insatisfatórios para apoiar o paciente, por falta de conhecimento, negação da doença, ou por conflitos, o enfermeiro deve promover o envolvimento familiar, facilitar sua presença com a flexibilização de horários, apoiando e ensinando quanto aos cuidados com o paciente e, assim, proporcionar o conforto e segurança ao paciente, fazendo com que este se sinta acolhido pela família e seus laços de amor e carinho possam ser reforçados.

A atenção com o cuidador é fundamental, a equipe deve estar atenta aos sinais de desgaste para que ele seja capaz de cuidar do seu familiar sem negligenciar o seu próprio cuidado. O que pode ser percebido muitas vezes é um único familiar acumular tarefas e até mesmo abnegar sua própria satisfação e seu trabalho em prol do doente, ficando sobrecarregado e, muitas vezes, esse cuidador se apega ao paciente como se este fosse sua única razão de existir, negando o processo de morte do doente, com piora do sofrimento e sentimento de culpa que, na maioria das vezes, não estão relacionados com o cuidado em si, e sim com a não resolução de problemas relativos ao seu próprio relacionamento com o doente, aumentando a demanda da família em relação aos cuidados, o que pode gerar conflitos com a equipe de enfermagem.

Nessas situações, o enfermeiro deve desenvolver estratégias para evitar o estresse e, ao menor sinal, buscar meios para a resolução de conflitos. Quando existe uma doença crítica ou terminal, a família sofre uma ruptura e passa por grandes momentos de estresse e precisa, além de se adaptar à nova condição, dar apoio e sustentação ao paciente. Ouvir, apoiar, proporcionar acomodação para o descanso, encaminhá-los para atividades que possam trazer momentos de reflexão são cuidados essenciais ao familiar e podem aliviar o estreses e minimizar os conflitos.

Déficit no Autocuidado

Ocorre quando o paciente não é capaz de completar as atividades de autocuidado para banho, higiene, vestir-se e alimentar-se, sendo necessária uma assistência integral da equipe de enfermagem. Está presente na maioria dos pacientes em cuidados paliativos, relacionado ao cansaço, à falta de ar, à desnutrição, à dor e também à confusão mental, piorando a autoestima e a qualidade de vida.

Estabelecer vínculo de confiança, preservar a autonomia e a privacidade do paciente, realizar banho no leito ou em cadeira higiênica, prestar assistência na higiene pessoal e vestimenta, prestar assistência e monitorar a ingestão hídrica e de alimentos e promover o envolvimento familiar são ações de enfermagem que, além de trazer conforto, também podem prevenir complicações relacionadas com a internação como infecções, broncoaspirações, lesões de pele e quedas. O trabalho multidisciplinar contribui positivamente, de maneira que os cuidados passam a ser mais efetivos, como a fisioterapia para mobilização e prevenção da rigidez, contratura muscular e controle de tronco, favorecendo a realização do banho de leito, com a diminuição da dor e do desconforto, possibilitando a reabilitação ou manutenção de um banho de aspersão. A fonoterapia com exercícios para a deglutição, prevenindo broncoaspiração e favorecendo a oferta alimentar segura pela equipe de enfermagem.

Conforto Prejudicado

O paciente vivencia um desconforto que pode ser físico, psicoespiritual, ambiental ou social. Para minimizar os desconfortos pode-se monitorar os sinais vitais, administrar medicamentos prescritos para controle de dor e febre, manter o paciente seco, com roupas de cama limpa e esticada, realizar massagem de conforto, posicioná-lo adequadamente no leito, promover o silêncio, musicoterapia, antecipar-se às queixas por meio da avaliação de enfermagem atendendo prontamente e estimular a presença de um acompanhante são ações importantes. Os pacientes paliativos ainda podem apresentar maior necessidade espiritual, sendo a presença de um representante de sua comunidade religiosa um grande alívio ao sofrimento. Os enfermeiros devem quebrar as barreiras e ter regras menos rígidas quando se trata de liberação de visitas, sendo flexíveis e acolhedores aos familiares, visitas e acompanhantes podem levar o paciente a ter uma percepção positiva a respeito da hospitalização com melhora do conforto, segurança, sono e agitação.

Dor Crônica

É uma experiência sensorial e emocional desagradável que pode ser por lesão tecidual, real ou potencial, com início súbito ou lento indo de leve a intensa, podendo ser constante ou intermitente com duração acima de 6 meses. Escalas de avaliação da dor devem ser utilizadas pela equipe e medidas de controle devem ser estabelecidas para seu alívio. O enfermeiro deve ter conhecimento a respeito da ação dos medicamentos prescritos para o controle da dor e de seus efeitos colaterais, administrando-os de modo adequado para manter uma analgesia satisfatória. Técnicas de relaxamento, massagens, hipnose e musicoterapia podem complementar a terapia medicamentosa, ajudando no controle da dor.

Nutrição Desequilibrada

Menos do que as necessidades corporais – significa que a ingestão de alimentos está sendo insuficiente para manter o metabolismo. As náuseas e os vômitos podem estar presentes, o que requer uma avaliação profunda para um tratamento efetivo, com uso de drogas, alimentos desejáveis pelo paciente, dieta pobre em gorduras e doces e divididas em pequenas porções, evitar momentos de estresse próximo às refeições, higiene oral adequada, jejum terapêutico, crioterapia. Intervenções invasivas devem ser avaliadas criteriosamente pela equipe multiprofissional para que não provoquem desconforto e estresse ao paciente e sua família, como procedimentos de sondagens ou gastrostomias. Técnicas complementares como acupressura, estimulação elétrica, relaxamento e aromaterapia são mencionadas na literatura para o controle das náuseas e vômitos.

Constipação

É a diminuição na frequência das evacuações, evacuação dificultosa e presença de fezes endurecidas e ressecadas, alterando o hábito intestinal do paciente. Uma abordagem adequada se faz necessária para avaliar suas causas, a diminuição da mobilidade, a desnutrição, a presença de massas tumorais e o uso de opioides são fatores que contribuem para a constipação. A ingestão de líquidos e de alimentos ricos em fibras, o uso de laxantes e enemas, o posicionamento adequado e a manutenção da privacidade do paciente podem favorecer uma evacuação confortável.

Mobilidade Física Prejudicada

Ocorre quando há uma limitação no movimento físico, com diminuição da amplitude e do equilíbrio; pode ser por dor, uso de medicamentos, sondas e drenos, acessos vasculares, causas neurológicas, entre outras. Prestar assistência no autocuidado, prevenir quedas, utilizar meias elásticas, monitorar alterações neurológicas, reposicionar no leito e estimular habilidades psicomotoras são ações que promovem a mecânica corporal e circulatória.

Muitas vezes, a tecnologia mais avançada não é suficiente para suprir as necessidades do paciente fora de possibilidade de cura e os enfermeiros necessitam buscar recursos úteis para o cuidado, uma palavra, o bom humor, uma permissão para algo fora da rotina, a compreensão, o ouvir ou até mesmo o silêncio podem trazer conforto, alegria, paz, reflexão, alívio da dor, da tensão, proteção da dignidade e dos valores do paciente. Os pacientes esperam dos profissionais de enfermagem empatia e compaixão (Figura 28.1).

Psicologia

Quando um paciente se defronta com um diagnóstico de doença crônica e ameaçadora da continuidade da vida, fantasias relacionadas ao medo da morte, ao futuro desconhecido, à dor e ao sofrimento tomam conta de seus pensamentos. Uma equipe multiprofissional, então, responsabiliza-se pelo controle de seus sintomas, seguindo os princípios do cuidado paliativo, sintomas estes que podem ultrapassar as barreiras físicas dos remédios, tornando-se questões psíquicas, sociais e espirituais.

Deve-se levar em consideração que o paciente em cuidado paliativo, quando não conta com um serviço domiciliar, visita com frequência o pronto-socorro de referência, pois é onde consegue tratamento para seus sintomas mais agudizados. Assim, toda a equipe deve saber identificar a situação "na urgência" e a "da urgência", pois familiares e pacientes podem estar em momentos distintos de enfrentamento da doença.

De acordo com o *Manual de Psicologia Hospitalar*, de Alfredo Simonetti, quando um paciente se encontra em terminalidade, os seguintes princípios não podem ser esquecidos por toda a equipe, não apenas os psicólogos: tratamento individualizado; morte digna; alívio da dor; atenção à família e às crianças envolvidas; não abandono; mostrar interesse; comunicar-se efetivamente de forma verbal e não verbal; e ter a fé como uma aliada.

A função do psicólogo em meio a esse cuidado perpassa três âmbitos: o paciente; sua família; e a equipe de profissionais. Para isso, é necessário que o psicólogo se comunique bem dentro da equipe, tenha clareza do trabalho do outro e do próprio lugar de escuta ativa.

Com o paciente, a escuta deve ser muito atenta a questões relacionadas ao que o paciente considera necessário. Deve-se estar pronto a colaborar com resoluções que o paciente pode vir a tomar. Além disso, o medo do processo de morrer pode exacerbar sintomas, abrindo o quadro conhecido como "dor total", em que existe o sintoma físico real, mas relaciona-se de forma direta ao sofrimento psíquico-socioespiritual. Os cinco estágios do luto de Kublër-Ross ajudam o psicólogo a dar nome aos sentimentos que o paciente apresenta nos momentos de atendimento, podendo variar no decorrer do dia e ao longo dos dias.

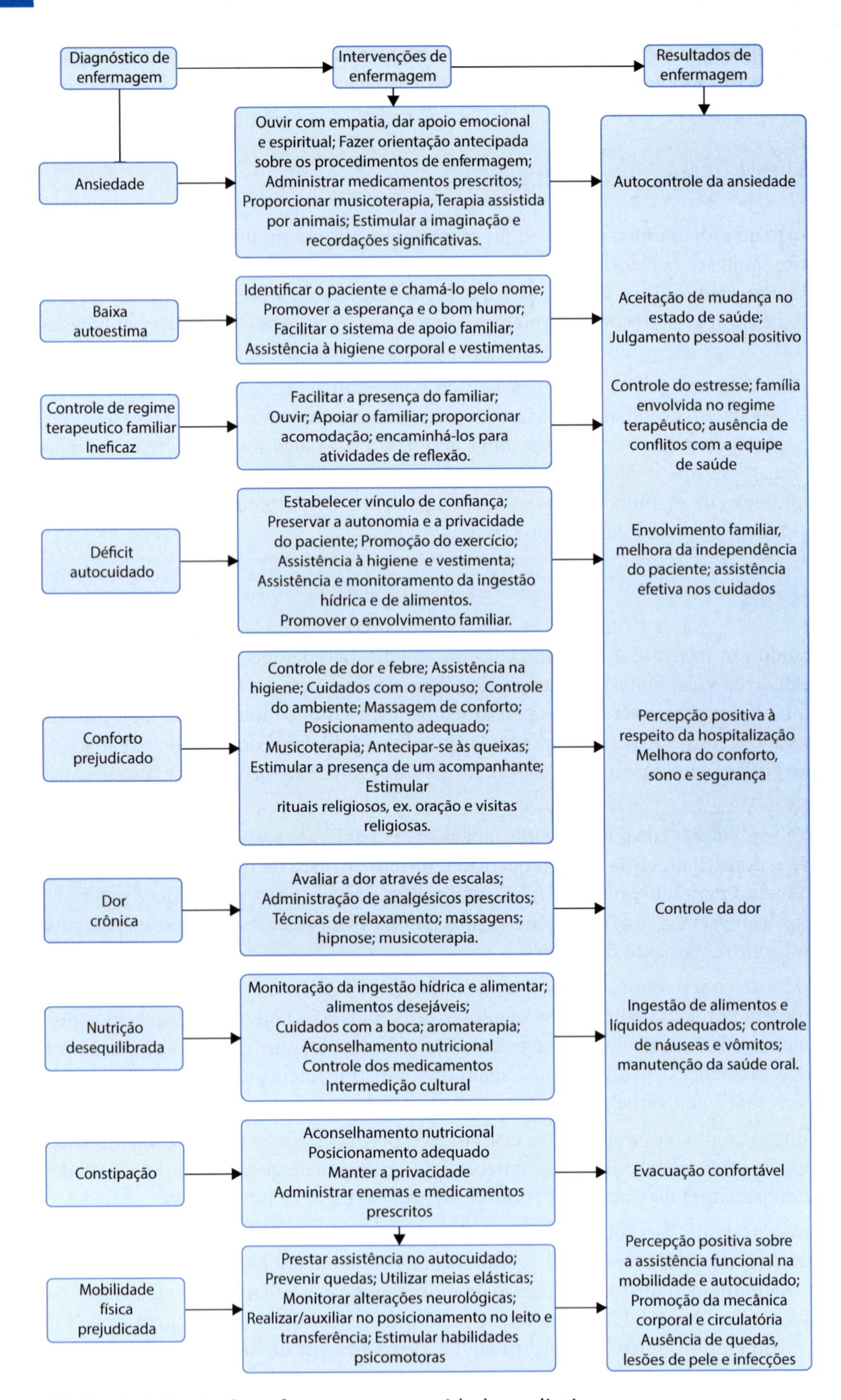

Figura 28.1 – Assistência de enfermagem em cuidados paliativos.
Fonte: autora Beatriz Batista.

O sistema familiar também adoece junto com o paciente. A função do psicólogo, nesse caso, é auxiliar a reorganização de uma família que passa de cuidadora a enlutada. Toda a equipe é também responsável pelo luto saudável dos familiares, dando a eles tempo de despedida e mantendo o melhor nível de comunicação possível, com linguagem acessível e abertura para discussão de decisões.

Para ser um guia dessa comunicação, existe o protocolo *Spikes* de comunicação de más notícias, que pode ser usado em reuniões familiares ou em conversas com pacientes. Comunicação esta que a equipe leva com grande responsabilidade, pois toma como base de cuidado as necessidades aí apresentadas.

Além disso, como não pode curar, toda a equipe angustia-se com os limites do próprio cuidado, até convencer-se, mais do que aos outros, de que o melhor pelo paciente é o alívio do sofrimento. Todas essas mudanças de paradigma do cuidado podem esgotar a equipe, portanto grupos de reflexão sobre as relações construídas com os pacientes e seus familiares e entre os próprios membros da equipe podem ser formados a partir do modelo Grupo Balint.

Além de ser uma estratégia para melhora da relação médico-paciente, o Grupo Balint também pode ter o resultado protetivo para os médicos, pois sua participação reduz o risco do desenvolvimento da síndrome de *Burnout* e melhora a satisfação profissional e pessoal, criando uma atmosfera segura em que o médico se sente protegido e aprende a reconhecer os próprios limites.

O psicólogo de cuidados paliativos, sendo assim, trabalha ativamente com a escuta atenta do paciente, da família e da equipe de profissionais, dando espaço a reorganizações e angústias relacionadas às mudanças advindas no novo momento vivido pelo paciente e todos os envolvidos em seu cuidado (Figura 28.2).

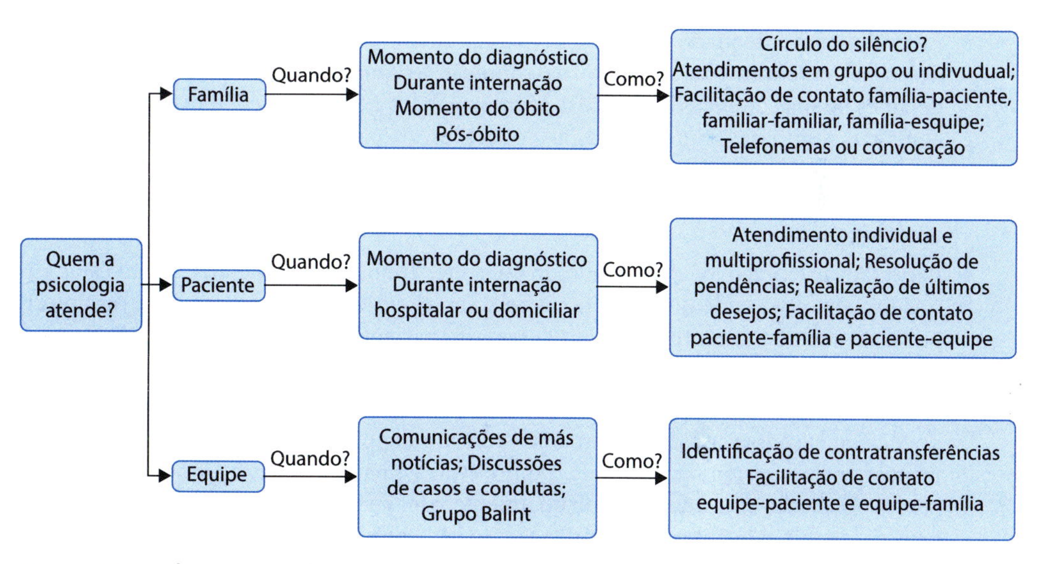

Figura 28.2 – Fluxograma de atendimento psicológico.
Fonte: autora Carolina Cruz.

Medicina

O profissional médico desempenha um papel central na organização dos cuidados paliativos. É responsável pela investigação, diagnóstico e tratamento do paciente, com a responsabilidade de ponderar riscos e benefícios para dosar a proporcionalidade entre cuidados curativos mais agressivos e cuidados focados no conforto em casos de doenças mais avançadas. Para realizar essa tomada de decisão de maneira correta, é necessário ter entendimento aprofundando na doença do paciente, estimar seu prognóstico e conhecer os possíveis tratamentos. Se necessário, deve entrar em contato com outros médicos especialistas para discutir alguma conduta mais específica. Também deve definir junto à equipe multidisciplinar, aos pacientes e familiares o local adequado para atender os cuidados em cada momento da doença, como em UTI, enfermaria hospitalar, *hospice*, instituto de longa permanência ou em *home care*.

Além de uma abordagem tradicional com anamnese, exame físico, exames complementares, diagnóstico e tratamento, o paciente com alguma doença crônica grave, ameaçadora à vida (como câncer, insuficiência cardíaca, doença pulmonar obstrutiva crônica, cirrose, demência, doença renal crônica etc.) necessita de avaliação a respeito de cuidados paliativos. Essa abordagem médica mais completa e integral deve englobar os seguintes aspectos:

- Dor e outros sintomas que prejudiquem a qualidade de vida do paciente. O médico deve avaliar e tratar adequadamente de maneira medicamentosa ou não qualquer desconforto físico que o paciente possa ter. A escala de avaliação de sintomas de Edmonton auxilia a quantificar e avaliar longitudinalmente possíveis sintomas;
- Sintomas psicológicos, psiquiátricos e alterações cognitivas. É importante suspeitar, diagnosticar e propor tratamento adequado para sofrimentos psíquicos e condições como depressão, ansiedade e *delirium*;
- Entendimento adequado da doença. Primeiramente, deve ser avaliado se o paciente deseja ter entendimento total de sua condição. Alguns pacientes preferem não saber detalhes de suas doenças e que todas as informações e decisões sejam discutidas apenas com seus familiares. Em seguida, as condições do paciente devem ser explicadas de forma sincera e com linguagem apropriada para garantir seu entendimento. O paciente e familiare devem se sentir à vontade para realizar alguma pergunta para esclarecer qualquer dúvida;
- Expectativas e objetivos do cuidado do paciente. Todos os tratamentos devem estar alinhados com a vontade do paciente. Devem ser discutidas e elaboradas diretivas antecipadas de vontade, garantindo que os desejos do paciente sejam levados em consideração mesmo em condições em que está incapacitado de participar ativamente desse processo;
- Domínio religioso e espiritual. Frequentemente quando um paciente apresenta uma doença ameaçadora à vida, ele procura em sua religiosidade algum tipo de conforto e resposta para questões existenciais. Demonstrar empatia, respeito e procurar entender como o paciente está lidando espiritualmente com sua situação contribuem para estabelecer vínculo e facilitar a interpretação do seu contexto emocional para a tomada de decisão em conjunto;
- Contexto social e econômico. Conhecer a situação financeira é importante para definir a possibilidade de tratamentos mais dispendiosos, além da recomendação de estruturas particulares como *hospices* ou mesmo a contratação de um cuidador formal quando indicado. O suporte social e familiar do paciente deve ser avaliado para elaborar estratégias de cuidado que se adaptem à sua realidade.

Um dos pilares fundamentais para o médico exercer os cuidados paliativos de forma bem-sucedida é manter uma comunicação de qualidade entre pacientes, familiares e toda a equipe de saúde. Realizar uma reunião estruturada, abordando com clareza e sinceridade diagnóstico, prognóstico e possibilidades terapêuticas é uma das principais responsabilidades do médico nesse contexto, contribuindo para maior satisfação dos pacientes e familiares. Existem técnicas de comunicação que auxiliam o profissional nesse momento. Um dos protocolos mais utilizado em cuidados paliativos é o SPIKES6 (*setting; perception; invitation; knowledge; explore emotions and empathize; stategy and summary*) que estrutura uma comunicação de má notícia, destacando as características mais importantes desse processo de conversa, sugerindo métodos para avaliar a situação e responder de forma construtiva de acordo com a evolução.

Essa abordagem mais ampla do profissional médico inserido na equipe multiprofissional garante que as condutas sejam decididas de forma compartilhada, preservando a autonomia do paciente. Assim, o cuidado integral e individualizado deve atingir o objetivo dos cuidados paliativos em promover o bem-estar e a qualidade de vida do paciente em qualquer estágio de sua doença.

Fisioterapia

O processo reabilitador se torna substancialmente mais eficaz quando existe a possibilidade de contar com uma equipe multiprofissional completa acompanhando o paciente e sua família. A importância, as atribuições e as funções do fisioterapeuta em cuidados paliativos já foram descritas anteriormente e seria redundante repeti-las, entretanto, seus resultados podem ser otimizados no atendimento integrado com as demais profissões podendo ocorrer em duas situações básicas.

Primeiramente, quando existe boa comunicação entre profissionais que realizam suas condutas separadamente, porém, com um grau de integração e complementar à conduta do outro, como um médico que conversa com o fisioterapeuta que relata aumento da queixa álgica durante seu atendimento e, em vista disso, otimiza a dose de medicamentos analgésicos do paciente momentos antes da terapia motora.

A segunda forma pela qual o atendimento multiprofissional pode ser realizado é de maneira conjunta e concomitante, quando, por exemplo,o fisioterapeuta leva um paciente para realizar a terapia fora do ambiente em que passa a maior parte do tempo juntamente com um psicólogo para que possa modificar estímulos, despertar sentimentos e sensações úteis ao enfrentamento daquela situação.

Além dos exemplos já citados (medicina e psicologia), o fisioterapeuta atua em conjunto com outras profissões direta ou indiretamente como: fonoaudiologia, serviço social, enfermagem, terapia ocupacional, musicoterapia e odontologia. Assim, independentemente do número de profissionais envolvidos com o tratamento do paciente em questão, é essencial que cada um, dentro de sua área de atuação, tenha experiência e discernimento para melhor abordagem interprofissional, permitindo que outras profissões, considerando toda a abordagem que está sendo realizada, sugiram situações e até condutas, sejam elas medicamentosas ou não, sem que isso seja considerado uma afronta ou intromissão. Evidentemente que as sugestões serão analisadas e, de acordo com a avaliação do profissional competente, podem ser acatadas ou rejeitadas de forma justificada. Quem tem a ganhar com a atuação organizada da equipe multiprofissional em uma abordagem interprofissional é todo o conjunto equipe, paciente e família.

Alguns estudos evidenciam que, apesar da abordagem multiprofissional, os pacientes em cuidados paliativos não aumentam a sobrevida, o que não minimiza em nada a importância desse cuidado. O impacto do trabalho interdisciplinar bem-sucedido será inevitavelmente em algumas das seguintes situações: melhor transição do cuidado do paciente internado quando tiver alta; mais segurança para que a família ou cuidadores entendam a real condição do paciente e realizem o cuidado de forma mais adequada; maior funcionalidade do paciente resultando em melhora na qualidade de vida; redução de sintomas, de sofrimento no fim de vida e maior dignidade.

Leitura Recomendada

1. Araújo MMT, Silva MJP. A comunicação com o paciente em cuidados paliativos: valorizando a alegria e o otimismo; Rev Esc Enferm USP 2007; 41(4):668-74.
2. Araújo MMT, Silva MJP, Puggina AC. A comunicação não-verbal enquanto fator iatrogênico. Rev Esc Enferm USP; 2007; 41(3):419-25.
3. Bell CL, Zalud ES, Masaki KH. Factors associated with congruence between preferred and actual place of death. Journal of Pain and Symptom Management Vol. 39 No. 3, 2010.
4. Bowen L. The multidisciplinary team in palliative care: a case reflection. Indian J Palliat Care. 2014 May;20(2):142-5.
5. Bruera E, Dalal DHS, Vigil IT, Trumble J,Roosth J. Parenteral hydration in patients with advanced cancer: a multicenter, double-blind, placebo-controlled randomized trial. Journal of Clinical Oncology. Jan, 1, 2013; 31(1).
6. Bruera E, Higginson IJ, Ripamonti C, Von Gutten C. Textbook of paliative medicine, 2006.
7. Cardoso DH, Muniz RM, Schwartz E, Arrieira ICO. Cuidados paliativos na assistência hospitalar: a vivência de uma equipe multiprofissional. Texto Contexto Enferm. Florianópolis, 2013 out/dez; 22(4): 1134-41.
8. Bruera E, Kuehn N, Miller MJ, et al. The Edmonton symptom assessment system (ESAS): a simple method for the assessment os palliative care patients. J Palliat Care. 1991; 7-6.
9. Buckman RA. Breaking bad news: the S-P-I-K-E-S strategy. Commun Oncol. 2005.2:138-142.
10. Cardoso DH, Viegas AC, Santos BP, Muniz RM, Schwartz E, Thofehrn MB. O cuidado na terminalidade: dificuldades de uma equipe multiprofissional na atenção hospitalar. Rev Avances En Enfermería, Bogotá, 2013 31(2): 83-91.
11. Carnevale FA. Families are not visitors. Rethinking our relationships in the ICU. Rev. Australian Critical Care; 2005 18(2): 48-9.
12. Castro, DA. Psicologia e ética em cuidados paliativos. Psicol: Cienc Prof. 21(4), Brasília, 2001.
13. Cook D, Rocker G. Dying with dignity in the intensive care unit. N Engl J Med 370;26, 2014.
14. Christakis NA, Lamont EB. Extent and determinations of error in doctor´s prognoses in terminally ill patients: prospective cohort study. BMJ; 320: 469-472, 2003.
15. Crowford GB, Price SD. Team Working: palliative care as a model of inter - disciplinare practice. Med Journal of Australia, 2003; 179: S32-S34.
16. De Marco MA, et al. Psicologia médica: abordagem integral do processo saúde-doença. Porto Alegre: Artmed, 2012. p. 65-6.
17. Denton E, Conron M. Improving outcomes in lung cancer: the value of the multidisciplinary health care team. J Multidiscip Healthc. 2016 Mar 30;9:137-44.
18. Elfred A, Sykes N, Edmonds P, Wiles J. Rehabilitation in with cancer management of advanced disease. Great Britain: Arnold, 2004. P. 549-559.
19. Falkensteiner M, Mantovan F, Muller I, Them C. The use of massage therapy for reducing pain, anxiety, and depression in oncological palliative care patients: a narrative review of the literature. ISRN Nursing. Volume 2011.
20. Ferreira APQ, Lopes LQF, Melo MCB. O papel do psicólogo na equipe de cuidados paliativos junto ao paciente com câncer. Rev SBPH. 14(2). Rio de Janeiro, 2011.
21. Fossi LB, Guareschi NMF. A psicologia hospitalar e as equipes multidisciplinares. Rev SBPH. 7(1). Rio de Janeiro, 2004.
22. Hall P, Weaver L. the last 48 hours of life in long-term care: a focused chart audit. JAGS 50:501–506, 2002.
23. Jensen W, Bialy L, Ketels G, Baumann FT, Bokemeyer C, Oechsle K. Physical exercise and therapy in terminally ill cancer patients:a retrospective feasibility analysis. Support Care Cancer 22:1261–1268, 2014.
24. Johnson M, et al. Tradução Oliveira SI, et al. Ligações Nanda-NOC-NIC: condições clínicas: suporte ao raciocínio e assistência de qualidade. Rio de Janeiro: Elsevier, 2012. 435p.
25. Kovács MJ. Desenvolvimento da tanatologia: estudos sobre a morte e o morrer. São Paulo: Paidéia, 2008. 18(41).

26. Lautrette A, Darmon M, Megarbane B, et al. A communication stategy and brochure for relatives of patients dying in the ICU. N Engl J Med. 2007. 356:469-478.
27. Lino CA, Augusto KL, Oliveira RAS, Feitosa LB, Caprara A. Uso do protocolo Spikes no ensino de habilidades em transmissão de más notícias. Rev Bras Educ Med. 34(1). Rio de Janeiro, 2011.
28. Lorenz KA, Lynn J, Dy SM, Shugarman LR, Wilkinson A, Mularski RA, et al. evidence for improving palliative care at the end of life: a systematic review. Ann Intern Med.148:147-159, 2008.
29. Marcant D, Rapin C. Role of physiotherapist in palliative care. J Pain Symptom Manage. 1993; 8:68-71.
30. Manzini JL. Palliative sedation: ethical perspectives from Latin America in comparison with European recommendations current opinion in supportive and palliative care 5:279–284, 2011.
31. Mercadante S, Intravaia G, Villari P, Ferrera P, David F, Casuccio A. Controlled sedation for refractory symptoms in dying patients. Journal of Pain and Symptom Management. Vol. 37 No. 5 May 2009.
32. Monteiro DR, Almeida MA, Kruse MHL. Tradução e adaptação transcultural do instrumento Edmonton symptom assessment system para uso em cuidados paliativos. Rev Gaúcha Enferm. 2013;34(2):163-171.
33. Moraes, NS, Rodrigues de Souza, PM, Pernambuco AC, et al. Cuidados paliativos com enfoque geriátrico. A assistência multidisciplinar. São Paulo: Atheneu, 2014.
34. Nieder C, Dalhaug A, Pawinski A, Haukland E, Mannsåker B, Engljähringer K. Palliative radiotherapy with or without additional care by a multidisciplinary palliative care team in patients with newly diagnosed cancer: a retrospective matched pairs comparison. Radiat Oncol. 2015 Mar 7;10:61.
35. Nunes LV. O papel do psicólogo na equipe. Man Cuid Pal ANCP. 2 ed. Porto Alegre, 2012.
36. Oliveira AC, Sá L, Silva MJP. O posicionamento do enfermeiro frente à autonomia do paciente terminal. Rev Bras Enferm 2007 maio-jun; 60(3):286-90.
37. Pollard A, Swift K. in O'Connor M, Aranda et al. Tradução Cruz JRAS. Guia prático de cuidados paliativos em enfermagem. São Paulo: Andrei, 2008. p 54-56.
38. Porto G, Lustosa MA. Psicologia hospitalar e cuidados paliativos. Rev SBPH. 13(1), Rio de Janeiro, 2010.
39. Prado AJF, Silva EA, Almeida VA, Júnior RF. Ambiente médico: o impacto da má notícia em pacientes e médicos – em direção a um modelo de comunicação mais efetivo. Rev Med. 92(1). São Paulo, 2013.
40. Reis LCJ, Reis P. Cuidados paliativos no paciente idoso: o papel do fisioterapeuta no contexto multidisciplinar fisioterapia em movimento, v. 20, n. 2, p. 127-135, 2007.
41. Rodrigues TJH. Deixar morrer é matar? Revista do Conselho Regional de Medicina do Estado de São Paulo, Edição 43, 2008.
42. Roy KV, Vanheule S, Inslegers R. Research on Balint groups: a literature review. Patient Educ Couns. 2015. http://dx.doi.org/10.1016/j.pec.2015.01.014.
43. Ruiz EM, Gomes AMA. Apelo à humanização da morte nas práticas de saúde. Brasil. Ministério da Saúde. Secretaria de Atenção à Saúde. Departamento de Ações Programáticas e Estratégicas. Atenção hospitalar/ Ministério da Saúde, Secretaria de Atenção à Saúde, Departamento de Ações Programáticas e Estratégicas. – Brasília: Ministério da Saúde, 2011. P. 84.
44. Salander P, Sandström M. A Balint-inspired reflective fórum in oncology for medical residentes: Mais themes during seven years. Patient Educ Coun. 97:47-51. 2014. http://dx.doi.org/10.1016/j.pec.2014.06.008.
45. Santos HS. Terapêutica nutricional para constipação intestinal em pacientes oncológicos com doença avançada em uso de opiáceos: revisão Revista Brasileira de Cancerologia, 2002, 48(2): 263-269.
46. Silva EP, Sudigursky D. Concepções sobre cuidados paliativos: revisão bibliográfica. Acta Paul Enferm. 21(3), São Paulo, 2008.
47. Simonetti A. O psicólogo no pronto-socorro. Manual de psicologia hospitalar. 5 ed. São Paulo: Casas do Psicólogo, 2004.
48. Taplin SH, Weaver S, Salas E, Chollette V, Edwards HM, Bruinooge SS, Kosty MP. Reviewing cancer care team effectiveness. J Oncol Pract. 2015 May;11(3):239-46.
49. Tuggey EM, Lewin WH. A multidisciplinary approach in providing transitional care for patients with advanced cancer. Ann Palliat Med. 2014 Jul;3(3):139-43.
50. World Health Organization. Paliative care. Cancer control: knowledge into action: WHO guide for effective programs. Módulo5. 2007. ISBN 9241547345. Disponível em <www.who.int/cancer/media/FINAL-Palliative%20Care@20Module.pdf>.
51. Yoshioka H. Rehabilitation for the terminal cancer patient. Am J Phys Med Rehabil. 1994; 73:199-206.

Capítulo

29

Aspectos Práticos do Processo Reabilitador

Bianca Orestes Antunes
Daniel Antunes Alveno

Introdução

O processo reabilitador é uma tarefa possível em cuidados paliativos, por isso é importante atentar para não excluir esses pacientes deste processo.

É importante traçar o objetivo da reabilitação nos cuidados paliativos e, concomitantemente, estar sensibilizado ao tema.

O conjunto de medidas reabilitadoras deverá ter metas como a maior capacidade e independência possíveis, melhora da autoestima, confiança, conforto, autonomia, alívio e qualidade de vida.

Os desafios para os reabilitadores incluem: objetivos a curto prazo e adaptáveis ao momento da doença e do paciente; metas flexíveis e realistas, sem ser desesperançosa; facilitar a adaptação; comunicação clara; capacidade de revalorizar pequenos sucessos; capacidade de avaliar e reconhecer "sucessos encobertos"; capacidade de expandir o alcance das intervenções (espiritualidade, unidade de tratamento); poder refletir sobre a frustração; reconhecer sua própria finitude; esclarecer seu posicionamento existencial; trabalhar com claridade e serenidade no acompanhamento da involução de funções (mudança do paradigma reabilitativo); assistir o processo da equipe de repensar as conotações do ocupacional na vida de todos e trabalhar em equipe.

A abordagem dos sintomas e condutas é apenas um guia, porém, a individuação é essencial para cada escolha do tratamento.

Astenia/Fraqueza

Tanto os pacientes sob cuidados paliativos quanto seus familiares e até mesmo outros membros da equipe multiprofissional tendem a crer que, quando o indivíduo se encontra nessa condição, deve descansar o máximo possível a fim de não "gastar muita energia", entretanto o fisioterapeuta tem por obrigação desmistificar isso de maneira que todos entendam que a manutenção e até o ganho de funcionalidade podem trazer mais dignidade e qualidade de vida nesse tempo que resta ao paciente já que o imobilismo pode levar a hipotrofia, alterações posturais e perda funcional grave. Em cuidados paliativos, o fortalecimento deve seguir algumas regras pensando na otimização do ganho de força para manter a funcionalidade e também no tempo reduzido para se alcançar os objetivos como demonstrado no Quadro 29.1.

Quadro 29.1 Abordagem fisioterapêutica da astenia e fraqueza de pacientes sob cuidados paliativos
Avaliação da funcionalidade (MIF; TUG Test; teste de caminhada de 6 minutos; teste de RM)
Avaliar o tipo de nutrição que o paciente está recebendo
Avaliar sinais vitais e principalmente sintomas antes, durante e após a realização das condutas
Exercícios Importantes: • Sentar e levantar; • Flexão de quadril; • Dorsiflexão; • Abdominais; • Glúteos; • MMSS focar em músculos para auxílio nas transferências.
Foco no fortalecimento realizando movimentos funcionais
Ao final de cada série do exercício proposto, o paciente deve relatar uma intensidade de moderada a intensa (submáxima) na escala de Borg
Incremento leve de cargas de acordo com a tolerância do paciente
Casos em que o paciente não responde verbalmente ou apresenta alteração cognitiva devemos atentar aos seguintes sinais para dosar as sessões
Sudorese; Taquicardia; Aumento ou redução da PAS > 20 mmHg e PAD > 10 mmHg; Queda de SpO_2 com sinal de desconforto respiratório; Náuseas; Vertigem; Aumento visível da dificuldade de realização da atividade proposta com qualidade de movimento.

MMSS: membros superiores. Fonte: autor Daniel Antunes Alveno.

Fadiga

A fadiga é um fator que pode ter origem multicausal, apresenta-se como uma sensação subjetiva de cansaço extremo sem melhora após repouso. Como consequência, pode ser observado declínio do desempenho físico, intelectual, mental e emocional. Múltiplos fatores parecem favorecer isoladamente ou, de maneira conjunta, o seu aparecimento, alguns com mecanismos ainda pouco conhecidos (Quadro 29.2). A fadiga é extremamente prevalente em cuidados paliativos sobretudo em pacientes com câncer.

O principal método para avaliação da fadiga é a aplicação da escala numérica que varia de 0 a 10 monitorada diariamente pela escala de sintomas de Edmonton.

O tratamento inicialmente pode envolver a reversibilidade de fatores que contribuem para essa sensação e, posteriormente, a intervenção direta do fisioterapeuta para identificar qual abordagem pode obter maior êxito no controle desse sintoma. O tratamento fisioterapêutico deve envolver treinamento de capacidades físicas visando basicamente aumento ou manutenção de força e de consumo máximo de oxigênio (VO_2 máx). Para isso se faz necessário uma avaliação da real capacidade funcional e cardiorrespiratória do paciente, principalmente com olhar clínico.

Quadro 29.2 Fatores que influenciam a fadiga
Anemia
Desnutrição
Distúrbios do sono
Distúrbios metabólicos e metabólicos
Hipóxia
Efeitos colaterais de medicações (hipnóticos, opioides, anti-histamínicos e ansiolíticos)
Depressão, ansiedade

Fonte: autora Bianca Orestes Antunes.

O treinamento deve se basear sempre em atividades funcionais para o paciente visando a melhora de resistência muscular e capacidade cardiorrespiratória. Não existe consenso sobre qual a carga e o tipo de exercícios ideais para a melhora da fadiga, porém é sempre importante que ele finalize as atividades propostas com a sensação de esforço moderado, monitorado pela escala de Borg modificada e a sensação de bem-estar e qualidade de vida após a proposta de conduta. As atividades podem iniciar com curtos períodos (entre 10 e 15 minutos) diários que não necessitam ser ininterruptos. Os incrementos de acordo com a tolerância do paciente devem ser realizados conforme se perceber que o esforço proposto não aumenta a nota na escala de Borg, e a carga e o tempo devem ser incrementados até que sejam atingidos 30 minutos. Os estudos mostram que, em geral, 30 minutos de terapia com exercícios apresentam bons resultados na melhora da fadiga e funcionalidade do paciente em cuidados paliativos e, apesar de esse ser o método mais estudado no controle da fadiga, hoje em dia é possível encontrar outras medidas não farmacológicas de combate à fadiga como terapias manuais, meditação e *tai-chi-chuan* em pacientes com câncer.

Dor

Fisiologicamente, a dor é uma importante expressão do organismo frente a um dano tecidual. Quanto aos mecanismos neurofisiológicos, a classificação da dor pode ser observada no Quadro 29.3.

O tratamento farmacológico da dor pode envolver basicamente três classes de drogas e a escolha deve ser guiada pela avaliação do paciente, portanto a dor nunca deve ser subestimada e é importante acreditar sempre no que está sendo referido. A Figura 29.1 evidencia as drogas de escolha de acordo com a dor referida pelo paciente.

Em toda conduta que se leve em consideração a dor do paciente, a avaliação inicial e final, diariamente é de suma importância e, assim, um minemônico pode ser utilizado para que a dor não seja subtratada ou menosprezada (Figura 29.2).

Conhecer as características da dor percebida é fundamental para que seja possível traçar um programa para sua abordagem e, consequentemente, para que o paciente seja exposto a uma menor quantidade de drogas e aos seus efeitos colaterais. Apesar de ser extremamente importante a determinação do local, intensidade, tipo, frequência entre outras características da dor, é comum que o fisioterapeuta se depare com dores difíceis de serem apontadas ou explicar corretamente sua localização e origem.

O tratamento não farmacológico da dor em cuidados paliativos vem demonstrando, por estudos, resultados satisfatórios com o uso da eletroanalgesia, como o TENS para dores crônicas, porém ainda não há consenso da melhor modalidade de escolha; a massagem, que apresenta

Quadro 29.3 Classificação da dor

Dor somática
Descrição: monótona, em agulhada, contínua e latejante. Constante e bem localizada Dor óssea – a mais comum Geralmente bem controlada se a causa for solucionada
Dor visceral
Descrição: profunda, monótona, contínua, em aperto ou com sensação de pressão. Episódica ou em cólica Frequentemente, difusa, mal localizada Reflexo cutâneo: diferencial difícil com dor somática Causada por distensão de musculatura lisa visceral, isquemia, ou irritação mucosa ou serosa de vísceras
Dor neuropática
Descrição: em queimação, pontada, choque. Constante ou esporádica Geralmente associada a sensações anormais como alodinia, hiperpatia, parestesia, hipoestesia Causada por injúria neural, invasão tumoral de nervos, plexos ou resultado de tratamentos Inclui dor fantasma, dor por desaferentação, dor central, neuralgia pós herpética, disfunção do sistema simpático.

Fonte: autor Daniel Antunes Alveno.

DOR FRACA (0-4 EVN DE DOR)	NÃO OPIOIDES + ADJUVANTES
DOR MODERADA (5-7 EVN DE DOR)	OPIOIDES FRACOS + NÃO OPIOIDES + ADJUVANTES
DOR FORTE (8-10 EVN DE DOR)	OPIOIDES FORTES + NÃO OPIOIDES + ADJUVANTES

Figura 29.1 – Drogas de escolha para tratamento da dor.
Fonte: ANCP, Manual de Cuidados Paliativos, 2012.

A	Avaliação da dor
M	Monitoramento e manejo terapêutico
A	Assistência
R	Reavaliação

Figura 29.2 – Mnemônico da avaliação da dor. Fonte: Pallium Latinoamerica.

efeitos positivos locais e sistêmicos principalmente para dores nociceptivas, neuropáticas e dor total; recursos de termoterapia (aplicação de calor e frio); exercícios ativos ou movimentações passivas, movimentação passiva articular e alongamentos devem ser propostos também com a indicação de alívio, pois o intuito dessas condutas visam a melhora funcional a fim de que dores oriundas do imobilismo possam ser minimizadas; a acupuntura, pode trazer diversos benefícios aos pacientes sob cuidados paliativos como alívio de dores locais ou decorrentes de problemas sistêmicos como constipação, edemas, incluindo melhora do aspecto emocional e até mesmo podendo promover um leve efeito sedativo; terapia cognitiva, musicoterapia, terapia funcional entre outros resultará em alívio da dor. Assim, as principais condutas para o controle da dor que podem ser promovidas pelo fisioterapeuta a pacientes em cuidados paliativos de acordo com a avaliação do tipo de dor podem ser observadas na Figura 29.3.

Delirium

Segundo a definição atual, o *delirium* é uma síndrome comportamental, causada pelo comprometimento transitório da atividade cerebral, invariavelmente secundário a distúrbios sistêmicos, normalmente multifatorial resultando da interação da vulnerabilidade do paciente e de intervenções relacionadas à hospitalização, medicações e procedimentos. O *delirium* tem três subtipos: o hiperativo; hipoativo; e o misto. Os pacientes que apresentam o hiperativo podem estar agitados, desorientados e ter alucinações, características que podem ser confundidas com esquizofrenia, demência ou psicose. No subtipo hipoativo, apresentam-se apáticos, discretamente confusos e desorientados e, nesses casos, o *delirium* pode ser confundido com depressão ou demência. O subtipo misto é caracterizado pela flutuação entre os outros dois subtipos.

O tratamento pode ser farmacológico com drogas que tenham efeitos sedativos, correção de distúrbios eletrolíticos entre outros, entretanto estudos têm demonstrado que cerca de 30 a 40% dos casos podem ser tratados com medidas não farmacológicas que devem envolver a participação do fisioterapeuta e de toda a equipe multiprofissional como descritas no Quadro 29.4.

Edema

Este sintoma, sendo edema que se refere ao acúmulo de quantidades anormais de líquido nos espaços intercelulares ou nas cavidades do organismo ou o linfedema que pode ser definido como o acúmulo anormal de líquido rico em proteínas no espaço intersticial decorrente da drenagem

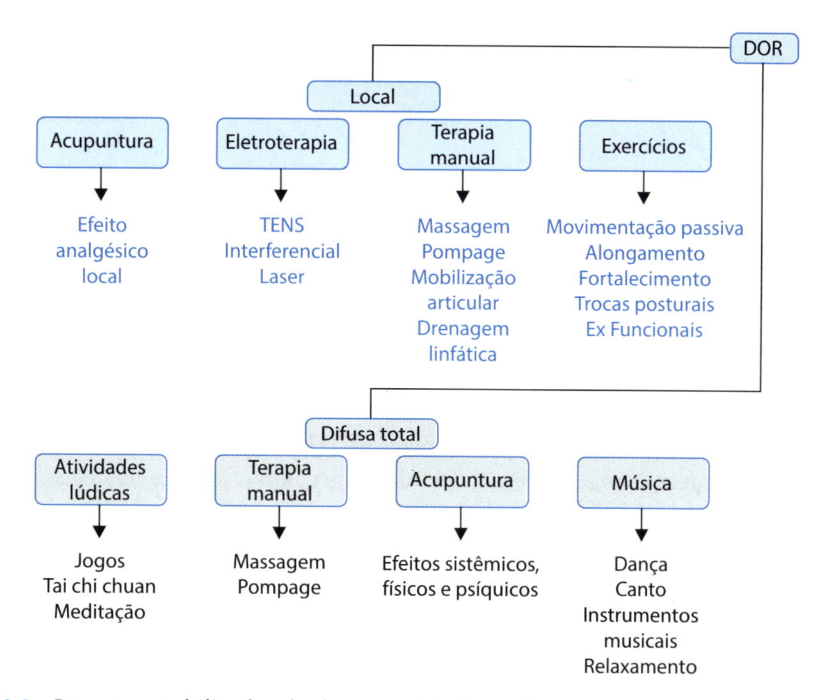

Figura 29.3 – Processo reabilitador da dor em cuidados paliativos. Fonte: autor Daniel Antunes Alveno.

Quadro 29.4 Abordagens não farmacológicas para prevenção e tratamento de *delirium* no paciente em cuidados paliativos
Fatores ambientais no tratamento de *delirium*
Comunicar-se de uma forma clara e firme
Repetir diversas vezes o dia, hora e o local onde o paciente se encontra
Identificar os membros da equipe e os familiares
Providenciar relógios e calendários para facilitar no processo de localização do paciente
Ter objetos familiares ao paciente no local onde ele se encontra (p. ex.: fotografias)
Usar televisão e rádio para manter o contato do paciente com o mundo exterior
Envolver a família e cuidadores para dar segurança ao paciente
Ter janela no quarto para que o paciente não perca a noção de dia e noite
Proporcionando um ambiente que não provoque equívoco
Simplifique a área removendo objetos desnecessários e mantenha um espaço adequado entre as camas
Prefira quartos individuais para um melhor descanso e menos estímulos sensoriais desnecessários
Evite usa jargões médicos na presença do paciente para evitar paranoias
Mantenha uma luz de vigília no quarto durante a noite
Controle os excessos de barulhos (aparelhos, equipe e visitantes)
Mantenha a temperatura do quarto entre 21,1°C e 23,8°C
Mantenha a independência do paciente
Retirar a contensão mecânica do paciente sempre que possível
Retirar sondas e cateteres sempre que possível
Mantenha o paciente com seus óculos, órteses de audição e órteses dentárias
Encoraje o paciente a participar de seus autocuidados e do tratamento (p. ex.: higiene e alimentação)
Organize os tratamentos de uma maneira que o paciente possa ter o maior tempo de sono ininterrupto possível
Mantenha níveis de atividade elevados (p. ex.: exercícios ativos no leito ou caminhadas)
Utilização de música e dança nas terapias de maneira orientada e ritmada

Fonte: autor Daniel Antunes Alveno.

linfática deficiente, levará a intervenções não farmacológicas com o objetivo de proporcionar conforto, inclusive o físico, melhorando a qualidade de vida.

O edema e linfedema trazem diversas desvantagens como o disfarce na detecção da perda muscular, o que mais contribui para a incapacidade funcional, inclusive psicológico devido alterações na autoimagem, a difícil locomoção e movimentos articulares para atividades rotineiras, sensibilidade, alterações circulatórias e, principalmente, para o linfedema, dificuldade de relacionamentos interpessoais, sexuais e prejuízo estético.

A conduta (Quadro 29.5) será prescrita após uma avaliação minuciosa e após o tratamento, a reavaliação para relatar e confirmar a meta alcançada, priorizando a qualidade de vida e funcionalidade.

Quadro 29.5 Condutas para linfedema/edema
Posicionamento com elevação do membro afetado
Evitar carregar peso do lado afetado
Exercícios para amplitude e bombeamento muscular
Drenagem linfática
Massagens terapêuticas (aumenta fluxo sanguíneo e relaxamento muscular)
Bandagens elásticas/compressão pneumática
Malhas compressivas (contraindicadas na presença de infecção arteriopatia, fixação óssea externa, alterações de sensibilidade e hipertensão arterial grave)
Cinesioterapia
Evitar o calor e aferição da pressão arterial no lado acometido (linfedema)

Fonte: autora Bianca Orestes Antunes.

Processo Sintomático Respiratório

Os sintomas respiratórios presentes no cuidado paliativo são comuns e necessitam de um controle para o alívio de todos envolvidos no processo (paciente, família e equipe).

A abordagem multiprofissional está presente e é indispensável o conhecimento clínico para conduzir esses sintomas da melhor maneira. Além desse conhecimento é importante ressaltar que os sintomas estão conectados ao tipo de patologia diagnosticada (câncer, DPOC, ICC, doenças neurológicas etc.), pois comportam-se de diferentes maneiras.

O quadro emocional interfere nesse processo sintomático e deverá ser acompanhado concomitantemente aos sintomas físicos.

Dispneia

Este sintoma é definido como uma experiência subjetiva de desconforto respiratório, que consiste em sensações qualitativamente distintas que variam, ou seja, é uma sensação desconfortável de respiração que é subjetiva e difícil de definir para quem não está vivenciando o sintoma. É limitante para todas atividades de vida diária.

A dispneia é um dos sintomas mais comuns experimentado por muitos pacientes com diferentes patologias em cuidados paliativos.

A avaliação regular e minuciosa deste quadro é primordial para o conforto de todos, pois este sintoma exerce uma forte influência no sofrimento e da sensação de medo de quem vivencia. Está relacionada com a doença, as suas comorbidades e poderá ocorrer no repouso, em atividades, contínua e subitamente.

Não há um protocolo para avaliar a dispneia, existem escalas, porém nenhuma isolada para isso, mesmo que este sintoma envolva diversos aspectos (físicos, emocionais, comportamentais e outros), por isso a necessidade da avaliação acurada de toda a equipe.

A possível identificação da causa da dispneia sugere o manejo adequado, seja ele medicamentoso, procedimentos médicos, ventilação de uma maneira geral e outros. Estarmos atentos aos detalhes e discutir qual a melhor conduta é ideal para este sintoma.

Elementos e etiologia

A etiologia e os elementos da dispneia podem ser um guia para condutas.

Cicely Saunders, em 1960, inclui no cuidado paliativo a "dispneia total" que é um elemento para estarmos atentos (Figura 29.4).

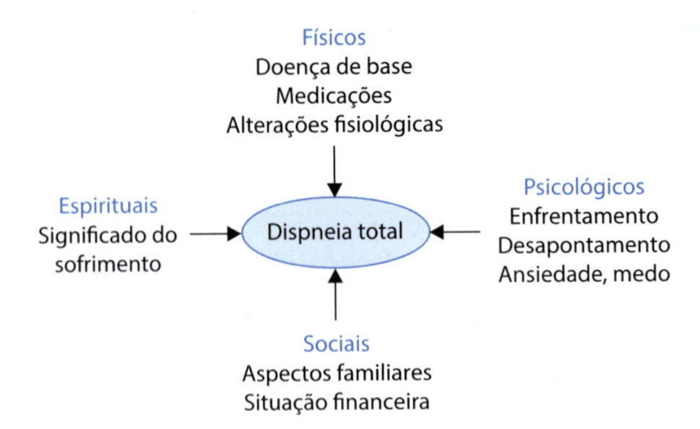

Figura 29.4 – **Elementos da dispneia total.** Fonte: ANCP, Manual de Cuidados Paliativos, 2012.

A gênese também mostra possíveis fatores para que o seu manejo seja mais focado (Figura 29.5).

Avaliação

É um sintoma de várias vertentes etiológica, além do comportamento emocional, por isso a avaliação deste sintoma é de suma importância para que condutas mais adequadas possam ser realizadas.

Deverá ser regular, principalmente após medicações, detalhada, individualizada e toda a equipe deverá ser informada a respeito. Importante atentar para o perfil da doença, a etapa que o paciente está e suas necessidades (Quadro 29.6).

Condutas

Após a avaliação, alguns mecanismos são corrigíveis, tendo uma intervenção da equipe, porém o que não for passível de correção será discutido para a melhor condução. No caso da fisioterapia poderemos utilizar, se for necessário, a oxigenoterapia, a ventilação não invasiva e o ventilador para o auxílio do controle da dispneia (Figura 29.6).

Oxigenoterapia

O oxigênio é um recurso muito comum utilizado em medidas paliativas para dispneia, mesmo que este não apresente nenhum benefício, como vem sendo demonstrado (Figura 29.7).

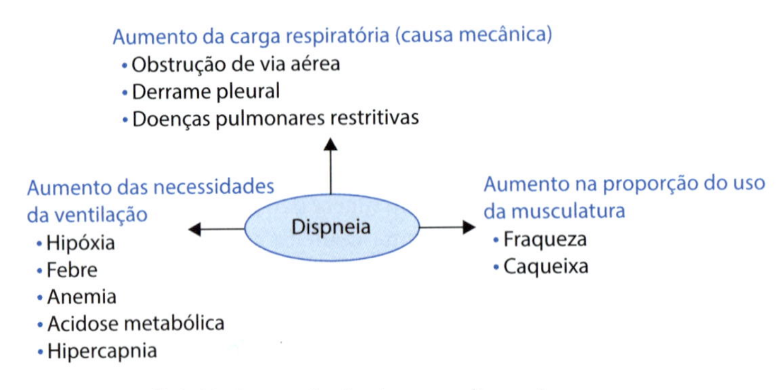

Figura 29.5 – **Alterações fisiológicas principais para dispneia.**
Fonte: ANCP, Manual de Cuidados Paliativos, 2012.

Quadro 29.6 Avaliação da dispneia

Avaliação
Causa (doença de base)
Há reversibilidade? Há tratamento? Processo de morte?
Intensidade (pequena, média ou grande)
Fatores de melhora e de piora (posicionamento, medicações, emocional, ambiente, etc.)
Evolução temporal (início e progressão)
Características
Respostas as intervenções (farmacológicas e não farmacológicas)
Componente psicológico

Fonte: autora Bianca Orestes Antunes.

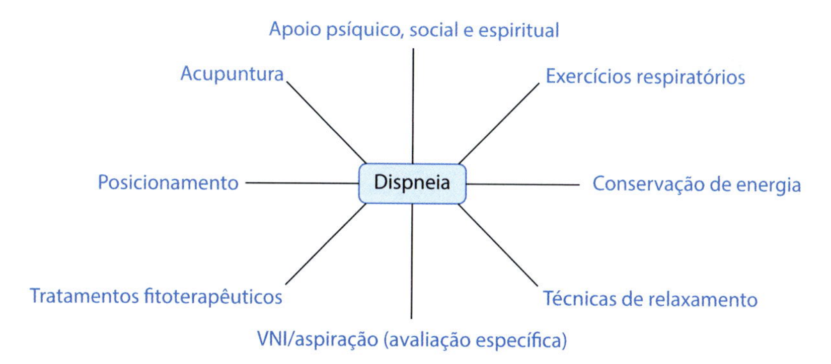

Figura 29.6 – Condutas não farmacológicas.

Fonte: autora Bianca Orestes Antunes.

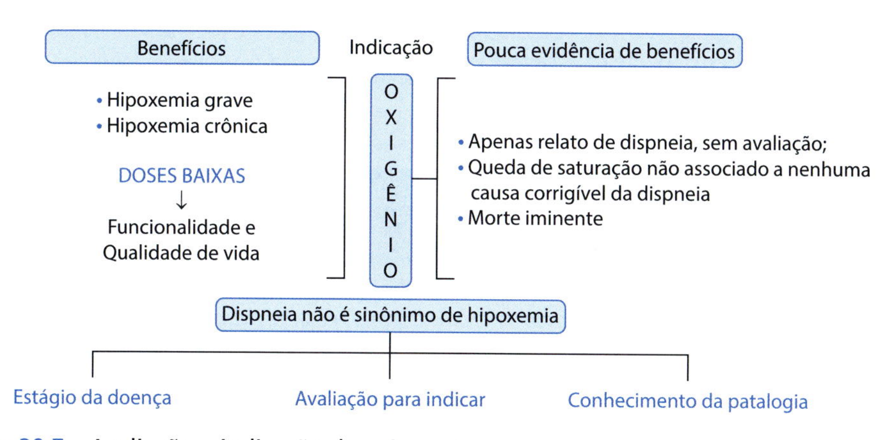

Figura 29.7 – Avaliação e indicação da oxigenoterapia.

Fonte: autora Bianca Orestes Antunes.

A indicação correta é essencial, pois os efeitos adversos são prejudiciais ao processo (Quadro 29.7). Excluindo os pacientes hipoxêmicos crônicos e/ou graves, aos quais muitas vezes está indicado o oxigênio, o fluxo de ar é em sua maioria adequado para alívio deste sintoma.

Importante individualizar o paciente, a situação e explicar para familiares o sintoma e suas causas, pois estes geralmente estão aflitos e angustiados com a situação apresentada.

Resumindo o uso do oxigênio para paliação da dispneia, há pouco ou nenhuma evidência de benefício.

Fluxo de Ar (Ventilador e Ar Comprimido)

O movimento de ar ativa receptores de estímulos mecânicos na região da face, que respondem ao fluxo aéreo diminuindo a sensação de falta de ar e também pelo resfriamento da mucosa nasal ou receptores da mucosa oral por meio da diminuição do drive respiratório central. Deixar o ambiente arejado e fresco também contribui para combater a dispneia.

O uso do ventilador (fluxo de ar em contato com o rosto) é um método barato, não invasivo e sem efeitos colaterais. O alívio é possivelmente rápido, reduzindo este sofrimento.

Ventilação Mecânica Não Invasiva

A ventilação mecânica não invasiva no contexto dos cuidados paliativos é uma conduta polêmica, pois não é bem estabelecida no controle da dispneia neste caso. A indicação deste artefato é extremamente criterioso e deverá ser discutida com o paciente e familiares.

A indicação leva em consideração fatores de vantagens e desvantagens que deverão ser analisados de forma rígida (Quadro 29.8). A necessidade de uma indicação adequada suscita a dúvida no profissional, porém este deve elencar como principal as medidas para o alívio de

Quadro 29.7 Efeitos adversos da oxigenoterapia
Cânula nasal (irritação, ressecamento com alto fluxo (4 l/min)
Pode prolongar o processo de morrer se o paciente não relata desconforto respiratório
Aumentar o fardo da família, adiando os dias de cuidados e o luto antecipatório
Aumento de custo se o paciente não tiver necessidade

Fonte: autora Bianca Orestes Antunes.

Quadro 29.8 Utilização da ventilação mecânica não invasiva

Vantagens (indicação rigorosa)	Desvantagens
Alívio da dispneia	Privação do contato familiar
Conforto respiratório (possibilidade)	Desconforto da máscara (piora dos sintomas)
	Privação da autonomia
	Ansiedade

Fonte: autora Bianca Orestes Antunes.

sintomas e qualidade de vida, não o prolongamento do sofrimento ou a morte. O problema respiratório tem que levar em consideração o que o paciente gostaria no fim de sua vida, como estar perto de seus amigos e familiares sem sofrimento e sem medidas invasivas, porém dentro de aspectos éticos e legais.

A ventilação mecânica não invasiva precisa de uma avaliação minuciosa com o acompanhamento da equipe e familiares para não ser uma indicação fútil, e sim uma ferramenta para melhorar o conforto do paciente em final de vida (Figura 29.8).

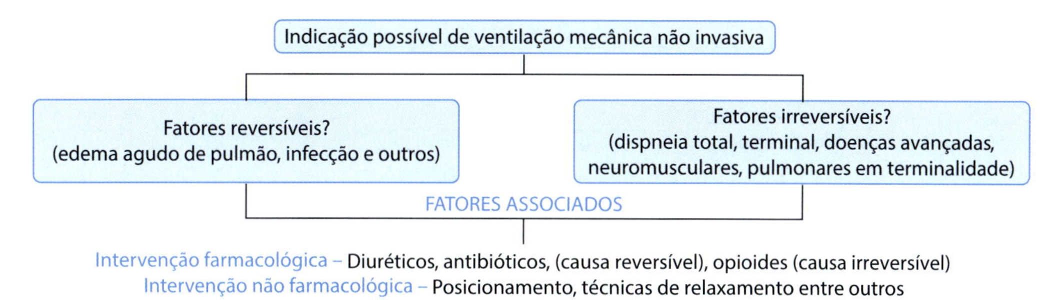

Figura 29.8 – Indicação possível da ventilação mecânica não invasiva.

Fonte: autora Bianca Orestes Antunes.

Hipersecreção de Vias Aéreas

A maioria dos pacientes em cuidados paliativos apresentam hipersecreção de vias aéreas na terminalidade, por isso a avaliação minuciosa desta situação deverá ser realizada para escolha da melhor conduta não farmacológica, sendo o menos invasivo possível. A aspiração por vias aéreas superiores, por exemplo, é um método invasivo e deverá ser muito bem indicada e explicada para o paciente e familiares (Quadro 29.9).

O evento relacionado a este sintoma que traz maior desconforto é o "ronco da morte", ou "estertores da morte" ou "sororoca". É um som audível em vias aéreas distais produzido por secreções na hipofaringe em associação com a respiração e tem como causa a incapacidade de deglutir saliva e secreções. Geralmente, nesta fase o paciente está praticamente inconsciente.

Ocorrem em 25 a 92% na fase de final de vida, o que causa angústia extrema em familiares e a equipe multiprofissional.

É imprescindível explicar o significado do ruído para familiares ou cuidadores e até mesmo a equipe. Neste caso, qualquer conduta deverá ser uma decisão da equipe e com prioridades ao conforto a longo prazo, ou seja, não realizar aspiração em períodos curtos para cada ruído

Quadro 29.9 Medidas não farmacológicas para secreção de vias aéreas
Conforto no local (ambiente calmo, sonoridade, conforto);
Posicionamento (preferência para sentado e posições laterais);
Manobras e ferramentas que auxiliem a remoção de secreções;
Estímulo de tosse e aspiração de cavidade oral (deglutição prejudicada);
Explicação adequada de todas as condutas e o evento de hipersecreção das vias aéreas para pacientes e familiares.

Fonte: ANCP, Manual de Cuidados Paliativos, 2012.

existente, ou mesmo após o procedimento, o paciente apresenta-se na mesma condição anterior (Figura 29.9).

A última medida a ser tomada será a que trouxer menos sofrimento para o paciente e familiares, por isso a necessidade de uma avaliação individual, adequada e detalhista.

Em última instância, a sedação paliativa é adotada, pois cessaram todas as alternativas e estas não são eficazes.

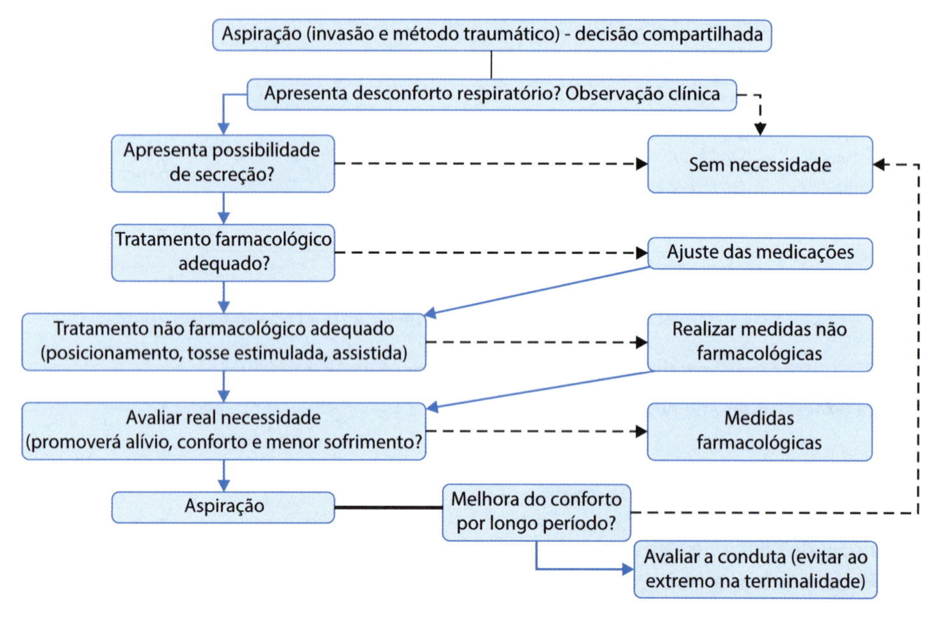

Figura 29.9 – Indicação de aspiração por hipersecreção de vias aéreas.

Fonte: autora Bianca Orestes Antunes.

Ventilação Mecânica Invasiva

A extubação paliativa, assistida, retirada ou suspensão da ventilação mecânica invasiva é uma questão polêmica e depende de diversos fatores éticos, legais, assistenciais, culturais e divergências de opiniões para cada indivíduo envolvido, seja o paciente, familiares ou equipe e também reflexões sobre doenças incuráveis, vida sem sofrimento nos últimos dias e tratamentos adequados.

A discussão deste assunto é uma forma de repensar que o cuidado paliativo não está em suas condições ideais, pois, presume-se que não exista o diagnóstico precoce de cuidado paliativo, condutas de final de vida e decisão compartilhada com o paciente e familiares para uma melhor aceitação da inevitabilidade da morte.

A preocupação com a retirada do suporte de vida tem instigado a literatura, trazendo evidências sobre o procedimento, porém há despreparo e muitas questões para serem discutidas e esta situação não está presente continuamente em nossa realidade .

É importante ressaltar que resoluções e atribuições legais dizem respeito à ortotanásia (morte natural), que nada tem a ver com eutanásia (boa morte, não legalizada no Brasil) e constitui um alerta contra distanásia (adiar a morte) que acontece com frequências nas unidades de terapia intensiva (Figura 29.10), ou seja, não acarreta violação a nenhum dispositivo legal, não representando uma prática de qualquer conduta criminosa. Assim, a ortotanásia, não prolonga a vida de forma sofrida, traz uma condição mais natural para o enfrentamento, principalmente familiar.

A Resolução CFM nº 1.805/2006 que respalda a suspensão de tratamentos fúteis para a vida do doente em fase terminal de enfermidade incurável, com condutas aceitas pelo paciente ou seu representante legal, o Código de Ética Médica de 2009 que propicia o médico realizar o cuidado paliativo apropriado para o mesmo paciente, omissão terapêutica ou interrupção do procedimento artificial que não viola o Código Penal (não matarás), que coloca esta prática fora do homicídio e nossa Constituição Federal que defende a dignidade humana, em primeiro lugar, e a morte digna. Além disso, temos os princípios éticos: autonomia (paciente consente as condutas); não maleficência (evitar o sofrimento); beneficência (fazer o bem sem preservar a vida a qualquer custo); e justiça (a ciência não pode evitar a morte) que se encaixam perfeitamente neste contexto.

Evidências aumentam e mostram um caminho traçado para a qualidade de vida, conforto e morte digna diante de circunstâncias referentes ao suporte de vida avançado que, nos casos de doenças sem possibilidade de cura na terminalidade, não evitará a morte, e sim manterá a vida artificialmente.

A retirada do suporte de vida faz parte da transição para cuidados de conforto e por vezes, há uma satisfação familiar, porém, há casos em que a ventilação mecânica é mantida mesmo com todos os fatores (Quadro 29.10).

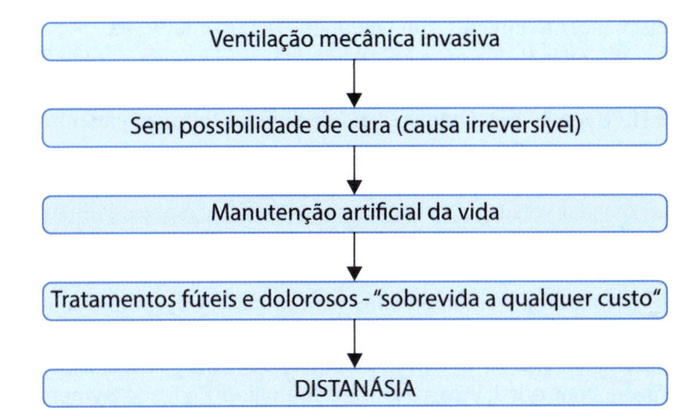

Figura 29.10 – Medidas nas unidades de terapia intensiva. Fonte: autora Bianca Orestes Antunes.

Quadro 29.10 Preparação para extubação paliativa
Equipe, paciente e familiares cientes e presentes
Apresentar os membros da equipe
Explicar todo o processo (ações, possíveis resultados e condutas)
Medidas farmacológicas adequadas para o conforto e suspender o que não está de acordo
Preparar o quarto do paciente (iluminação, temperatura, objetos pessoais e sons)
Certificar-se de que a dignidade será sempre mantida em qualquer ação
Cuidados espirituais presente
Não abandonar família e paciente no processo
Liberar as restrições de visitas
Remover ou minimizar a visão de equipamentos (eletro)
Preparar o paciente
Posicionamento
Descontinuar monitoramento, medidas invasivas e tratamentos

Fonte: autora Bianca Orestes Antunes.

Leitura Recomendada

1. Kumar SP, Jim A. Physical therapy in palliative care: from symptom control to quality of life: a critical review. Indian Journal of Palliative Care. Sep-Dec; V. 16; n.3; 2010.
2. Kumar SP. Cancer pain: a critical review of mechanism-based classification and physical therapy management in palliative care. Indian Journal of Palliative Care. May-Aug. V.17. n.2. 2011.
3. Eyigor S. Physical activity and rehabilitation programs should be recommended on palliative care for patients with cancer. Journal of Palliative Medicine. V. 13, N. 10, 2010.
4. Jensen W, Bialy L, Ketels G, Baumann FT, Oeshsle K. Physical exercise and therapy in terminally ill cancer patients: a retrospective feasibility analysis. Support Care Cancer. V.22 p 1261–1268. 2014.
5. Tatematsu N, Haiashi A, Narita K, Tamaki A, Tsuboyama T. The effects of exercise therapy on delirium in cancer patients: a retrospective study. Support Care Cancer v. 19:765-770. 2011.
6. Clemens KE, Jaspers B, Klaschik B, Nieland P. Evaluation of the clinical effectiveness of physiotherapeutic management of lymphoedema in palliative care patients. Jpn J Clin Oncol n.40 v.11. p.1068-1072. 2010.
7. Kutner JS, et al. Massage therapy vs. simple touch to improve pain and mood in patients with advanced cancer: a randomized trial. Ann Intern Med. September V. 16; n. 149(6):p. 369-379. 2008.
8. Robb K, Oxberry SG, Bennett MI, Johnson MI, Simpson KH, Searle RD. A Cochrane systematic review of transcutaneous electrical nerve stimulation for cancer pain. Journal of Pain and Symptom Management. V. 37 N. 4 April 2009.
9. Moseley AL, Carati CJ, Piller NB. A systematic review of common conservative therapis for arm lymphoedema secondary to breast câncer treatment. Ann Oncol 2007; 18(4): 639- 46.
10. Kamal AK, Maguire JM, Wheeler JL, Currow DC, Abernethy AP. Review for the Palliative care professional: assessment, burdens, and etiologies Journal of Palliative Medicine V. 14, Number 10, 2011.
11. Campbell ML, Yarandi H, Medows ED. Oxygen is nonbeneficial for most patients who are near death, journal of pain symptom management, 2012.
12. Bruera E, Sweeney C, Willey J, Palmer JL, Strasser F, Morice RC, Pisters K. A randomized controlled trial of supplemental oxygen versus air in cancer patients with dyspnea. Palliative Medicine 2003 Dec;17(8):659-63.
13. Abernethy AB, Mcdonald CF, Frith PA, Clark K, Herndon JE, Marcello J, et al. Effect of palliative oxygen versus room air in relief of breathlessness in patients with refractory dyspnoea: a double-blind, randomised controlled trial Lancet. 2010 Sep 4;376(9743):784-93. doi: 10.1016/S0140-6736(10)61115-4.
14. Galbraith S, Fagan P, Perkins P, Andrew Lynch A, Booth S. Does the use of a handheld fan improve chronic dyspnea? A randomized, controlled, crossover trial. Journal of Pain and Symptom Management, 2010, Volume 39, Issue 5, Pages 831-838.
15. Azoulay E, Demoule A, Jaber S, Kouatchet A, Meert AP, Papazian P, et al. Palliative noninvasive ventilation in patients with acute respiratory failure. Intensive Care Med (2011) 37:1250-1257.
16. Smith TA, Davidson PM, Lam LT, at al. The use non-invasive ventilation for the relief of dyspnea in exacerbations of chronic obstructive pulmonar disease: a systematic review. Respirology, 2012, Feb; 17(2):300-307.
17. NavaS, Ferrer M, Esquinas A, Scala R, Groff P, Cosentini R. et al. Palliative use of non-invasive ventilation in end-of-life patients with solid tumours: a randomised feasibility trial. The Lancet Oncology, 2013, Volume 14 (3): 219-217.
18. Soares M. End of life care in Brazil: the long and winding road. Critical Care. 2011;15:110.
19. Gunten C, Wiessman DE. Ventilator withdraw protocol (part I). J Palliat Med. 2003;6(5):773.
20. Kompanje EJO, van der Hoven B, Bakker J. Anticipation of distress after discontinuation of mechanical ventilation in the ICU at the end of life. Intensive Care Med. 2008;34:1593-99.
21. Finfer SR, Vincent J-L. Dying with dignity in the intensive care unit. N Engl J Med 2014;370:2506-14.
22. Martin R, Ellershaw J. Respiratory tract secretions in the dying patient: a retrospective study. Journal of Pain and Symptom Management, 2003; V. 26 No. 4 October.
23. Kompanje EJO, van der Hoven B, Bakker J. Anticipation of distress after discontinuation of mechanical ventilation in the ICU at the end of life Intensive Care Med (2008).
24. Beinum AV, Hornby L, Ramsay T, Ward R, Shemie SD, Dhanani S. Exploration of withdrawal of life-sustaining therapy in canadian intensive care units. Journal of Intensive Care Medicine, 2015.
25. Huynh TN, Walling AM, Le TX, Kleerup EC, Liu H, Wenger NS. Factors associated with palliative withdrawal of mechanical ventilation and time to death after withdrawal. Journal Of Palliative Medicine. V. 16, Number 11, 2013.
26. Clemens KE, Quednau I, Klaschik E. Use of oxygen and opioids in the palliation of dyspnoea in hypoxic and non-hypoxic palliative care patients: a prospective study. Support Care Cancer (2009).

27. Aharon IB, Gvili AG, Leibovici L, Stemmer SM. Interventions for alleviating cancer-related dyspnea: A systematic review and meta-analysis. Acta Oncologica, 2012; 51: 996-1008.
28. Carlucci A, Guerrieri A, Nava S. Palliative care in COPD patients: is it only an end-of-life issue? Eur Respir Rev 2012; 21: 126, 347-354.
29. Schmidt M, Demoule A, Boutmy ED, Chaize M, Miranda S, Bèle N, et al. Intensive care unit admission in chronic obstructive pulmonary disease: patient information and the physician's decision-making process. Critical Care 2014.

Capítulo

Assistência ao Fim da Vida 30

Daniel Antunes Alveno
Bianca Orestes Antunes
Anísio Baldessin

"A maneira como morre uma pessoa permanece na lembrança daqueles que continuam vivendo."

(Dra. Cicely Saunders)

O momento do fim de vida envolve diversos parâmetros, sintomas, ações e reações de todo o decurso do tratamento. O apoio para o paciente e familiares que vivenciam o cuidado paliativo é essencial nesta fase. É importante considerar que este momento não é apenas o final da doença incurável, é um processo de morte inevitável e que ações poderão ser realizadas, pois mesmo que o fim não seja diferente, necessitamos modificar o pensamento e fazer o possível para um resultado mais humanizado e de morte digna.

Os últimos momentos são acompanhados pela equipe totalmente envolvida, que necessitará estar integrada para que todos os sintomas, incertezas, despedidas, garantia de qualidade de vida e causas de sofrimento do paciente e da família sejam mais bem conduzidos. O senso crítico deverá fazer parte de todas as condutas que poderão ser aplicadas sem provocar ainda mais sofrimento e agonia.

Reforçar a relevância da qualidade de vida, preservando ao máximo a autonomia do paciente, permite uma melhor vivência do processo de morrer, e esse é um dos desafios do cuidado paliativo, além de entender que as necessidades do paciente, às vezes, desviam de normas, e cabe a nós profissionais entender, adaptar e desvincular-se de vaidades pessoais para alcançar o objetivo deste cuidado de fim de vida, resgatando as relações interpessoais, empáticas e compassivas em todas suas ações.

As habilidades técnicas são essenciais, porém um dos alicerces é a relação de compaixão, humildade, respeito e comunicação entre o paciente, seus familiares e equipe.

As últimas 48 horas de vida, conceituadas desse modo, apesar de não exatas na literatura, são o momento de identificação de sintomas exacerbados que alertará a equipe para cuidados planejados, inclusive apoio familiar para este momento que, muitas vezes, é inundado de sentimentos, confortantes ou não.

A realidade deste momento precisa do sentido de união para evitar a solidão e o abandono. A comunicação adequada é uma integrante desta realidade com objetivos claros de conforto, apoio e explicações sobre todos os passos que poderão surgir durante este momento (Figura 30.1).

Além deste cenário, há demandas e necessidades dos pacientes na assistência do fim de vida, pois são os principais do processo (Quadro 30.1).

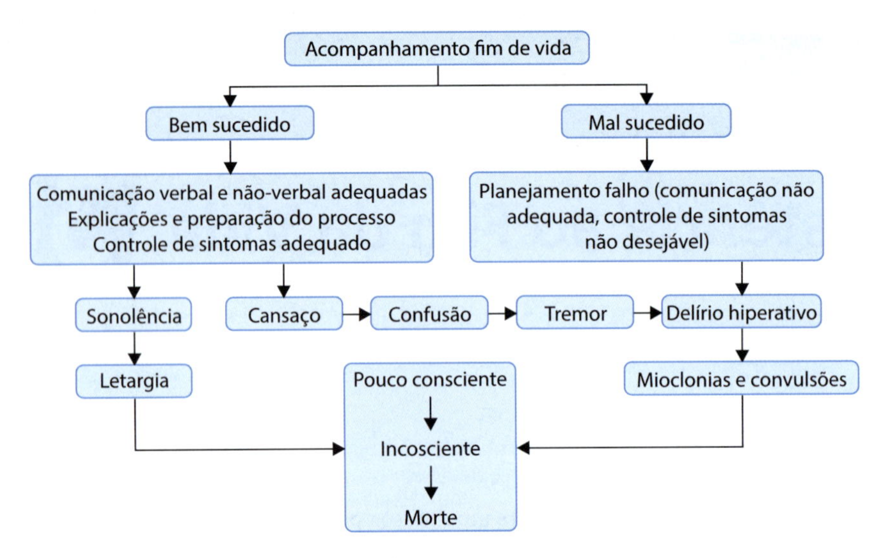

Figura 30.1 – Caminhos para o processo de morte.
Fonte: autores Bianca Orestes Antunes e Daniel Antunes Alveno.

Quadro 30.1 Demandas dos pacientes no fim da vida
Necessidades do paciente no fim de vida
Alívio e controle da dor e outros sintomas
Assumir o controle de sua própria vida
Evitar o prolongamento do sofrimento com medidas que visam apenas preservar a vida e adiar a morte
Não ser sobrecarga para a família
Estreitar laços familiares e com pessoas significativas
Não estar sozinho e abandonado mesmo que não haja medidas de cura

Fonte: autores Bianca Orestes Antunes e Daniel Antunes Alveno.

A decisão compartilhada aproxima essa assistência às necessidades, dissolvendo consequências deste contexto, criadas por barreiras, e guiando o cuidado paliativo de fim de vida para um caminho mais tranquilo e de morte digna (Quadro 30.2).

Nossas condutas poderão ser conduzidas por alguns dos objetivos traçados para atingir o melhor resultado (Quadro 30.3).

Sinais e Sintomas dos Últimos Dias de Vida

Os últimos dias, geralmente, são evidenciados por um quadro clínico semelhante, e estes requerem uma reavaliação contínua no mesmo dia para que decisões possam ser guiadas pelo estado atual do paciente e seus familiares. O acompanhamento adequado poderá preparar e tornar este momento o menos doloroso e o mais calmo possível, abrindo caminho para pontos culturais e espirituais com o objetivo de buscar a serenidade quando a morte acontece.

Os sinais e sintomas das últimas horas de vida, que estão presentes na grande maioria dos casos, estão resumidos em cinco categorias de acordo com os profissionais de excelência na aérea:

- Mudanças no padrão respiratório;
- Deterioro do estado geral;

Quadro 30.2 Demandas dos pacientes no fim de vida

Barreiras	Consequências
Expectativas pouco realistas de possível melhora	Paciente e família ignoram morte iminente
Desacordo na equipe e/ou com a família	Dificuldade de tomada de decisões
Falhas no controle de sintomas por falta de conhecimento	Paciente com sintomas não controlados e o processo de morte com sofrimento
Habilidades de comunicações prejudicadas e inadequadas	Assistência ao processo e ao luto complicados
Preocupações com benefícios diante da doença	Aumenta a angústia do processo de morte
Medo da morte	Aumenta o sofrimento do processo e do luto
Preocupações de métodos invasivos	Maior probabilidades de tratamentos fúteis
Complicações legais	Tomada de decisões legais
Barreiras culturais e espirituais	Dificulta a despedida do paciente e sua família

Fonte: ANCP, Manual de Cuidados Paliativos, 2012.

Quadro 30.3 Objetivos para a assistência do fim de vida

Preparar o ambiente e todos os envolvidos
Evitar intervenções desnecessárias nesta fase
Prevenir os agravos das últimas horas de vida
Promover o controle dos sintomas de forma completa
Proporcionar ajuda religiosa e espiritual ao paciente se for de sua vontade
Comunicar-se com a família e os cuidadores
Reconhecer os aspectos psicológicos e introspectivos
Explicar sobre todos os procedimentos e fases que poderão acontecer durante o processo
Promover acompanhamento em todo o processo
Trabalhar em equipe com decisões compartilhadas

Fonte: autora Bianca Orestes Antunes.

- Deterioro do estado de consciência;
- Diminuição da ingesta oral;
- Juízo clínico do profissional.

Não se pode esquecer que a avaliação é individual e que não existem regras para esta abordagem.

Os cuidados de conforto para estes sinais e sintomas incluem medidas farmacológicas, que serão abordadas de forma mais genérica, não farmacológicas e espirituais. Alguns deles causam polêmica por não estarem de acordo com crenças culturais e espirituais, por isso a necessidade do trabalho multiprofissional, para a tentativa de diminuir todos esses quesitos (Quadro 30.4).

Comunicação

A comunicação, que desde o início está presente, é essencial para o alívio do sofrimento em todos estes sintomas e sinais, seja ela verbal ou não verbal, pois possibilita, nesta fase, dissipar o

Quadro 30.4 Assistência ao fim da vida

Sinais e sintomas	Quadro	Tratameno não farmacológico	Tratamento farmacológico
Alterações cognitivas	Delírios hipoativos e hiperativos; diminuição do nível de consciência	Manter o ambiente seguro, sem poluições visuais e sonoras, técnicas de relaxamento e apoio emocional	Reavaliar e ajustar doses de opioides; se necessário inserir neurolépticos, ansiolíticos.
Anorexia	Ingesta praticamente nula, diminuição das atividades metabólicas	Respeitar a autonomia da negação da ingesta oral – desejos e vontades que não levem aos desconforto Hidratar lábios com gaze molhada	Medidas como hidratação e nutrição artificiais podem trazer mais desconforto e aumentar os sintomas como náuseas, vômitos, broncoaspiração, refluxo gástrico, edemas, congestão pulmonar
Disfunção urinária	Retenção ou incontinência causando desconforto ou dor	Realizar condutas que ofereçam alívio (retirada da urina retida; troca de fraldas quando necessário)	Realizar condutas que ofereçam alívio (medicações)
Dispneia	Mudança do padrão respiratório	Posicionamento que cause mais conforto (geralmente em decúbito lateral), elevar decúbito, ventilar o ambiente e sem grandes tumultos	Causas irreversíveis : morfina é o medicamento. Poderá ser associada a benzodiazepínicos (midazolam) quando necessário. Broncoespasmos: possivelmente uso de corticosteroides Excesso de secreção brônquica: aliviado com anticolinérgicos
Dor	Sintoma poderá exacerbar-se. São necessárias reavaliações diárias (*o sintoma deverá ser tratado*)	Medidas analgésicas manuais (toque, massagem, contato, pois estes são capazes de provocar, por meio de seus elementos sensoriais alterações neuromusculares, glandulares e mentais não apenas em caráter técnico e instrumental, mas também como forma de oferecer apoio e demonstrar afeto) Posicionamento. Alerta para a equipe	Medicações de escolha: morfina e considerar o fentanil transdérmico (fácil administração). As técnicas manuais incluem toque, massagem entre outros que incluem o contato físico
Fadiga	Cansaço no repouso	Conservação de energia	Realizar medidas para conforto

Continua

Continuação

Sinais e sintomas	Quadro	Tratameno não farmacológico	Tratamento farmacológico
Imobilidade	Confinamento ao leito por queda do estado geral	Mobilização passiva, posicionamento adequado para evitar complicações pulmonares, desconforto e toque cinésico (massagem, relaxamento, musicoterapia)	Realizar medidas para conforto
Mioclonias	Abalos musculares frequentes indicativo de neurotoxicidade	Explicar o que são as mioclonias e alertar a equipe para a progressão de convulsões	Utilização de anticonvulsivantes
Sonolência		Avaliar e reavaliar o surgimento da sonolência e as medicações	
Ronco da morte		Explicar o significado do ruído aos familiares e avaliar estrita e eventualmente a necessidade de aspiração de vias aéreas superiores, após todas as medidas medicamentosas e o posicionamento, pois o quadro clínico, dificilmente, será revertido. Esse procedimento pode causar desconforto e impressionar ainda mais.	

Fonte: Manual de Cuidados Paliativos, 2012.

sentimento de abandono, um dos principais desagrados enfrentados pelo paciente e familiares. A verbal está presente sempre, pois as explicações de todo o quadro são essenciais para o conforto de todas as condutas, além disso as reuniões familiares são essenciais para o acompanhamento do paciente.

A comunicação não verbal é fundamental para o estabelecimento do vínculo que embasa o relacionamento interpessoal, imprescindível na relação de todos os envolvidos no contexto, ela transpõe o carinho e a dedicação de todo o processo com gestos e ações.

Espiritualidade

O atendimento espiritual do doente constitui uma das principais manifestações da caridade cristã. Não só de pão vive o homem (cf. evangelho de S. Mateus, 4:4). Também o doente não pode ser tratado apenas com medicamentos e cirurgias. Precisa de algo mais. Precisa de cuidados que atinjam a globalidade de seu ser – corpo e alma, coração e consciência, inteligência e vontade (cf. Gênesis , 3). Nada mais penoso para um doente do que se sentir incompreendido, mal interpretado, rejeitado, sem alguém que lhe toque o coração e a quem possa abrir sua alma. A solidão constitui uma realidade amarga na vida de muitos doentes.

A tradição cristã fala de Verônica que, compadecida de Jesus a caminho do Calvário, pegou uma toalha e enxugou-lhe o rosto. Seu gesto não alterou em nada a sorte de Jesus. Ele, porém, mostrou-se tão agradecido que, na hora, deixou seu rosto impresso na toalha. Lenda? Realidade? Pouco importa. É o símbolo de um coração que sente e acorre. É a resposta de uma alma que agradece.

No Evangelho de João, encontramos a seguinte citação: "E junto à cruz estavam a mãe de Jesus e a irmã dela, Maria, mulher de Cleofas, e Maria Madalena. Vendo Jesus sua mãe e junto a ela o discípulo amado, disse: Mulher, eis aí teu filho. Depois, disse ao discípulo: Eis aí tua mãe. Dessa hora em diante, o discípulo a recebeu em sua casa" (João, 19:25-27).

O que estavam fazendo lá essas pessoas? Elas por acaso provocaram alguma mudança naquela situação ou aliviaram o sofrimento de Jesus? Pois com ou sem eles Jesus foi crucificado e morreu do mesmo jeito. Enfim, em que aquelas pessoas ajudaram Jesus? O que fazem os assistentes espirituais em situação semelhante?

Essas perguntas e inquietações advêm de uma convicção da maioria das pessoas segundo a qual para ajudar é sempre necessário fazer algo concreto. Afinal, se o médico faz diagnóstico, os enfermeiros medicam, a assistente de nutrição leva alimentos, a faxineira limpa e todos os profissionais contribuem. Como assistente espiritual, qual é a minha contribuição em prol do doente?

Jesus sabia que aquelas pessoas que estavam lá junto d'Ele não seriam capazes de mudar o rumo dos acontecimentos. Mas, para Ele bastava que elas estivessem lá. Não precisariam fazer mais nada. O mesmo acontece com os doentes, principalmente aqueles que estão acometidos de uma grave enfermidade. Ou seja, eles sabem que o assistente espiritual não tem a capacidade de mudar o rumo das coisas resolvendo seus problemas e muito menos promovendo curas. Entretanto, saber que alguém está perto dá a eles a sensação de não estarem sozinhos.

Enfim, muitas vezes é difícil e até mesmo inútil dar alguma coisa. Mas, é sempre importante e necessário dar um pouco de si mesmo. E isso qualquer pessoa pode fazer. Basta querer e fazer disso uma das suas prioridades.

Sedação Paliativa

Após todas as medidas farmacológicas e não farmacológicas, se o paciente continua apresentando persistentemente um sofrimento e sintoma intoleráveis e refratários a todas essas terapias, a sedação paliativa é indicada como última conduta no fim de vida em pacientes com doença avançada terminal. Essa sedação reduz o nível de consciência para alívio desse sofrimento com o consentimento do paciente ou seu responsável. Importante destacar que o sintoma é refratário e não de difícil controle, pois para este último há necessidade ainda de ajustes medicamentosos para após ser avaliado novamente.

Na maioria das vezes, o paciente morre sem precisar ser sedado. A sedação paliativa, muitas vezes, é confundida com eutanásia, porém as duas condutas seguem caminhos diferenciados (Quadro 30.5).

Os fármacos, drogas sedativas, são utilizados e devem ser titulados com muito cuidado para que eliminem o sintoma. Os principais sedativos utilizados são benzodiazepínicos, neurolépticos, barbitúricos e anestésicos. O midazolam é o sedativo mais frequente e auxilia nos sintomas de dispneia, dor, delírio e sofrimento.

A meta é o fim de vida sem sofrimento, por isso a avaliação de todos os profissionais é de extrema importância para a realização adequada de todas as condutas.

Quadro 30.5 Eutanásia *versus* sedação paliativa

	Eutanásia	Sedação paliativa
Intenção	Morte do paciente para aliviar o sofrimento	Aliviar o sofrimento com redução do nível de consciência
Intervenção	Desproporcionada	Proporcionada
Fármaco	Coquetel letal	Fármacos sedativos
Critério de êxito	Morte imediata	Alívio do sofrimento, desconforto, sintoma

Fonte: ANCP, Manual de Cuidados Paliativos, 2012.

Leitura Recomendada

1. Elfred A, Sykes N, Edmonds P, Wiles J. Rehabilitation in with cancer management of advanced disease. Great Britain: Arnold, 2004. p. 549-559.
2. Yoshioka H. Rehabilitation for the terminal cancer patient. Am J Phys Med Rehabil. 1994; 73:199-206.
3. Marcant D, Rapin C. Role of physiotherapist in palliative care. J Pain Symptom Manage. 1993; 8:68-71.
4. Christakis NA, Lamont EB. Extent and determinations of error in doctor´s prognoses in terminally ill patients: prospective cohort study BMJ; 320: 469-472, 2003.
5. Santos HS. Terapêutica nutricional para constipação intestinal em pacientes oncológicos com doença avançada em uso de opiáceos: revisão Revista Brasileira de Cancerologia, 2002, 48(2): 263-269.
6. Bell CL, Zalud ES, Masaki KH. Factors associated with congruence between preferred and actual place of death. Journal of Pain and Symptom Management. V. 39 No. 3, 2010.
7. Mercadante S, Intravaia G, Villari P, Ferrera P, David F,Casuccio A. Controlled sedation for refractory symptoms in dying patients. Journal of Pain and Symptom Management. V. 37 No. 5 May 2009.
8. Hall P, Weaver L. The last 48 hours of life in long-term care:a focused chart audit. JAGS 50:501-506, 2002.
9. Manzini JL. Palliative sedation: ethical perspectives from Latin America in comparison with European recommendations. Current Opinion in Supportive and Palliative Care 5:279-284, 2011.
10. Cook D, Rocker G. Dying with dignity in the intensive care unit. N Engl J Med 370;26, 2014.
11. Rodrigues TJH, Deixar morrer é matar? Revista do Conselho Regional de Medicina do Estado de São Paulo, Edição 43, 2008.
12. Bruera E, Higginson IJ, Ripamonti C, Von Gutten C, Textbook of Paliative Medicine, 2006.
13. Reis LCJ, Reis PEAR. Cuidados paliativos no paciente idoso: o papel do fisioterapeuta no contexto multidisciplinar. Fisioterapia em Movimento, v. 20, n. 2, p. 127-135, 2007.
14. Jensen W, Bialy L, Ketels G, Baumann FT, Bokemeyer C, Oechsle K. Physical exercise and therapy in terminally ill cancer patients: a retrospective feasibility analysis. Support Care Cancer 22:1261–1268, 2014.
15. Lorenz KA, Lynn J, Dy SM, Shugarman LR, Wilkinson A, Mularski RA, et al. Evidence for improving palliative care at the end of life: a systematic review. Ann Intern Med.148:147-159, 2008.
16. Bruera E, Dalal DHS, Vigil IT, Trumble J, Roosth J. Parenteral hydration in patients with advanced cancer: a multicenter, double-blind, placebo-controlled randomized trial. Journal of Clinical Oncology. V. 31; N. 1; January 1 2013.
17. Falkensteiner M, Mantovan F, Muller I, Them C. The use of massage therapy for reducing pain, anxiety, and depression in oncological palliative care patients: a narrative review of the literature. ISRN Nursing. V. 2011.
18. Baldessin, A. Entre a vida e a morte, medicina e religião. São Paulo: Edições Loyola, 2012.
19. Baldessin, A. Assistência espiritual aos doentes: o que e como fazer? São Paulo: Edições Loyola, 2015 p. 53.

Índice Remissivo

A

B

C

D

E

F

G

H

I

J

L

M

N

O

P

Q

R

S

T

V

X